W9-BTE-754

Langue, espace, société

CEFAN

Culture française d'Amérique

La collection «Culture française d'Amérique» est publiée sous l'égide de la Chaire pour le développement de la recherche sur la culture d'expression française en Amérique du Nord (CEFAN). Conçue comme lieu d'échanges, elle rassemble les études et les travaux issus des séminaires et des colloques organisés par la CEFAN. À ce titre, elle répond à l'un des objectifs définis par le Comité scientifique de la Chaire: faire état de l'avancement des connaissances dans le champ culturel et stimuler la recherche sur diverses facettes de la francophonie nord-américaine.

TITRES PARUS

Les dynamismes de la recherche au Québec
sous la direction de Jacques Mathieu

Le Québec et les francophones de la Nouvelle-Angleterre
sous la direction de Dean Louder

Les métaphores de la culture
sous la direction de Joseph Melançon

*La construction d'une culture. Le Québec
et l'Amérique française*
sous la direction de Gérard Bouchard,
avec la collaboration de Serge Courville

*La question identitaire au Canada francophone.
Récits, parcours, enjeux, hors-lieux*
sous la direction de Jocelyn Létourneau,
avec la collaboration de Roger Bernard

*Langue, espace, société. Les variétés du français
en Amérique du Nord*
sous la direction de Claude Poirier,
avec la collaboration de Aurélien Boivin,
Cécyle Trépanier et Claude Verreault

OUVRAGE EN PRÉPARATION

*Identité et cultures nationales. L'Amérique française
en mutation*
sous la direction de Simon Langlois

Langue, espace, société

Les variétés du français en Amérique du Nord

Sous la direction de Claude Poirier
avec la collaboration de Aurélien Boivin,
Cécyle Trépanier et Claude Verreault

LES PRESSES DE L'UNIVERSITÉ LAVAL

Les Presses de l'Université Laval reçoivent chaque année du Conseil des arts du Canada et du ministère de la Culture et des Communications du Québec une subvention pour l'ensemble de leur programme de publication.

Données de catalogage avant publication (Canada)

Vedette principale au titre :

Langue, espace, société : les variétés du français en Amérique du Nord

    (Culture française d'Amérique)
    Comprend des réf. bibliogr.
    Textes d'un colloque organisé par la CEFAN tenu à Québec du 1er au 3 mai 1991.
    Publ. en collab. avec : CEFAN.
    ISBN 2-7637-7379-6

1. Français (Langue) – Amérique du Nord – Congrès. 2. Francophonie – Congrès. 3. Amérique du Nord francophone – Congrès. I. Poirier, Claude, 1947- . II. Boivin, Aurélien. III. Université Laval. Chaire pour le développement de la recherche sur la culture d'expression française en Amérique du Nord. IV. Collection.

PC3680.A47L36 1994   440'.97   C94-941170-1

Conception graphique et couverture
    Norman Dupuis

Infographie
    Les Communications Science-Impact

2ᵉ tirage 1996

Les Presses de l'Université Laval
Cité universitaire
Sainte-Foy (Québec)
Canada G1K 7P4

Présentation

L'étude de la culture francophone en Amérique du Nord a connu un essor remarquable au cours des dernières décennies. Pourtant, malgré les progrès évidents enregistrés dans diverses disciplines, on a le sentiment que la réalité francophone elle-même, telle qu'elle s'exprime dans les communautés du Canada et des États-Unis qui ont reçu en héritage la langue française, est moins bien connue de nos jours qu'elle ne l'était autrefois.

On n'a qu'à consulter les comptes rendus des trois congrès de la langue française qui se sont tenus à Québec en 1912, en 1937 et en 1952[1] pour se rendre compte qu'il existait une interaction entre les divers groupes de francophones d'Amérique. Ces groupes se sont peu à peu isolés les uns des autres en raison du recul du français devant l'anglais comme langue de communication quotidienne et de l'émergence d'un État francophone, le Québec. Occupés à se définir eux-mêmes, les Québécois ont graduellement perdu de vue les autres communautés francophones du continent et ils éprouvent aujourd'hui de la difficulté à percevoir l'identité différente de chacune de ces communautés et à comprendre leurs aspirations.

---

1. Ces congrès, qui ont réuni de nombreux participants venant des diverses régions francophones du continent, ont eu un grand retentissement. Les deux premiers ont été organisés par la Société du parler français au Canada ; le troisième, par un organisme créé à l'issue du second congrès, le Comité permanent de la survivance française (qui est devenu, en 1952, le Conseil de la vie française en Amérique). Les actes de la première rencontre ont été publiés en 1913-1914 par l'Imprimerie de l'Action sociale limitée (Québec), ceux de la seconde en 1938 par l'Imprimerie de l'Action catholique (Québec), ceux de la troisième en 1953 par les Éditions Ferland (Québec).

Ces lacunes, on les observe chez les gens cultivés et même dans le monde des chercheurs où l'on ne domine souvent que les aspects directement pris en compte par sa propre discipline. Avant l'époque de spécialisation que nous connaissons, les lettrés avaient des champs d'intérêt plus larges, de sorte que les questions étaient souvent abordées par les mêmes personnes dans des optiques à la fois ethnologiques, historiques, linguistiques, géographiques et littéraires. De nos jours, les chercheurs travaillent souvent en parallèle ; les synthèses, qui permettraient une meilleure diffusion des connaissances, sont donc plus difficiles à faire.

C'est justement pour favoriser des échanges entre les spécialistes que la Chaire pour le développement de la recherche sur la culture d'expression française en Amérique du Nord (CEFAN) a organisé, en mai 1991, un colloque multidisciplinaire intitulé « Langue, espace, société : les variétés du français en Amérique du Nord ». Ce colloque avait pour but de permettre à des chercheurs de divers horizons de mettre en commun leurs connaissances sur les caractéristiques de la francophonie nord-américaine (aspects linguistiques et culturels) et sur le processus historique qui a conduit à sa formation ; il visait en outre à faire le point sur son existence actuelle et sur l'avenir des communautés qui la composent (conditions d'exercice du français, défis qui s'annoncent). L'accent a donc été mis sur l'aspect proprement linguistique, mais en tenant compte de divers autres aspects qui sont essentiels pour une compréhension globale de la réalité francophone en Amérique du Nord.

Le colloque de mai 1991 a ramené au premier plan des préoccupations l'étude de la culture francophone nord-américaine qui avait fait l'objet de colloques importants de 1974 à 1976, à Bloomington, à Halifax et à Toronto[2]. L'originalité de celui de 1991 réside sans doute

---

2. Les communications présentées à ces colloques ont été publiées dans la série *Identité culturelle et francophonie dans les Amériques* ; vol. I : Émile Snyder et Albert Valdman (dir.), Québec, PUL, 1976 (colloque tenu à l'Université d'Indiana, à Bloomington, en mars 1974) ; vol. II : Hans R. Runte et Albert Valdman (dir.), Bloomington, Indiana University, 1976 (colloque tenu à la Dalhousie University, à Halifax, en avril 1975) ; vol. III : Alain Baudot, Jean-Claude Jaubert et Ronald Sabourin (dir.), Québec, Centre international de recherche sur le bilinguisme, 1980 (colloque tenu au Collège Glendon, de l'Université York, à Toronto, en juin 1976).

dans le fait d'avoir accordé une importance plus grande à la dimension proprement linguistique, qu'on a cherché à approfondir à la lumière des acquis de diverses disciplines au cours des dernières décennies. Un certain nombre de contributions se présentent d'ailleurs comme des bilans ; on se rendra compte en outre que, dans ces textes de synthèse et dans de nombreux autres, on a accordé une attention particulière à la section bibliographique. Le présent recueil se termine par une liste des principaux ouvrages de référence récents sur la culture francophone en Amérique du Nord, couvrant notamment les aspects linguistiques, littéraires, artistiques, géographiques et historiques (dictionnaires, répertoires, atlas, anthologies, bibliographies, etc.). Ces caractéristiques feront des actes que nous publions aujourd'hui un volume de référence susceptible de relancer la recherche et les échanges interdisciplinaires.

DE L'ÉTUDE DES ORIGINES À L'IDENTIFICATION DES DÉFIS

En confiant à l'équipe du Trésor de la langue française au Québec (TLFQ) la responsabilité de l'organisation du colloque, la CEFAN voulait manifester son intérêt pour la question des origines et de la formation de la francophonie nord-américaine. L'équipe du TLFQ, qui est rattachée au Centre international de recherche en aménagement linguistique (CIRAL) de l'Université Laval, a en effet acquis une expérience largement reconnue dans l'étude de la provenance des traits caractéristiques du français québécois et dans la comparaison de ces traits avec ceux des autres communautés francophones du continent et d'ailleurs[3].

Mais la question méritait d'être examinée d'un point de vue beaucoup plus large ; il fallait s'assurer que la rencontre permette de faire

---

3. L'équipe du TLFQ s'est donné pour objectif la production d'un dictionnaire historique des mots caractéristiques (québécismes) du français du Québec par rapport au français de France. L'ouvrage en préparation, qui s'intitule *Dictionnaire du français québécois* et qui sera publié en 1997, s'appuie sur une documentation qui couvre les quatre siècles d'existence de la communauté québécoise. L'originalité de ce dictionnaire tient à ce qu'il accorde une grande importance à la fois à la description des usages québécois et à l'explication de leurs origines, qu'il fait une large place à la langue parlée (et non seulement à la langue écrite) et qu'il vise à constituer une base pour le développement d'une lexicographie française de niveau scientifique en Amérique.

un bilan qui tienne compte des acquis du plus grand nombre possible de disciplines. C'est pourquoi la CEFAN a fait appel à Aurélien Boivin, du Département des littératures de l'Université Laval, à Cécyle Trépanier, du Département de géographie de la même université, de même qu'à Pierre Georgeault, du Conseil de la langue française (gouvernement du Québec), pour me prêter main-forte dans la préparation du programme et dans le choix des conférenciers.

La discussion qui s'est engagée entre ces spécialistes et les responsables de la CEFAN a conduit à la définition d'une thématique s'articulant autour de cinq sujets principaux : a) les caractéristiques des français d'Amérique ; b) les productions culturelles ; c) la formation de la francophonie nord-américaine ; d) les défis de la francophonie nord-américaine au seuil du XXIᵉ siècle ; e) les recherches en cours et la concertation. Même si chacune des séances était centrée sur une question particulière, le dialogue a été constant entre les intervenants, peu importe l'orientation de leur discipline, ce qui montre bien que, en dépit de leurs préoccupations immédiates, les divers spécialistes de la francophonie nord-américaine se sentaient tous concernés par les questions qui avaient été privilégiées par les organisateurs de la rencontre : Quelles sont les origines (linguistiques, géographiques, sociales, etc.) de ces francophones qui vivent aujourd'hui en Amérique du Nord ? Comment s'est formée et s'est manifestée leur culture et comment s'exprime-t-elle actuellement ? Quels sont les problèmes qu'ils ont à affronter dans le contexte anglophone où ils évoluent ?

En fait, on s'est rendu compte que, souvent, même les problèmes pratiques de la recherche sont semblables d'un spécialiste à l'autre. Les difficultés de lecture qu'exposent avec des exemples savoureux les démographes Hubert Charbonneau et André Guillemette, qui ont scruté de nombreux documents anciens en vue d'établir l'origine des pionniers de la vallée laurentienne, se posent de la même façon aux philologues qui exploitent les mêmes documents pour établir l'histoire de la prononciation et du lexique québécois. Certaines approches sont plus théoriques, d'autres plus pratiques ; les unes accordent plus d'importance aux faits eux-mêmes, d'autres aux perceptions et aux comportements ; d'où l'intérêt justement de les mettre toutes en rapport afin de bien comprendre les processus qui sont en action, de dégager les orientations qui se dessinent et de mieux cerner l'identité de chacune des communautés qui composent la francophonie nord-américaine.

POINTS DE REPÈRE POUR LA LECTURE...

Le groupe des conférenciers se composait de plus d'une vingtaine de spécialistes reconnus, représentant différentes régions francophones d'Amérique du Nord et des disciplines variées (linguistique, histoire, géographie, littérature, ethnologie, sociologie, démographie, sciences de l'éducation, statistique). Il serait un peu long de dégager ici les principaux points développés par chacun des auteurs des textes qui suivent. Les grandes divisions du volume, qui sont rappelées dans la table des matières et sous lesquelles sont distribués les titres des contributions, permettent déjà de guider la lecture en suggérant un aperçu de l'orientation des textes.

Puisque les mêmes questions fondamentales reviennent souvent, formulées, certes, selon des perspectives différentes d'un auteur à l'autre, on tirera autant de profit à lire le volume au gré de son impulsion du moment plutôt que dans l'ordre qui a été arrêté ici et qui correspond à la façon dont les exposés ont été répartis dans le temps lors du colloque. C'est un peu l'exercice auquel je me suis moi-même livré au moment de remettre le manuscrit final à l'éditeur.

Les phonéticiens Pierre Léon et Bernard Rochet insistent sur la *description* des caractéristiques linguistiques et sociolinguistiques des variétés de français qu'ils étudient; les bilans qu'ils présentent des traits phonétiques du français ontarien et du français albertain résultent de nombreuses années de recherche sur le terrain et d'études en laboratoire. Jean-Michel Charpentier, pour sa part, a entrepris une recherche sur le lexique acadien; cherchant à découvrir ce qui reste du poitevin dans les différents parlers acadiens du Nouveau-Brunswick et de la Nouvelle-Écosse, il travaille à réunir des matériaux neufs à partir d'enquêtes systématiques sur le terrain.

Ces descriptions détaillées, quelle qu'en soit la nature (phonétique, lexicale ou autre), sont essentielles pour l'étude des origines et de l'évolution des parlers français d'Amérique. C'est souvent, en effet, par la *comparaison* des traits linguistiques des variétés en cause qu'on parvient à formuler des hypothèses plausibles concernant, par exemple, l'interférence réelle de l'anglais (Raymond Mougeon), l'origine de certains traits caractéristiques (Claude Poirier) et surtout le *terminus a quo* des français d'Amérique (voir notamment le texte d'Albert Valdman, qui s'intéresse à la «matrice sociohistorique dans laquelle les divers parlers se sont formés et stabilisés»)[4].

Non seulement faut-il tirer parti de ces matériaux de départ indispensables que constituent les descriptions détaillées, mais il faut encore pouvoir combiner les acquis des disciplines plutôt que les opposer, comme le met en évidence Karin Flikeid qui, dans sa recherche sur la variation sociale et spatiale de l'acadien de la Nouvelle-Écosse, réconcilie la dialectologie et la sociolinguistique. C'est cette même attitude ouverte qu'adoptent les démographes Hubert Charbonneau et André Guillemette qui se font tour à tour historiens, philologues et linguistes dans l'exercice de révision systématique des lieux d'origine des 3 428 pionniers établis dans la colonie laurentienne avant 1680.

La *question des origines* des français nord-américains est abordée par d'autres chercheurs, notamment André Lapierre, qui donne un aperçu de l'expansion de la langue française sur le continent nord-américain telle qu'on peut la reconstituer par le biais de la toponymie, à travers ses couches historiques. Les noms de lieux témoignent à leur façon des rapports de force qui se sont établis, selon les époques, entre les différents groupes linguistiques du continent. Les géographes Dean Louder, Cécyle Trépanier et Eric Waddell présentent une contribution qui a le mérite de bien structurer, sur les plans spatial et historique, le processus de formation de la francophonie nord-américaine ; à partir du concept de trois foyers historiques (le Québec, l'Acadie et la Louisiane), chacun ayant donné naissance à une diaspora continentale, ils montrent comment est constituée aujourd'hui, avec l'entrée en scène des Métis et des Haïtiens, la toile de fond sur laquelle se joue le destin d'une Amérique française contemporaine. Ces auteurs mettent une certaine insistance sur la notion d'ancrage territorial de la francophonie en

---

4. Sur cette question des origines, voir l'ouvrage collectif que viennent de publier Raymond Mougeon et Édouard Beniak, *Les origines du français québécois*, Sainte-Foy, PUL, 1994.

Amérique du Nord, notion reprise et abondamment illustrée dans le texte d'André Gaulin qui allie, dans un même exposé, les préoccupations du scientifique qui cherche à comprendre un phénomène et l'élan intérieur de l'écrivain qui ne peut l'envisager sans, en même temps, faire œuvre de création.

En raison de son domaine de recherche, la littérature orale, Jean-Pierre Pichette est conduit à s'intéresser d'abord à l'héritage reçu de France, mieux conservé ici que là-bas ; l'auteur illustre la vitalité de ce patrimoine qui s'est adapté au contexte nord-américain et qui s'est enrichi de productions originales. Son plaidoyer en faveur de la constitution d'ouvrages de référence consacrés à cet aspect important de la culture populaire rejoint, d'une certaine façon, la démonstration de Pierre Rézeau qui fait un relevé détaillé de l'apport des études sur les français d'Amérique à la connaissance des français d'Europe, et même du français qu'on appelle « standard ». Le texte de Rézeau s'inscrit dans un mouvement de collaboration qui s'est grandement développé depuis quelques années entre universitaires nord-américains et européens pour l'étude des variétés de français parlées en Europe et en Amérique[5]. C'est dans cette perspective de collaboration que des groupes travaillent à constituer des bases de données textuelles sur chacune de ces variétés en vue de faciliter la recherche en sciences humaines ; Terence R. Wooldridge donne ici une illustration des avantages que présente, pour les linguistes et les littéraires, l'exploitation de l'une de ces bases, celle qui est en voie d'élaboration pour le français québécois.

Dans les contributions dont nous venons de rappeler brièvement la teneur et qui mettaient l'accent sur les origines et la formation de la culture francophone en Amérique du Nord, les *rapports avec l'anglais* ont été inévitablement pris en compte. Cet aspect devient le sujet principal dans un bon nombre de textes dans lesquels on s'interroge sur les rôles et l'importance de l'anglais et du français au sein des communautés francophones minoritaires du continent. Angéline Martel examine

---

5. De nombreux colloques ont porté sur cette question depuis le milieu des années 1980, notamment dans le cadre d'une série de rencontres organisées à l'initiative de spécialistes allemands et dont les actes sont publiés dans la collection « Canadiana Romanica » chez Niemeyer, à Tübingen, depuis 1987.

la question de la difficile application des droits éducatifs que les francophones hors Québec ont réussi à obtenir en 1982, avec l'adoption de la
Charte canadienne des droits et libertés ; même si la Charte énonce clairement la responsabilité des gouvernements provinciaux et territoriaux
en ce qui a trait aux services à offrir aux minorités, les communautés
francophones sont forcées de recourir régulièrement aux tribunaux
pour faire respecter leurs droits. À ces difficultés d'ordre juridique
s'ajoute un pouvoir d'attraction considérable de la langue anglaise,
comme le démontre Charles Castonguay à la lumière de données statistiques. À son avis, l'extension de l'usage du français en public masque
la vraie réalité, qui est celle de l'anglicisation nette de la population
francophone du Canada ; en effet, le progrès apparent du français est
annulé par la dilution de son usage comme langue première. On doit
donc conclure à une mutation en profondeur de la société canadienne-
française.

Pour contrer ce problème, la Fédération des communautés francophones et acadienne du Canada[6] encourage le développement d'une
approche positive, qui tienne compte des changements profonds que
subit la société canadienne en raison de la chute du poids démographique
des deux peuples fondateurs. Philippe Falardeau, qui expose ici le point
de vue de l'organisme, propose des alliances entre francophones et autres
groupes minoritaires, ce qui suppose qu'on sorte de son isolement et
qu'on s'ouvre au pluralisme culturel. Ce changement d'attitudes représente un défi réel pour des communautés qui ont survécu jusqu'à présent
en se repliant sur elles-mêmes.

Paradoxalement, cette ouverture recèle un piège, celui de succomber au prestige de la culture et de la langue anglaises, qui sont omniprésentes. Roger Bernard examine cette problématique en observant les
comportements linguistiques des jeunes Canadiens français : comment
construire sa communauté, défendre sa langue et, en même temps,
s'ouvrir au monde, compte tenu de l'ampleur des transferts linguistiques
en faveur de l'anglais ? Si, en situation majoritaire, les jeunes utilisent
spontanément le français dans une gamme très large d'activités, en

---

6. Au moment du colloque, cet organisme portait le nom de Fédération des francophones
hors Québec.

revanche, en situation minoritaire, le recours au français se limite souvent aux relations étroites dans le milieu familial et le cercle d'amis. Les conclusions de Bernard rejoignent celles de Castonguay : le français langue maternelle devient peu à peu, sans qu'on s'en rende compte, une langue seconde. On s'entend pour reconnaître que la survie du français au Canada passe nécessairement par un changement d'attitudes.

L'identité des francophones d'Amérique est donc en transformation. À vrai dire, il faut plutôt parler *des identités*, comme l'illustrent, chacun à sa façon, Eric Waddell et André Gaulin. Si la langue est le fondement premier de cette identité pour les Canadiens, c'est plutôt l'origine ethnique qui est significative pour les Américains, souligne le géographe Waddell dont la plume a visiblement trempé dans l'encre des littéraires. Évoquant son pèlerinage à travers les communautés francophones d'Amérique du Nord, il s'attache à décrire l'éveil culturel qui a marqué la décennie 1970-1980 et qui est venu « fracasser ce mur dont le Québec s'est entouré » ; de Gilles Vigneault à Zachary Richard, en passant par CANO et Édith Butler, et à travers les exclamations anticonformistes des Claude Péloquin et des Armand Vaillancourt, une Amérique francophone s'éveille et s'exprime.

La perception qu'ont d'elles-mêmes les communautés francophones diffère de celle qu'ont développée d'autres minorités du continent. Robert Schwartzwald a été frappé par cette différence d'attitude chez les étudiants franco-américains qui ont de la difficulté à faire le lien entre le *French Canadian* de leurs parents et le français que l'on enseigne à l'université ; c'est que les Franco-Américains, contrairement aux Italo-Américains, par exemple, ne peuvent se rattacher à une grande culture historique dans la mesure où leur mère patrie est le Canada, pays où le français n'est pas la langue première : ils se sentent minoritaires dans leurs origines même. André Senécal leur donne raison, dans une certaine mesure, en faisant remarquer l'absence d'une thématique vraiment franco-américaine dans la production romanesque pendant la période de 1875 à 1936. Les quelques romans de cette époque reflètent une vision plutôt québécoise ; ce n'est qu'à la génération suivante qu'on pourra se projeter dans le roman... mais il faudra le lire en anglais « dans la révolution tranquille de Grace Metalious ou dans le continent perdu de Jack Kerouac ».

Cette crise d'identité ne caractérise pas que les communautés minoritaires; les Québécois eux-mêmes n'ont pas encore tout à fait réglé cette question, même s'ils se voient de plus en plus comme une société nationale distincte, incluant une composante historique anglaise. Mais il est évident, comme le rappelle Christian Dufour, que la marque la plus distinctive du Québec moderne dans le contexte nord-américain est l'existence sur un territoire juridiquement reconnu d'une société majoritairement de langue française. Encore faut-il assurer la prédominance de cette langue sur ce territoire et régler, une bonne fois, la question de la reconnaissance à donner à la variété particulière de français qui y est parlée. Cette interrogation est au cœur de la réflexion des linguistes auxquels Valdman rappelle le danger d'un normativisme trop hâtif.

Malgré la similitude des situations, on observe donc des fluctuations dans les perceptions et les pratiques des communautés francophones d'Amérique du Nord. On note en outre une contradiction, du moins apparente, entre la nécessité d'un point d'appui, le Québec, et la fidélité à sa propre histoire. À travers le besoin, régulièrement souligné au Canada, de valoriser la langue française et d'en consolider les assises, et la revendication, aux États-Unis, d'une identité francophone dont la langue n'est pas perçue comme étant le noyau dur, les différents groupes francophones du continent expriment leurs aspirations et cherchent à définir une nouvelle forme de solidarité. Les auteurs des contributions qui suivent s'inscrivent d'emblée dans ce mouvement d'échange et d'entraide qui, seul, peut garantir la survie de la francophonie nord-américaine.

*

*   *

L'organisation du colloque «Langue, espace, société: les variétés du français en Amérique du Nord» a nécessité la participation de nombreuses personnes qui nous ont fait bénéficier de leur compétence et de leur dévouement. Je dois des remerciements particuliers à mes collaborateurs immédiats, Aurélien Boivin, Cécyle Trépanier et Pierre Georgeault, qui ont travaillé à l'organisation scientifique de la rencontre. Je remercie en outre les membres de mon équipe du Trésor de la langue française au Québec qui m'ont apporté leur soutien pour l'accueil et l'encadrement des participants. Je suis également reconnaissant à Gilles

Lemire qui a accepté la responsabilité de tenir, pendant le colloque, une exposition sur les logiciels français conçus en Amérique du Nord ; il était assisté dans ce travail par Jean-Luc Lamothe dont la disponibilité mérite d'être soulignée.

Pour la publication des actes, en plus de la compétence de Cécyle Trépanier et d'Aurélien Boivin, j'ai pu compter sur la collaboration efficace de Claude Verreault ; la contribution que m'ont apportée ces personnes pour la relecture critique des textes a été grandement appréciée, compte tenu que le travail d'édition a été réalisé pendant une période où l'équipe du TLFQ devait relever un défi important.

Je tiens à formuler des remerciements personnels à Jeanne Valois, adjointe au titulaire de la CEFAN, qui a joué un rôle clé dans la préparation du colloque et dans l'établissement du manuscrit final. Son appui et sa collaboration patiente ont été des atouts de première importance.

Les organisateurs du colloque remercient enfin le Conseil de recherches en sciences humaines du Canada qui a contribué généreusement au financement de la rencontre et auquel la communauté scientifique est redevable, à ce titre, de l'ouvrage que la CEFAN met aujourd'hui à sa disposition.

Claude POIRIER

Les caractéristiques
des français d'Amérique

Restructuration, fonds dialectal commun et étiolement linguistique dans les parlers vernaculaires français d'Amérique du Nord

Albert Valdman
Department of French and Italian
Indiana University

Un proverbe que connaissent la plupart des créoles à base lexicale française dit : « Zafè kabrit se pa zafè mouton », c'est-à-dire « les moutons n'ont pas à s'immiscer dans les affaires des chèvres ». Au cours des dernières années, mes recherches m'ont orienté plutôt vers ces langues de la nouvelle Romania et je me suis vu délaisser le fait français en Amérique du Nord qui fut un de mes domaines de spécialisation dans la phase *Français hors de France* de ma carrière. Ainsi, je me sens un peu étranger à ce colloque qui réunit d'éminents spécialistes des variétés vernaculaires du français d'Amérique et, en particulier, des chercheurs de terrain fondant leurs analyses sur des données primaires. Toutefois, mon point de vue externe me permet de dégager un certain nombre de repères susceptibles d'orienter une ligne de recherches fructueuse pour l'étude des français vernaculaires d'Amérique du Nord et pour leur mise en rapport avec leurs congénères métropolitains et leurs cousins créoles.

L'objet principal de la créolistique dès sa fondation par l'éminent romaniste Hugo Schuchardt a toujours été l'explication de la genèse des pidgins et des créoles que semble unir une apparente simplification par rapport aux langues, indo-européennes pour la plupart, dont ils sont issus. Trois types de théories tentent d'expliquer cette similitude superficielle : 1) l'interférence ou, si l'on préfère, le transfert de traits morphosyntaxiques des langues dites de substrat, c'est-à-dire celles qui étaient utilisées par les populations serviles lors de leur acquisition forcée des langues européennes dominantes (Comhaire-Sylvain, 1936)[1] ; 2) la diffusion par relexification d'un protopidgin originel ; 3) le surgissement d'un système inné, le bioprogramme (Bickerton, 1981), ou, dans une forme moins puissante de cette théorie, de processus universaux de restructuration, provoqués par la situation de contact multilingue spécial propre à l'économie de plantation. Ces théories ont en commun la mise en regard des pidgins et des créoles avec la forme normée de la langue cible dans la situation de contact, par exemple avec le français standard (FS) contemporain pour les créoles à base lexicale française du Nouveau Monde, ainsi qu'une certaine désinvolture

---

1. L'application des termes de la linguistique historique classique (*substrat*, *adstrat*, *superstrat*) à la créolistique induit à la confusion et à l'erreur. La plupart des spécialistes des créoles à base lexicale française s'accordent pour expliquer leur formation par l'acquisition d'une variété vernaculaire du français, donc fort déviante par rapport au français standard (FS), dans le contexte social des sociétés d'habitation et de plantation (voir Chaudenson, 1979, 1989a, pour cette importante distinction). Dans la première phase de la colonisation française, la société d'habitation, la population servile avait accès au français qui constituait la langue cible dans une situation d'apprentissage naturel d'une langue seconde. Le produit de cet apprentissage (on distinguera ce terme de celui d'*acquisition* que les spécialistes préfèrent réserver à l'appropriation de la langue vernaculaire de leur communauté de la part des jeunes enfants) sera une variété de créole se rapprochant des variétés dialectales et populaires du français métropolitain et des français marginaux de l'Amérique du Nord. Dans cette situation, les langues maternelles des esclaves ne pouvaient constituer des substrats sur lesquels se superposerait la langue en voie de formation, mais des idiomes appelés à être évincés rapidement puisque, dans le contexte de contact multilingue entre les esclaves eux-mêmes, ils ne pouvaient servir aux besoins de la communication. Dans le meilleur des cas, les langues maternelles de la population servile pouvaient être la source d'emprunts (transferts lexicaux) ou d'interférences (transferts grammaticaux). Ce n'est qu'en partant des langues créoles d'aujourd'hui que l'on peut rattacher à leur substrat des traits reflétant clairement ceux des langues maternelles des anciens esclaves et à un superstrat des traits provenant d'apports externes subséquents à la stabilisation du créole. Il est clair que, ni du point de vue de cette dernière perspective ni du point de vue de la période de formation, le français ne peut être considéré comme une langue de superstrat.

envers les faits historiques et sociaux. Le procès implacable fait à l'application de la théorie du substrat à la genèse du créole haïtien par Robert Chaudenson (1990a) me dispense de démontrer le réductionnisme primaire des « substratomaniaques » et leur mépris des garde-fous les plus élémentaires de la méthode comparative. La version forte de la relexification, quant à elle, souffre de l'absence de textes documentant l'opération de ce processus dans le temps ; par ailleurs, elle suppose l'évolution totalement indépendante des plans lexical et morphosyntaxique, ce qui est fort peu probable. Quant au troisième courant théorique, dans son expression actuelle, la comparaison d'états de langue figés de diverses époques a été remplacée par une approche plus dynamique. Par exemple, dans son étude longitudinale du développement du tok pisin de la Papouasie/Nouvelle-Guinée, en s'appuyant sur des échantillons de la langue échelonnés sur une période d'un siècle, Peter Mühlhäusler (1986) fait paraître le jeu subtil de processus internes de restructuration et d'influence indirecte des diverses langues en présence – langue cible et langues sources – à diverses étapes de la formation de la langue nouvelle. Concernant le problème du *terminus a quo* des créoles à base lexicale française, Chaudenson (1974, 1989a) et moi-même (Valdman, 1978) avons souligné que la coexistence dans les aires créolophones de variétés vernaculaires de français fort déviantes par rapport au FS, par exemple en Louisiane, à Saint-Barthélemy (Highfield, 1979 ; Maher, 1989) et à la Réunion (Chaudenson, 1974), suggère que c'est dans un fonds extrêmement variable, où dominaient les éléments populaires et dialectaux, qu'il faut chercher la cible langagière des populations qui élaborèrent les pidgins et autres créoles à base lexicale française.

Des courants théoriques semblables aux trois types que je viens de caractériser ont dominé les recherches sur l'origine et le développement des français vernaculaires d'Amérique du Nord. En effet, on peut rapprocher de la théorie du substrat, d'une part, la recherche à outrance des sources localisées de tel ou tel trait spécifique d'un parler particulier et, d'autre part, le recours abusif à l'explication par le contact linguistique direct avec l'anglais. La théorie de la relexification trouve son équivalent dans la notion d'une koinè nautique formée dans les ports de la Manche et de l'Atlantique et transportée outre-mer par les colons (Hull, 1974)[2]. Enfin, le courant universaliste rejoint le point de vue énoncé d'abord par Vintilă-Rădulescu (1970) et affiné par Chaudenson (1974, 1989a) selon lequel la nature « avancée » des français d'outre-mer s'explique par leur isolement par rapport au FS. L'affaiblissement du poids de la norme et l'éloignement par rapport aux institutions la codifiant et la diffusant auraient permis l'accélération et le libre essor des tendances déjà présentes dans les variétés vernaculaires et dialectales de la langue et portant sur un nombre de points sensibles de la langue. Ces tendances autorégulatrices, se manifestant par la variation et tendant à généraliser l'univocité entre les unités du contenu et leur expression par les unités de la première et de la deuxième articulation (Manessy, 1983), auraient vu leur réalisation radicale dans les parlers créoles (Chaudenson, 1990b).

C'est le courant universaliste qui semble recueillir l'appui d'un nombre croissant de créolistes. Sous sa forme faible, donc nuancée et éclectique, ce courant permet d'intégrer les éléments les mieux fondés des deux autres perspectives théoriques. Allié à une étude minutieuse des textes disponibles et à la reconstitution du contexte sociohistorique, il offre le modèle le plus prometteur pour une approche intégrée de l'étude du développement des français vernaculaires de l'Amérique du Nord et de la recherche de leur origine. L'application de ce modèle au sujet qui nous intéresse ici implique un vaste programme de recherches comprenant les composantes suivantes :

    1) la description détaillée des parlers actuels et, en particulier, de la gamme de variantes sous lesquelles ils se manifestent ;

    2) l'identification du *terminus a quo* des parlers vernaculaires de l'Amérique du Nord ;

    3) la reconstitution de la matrice sociohistorique dans laquelle les divers parlers se sont formés et stabilisés ;

---

2. Après avoir d'abord localisé la source du créole haïtien dans le dialecte normand, Jules Faine (1936, 1938) énonça une hypothèse homologue pour expliquer les similitudes structurales qu'il découvrit en comparant les créoles haïtien et mauricien. Il postula « un patois nautique, espèce de « lingua franca » en usage, pour le moins, parmi les marins et navigateurs des côtes françaises de la Manche et de l'Océan où se recrutèrent la plupart des émigrants de l'époque » (p. XI).

4) l'analyse plus fine des liens entre le transfert provoqué par le contact multilingue et les processus de restructuration interne.

Les études à forte orientation sociolinguistique réunies dans l'ouvrage collectif récent *Le français canadien parlé hors Québec* (Mougeon et Beniak, 1989), dont un grand nombre témoigne d'une rigueur méthodologique exemplaire, montrent que certains aspects de ce programme sont déjà en chantier. Dans cet article, je me contenterai d'émettre quelques réflexions sur trois aspects théoriques particuliers de ces quatre composantes : 1) les effets d'un normativisme prématuré dans la description synchronique ; 2) la complexité des liens entre la restructuration interne, les apports externes et le fonds commun sur lequel se sont élaborés les français vernaculaires d'Amérique du Nord, c'est-à-dire leur *terminus a quo* ; 3) les relations entre l'étiolement linguistique et les processus autorégulateurs.

NORMATIVISME PRÉMATURÉ DANS LA DESCRIPTION DES VARIÉTÉS ACTUELLES

Vaste panorama que celui des variétés vernaculaires de français d'Amérique du Nord. Pour simplifier ma tâche, je tracerai une ligne de partage entre le Québec, la seule région où le français règne comme langue officielle unique, et les autres zones où il se retrouve comme langue subordonnée, dominée par l'anglais, et je ne traiterai que de celles-ci. Dans les régions francophones d'Amérique du Nord hors du Québec, il pèse sur les variétés vernaculaires de français une double menace provenant de la langue dominante, l'anglais, mais aussi du FS. Si la pression de l'anglais se manifeste dans tous les aspects de la vie sociale et économique, c'est principalement l'école qui sert de vecteur à l'influence du FS. En effet, dès 1968, diverses mesures législatives, telles que la création du CODOFIL en Louisiane (1968) et l'autorisation d'utiliser le français comme véhicule pédagogique au primaire et au secondaire en Ontario (1968), élargissaient l'assise scolaire du français et ainsi hypothéquaient gravement la survie des variétés de la langue utilisées au foyer par les groupes francophones minoritaires. On trouvera donc fort ironique le slogan lancé par James Domengeaux, l'architecte du renouveau français dans l'Acadiana louisianaise, lorsqu'il proclamait, pour persuader la Législature de son État de fonder le programme du

CODOFIL: «L'école a tué le français, l'école doit faire revivre le français.» Se rendait-il compte qu'en même temps cette initiative mettait en grave danger les dialectes cadiens[3]?

Dans nos sociétés, dès qu'une variété vernaculaire pénètre dans les domaines de la littéralité, surtout dans celui de l'administration et celui du monde scolaire, elle subit un processus de standardisation visant à réduire sa variabilité. Étant donné la tradition de normalisation et d'uniformisation qui domine pour ce qui est des langues de culture, il est malaisé de se servir d'un vernaculaire comme véhicule pédagogique et, *a fortiori*, de l'enseigner, sans tenter de lui donner une forme relativement stable. Cette question sous-tend deux thèses de doctorat américaines récentes (Byers, 1988; Brown, 1989) portant sur le français cadien et la première étude substantielle du lexique de ce parler (Grassin-Lavaud, 1988).

Ce dernier travail, fort louable par ailleurs, illustre le danger qui guette les travaux descriptifs qui partent prématurément d'une perspective normative. Son auteur se propose de faire l'inventaire du français «commun» de Louisiane. Elle définit cette norme comme une sorte de koinè coiffant l'usage des cadienophones et des créolophones (1988, p. 177):

> [...] le parler de référence commun aux différentes régions, connu, sinon pratiqué, par les Créoles blancs [groupe d'ascendance française ou espagnole de La Nouvelle-Orléans] et Noirs créolophones, couramment utilisé par une population d'origine diverse. Ce parler, plus ou moins proche du français académique, se comporte comme le trait d'union entre les francophones de Louisiane.

Ce supposé français commun serait destiné à assurer aux francophones et aux créolophones louisianais une meilleure insertion dans le grand monde francophone.

---

3. Les usages varient en ce qui concerne la graphie de ce terme qui provient de la prononciation du terme *acadien* par les locuteurs originaux de cette variété de français: [kadʒẽ]; la prononciation américaine du terme est [kedʒɔn]. Ce terme s'écrit ordinairement *cadjin* (féminin: *cadjinne*) ou *cajun*, mais les intellectuels franco-louisianais préfèrent la graphie moins déviante de *cadien / cadienne*.

Pour Grassin-Lavaud, un vocable fait partie du fonds commun du français louisianais[4], s'il est attesté dans au moins deux des quatre aires géographiques qu'elle distingue dans l'Acadiana[5] et s'il apparaît dans au moins trois contextes de son corpus. Malheureusement, la compilatrice ne nous livre que le produit fini de son travail sans indiquer la provenance des vocables ni la totalité du lexique recueilli auprès des informateurs consultés. Elle néglige notamment d'indiquer quels termes ont été éli-minés parce que trop localisés, ce qui réduit les possibilités de comparaison avec les autres inventaires existants. En guise de vérification, j'ai effectué quelques comparaisons ponctuelles entre l'inventaire standardisé que nous livre Grassin-Lavaud et quatre glossaires issus d'enquêtes effectuées dans des paroisses particulières par des étudiants en maîtrise de la Louisiana State University au cours des années 1930 et 1940. Il s'agit des paroisses de Jefferson (Hickman, 1940) et Saint-Martin (De Blanc, 1935) dans la zone centre-ouest, de la paroisse des Avoyelles (Jeansonne, 1938) dans le nord de la zone des levées du Mississippi et de celle de Saint-Jean (Granier, 1939) dans le sud de cette deuxième zone. Mais, puisque selon Byers (1988) les paroisses des Avoyelles et de Saint-Jean appartiennent à des zones dialectales distinctes, ces quatre ouvrages offrent un échantillon représentatif du lexique cadien.

Les résultats de ma comparaison laissent planer des doutes sur la valeur des assertions de Grassin-Lavaud (voir tableau 1). Aucun des quatre premiers termes retenus par elle (partie A) ne figure dans plus d'un des quatre glossaires consultés. En ce qui concerne le cinquième terme, il porte le sens d'«éclabousser» pour Hickman, mais d'«éparpiller» pour Grassin-Lavaud. La partie B du tableau contient des termes attestés dans au moins deux des glossaires mais qui ne figurent pas dans son ouvrage. Ainsi, si l'intercompréhension existe entre les cadieno-phones de diverses aires géographiques, elle ne peut pas s'expliquer

---

4. Ce concept, rappelons-le, est censé coiffer à la fois la variété locale différant peu du FS, le cadien et le créole.

5. Ces quatre régions comprennent : les prairies du centre et de l'ouest du triangle francophone où se regroupent les 70 % de sa population ; les levées du Mississippi et le haut bayou Lafourche dans la partie orientale de l'Acadiana ; les marais des bayous Lafourche, Terrebonne et Atchafalaya ; les marécages côtiers.

par un lexique relativement invariable de région à région. L'on pourrait objecter que ma comparaison porte sur deux strates diachroniques du cadien séparées par une quarantaine d'années et qu'entre les deux périodes des changements linguistiques ont pu survenir. Cet argument est peu convaincant, vu le manque frappant de concordance constaté entre les deux types de sources. Il est peu probable que le cadien ait subi une érosion lexicale aussi importante, d'autant plus qu'une partie de la collecte des données entreprise sur le terrain par Grassin-Lavaud remonte à la fin des années 1960.

TABLEAU 1

COMPARAISON DE VARIANTES LEXICALES REPRÉSENTATIVES DANS QUATRE MÉMOIRES DE MAÎTRISE DE LA LOUISIANA STATE UNIVERSITY ET DANS GRASSIN-LAVAUD (1988)

		Jefferson	Saint-Jean	Saint-Martin	Avoyelles	Grassin
Mots peu attestés						
[armõtras]	«remontrance»	+	–	–	–	+
[arime]	«arranger»	+	–	–	–	+
[gribuj]	«drôle de type»	–	–	–	+	+
[njɔk]	«bosse (produite par un coup)»	–	–	+	–	+
[paje]	«éclabousser» («éparpiller», Grassin)	–	–	+	–	*+
Mots attestés mais non recueillis par Grassin						
[degriʃe]	«descendre»	+	–	+	+	–
([griʃe]	«monter, grimper»)					+
[fifɛrlɛ̃]	«chose de peu de valeur»	+	–	–	+	–
[karakole]	«tituber»	+	+	–	–	–
[noblaj]	«arrogant, noblesse déchue»	+	+	–	–	–
[ʃarlɔ̃te]	«parler, bavarder»	–	+	+	+	–

* Le signe + dénote l'existence du vocable en question dans les divers inventaires.

Avant de promulguer une quelconque norme pour un parler vernaculaire particulier, encore faudrait-il découvrir si elle émerge chez ceux qui en possèdent une certaine maîtrise. C'est précisément cette question que pose Byers (1988) dans une étude dialectologique et sociolinguistique consacrée à la réalisation de six variables morphologiques et syntaxiques chez des locuteurs disséminés en 49 points différents d'une aire recouvrant la plus grande partie de l'Acadiana (voir tableau 2).

TABLEAU 2

SIX VARIABLES MORPHOSYNTAXIQUES DU CADIEN

Dissémination irrégulière

1. Deuxième pers. du sing. (discours formel): Et où vous *travaille / travaillez* asteur?
2. Expression du futur: Il *va accepter / acceptera* le cadeau demain.
3. Expression du passé composé: Elle *a / est* venu(e) me voir; il *s'a / s'est* amusé; elle *a / est* retourné(e) hier au soir.
4. Aspect progressif: Il *est après déménager / déménage* asteur.

Zone centrale vs prairie et bayous du sud-est

5. Troisième pers. du plur.: Ils *aiment / aimont* les écrevisses; *ça dansent / ils dansont* comme ça.
6. Le pronom interrogatif *quoi* : *Qui / quoi* c'est ce train ?

Les données recueillies par Byers suggèrent que, du point de vue linguistique, l'Acadiana est divisée en au moins deux zones. Quatre des six variables retenues par lui (nº 1 à nº 4, voir tableau 2) montrent des variantes disséminées irrégulièrement à travers l'aire cadienophone. Mais, par contre, les deux autres variables (nº 5 et nº 6) ont des variantes qui se regroupent dans deux aires distinctes le long d'une ligne est-ouest correspondant *grosso modo* au peuplement d'origine de l'Acadiana. Les premiers colons acadiens, établis d'abord sur la rive droite du Mississippi à mi-chemin entre La Nouvelle-Orléans et Baton Rouge (la Côte des Acadiens), se sont ensuite dirigés vers le sud-est. Les variantes *ils + ont* et *quoi* se retrouvent dans une aire centrale scindant deux aires latérales. Or ce dernier trait, typiquement acadien puisqu'on le retrouve dans toutes les communautés francophones des Provinces maritimes (Flikeid, 1989; Gesner, 1989; King, 1989), représenterait la strate la plus profonde du français cadien. Il est bien évident qu'en l'absence de données mieux fondées cette conclusion est fort hasardeuse et ne pourrait être que provisoire.

Outre la distribution géographique des variantes, Byers cherchait à sonder les attitudes des sujets quant à ces variantes (Giles et Ryan, 1982). En l'absence d'une norme préalablement établie, il utilisa une procédure expérimentale selon laquelle les répondants devaient choisir entre des paires de variantes dans la perspective d'un enseignement éventuel de la langue à des enfants. Cette procédure est parfaitement appropriée, vu le débat sur le choix de la variété de français scolaire qui sévit en Louisiane depuis une vingtaine d'années (Valdman, 1989).

> Supposons que vos voisins vous aient demandé d'enseigner le français à leurs enfants. Vous tenez, bien sûr, à transmettre aux générations futures le meilleur type de français que vous connaissiez. Maintenant, écoutez les paires de phrases suivantes. Puis, décidez laquelle, la première ou la deuxième phrase, vous paraît plus correcte et représente le type de français que vous voudriez que l'on enseigne (Byers, 1988, p. 198).

Les sujets devaient choisir entre deux phrases contenant chacune l'une des variantes d'un trait variable, par exemple, pour le trait n° 1 : entre « Et où vous *travaille / travaillez* asteur ? »

Les résultats de l'enquête ne peuvent guère conforter ceux qui prônent l'élaboration d'une norme scolaire très stricte pour le cadien. En effet, les répondants tendaient à retenir la forme qu'ils utilisaient eux-mêmes. Ainsi, pour la variable n° 6 (*quoi* ou *qui* pour le pronom interrogatif fonctionnant comme complément d'objet direct inanimé), les sujets qui avaient utilisé *quoi* choisirent très largement cette forme, tandis que ceux qui avaient utilisé *qui* montrèrent une légère tendance à opter pour cette variante (voir tableau 3).

TABLEAU 3

CHOIX PARMI LES VARIANTES DU PRONOM INTERROGATIF *QUOI* CHEZ UN GROUPE DE LOCUTEURS CADIENS

Forme utilisée	Forme préférée	
	quoi	*qui*
quoi	38	2
qui	19	24
quoi / qui	2	8
ni l'une ni l'autre	8	7

Ce n'est que pour la forme de la troisième personne du présent de l'indicatif (variable n° 5) que Byers nota une certaine tendance vers une forme « normée » neutre. Le choix des répondants se porta toujours sur la forme qu'ils avaient utilisée le plus souvent dans leur production orale, mais ils optèrent comme second choix pour la forme *ça* + désinence zéro, qui s'avère la variante la plus déviante par rapport au FS. La neutralité de cette forme chez ces répondants peut surprendre puisqu'en FS elle porte une forte connotation péjorative (voir tableau 4).

TABLEAU 4

**CHOIX PARMI LES VARIANTES DE
LA TROISIÈME PERSONNE DU PLURIEL
CHEZ UN GROUPE DE LOCUTEURS CADIENS**

Forme utilisée	Ordre d'acceptabilité		
	ils + *-ont*	*ça* + zéro	*ils* + zéro
ils + *-ont*	1	2	3
ils + zéro	3	2	1

À partir de ces données, parmi les rares faits à base empirique dont nous disposons, il est difficile d'élaborer une norme sur laquelle pourrait s'appuyer l'enseignement du français cadien en contexte scolaire.

PROCESSUS DE RESTRUCTURATION INTERNE ET IDENTIFICATION DU *TERMINUS A QUO*

L'éloignement des parlers vernaculaires d'Amérique par rapport à la forme normée du français a certes favorisé le déclenchement de processus autorégulateurs qui constituent le moteur principal des changements linguistiques. Dans mon introduction au volume collectif *Le français hors de France* (Valdman, 1979a), j'avais souligné les apparentes simplifications structurales dans les isolats américains qui rappellent des traits parallèles attestés à la fois dans les variétes dites populaires de l'Hexagone et dans les créoles à base lexicale française, notamment :

1) l'élimination de la flexion verbale par l'introduction de tours périphrastiques, la chute des désinences et la régularisation des alternances morphologiques du thème ;

2) l'estompement de la distinction de genre dans le système nominal ;

3) la réduction du système pronominal par l'élimination des distinctions de cas (par exemple la distinction entre régime direct et régime indirect) et de la distinction entre formes atones et formes toniques;

4) l'emploi de la parataxe au lieu d'un système de pronoms relatifs différenciés dans les phrases complexes.

C'est à la lueur de cette interprétation fonctionnaliste que Robert Ryan (1989) examine certaines particularités morphologiques du parler acadien de la baie Sainte-Marie. Ryan (p. 202) invoque la notion de l'économie linguistique de Martinet selon laquelle «les utilisateurs d'une langue cherchent à établir un équilibre entre les besoins de la communication et les moyens formels mis en œuvre pour y parvenir». Il observe qu'en acadien la différenciation des formes singulier et pluriel de la première personne du présent de l'indicatif s'effectue plus économiquement qu'en FS. Dans la forme normée de la langue, cette distinction est marquée de manière redondante par la différenciation de pronoms sujets et par l'adjonction du suffixe -/ɔ̃/. En acadien, comme /ʒə/ est la forme pronominale commune de la première personne tant au singulier qu'au pluriel, seul le suffixe sert de marque de pluriel. Par ailleurs, ce suffixe s'étend à la troisième personne du pluriel et tend donc à devenir la marque invariante du pluriel des formes verbales.

Cette analyse, pour séduisante qu'elle soit, suppose que le FS constitue le *terminus a quo* de l'acadien. Or, il s'avère que le système que Ryan explique par l'opération de processus autorégulateurs conduisant à une expression plus régulière, donc plus économique, du pluriel dans le groupe verbal, se retrouve dans d'autres variétés, tant dans les Amériques que dans l'Hexagone (voir tableau 5)[6]. En ce qui concerne les parlers métropolitains, la présence de ce système en Saintonge (Chidaine, 1969) et à Vouvant (Rézeau, 1976), sur les marches du Poitou, ne surprend guère, puisque Geneviève Massignon (1962) a démontré de façon convaincante l'origine poitevine des premiers colons

---

6. Les données citées pour les isolats proviennent des sources suivantes: La Vieille Mine (Carrière, 1937; Thogmartin, 1970); Frenchville (Caujole, 1972); Saint-Thomas (Highfield, 1979). Elles ne tiennent pas compte des différences de formes existant entre ces trois dialectes.

de l'ancienne Acadie. Mais, comme nous l'avions déjà signalé il y a
une douzaine d'années (Valdman, 1980), son attestation dans le parler
lorrain de Ranrupt (Aub-Büscher, 1962) indique qu'il était bien plus
largement répandu dans les parlers dialectaux d'oïl et qu'il ne pourrait
être tenu pour la simple survivance d'un trait dialectal localisé. Les
données présentées au tableau 5 donnent à penser que, pour les parlers
gallo-romans d'oïl, deux schémas structuraux se sont développés dans
le présent de l'indicatif. L'un, apparaissant en FS notamment mais
réalisé sous sa forme optimale dans le parler des isolats américains,
marque les diverses personnes par le choix de pronoms, le thème verbal
demeurant invariable. L'autre système, représenté par l'acadien et se
manifestant sous sa forme la plus symétrique dans certains dialectes de
l'ouest (par exemple en Saintonge et à Vouvant, au Poitou) et de l'est
de la France (Ranrupt), tend à marquer le pluriel de manière plus
iconique, en l'occurrence par le suffixe invariable /õ/, et ne distingue
pas entre le singulier et le pluriel pour les première et troisième personnes. Toutefois, il ne faut pas tomber dans le réductionnisme inverse
qui consiste à tout expliquer par la conservation de traits dialectaux
n'ayant subi aucune modification après leur transport outre-mer. Les
faits cités ici n'autorisent nullement à conclure à la survivance dans
l'Acadie actuelle d'un «pur» poitevin. Dans une certaine mesure, des
processus d'autorégulation et de nivellement dialectal, opérant indépendamment dans chaque aire dialectale, ont agi sur un *terminus a quo*
qui n'était pas nécessairement identique dans les diverses régions. Les
formes attestées aujourd'hui résultent donc de l'action de ces processus
sur des formes qui au départ différaient de celles du FS. Par ailleurs,
il est aussi erroné de conclure, comme le faisait Bauche (1946, p. 101-
102), que le système que l'on retrouve à l'état instable en français
populaire et dans sa forme la plus évoluée dans les isolats représente
l'aboutissement obligé des tendances internes de la langue:

> En somme, dans bien des cas, la flexion ayant disparu du langage parlé,
> le pronom seul indique, à l'ouïe, la personne. Il est possible qu'un jour,
> dans le français parlé, si on le laisse évoluer librement et s'écarter du
> français traditionnel écrit, la flexion terminale soit plus ou moins
> complètement remplacée par un préfixe ou une préflexion qui ne serait
> que le pronom, plus ou moins élidé et faisant corps avec le verbe.

Ainsi, les tendances autorégulatrices peuvent aboutir à plusieurs systèmes, chacun répondant aux normes de la fonctionnalité.

TABLEAU 5

PARADIGME DU PRÉSENT DE L'INDICATIF DES VERBES DU TYPE -ER (ILLUSTRÉ PAR SAUTER) DANS DIVERS PARLERS VERNACULAIRES: ISOLATS AMÉRICAINS (LA VIEILLE MINE, MISSOURI; FRENCHVILLE, PENNSYLVANIE; SAINT-THOMAS, ÎLES VIERGES AMÉRICAINES)

Forme		Isolats	Acadie	Vouvant (ouest)	Saintonge (ouest)	Ranrupt (est)
Sing.	1	ʒe/ʒ sot	ʒe/ʒ sot	i sot	h sot	ʒ/h sot
	2	ty/t sot	ty/t sot	t sot	ty/t sot	t sot
	3m	il	il	lə	il	il
	3f	al/ɛl sot	al sot	al sot	al/ɛl sot	ɛl sot
	3n	–	–	lo	–	–
Plur.	1	õ sot	ʒə/ʒ sot-õ	i sot-õ	h sot-õ	ʒ/h sot-õ
	2	vuzot sot	vu(z) sot-e	və(z) sot-e	vu(z) sot-e	vo(z) sot-i
	3m		il/iz	lə	il	il
	3	ø(z) sot	sot-õ	sot-õ	sot-õ	sot-õ
	3f		al	al	ɛl	ɛl

ÉTIOLEMENT LINGUISTIQUE ET PROCESSUS AUTORÉGULATEURS

Grâce aux travaux de Dorian (1977, 1981) dans le domaine de l'étiolement linguistique, on sait que la réduction fonctionnelle d'une langue aboutissant éventuellement à sa disparition s'accompagne de l'érosion de sa structure. Ce phénomène, connu dans la littérature de langue anglaise sous l'appellation de *language death*, terme que je traduis par celui moins morbide d'*étiolement linguistique* (Valdman, 1979b), s'accompagne sur le plan morphosyntaxique de processus de restructuration qui se manifestent par une apparente simplification. Comme ce dernier concept est malaisé à définir et qu'il peut prêter à une assimilation abusive entre la langue et la mentalité de ses locuteurs, il vaut mieux se référer aux manifestations particulières de cette apparente simplification. Dans les parlers vernaculaires français de l'Amérique du Nord, il s'agit surtout de la régularisation des paradigmes verbaux, de la réduction de la complexité des formes pronominales et de l'extension de la neutralisation de la distinction de nombre et de genre par rapport à celle qui prévaut pour le FS. Comme je l'ai indiqué ci-dessus, ces phénomènes convergent avec ceux que l'on rencontre dans le français populaire.

Pour un grand nombre de linguistes qui ont observé des cas particuliers d'érosion structurale en situation d'étiolement linguistique, cette situation favoriserait un plus libre jeu des processus autorégulateurs qui se manifestent lors de l'acquisition de la langue vernaculaire de leur communauté par les enfants. Lorsque l'idiome vernaculaire d'une communauté perd de ses fonctions au profit d'autres variétés langagières, ces processus sont moins soumis aux contraintes normatives. D'une part, les restructurations produisant des règles plus générales et des sous-systèmes plus symétriques ont de meilleures possibilités d'aboutir. D'autre part, cette régularisation structurale tend à réduire la variation inhérente à toute variété langagière qui, outre les besoins communicatifs et expressifs fondamentaux, doit fournir des indices d'appartenance aux divers groupes sociaux qui en usent.

Ainsi, Brown (1989), dans son étude sociolinguistique du cadien, relève une différence quantitative dans l'utilisation de deux variantes de la troisième personne du pluriel du présent de l'indicatif dans deux groupes d'âge. Chez les sujets âgés de moins de 50 ans, le pourcentage de la forme *ça* + thème invariable du verbe (par exemple *ça mange*) augmente de manière significative : 35 % contre 20 % pour les sujets âgés de plus de 50 ans[7]. Nous avons vu, d'ailleurs, que les résultats du sondage d'attitudes de Byers (1988) confirment la désuétude de la forme typiquement cadienne *ils* + thème + *-ont* (par exemple *ils mangeont*) au profit de la forme concurrentielle *ça* + thème, perçue comme étant plus neutre. Si cette tendance se poursuivait librement, par exemple, sans la pression de la forme du FS (*ils* + thème) diffusée par le truchement de l'école et des médias, une forme unique subsisterait.

---

7. Brown relève aussi l'effet d'un facteur géographique dans la fréquence d'occurrence des deux variantes. La forme *ça* + thème invariable est plus fréquente dans la paroisse des Avoyelles, située hors de la zone de premier peuplement acadien, que dans la paroisse de l'Assomption, qui se trouve dans cette zone.

Dans leur étude variationnelle détaillée du franco-ontarien, Mougeon et Beniak (1989) opposent deux types de restructurations: 1) des optimalisations, telles que la généralisation d'*avoir* comme auxiliaire qui conduit à une simplification de la règle gouvernant la formation du passé composé; 2) des analogies, telles que la formation de *sontaient* et de *ontvaient* sur le patron des formes correspondantes du présent de l'indicatif, dont le résultat est en fait de complexifier la grammaire puisque cette restructuration, si elle permet de relier les formes correspondantes de la troisième personne du pluriel de ces deux verbes, introduit une alternance de thèmes dans la formation de l'imparfait. Ces auteurs font observer que les sujets caractérisés par un faible indice de maintien du français ignorent ce type non optimalisant de restructuration et que, par contre, chez ceux qui usent souvent de la langue (caractérisés par des indices au-dessus de 45), la forme déviante *sontaient* apparaît avec un taux d'occurrence variant entre 6% et 12%. L'érosion structurale s'accompagnerait-elle donc d'une certaine optimalisation de la morphosyntaxe? Puisque l'étiolement linguistique est la conséquence directe du contact bilingue et du remplacement à long terme de la langue vernaculaire en voie d'infériorisation par la langue dominante de la communauté, on ne peut exclure que la langue vernaculaire montre des phénomènes de déstructuration qui, eux, ne conduisent pas toujours à l'optimalisation.

D'ailleurs, le terme *bilinguisme* utilisé pour décrire la situation des parlers français d'Amérique du Nord hors du Québec prête à confusion. Ces parlers sont doublement infériorisés, d'une part par rapport à l'anglais, d'autre part par rapport au FS. En d'autres termes, les communautés francophones sur lesquelles porte mon attention existent en situation de diglossie complexe: l'anglais, la langue dominante, coiffe le français dont la variété normée, le FS, se superpose à la variété vernaculaire locale. Celle-ci peut donc subir des restructurations ou des déstructurations provoquées par les pressions qu'exerce sur elle l'une ou l'autre des deux variétés langagières avec lesquelles elle entretient des relations de dominance / subordination.

Enfin, Beniak et Mougeon (1989, p. 86) expliquent les analogies, c'est-à-dire les modifications de règles mineures qui engendrent les formes *sontaient* et *ontvaient* relevées en franco-ontarien, comme des restructurations enfantines fossilisées dans des vernaculaires évoluant hors de l'influence des pressions normatives. Ils font remarquer, comme je l'ai fait moi-même d'ailleurs (Valdman, 1979c), que ces analogies se retrouvent dans d'autres parlers, notamment dans ceux de La Vieille Mine (Missouri) et de Saint-Barth / Saint-Thomas. La présence des formes *sontaient* et *ontvaient* dans ces deux isolats est particulièrement significative, car ils représentent la strate la plus profonde des français dits marginaux d'Amérique du Nord. La fondation des établissements français de la région des Illinois remonte à 1730-1740 (Carrière, 1937) et la plupart des descendants des Saint-Barths d'aujourd'hui arrivèrent dans l'île entre 1660 et 1760 (Maher, 1989). L'émergence indépendante de formes déviantes engendrées par des règles mineures dans des aires aussi géographiquement éloignées que l'Ontario, le Missouri et les Antilles me semble peu probable, et je pencherais plutôt à y voir la survivance d'un trait dialectal ou populaire du français métropolitain.

*

*　　*

Dans mon introduction au *Français hors de France*, je donnais des français vernaculaires d'Amérique du Nord hors du Québec une caractérisation dont Beniak et Mougeon (1989, p. 70) déplorent l'aspect indûment négatif :

> [...] il [le français] se trouve laminé et sapé de l'intérieur par une variabilité qui ne reflète plus les usances ou les parlures de divers groupes géographiques ou socio-culturels ni les registres et styles liés à certains contextes de situation ou à certains emplois (Valdman, 1979b, p. 10).

Et je hasardais une opinion plutôt hâtive et imprudente dans le domaine de la planification linguistique :

> On est en droit de se demander quelles fonctions autres que celle de vague symbole d'appartenance à une communauté minoritaire pourrait remplir ce type de français. On pourrait aussi s'interroger sur le bien-fondé d'entreprises visant à maintenir ou à ré-implanter l'ancien verna-culaire (*Ibid.*).

Ce portrait peu flatteur ne s'appliquait en fait qu'aux parlers des États-Unis, puisque le volume, qui mérite certes bien aujourd'hui l'appellation de « livre d'histoire » que lui donne Chaudenson (1989b, p. VIII), ne contenait malheureusement aucune description des variétés françaises de l'Ontario, des Provinces maritimes et de l'Ouest canadien. S'agissant du français de Louisiane, il mériterait aussi bien des retouches. Toutefois, les études récentes, portant tant sur les variétés canadiennes que sur le cadien, dont il est fait mention dans cet article, confortent le portrait de variétés vernaculaires en voie d'étiolement que je traçais en 1978[8]. En effet, elles montrent une érosion structurale se manifestant par des restructurations globales dont certaines ne semblent pas s'orienter vers une optimalisation. Bien qu'il soit abusif d'assimiler ce type de restructurations à celles qui sont provoquées par l'interférence dans les situations de contact bilingue ou d'acquisition d'une langue seconde, une comparaison plus approfondie de ces deux types de restructurations s'impose.

Comme je le suggérais déjà alors (Valdman, 1979c), les français vernaculaires d'Amérique du Nord représentent une ressource inestimable pour la reconstitution du français populaire des XVIIe et XVIIIe siècles et pour une compréhension de la genèse de toutes les variétés d'outre-mer. Dans cet article, je signalais l'importance d'une comparaison rigoureuse de ces parlers avec leurs congénères métropolitains afin de démêler les liens complexes entre la conservation de traits métropolitains montrant déjà certaines restructurations – tant optimalisantes que complexifiantes – et l'opération des processus autorégulateurs en situation de contact interlinguistique et interdialectal et en situation d'étiolement linguistique *in situ* outre-mer.

Surtout, ce que révèlent les études récentes à orientation sociolinguistique des variétés canadiennes de français vernaculaire, c'est une réduction fonctionnelle provoquée par une double pression « glottophagique » (selon le terme lancé par Calvet, 1974) en situation de diglossie complexe provenant, d'une part, d'un autre code – l'anglais – et, d'autre part, d'une variété congénère – le FS. Cette double pression a pour effet de favoriser l'érosion des traits marquants du vernaculaire au profit de traits correspondants de la variété normée de la langue. On aboutit à une situation sociolinguistique dont les aménageurs linguistiques ne semblent pas avoir mesuré toutes les conséquences pour la survie du

---

8. Bien que publié en 1979, cet ouvrage n'entra en production qu'en 1978. La plupart des contributions furent rédigées entre 1976 et 1978.

français. Là où s'opposent différentes variétés vernaculaires, l'école diffuse une variété supradialectale qui ne reflète plus la culture propre de la communauté francophone minoritaire. Ce n'est qu'en Louisiane que ce problème a été posé avec clarté. En effet, le parachutage du FS par l'intermédiaire du programme du CODOFIL a provoqué la revendication du droit à l'utilisation dans le domaine scolaire de formes vernaculaires fort variables (Faulk, 1977 ; Whatley et Jannise, 1978). La solution proposée par Abshire-Fontenot et Barry (1979) et par Ancelet (1989), qui utilisent une forme relativement standardisée du cadien ainsi qu'une graphie s'alignant sur l'orthographe traditionnelle, permet de concilier deux séries d'exigences contradictoires à première vue : le maintien emblématique du vernaculaire, symbole de la culture locale, et l'adoption du FS comme lien avec le monde francophone[9].

---

9. Par exemple, dans leur manuel pour l'enseignement du cadien aux étudiants d'université, Abshire-Fontenot et Barry portèrent leur choix sur la forme de la troisième personne du pluriel du présent de l'indicatif marquée « acadienne » : *ils* + thème + *-ont.*

Bibliographie

Abshire-Fontenot, S., et D. Barry (1979), *Cajun French*, Lafayette, Louisiane, University of Southwestern Louisiana.

Ancelet, Barry J. (1989), « Transcription and the Politics of Culture », communication inédite.

Aub-Büscher, Gertrud (1962), *Le parler rural de Ranrupt (Bas-Rhin). Essai de dialectologie vosgienne*, Paris, Klincksieck, XI + 282 p.

Bauche, Henri (1946) [1920], *Le langage populaire*, Paris, Payot, 231 p.

Beniak, Édouard, et Raymond Mougeon (1989), « Recherches sociolinguistiques sur la variabilité en français ontarien », dans Mougeon et Beniak (dir.), p. 69-104.

Bickerton, Derek (1981), *Roots of Language*, Ann Arbor, Karoma Publishers, XIII + 351 p.

Brown, Rebecca A. (1989), « Pronominal Equivalence in a Variable Syntax », thèse de doctorat, Austin, University of Texas, 219 p.

Byers, Bruce (1988), « Defining Norms for a Non-Standardized Language : A Study of Verb and Pronoun Variation in Cajun French », thèse de doctorat, Bloomington, Indiana University, 202 p.

Calvet, Louis Jean (1974), *Linguistique et colonialisme : petit traité de glottophagie*, Paris, Payot, 250 p.

Carrière, Joseph-Médard (1937), *Tales from the French Folk-Lore of Missouri*, Evanston et Chicago, Northwestern University, VIII + 354 p.

Caujole, Josette (1972), « Esquisse d'une description du parler français de Frenchville, Pennsylvanie », dans *The French Language in the Americas*, 16, p. 26-32 (Newsletter of the French VIII Section of the Modern Language Association).

Chaudenson, Robert (1974), *Le lexique du parler créole de la Réunion*, Paris, Champion, 2 vol., XLIX + 1 249 p.

Chaudenson, Robert (1979), *Les créoles français*, Paris, Nathan, 172 p.

Chaudenson, Robert (1989a), *Créoles et enseignement du français*, Paris, L'Harmattan, 198 p.

Chaudenson, Robert (1989b), « Préface », dans Mougeon et Beniak (dir.), p. VII-IX.

Chaudenson, Robert (1990a), « Recherche, formation et créolistique », dans *Revue québécoise de linguistique théorique et appliquée*, 9, 3, p. 287-303.

Chaudenson, Robert (1990b), « Du mauvais usage du comparatisme : le cas des études créoles », dans *Travaux du Cercle linguistique d'Aix-en-Provence (Linguistique comparée : méthodes et résultats)*, 8, p. 123-158.

Chidaine, John Gabriel (1969), « A Patois of Saintonge : Descriptive Analysis of an Idiolect and Assessment of the Present State of Saintongeais », thèse de doctorat, The Ohio State University, 315 p.

Comhaire-Sylvain, Suzanne (1936), *Le créole haïtien : morphologie et syntaxe*, Wetteren et Port-au-Prince, Imprimerie de Meester et Chez l'auteur, 180 p.

De Blanc, Bertrand F. (1935), « A Glossary of Variants from Standard French Found in St. Martin Parish, Louisiana », thèse de maîtrise, St. Martinville, Louisiana State University, IX + 45 p.

Dorian, Nancy (1977), « The Problem of the Semi-Speaker in Language Death », dans J. Fishman (dir.), *International Journal of the Sociology of Language : Language Death*, 12, La Haye, Mouton, p. 23-32.

Dorian, Nancy (1981), *Language Death : The Life Cycle of a Scottish Gaelic Dialect*, Philadelphie, University of Pennsylvania Press, XIV + 206 p.

Faine, Jules (1936), *Philologie créole*, Port-au-Prince, Imprimerie de l'État, XIX + 320 p.

Faine, Jules (1938), *Le créole dans l'univers*, Port-au-Prince, Imprimerie de l'État, 214 p.

Faulk, James (1977), *Cajun French I*, Abbeville, Cajun Press Inc., 375 p.

Flikeid, Karin (1989), « Recherches sociolinguistiques sur les parlers acadiens du Nouveau-Brunswick et de la Nouvelle-Écosse », dans Mougeon et Beniak (dir.), p. 183-199.

Gesner, B. Edward (1989), « Recherches sur les parlers franco-acadiens de la Nouvelle-Écosse : état de la question », dans Mougeon et Beniak (dir.), p. 171-182.

Giles, Howard, et Ellen Bouchard Ryan (dir.) (1982), *Attitudes toward Language Variation : Social and Applied Contexts*, Londres, Edward Arnold, 286 p.

Granier, Ervin L. (1939), « A Glossary of the French Spoken in St. John Parish », thèse de maîtrise, Louisiana State University, X + 155 p.

Grassin-Lavaud, Maguy (1988), « Particularités lexicales du parler cadjin en Louisiane (États-Unis). Enquête, dictionnaire et documentation bibliographique », thèse de doctorat d'État, Université de Paris III (Sorbonne-Nouvelle), 4 vol., 1 385 p.

Hickman, Frances M. (1940), « The French Speech of Jefferson Parish », thèse de maîtrise, Louisiana State University, X + 308 p.

Highfield, Arnold R. (1979), *The French Dialect of St. Thomas, U.S. Virgin Islands*, Ann Arbor, Karoma Publishers, VII + 350 p.

Hull, Alexander (1974), « Evidence for the Original Unity of North American French Dialects », dans *Revue de Louisiane*, 3, 1, p. 59-70.

Jeansonne, Samuel L. (1938), « A Glossary of Words that Vary from Standard-French in Avoyelles Parish », thèse de maîtrise, Louisiana State University, VIII + 126 p.

King, Ruth (1989), « Le français terreneuvien : aperçu général », dans Mougeon et Beniak (dir.), p. 227-244.

King, Ruth, et Robert Ryan (1989), « La phonologie des parlers acadiens de l'Île-du-Prince-Édouard », dans Mougeon et Beniak (dir.), p. 245-259.

Maher, Juliana (1989), « Créole et patois à St. Barthélemy : diversité linguistique dans une population homogène », communication présentée au VIᵉ Colloque international des études créoles, Cayenne.

Manessy, Gabriel (1983), « Français, créoles français, français régionaux », communication présentée au IVᵉ Colloque international des études créoles, Lafayette.

Massignon, Geneviève (1962), *Les parlers français d'Acadie. Enquête linguistique*, Paris, Klincksieck, 2 vol., 980 p.

Mougeon, Raymond, et Édouard Beniak (dir.) (1989), *Le français canadien parlé hors Québec. Aperçu sociolinguistique*, Québec, PUL, IX + 262 p.

Mühlhäusler, Peter (1986), *Pidgin and Creole Linguistics*, Oxford, Blackwell, 320 p.

Rézeau, Pierre (1976), *Un patois de Vendée : le parler rural de Vouvant*, Paris, Klincksieck, 352 p.

Ryan, Robert (1989), « Économie, régularité et différenciation formelles : cas des pronoms personnels sujets acadiens », dans Mougeon et Beniak (dir.), p. 201-212.

Thogmartin, Clyde O. (1970), « The French Dialect of Old Mines, Missouri », thèse de doctorat, The University of Michigan, II + 175 p.

Valdman, Albert (1978), *Le créole : structure, statut et origine*, Paris, Klincksieck, XVI + 403 p.

Valdman, Albert (dir.) (1979a), *Le français hors de France*, Paris, Champion, 688 p.

Valdman, Albert (1979b), « Avant-propos », dans Valdman (dir.), p. 5-18.

Valdman, Albert (1979c), « Créolisation, français populaire et le parler des isolats francophones d'Amérique du Nord », dans Valdman (dir.), p. 181-197.

Valdman, Albert (1980), « L'Acadie dans la francophonie nord-américaine », dans *Journal of the Atlantic Provinces Linguistics Association*, 2, p. 3-18.

Valdman, Albert (1989), « Une norme régionale pour la revitalisation du français en Louisiane ? », dans *Revue francophone de Louisiane*, 4, 2, p. 24-46.

Vintilă-Rădulescu, Ionna (1970), « Français créole et français canadien », dans *Phonétique et linguistique romanes. Mélanges offerts à M. Georges Straka*, t. 1, Lyon et Strasbourg, Société de linguistique romane, p. 353-359.

Whatley, Randall, et Harry Jannise (1978), *Conversational Cajun French*, Baton Rouge, Chicot Press, 25 p.

La question de l'interférence de l'anglais à la lumière de la sociolinguistique

Raymond Mougeon
Département d'études françaises
Université York

Jusque vers la fin des années 1960, c'est-à-dire avant le développement de la recherche linguistique et sociolinguistique sur les français d'Amérique du Nord, on affirmait volontiers que ceux-ci étaient considérablement anglicisés. Durant les vingt dernières années, plusieurs linguistes ont remis en question ce point de vue en montrant qu'il reposait en grande partie sur des analyses superficielles ou tout simplement erronées. Dans un ordre d'idées similaire, on a montré que, si on analysait quantitativement des corpus de français nord-américain, on arrivait à la conclusion que les anglicismes constituent en fait un phénomène statistiquement marginal. Par contraste, en France, les linguistes se sont contentés de rétorquer à ceux qui ont déploré l'anglicisation galopante du français hexagonal que l'emprunt est un phénomène naturel et que le français ne s'en porte pas plus mal ou encore que, si les puristes ne décourageaient pas la néologie, le vocabulaire du français résisterait beaucoup mieux à l'emprunt à l'anglais.

Cette différence de prise de position par les linguistes français et nord-américains sur l'anglicisation du français des deux côtés de l'Atlantique n'est sans doute pas étrangère au fait que, dans le contexte nord-américain, les différentes communautés francophones sont minorées au sein d'une majorité anglophone qui les englobe et donc que les anglicismes que contiennent leurs français sont presque toujours l'objet de perceptions négatives qui rejaillissent sur les membres de ces communautés. Au contraire, les francophones de France constituent une communauté massivement majoritaire où les anglicismes sont loin d'être perçus négativement par les agents responsables de leur importation, pas plus que par ceux qui les adoptent après coup. On comprend donc que les linguistes qui effectuent des recherches sur les français d'Amérique du Nord soient allés plus loin dans leur étude du phénomène et qu'ils aient éprouvé le besoin de remettre en question la thèse de l'anglicisation.

Dans la présente étude, nous allons essayer de faire avancer un aspect particulier de la question de l'influence de l'anglais sur les variétés de français d'Amérique du Nord. Il s'agit des problèmes que soulève la démonstration de l'origine anglaise des traits caractéristiques de ces variétés, que le linguiste soupçonne de prime abord d'être des anglicismes. On comprend que cette question se situe au cœur du débat sur l'anglicisation des français d'Amérique du Nord puisque, pour pouvoir conclure à une telle anglicisation, on devrait s'assurer que les faits que l'on avance constituent des preuves incontestables d'une influence de l'anglais. Notre réflexion sera concentrée sur le phénomène de l'interférence, manifestation de l'influence de l'anglais qui pose de sérieux problèmes pour ce qui est de la démonstration d'une telle influence.

LES INNOVATIONS DUES À L'INTERFÉRENCE

Commençons par fournir une définition du terme *interférence de l'anglais*. Précisons, pour éviter toute confusion, que nous n'utilisons pas ce terme conformément au concept de l'interférence proposé par Weinreich, c'est-à-dire pour désigner n'importe quelle forme de transfert de l'anglais qui ne serait pas encore intégrée dans la structure du français. En fait, nous emploierons le terme *interférence* conformément à son acception dans la littérature sur l'acquisition des langues secondes. Dans notre étude, l'interférence de l'anglais sera donc définie comme une forme particulière du transfert de l'anglais, qui équivaut à un changement dans la distribution ou le sens d'un élément du français et qui a sa source dans la structure de l'anglais. Un exemple fictif de cas d'interférence serait l'emploi du mot français *librairie* dans le sens de «bibliothèque», dont les origines seraient à rechercher dans le terme anglais apparenté *library*.

Comme l'interférence de l'anglais équivaut à une modification du sens ou de la distribution d'un élément du **français**, sans aucune intrusion d'une forme anglaise, il ne suffira pas, pour démontrer que l'on a affaire à un cas d'interférence, de repérer un élément de la langue anglaise que l'on peut supposer être à la source de l'innovation, mais il sera également nécessaire de prouver que cette modification sémantique ou distributionnelle ne pourrait pas aussi avoir une origine dans la dynamique même du système de la variété de français à l'étude. En d'autres termes, il faudra aussi démontrer qu'il ne pourrait s'agir d'un cas de changement linguistique interne, faute de quoi la conclusion que l'on a affaire à un cas d'interférence risquerait d'être trop hâtive ou au bout du compte tout simplement erronée.

Avant d'aller plus loin dans notre analyse, il convient de rappeler que notre discussion des conditions nécessaires à la démonstration de l'interférence présuppose que le linguiste s'est assuré que le trait linguistique qui retient son attention constitue effectivement une **innovation** dans la variété de français à l'étude. Bien que cette supposition puisse sembler aller de soi, il n'y a pas si longtemps que, dans la littérature sur les français nord-américains en situation de contact linguistique, on pouvait relever de nombreux exemples où des «linguistes» attribuaient à tort l'étiquette «interférence de l'anglais» à des traits **non standard** du français à l'étude qui, bien qu'ils soient analogues à des usages anglais équivalents, existaient de longue date dans ce français. On mentionnera pour exemple la disparition de la distinction de genre pour les pronoms de la troisième personne du pluriel (par exemple : *les filles eux autres ils vont pas vouloir*), que Conwell et Juilland (1963), dans leur étude sur le français louisianais, ont attribuée à tort à l'interférence de l'anglais en dépit du fait que, comme l'a montré Cassano (1977), ce phénomène a été attesté dans des variétés de français contemporaines ou anciennes qui n'ont pas été en contact avec l'anglais. Dans la plupart des cas, ce type d'erreur d'analyse était due au fait que ces linguistes étaient peu informés des caractéristiques actuelles et anciennes des variétés de français dialectales. On pourra notamment consulter Poirier (1978), relativement au français québécois, et Chaudenson (1979), relativement aux créoles à base française, pour une critique de cette approche normative et anhistorique de l'adstrat anglais et du substrat africain. Contentons-nous de rajouter que si, dans certains cas, le trait à l'étude est bien attesté dans la littérature sur l'histoire du français et de ses dialectes, dans d'autres, par contre, l'attestation du trait en question est plus sporadique et donc susceptible de passer inaperçue au linguiste contrastophile qui veut aller vite en besogne.

Supposons donc que l'on a clairement établi que le trait du français qui retient l'attention constitue bel et bien une innovation et qu'il correspond effectivement à un usage analogue en anglais. Nous sommes maintenant prêts à envisager deux cas de figure généraux. Le premier équivaut à la situation où l'examen de l'hypothèse d'une source interne pour l'innovation à l'étude se solde par un échec ; donc la thèse de l'interférence s'impose. Le deuxième, considérablement plus intéressant, correspond à la situation où il est possible de fournir des explications « intrasystémiques » du phénomène à l'étude qui sont au moins tout aussi plausibles que l'explication reposant sur l'influence de l'anglais. Dans un tel cas, on devra convenir que, sur le plan du raisonnement structural, la question de l'origine de l'innovation demeure non résolue. Dans notre discussion de ce deuxième cas de figure, nous tenterons de montrer qu'en continuant la réflexion sur le plan sociolinguistique, il est possible d'arriver à désambiguïser l'origine de certaines de ces innovations. Nous envisagerons aussi le cas plus décevant, mais malheureusement fréquent pour ce qui est des variétés de français en situation de contact intensif avec l'anglais, où une telle ambiguïté ne peut être résolue et donc pour lequel il serait sans doute plus sage d'envisager l'hypothèse d'une origine mixte.

EXAMEN STRUCTURAL DE LA QUESTION DES ORIGINES DES INNOVATIONS

En guise d'illustration du premier cas de figure, nous discuterons brièvement d'un exemple tiré de nos recherches sur l'usage des prépositions françaises par les générations adolescentes francophones de l'Ontario, recherches dont nous avons parlé ailleurs (voir entre autres Mougeon et Beniak, 1991). Cet exemple concerne l'emploi de la préposition *sur* sous sa forme adverbiale *dessus*, pour exprimer l'idée qu'un appareil ou une machine a été allumé.

1) Est-ce que la télévision est **dessus**? «Is the TV (set) on?»

La raison pour laquelle nous pouvons avec certitude attribuer cet usage à l'interférence de l'anglais est à la fois claire et simple. En premier lieu, cette innovation correspond tout naturellement à un usage anglais analogue, à savoir l'emploi de la préposition anglaise *on* qui est l'équivalent du doublet *sur / dessus* (voir notre traduction de l'exemple 1). En deuxième lieu, argument tout aussi important pour la démonstration, on ne peut trouver en français canadien d'usages sémantiquement similaires ou reliés de *sur* ou *dessus* qui pourraient jouer le rôle de facteurs de changement interne, c'est-à-dire qui pourraient donner lieu à une extension analogique. Force est donc de conclure, sans équivoque, que nous avons affaire à un cas d'interférence de l'anglais.

Passons maintenant au deuxième cas de figure, à savoir les innovations qui, sur le plan du raisonnement structural, sont compatibles aussi bien avec le scénario de l'interférence qu'avec le scénario intra-systémique. Avant d'examiner deux exemples particuliers de ce type d'innovations, il convient de signaler qu'au cours de nos recherches sur le changement linguistique en franco-ontarien, nous avons pu constater que les innovations incontestablement dues à l'influence de l'anglais ne sont pas fréquentes; en revanche, celles qui devraient laisser le linguiste dans le doute quant à leurs origines tendent à être monnaie courante. Essayons d'expliquer pourquoi il en est ainsi. En premier lieu, nous pouvons signaler que, là où la structure du français présente des points de faiblesse (irrégularités, manque d'optimalité entre le sens et son expression formelle, etc.), l'anglais, l'autre langue des locuteurs franco-ontariens, peut présenter des équivalents plus réguliers ou plus optimaux. Par ailleurs, et ceci est remarquable, ces équivalents constituent des sources potentielles d'interférence dont le résultat est identique aux solutions que la logique interne du système de la langue française pourrait engendrer. Ce phénomène découle sans doute du fait que, bien qu'ils appartiennent à deux familles différentes, l'anglais et le français sont deux langues typologiquement proches et ayant en commun une portion non négligeable d'éléments lexicaux. Que l'interférence et la restructuration interne puissent aboutir à des solutions identiques sur des points particuliers du système de la langue française constitue une des deux conditions nécessaires pour postuler que certaines des innovations propres au français en situation de contact avec l'anglais peuvent avoir une origine ambiguë. La deuxième condition nécessaire est que les locuteurs de la variété de français à l'étude connaissent bien l'anglais et communiquent **régulièrement** en anglais, faute de quoi on peut supposer que leur français échappera à l'interférence. Cette deuxième condition est clairement remplie dans de nombreuses communautés franco-ontariennes dont les jeunes générations incluent, notamment, une proportion variable de locuteurs francophones bilingues équilibrés ou même à dominance anglaise.

Abordons donc le premier exemple d'innovations qui, sur le plan du raisonnement structural, sont compatibles aussi bien avec le scénario de l'interférence qu'avec le scénario intrasystémique. Cet exemple est tiré à nouveau de notre recherche sur l'usage des prépositions. Il s'agit du remplacement des prépositions *chez* ou *su'* par la préposition de lieu générique *à* ou par des locutions prépositionnelles telles que *à la maison de X*, *à sa maison*, etc. En voici quelques exemples :

> 2) Il est allé **à ses amis** (français canadien standard *chez ses amis*, français canadien populaire *su' ses amis*). «He went to his friends' (house).»

> 3) Je vas aller **à la maison de** Jean (français canadien standard *chez Jean*, français canadien populaire *su' Jean*). «I am going to go to John's house.»

> 4) Ils étaient **à sa maison** (français canadien standard *chez lui*). «They were at his home.»

Commençons par envisager l'hypothèse d'une filiation interne. En ce qui concerne la préposition *à* et les locutions *à la maison* + *de* et *à* + adj. possessif + *maison*, on peut remarquer que, du point de vue diachronique, elles sont attestées sporadiquement en ancien français. Nous nous trouvons donc dans la situation évoquée plus tôt, à savoir la possibilité que les usages non standard qui retiennent notre attention soient en fait des cas de survivance d'usages anciens. À ce stade de notre analyse, nous ne pouvons exclure une telle possibilité, même si le caractère sporadique et reculé de ces attestations nous permet de douter de sa vraisemblance. Nous verrons plus bas que l'examen des données sociolinguistiques nous amènera à écarter l'hypothèse d'une telle survivance.

Si l'on s'en tient au point de vue purement synchronique, le scénario interne peut se résumer ainsi. *Chez* et *su'* sont deux prépositions marquées, car elles sont sémantiquement spécialisées (elles expriment la notion de **localisation en** ou de **mouvement vers** un **domicile**) et opaques pour ce qui est du rapport sens / forme (les différentes composantes sémantiques du sens de ces prépositions, représentées par les mots en caractères gras dans la parenthèse précédente, sont réunies sous une forme unique). Elles se font remplacer soit par une variante prépositionnelle non spécialisée, à savoir la préposition générique de lieu *à*, soit par des variantes qui rendent avec plus de transparence la notion exprimée par *chez* et *su'*, à savoir différentes locutions prépositionnelles incluant le mot *maison* et qui renvoient de façon analytique aux composantes sémantiques mentionnées plus haut. L'émergence de ces dernières locutions serait sans doute facilitée par le fait qu'il existe en français canadien, comme en français standard du reste, une autre variante, à savoir la locution prépositionnelle « semi-transparente » *à la maison* (voir Mougeon, Beniak et Valois (1985) pour plus de détails sur les contraintes distributionnelles qui régissent l'emploi de cette variante).

Considérons à présent l'hypothèse de l'interférence. Nous pouvons remarquer, en ce qui concerne *à*, que l'anglais utilise les prépositions *at* ou *to,* les équivalents de la préposition *à,* devant un substantif qui désigne la ou les personnes qui habitent au domicile en question et qui est suivi facultativement des mots *home* ou *house* (voir la traduction de l'exemple 2). En ce qui concerne les locutions transparentes, nous pouvons remarquer que l'anglais emploie des locutions équivalentes, à savoir *at* ou *to* + adj. poss. + *home* ou *house* (voir les traductions des exemples 3 et 4). Nous observons donc que, sur ce point du système des prépositions du français, les équivalents anglais *at* et *to* s'avèrent plus transparents et plus réguliers que les prépositions françaises *chez* et *su'* et que, dans l'hypothèse où ils seraient transférés indirectement au français, ils donneraient lieu **aux mêmes solutions** que celles que nous venons d'envisager dans le cadre de la restructuration interne.

Examinons un deuxième cas d'innovation qui, sur le plan du raisonnement structural, est compatible aussi bien avec le scénario de l'interférence qu'avec le scénario du changement interne. Il s'agit à nouveau d'un exemple tiré de nos recherches sur l'usage des prépositions. Ce qui est en cause cette fois, c'est l'emploi de *sur* à la place de *à* pour introduire un complément de lieu désignant une station ou une chaîne de radio ou de télévision. Cet emploi de *sur* se manifeste dans les contextes suivants : devant les noms *télévision, radio* et *TV*, ou devant les noms des stations de radio ou de télévision, ou encore devant leurs équivalents numériques lorsqu'il s'agit de la câblodistribution.

> 5) J'ai vu un bon film **sur** la télévision (français canadien standard *à la télévision*). « I saw a good movie on TV. »

> 6) J'ai entendu ça **sur** CJBC, **sur** le canal 25, etc. (français canadien standard *à CJBC, au canal 25*). « I heard it on CJBC, on channel 25. »

La raison pour laquelle il est plausible de concevoir cette innovation comme le résultat de l'interférence de l'anglais apparaît clairement si l'on examine les traductions anglaises des exemples 5 et 6. On voit que, dans les contextes que nous venons d'évoquer, l'anglais utilise la préposition *on*, l'équivalent de *sur*. Selon cette hypothèse, l'emploi de *sur* résulterait du transfert indirect de l'usage de *on* dans les contextes mentionnés plus haut. Considérons maintenant l'hypothèse d'une filiation interne. En français canadien, ainsi que dans d'autres variétés de français, on peut observer l'usage catégorique de la préposition *sur* dans des contextes qui sont reliés à ceux que nous venons de mentionner, à savoir les expressions qui incluent le mot *onde*, par exemple : *Cela sera diffusé **sur** les ondes de CJBC* ou *J'ai reçu un message **sur** les ondes courtes*. De telles expressions sont de toute évidence liées à la notion de localisation par rapport aux médias de langue parlée et pourraient avoir donné lieu, par le truchement d'une extension analogique, à l'innovation en question. On doit toutefois remarquer que ce type de changement interne est à l'inverse de celui que nous venons d'examiner, car il correspond à un processus de complexification. En effet, dans le cas présent, la préposition de lieu générique *à* se ferait remplacer par une préposition plus spécialisée, *sur,* dont les usages qui seraient à la base du changement interne qui est postulé sont relativement techniques.

En résumé, nous venons d'examiner deux cas d'innovations observables en franco-ontarien qui, sur le plan du raisonnement structural, peuvent se concevoir aussi bien comme des cas d'interférence de l'anglais que comme des cas de changement interne. Nous pouvons donc maintenant passer à l'examen de données sociolinguistiques sur ces innovations dans le but d'aller plus loin dans notre réflexion sur leurs origines structurales.

DISTRIBUTION SOCIALE DES INNOVATIONS

Commençons par le remplacement de *à* par *sur* devant les noms *radio*, *télévision*, etc. Les données relatives à cette innovation figurent dans le tableau 1. Notre examen de la distribution sociale de cette innovation sera limité à deux facteurs directement pertinents pour le raisonnement : le degré de restriction dans l'emploi du français et la localité de résidence des locuteurs. Le degré de restriction dans l'emploi du français affiché par nos locuteurs a été évalué à partir des réponses à des questions sur leur emploi du français et de l'anglais dans différentes situations de communication. Ces réponses nous ont permis d'établir un indice de restriction individuel global. Les locuteurs ont été par la suite regroupés en trois catégories démarquées les unes des autres par différents seuils de restriction. En ce qui concerne la localité de résidence, signalons que nos corpus proviennent de quatre villes qui présentent des taux de concentration de francophones différents et donc qui diffèrent les unes des autres pour ce qui est de l'intensité du contact avec l'anglais. Il s'agit de Hawkesbury (85 % de francophones), de Cornwall (38 %), de North Bay (18 %) et de Pembroke (9 %) (voir la carte 1 pour leur localisation géographique). Le lecteur trouvera plus de détails sur la méthodologie de nos enquêtes sociolinguistiques dans Mougeon et Beniak (1991, chap. 4).

Comme le montrent les données du tableau 1, la distribution sociale de l'innovation va à l'encontre de l'hypothèse d'une filiation interne et donc accrédite celle de l'interférence. En effet, les données relatives à l'effet du degré de restriction dans l'emploi du français et celles qui sont liées à la localité de résidence indiquent que ceux qui utilisent *sur* sont les locuteurs qui affichent un niveau de restriction moyen ou élevé et ceux qui résident dans des localités où les francophones sont minoritaires. Si la complexification structurale était à l'origine de l'innovation (hypothèse de la filiation interne), on devrait s'attendre à ce que *sur* émerge en premier dans le parler des locuteurs qui sont les plus aptes à complexifier leur langue, à savoir les locuteurs qui restreignent peu ou minimalement leur emploi du français ou qui résident dans la communauté majoritairement francophone, ce qui n'est manifestement pas le cas. Dans le cas du franco-ontarien donc, le remplacement de la préposition *à* par la préposition *sur* pour exprimer la localisation par rapport aux médias de langue parlée est selon toute vraisemblance lié à l'adstrat anglais[1]. Un autre avantage de l'examen de la distribution sociale de l'innovation, qu'il convient de mentionner brièvement ici, est qu'il permet de préciser les limites de l'impact de l'interférence sur l'évolution du parler à l'étude. Dans le cas présent, il est remarquable que l'innovation est rare dans le parler des locuteurs qui restreignent minimalement leur emploi du français et complètement absente du parler des locuteurs de Hawkesbury.

TABLEAU 1

RÉSULTATS PARTIELS D'UNE ANALYSE DE RÉGRESSION MULTIPLE (VARBRUL) DE LA VARIATION *SUR* VS *À*

Groupes de facteurs	N de *sur*	N de *à*	Total	% de *sur*	Probabilité d'emploi de *sur*
Degré de restriction de l'emploi du français					
Minime ou bas	5	14	19	26	0,135
Moyen	41	9	50	82	0,665
Élevé	37	5	42	88	0,763
Localité de résidence					
Hawkesbury	0	16	16	0	KO*
Cornwall	23	5	32	72	n.s.
North Bay	22	8	30	73	n.s.
Pembroke	38	11	49	78	n.s.
Total	**83**	**28**	**111**	**75**	**0,696**

* Les données de Hawkesbury ne sont pas incluses dans le total.

---

1. Dans le cas du français de France, où l'on a pu observer durant les trente dernières années la montée de la préposition *sur* devant les noms de stations de radio et de télévision, l'hypothèse de la filiation semble s'imposer (voir Mougeon et Beniak (1991) pour des données sur ce changement en français hexagonal et des arguments en faveur de la filiation interne).

CARTE 1
RÉGIONS ET LOCALITÉS OÙ SE TROUVENT DES COMMUNAUTÉS FRANCO-ONTARIENNES

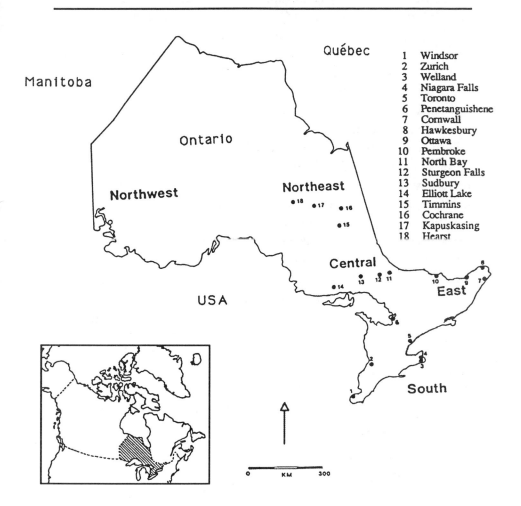

1	Windsor
2	Zurich
3	Welland
4	Niagara Falls
5	Toronto
6	Penetanguishene
7	Cornwall
8	Hawkesbury
9	Ottawa
10	Pembroke
11	North Bay
12	Sturgeon Falls
13	Sudbury
14	Elliott Lake
15	Timmins
16	Cochrane
17	Kapuskasing
18	Hearst

L'étude des limites de l'extension sociale ou géographique des innovations dues à l'influence de l'anglais à partir de données de corpus constitue une approche méthodologique et un champ de recherche particulièrement intéressants. Mentionnons en premier lieu qu'elle offre au linguiste la possibilité de faire une description socialement plus « responsable » et potentiellement démythifiante des effets de l'influence de l'anglais. En effet, comme l'a signalé Poplack (1982), les linguistes qui ont travaillé à la description des variétés de langue minoritaire parlées en Amérique du Nord ont, jusqu'à une époque récente, eu recours à des données recueillies de façon peu systématique. Cela les a conduits à plusieurs reprises à conclure trop hâtivement et abusivement que tel ou tel exemple de l'influence de l'anglais est un trait typique de ces parlers, alors que, dans les faits, on ne le trouve que dans le parler des locuteurs en voie d'assimilation. En deuxième lieu, l'étude de la distribution sociale ou géographique des innovations ambiguës ou dues à l'influence de l'anglais a le mérite d'ouvrir tout un programme de recherche centré sur la question du rôle des facteurs sociaux et démographiques dans l'émergence de ce genre d'innovations. Ainsi, dans Beniak et Mougeon (1989) et dans Mougeon et Beniak (1991, chap. 12), nous montrons qu'il est possible de rendre compte de la diffusion différentielle des innovations ambiguës ou attribuables à l'influence de l'anglais à l'aide d'une hiérarchie implicative qui tient compte, d'une part, de l'effet de la localité et du degré de restriction dans l'emploi du français et, d'autre part, des caractéristiques structurales des innovations (cas d'emprunt, cas d'interférence, cas de convergence, innovation ambiguë, etc.).

Les données du tableau 2 montrent que les principaux utilisateurs de la préposition *à* et des locutions prépositionnelles incluant le mot *maison* sont les adolescents des communautés francophones minoritaires (Cornwall, North Bay et Pembroke) et ceux qui affichent des taux moyens ou élevés de restriction dans l'emploi du français. En d'autres termes, la distribution sociale des innovations est essentiellement la même que celle que nous venons de constater relativement à la préposition *sur*. L'analogie avec le cas précédent s'arrête là cependant, car, dans le cas présent, l'hypothèse de la filiation interne est reliée à un processus de simplification et non au processus inverse de complexification. Si l'on garde ce fait important à l'esprit, on doit reconnaître que, cette fois-ci, l'examen de la distribution sociale des deux types d'innovations ne nous permet pas de trancher la question de leurs origines. L'hypothèse du scénario interne est soutenue par le fait que les agents responsables des innovations sont des locuteurs dont le niveau de restriction dans l'emploi du français les empêche de maîtriser complètement les aspects marqués de cette langue. On admettra donc qu'ils puissent éprouver le besoin de substituer des variantes plus régulières ou plus transparentes aux prépositions *chez* ou *su'*. L'hypothèse de l'interférence, quant à elle, est confortée par le fait que ces mêmes adolescents sont en grande majorité des locuteurs qui communiquent aussi souvent ou presque aussi souvent en anglais qu'en français ou encore qui communiquent nettement plus souvent en anglais qu'en français. En effet, on conçoit volontiers que de tels locuteurs recourent à l'anglais pour y puiser, consciemment ou non, les solutions que cette langue peut apporter aux aspects du français qui leur causent des problèmes, le français étant pour eux une langue sous-utilisée. Quoi qu'il en soit, la concentration de l'innovation dans le parler des locuteurs qui résident dans les communautés francophones minoritaires et qui font un emploi restreint du français nous amène à rejeter sans équivoque la thèse de la préservation historique évoquée plus haut.

TABLEAU 2

DONNÉES PARTIELLES SUR LA DISTRIBUTION SOCIALE DE *À* ET *À LA MAISON DE* OU *À* + ADJ. POSS. + *MAISON*

Groupes de facteurs	*à*		*à la maison de / à* + adj. poss. + *maison*	
	N	(%)	N	(%)
Localité de résidence				
Hawkesbury	0	0	0	0
Cornwall	1	1	4	5
North Bay	3	4	2	3
Pembroke	4	6	2	3
Degré de restriction dans l'emploi du français				
Minimal ou bas	0	0	1	1
Moyen	3	3	3	3
Élevé	5	7	4	6
Total	**8**	**3**	**8**	**3**

Ajoutons que l'examen de la distribution sociale des innovations à l'étude fournit un exemple supplémentaire de l'effet « relativisant » des données sociolinguistiques par rapport à la question de l'impact de l'influence de l'anglais sur les français d'Amérique du Nord. À ce sujet, on peut remarquer que ces innovations sont statistiquement marginales (fréquence d'occurrence de 6 % pour toutes les deux) par rapport aux variantes standard (*chez* ou *à la maison*) ou vernaculaire (*su'*) avec lesquelles elles entrent en concurrence (voir Mougeon, Beniak et Valois (1985) pour plus de détails sur ces dernières variantes). Finalement, il est important de rappeler que, si les innovations ambiguës ou dues à l'influence de l'anglais peuvent sembler insolites à ceux qui ont l'habitude de concevoir le français sous l'angle du monolinguisme et du monolithisme normatif, elles constituent en très grande partie des cas de « restructuration » plutôt que de « déstructuration », pour utiliser la distinction proposée par Valdman (1979). Nous voulons dire par là qu'il est tout à fait possible de considérer ces innovations comme les traits caractéristiques de nouvelles normes qui se développent avec plus ou moins d'intensité dans les communautés francophones en situation de contact linguistique et qui, comme toutes les normes communautaires, sont parfaitement adaptées aux besoins communicatifs intracommunautaires de leurs utilisateurs (voir Romaine (1989) sur la nécessité de repenser la question de la norme en communauté bilingue).

*

*   *

Si l'on peut trouver dans les variétés de français en Amérique du Nord des innovations qui sont incontestablement le résultat de l'interférence de l'anglais, il est aussi possible de repérer des cas de changement linguistique que l'on peut attribuer, sur le plan du raisonnement structural, aussi bien à l'interférence qu'à la restructuration interne. Parmi ces changements linguistiques ambigus, on peut distinguer deux catégories : d'une part, les innovations qui, du point de vue de la dynamique interne du français, correspondent à des cas de complexification et, d'autre part, celles qui, inversement, correspondent à des cas de simplification (régularisation, transparentisation, etc.). La première catégorie est celle pour laquelle l'examen de la distribution sociale de l'innovation peut permettre de trancher la question de ses origines : si l'innovation est concentrée dans le parler des locuteurs qui maintiennent maximalement le français, la thèse de la filiation interne l'emportera ; inversement, si elle est concentrée dans le parler des locuteurs qui restreignent leur emploi du français, c'est la thèse de l'interférence qu'il faudra retenir. Un tel examen risque par contre d'être de peu d'utilité pour statuer sur les origines des innovations qui correspondent à la deuxième catégorie : la concentration de l'innovation à l'étude dans le parler des locuteurs qui communiquent régulièrement en anglais ne constituera pas une condition suffisante pour retenir la thèse de l'interférence, car ces mêmes locuteurs font un emploi restreint du français et, donc, sont susceptibles de simplifier ses aspects marqués (thèse de la filiation interne). Compte tenu du bien-fondé des deux thèses opposées sur les origines de ces innovations, on peut sérieusement se demander si celles-ci n'ont pas en fait une origine mixte, c'est-à-dire à la fois interne et interférentielle.

Bibliographie

Beniak, Édouard, et Raymond Mougeon (1989), « Recherches sociolinguistiques sur la variabilité en français ontarien », dans Mougeon et Beniak (dir.), *Le français canadien parlé hors Québec. Aperçu sociolinguistique,* Québec, PUL, p. 69-104.

Cassano, Paul (1977), « Le français de Windsor », dans *Bulletin du Centre de recherche en civilisation canadienne-française de l'Université d'Ottawa,* 14, p. 27-30.

Chaudenson, Robert (1979), *Les créoles français,* Paris, Nathan, 172 p.

Conwell, Marilyn J., et Alphonse Juilland (1963), *Louisiana French Grammar. I. Phonology, Morphology, and Syntax,* La Haye, Mouton, 207 p.

Mougeon, Raymond, et Édouard Beniak (1991), *Linguistic Consequences of Language Contact and Restriction. The Case of French in Ontario, Canada,* Oxford, Clarendon Press, 247 p.

Mougeon, Raymond, Édouard Beniak et Daniel Valois (1985), « A Sociolinguistic Study of Language Contact, Shift and Change », dans *Linguistics,* 23, p. 455-487.

Poirier, Claude (1978), « L'anglicisme au Québec et l'héritage français », dans Lionel Boisvert, Marcel Juneau et Claude Poirier (dir.), *Travaux de linguistique québécoise,* vol. 2, Québec, PUL, p. 43-106.

Poplack, Shana (1982), « Bilingualism and the Vernacular », dans A. Valdman et B. Hartford (dir.), *Issues in International Bilingual Education : The Role of the Vernacular,* New York, Plenum Publishing Co., p. 1-24.

Romaine, Suzanne (1989), *Bilingualism,* Oxford, Basil Blackwell, 337 p.

Valdman, Albert (1979), « Avant-propos », dans A. Valdman (dir.), *Le français hors de France,* Paris, Honoré Champion, p. 5-18.

Le substrat poitevin et les variantes régionales acadiennes actuelles

Jean-Michel Charpentier
Centre national de la recherche scientifique
Paris

Le présent article s'inscrit dans un ensemble de travaux commencés intensivement il y a quelques années, qui n'en sont qu'à la moitié de leur terme. Comme toujours en pareil cas, les déductions n'en sont pas encore au stade des conclusions et de très nombreux problèmes soulevés restent sans solution.

Ce travail est celui d'un linguiste spécialiste des contacts de langues, en particulier de la pidginisation. Taxé depuis longtemps par des collègues anglophones de « substracto-maniac », d'« obsédé du substrat » en français, deux possibilités s'offraient, semble-t-il, à nous d'apporter une réponse autre que polémique au rôle et au maintien du substrat dans le cas de langues exportées et dominées comme peuvent l'être, entre autres, pidgins et créoles.

Les travaux de Massignon (1962) sur l'acadien, encore référence obligée de nos jours bien que méritant d'être nuancés et actualisés, ont pour conclusion l'origine haut-poitevine des premiers Acadiens. La moitié de la population acadienne actuelle serait originaire de six villages qui nous sont d'autant plus familiers que nous sommes natif de cette région même et qu'enfant nous avons été familiarisé avec le vieux parler poitevin. Contrairement aux autres langues exportées dont l'origine reste toujours hypothétique et inconnue, le point de départ des premiers locuteurs acadiens est géographiquement circonscrit à quelques villages, leur parler d'origine peut être nommé, même s'il reste mal connu.

Alors qu'une langue commune uniforme ne semble pas avoir eu le temps de se former dans l'ancienne Acadie, le Grand Dérangement de 1755 puis le retour pour certains colons ont mis brutalement en contact des locuteurs de dialectes différents, déterminant ainsi la genèse de l'acadien et, par là, ses variétés actuelles.

Tout le travail en cours repose donc sur deux postulats qui ne seront vérifiés qu'une fois les présents travaux bien avancés : 1° Massignon a bien situé l'origine des premiers colons ; 2° malgré 350 ans de séparation, la permanence du fait linguistique (lorsqu'il est isolé) permet encore de comparer l'acadien et le poitevin.

Dans le cas de l'acadien, la coupure brutale et totale d'avec l'ex-mère patrie et l'absence, jusqu'à un passé fort récent, d'enseignement généralisé en français ont maintenu inchangées la langue et ses variantes.

En Haut-Poitou, contrairement à ce que l'on croit généralement, le « vieux parler », comme la plupart de ses « cousins d'oïl », n'a que peu changé jusqu'à la fin du XIXe siècle ; il s'est même maintenu, malgré l'école, sur le plan lexical et, dans une moindre mesure, sur le plan phonétique jusque dans les années 1950. Pour preuve, il suffit de faire lire à des Poitevins ruraux âgés de plus de 40 ans les *Amours de Colas*, parus en 1691 à Loudun, en Haut-Poitou, ou la *Gente Poétevinrie*, publiée à Poitiers à partir de 1572 jusqu'en 1660. Bien sûr gênés par la graphie, ils ne buteront que très rarement sur le lexique. Les dialectes d'oïl, confinés à la vie familiale et rurale, n'entraient pas en concurrence avec le français, langue royale et noble. C'est seulement la disparition des techniques et l'exode rural qui les ont condamnés avant qu'ils n'évoluent. En l'absence de contacts extérieurs, de norme imposée, les dialectes changent très peu et très lentement au cours des siècles ; l'acadien et le poitevin, toujours connus des vieilles générations, reflètent encore, croyons-nous, assez fidèlement le lexique qui était en usage chez ces mêmes populations au XVIIe siècle.

L'étude en cours sera l'occasion de recueillir les spécificités du parler du Haut-Poitou qui, dans moins de vingt ans, seront à jamais disparues ; elle permettra en plus, espérons-nous, d'aider à expliquer la genèse des différentes variantes régionales de l'acadien.

Cette recherche du substrat poitevin dans les variantes régionales de l'acadien est une démarche essentiellement comparatiste. Nous appuyant sur l'égale permanence relative des parlers et sur notre connaissance des poitevinismes (écarts d'avec le français officiel), plutôt que de chercher avec l'aide d'informateurs acadiens les poitevinismes qui restent connus en Amérique du Nord (ce qui eût été conforme au sens de l'histoire), nous avons préféré partir des acadianismes et relever ceux qui nous sont familiers parce qu'originaires de notre région natale. Restait à définir l'acadianisme, étant entendu que, tout comme pour le poitevin, beaucoup d'écarts d'avec la norme parisienne sont partagés par les locuteurs des provinces voisines, en particulier le Québec. Nous n'avons donc retenu comme acadianismes que les termes inconnus de la norme officielle française et ignorés ou très peu attestés au Québec. Étant très rares au Québec, des particularismes peuvent provenir d'une continuité d'usage au sein de communautés d'origine acadienne ou, au contraire, ayant été autrefois répandus au Québec, d'une désaffection progressive pour ces emplois par les populations de cette dernière province. Dans cet article, pour les études lexico-statistiques, nous n'avons pas séparé ces acadianismes historiques (par perte d'usage ailleurs qu'en Acadie) des acadianismes géographiques (dus à des transferts de populations originaires de l'ancienne Acadie, d'avant 1755).

LE HAUT-POITOU ET SON (SES) ANCIEN(S) PARLER(S)

Ce que l'on appelle aujourd'hui le « berceau de l'Acadie », soit les villages (d'ouest en est) de Martaizé, d'Aulnay, d'Angliers, de La Chaussée et de Guesnes, auxquels il convient d'adjoindre le village de Oiron, se situe à l'extrême nord-est de l'ancienne province du Poitou (voir carte 1)[1]. Cette vieille province se subdivisait en deux régions géologiquement différentes. Le Bas-Poitou couvrait l'actuel département de la Vendée et l'ouest du département des Deux-Sèvres, le Haut-Poitou l'est des Deux-Sèvres et le département de la Vienne. Depuis l'Antiquité, le nord du Haut-Poitou constituait une zone frontière, point de contact entre trois tribus gauloises : les Andecaves (Angevins) au

---

1. L'éditeur tient à remercier Jean Bédard, du Trésor de la langue française au Québec, qui s'est chargé de la réalisation des cartes.

RÉGION DE DÉPART DES PREMIERS COLONS ACADIENS
SELON MASSIGNON

Berceau
de l'Acadie

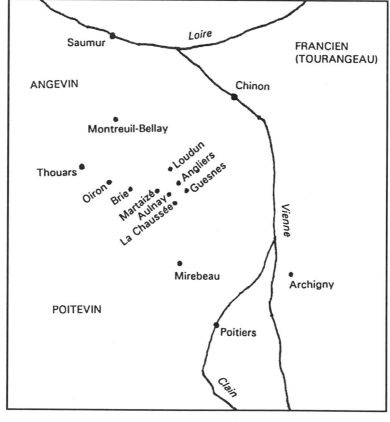

Loire

Saumur

FRANCIEN
(TOURANGEAU)

ANGEVIN

Chinon

Montreuil-Bellay

Loudun

Thouars

Angliers

Oiron

Brie

Guesnes

Martaizé

Aulnay

La Chaussée

Vienne

Mirebeau

Archigny

POITEVIN

Poitiers

Clain

nord-ouest, les Turons (Tourangeaux) au nord-est et les Pictons (Poite-vins) au sud.

À la suite de guerres féodales, le Loudunais, peuplé de Pictons à l'origine, fut rattaché au comté d'Anjou, alors que le Thouarsais, y compris Oiron, restait l'apanage du comte de Poitiers. Ces divisions et ces rattachements administratifs, qui coupaient artificiellement des populations très proches, créèrent durant huit siècles des courants d'échanges qui eurent des effets linguistiques durables.

Le nord du Haut-Poitou, fondamentalement poitevin jusqu'au XIe siècle, connut donc par la suite des influences angevines puis tou-rangelles. Le parler cessa d'être exclusivement poitevin et se caractérisa par une grande mixité. Aux yeux des érudits, puis des chercheurs, cette zone aux confins du Poitou, de l'Anjou et de la Touraine ne présentait pas une originalité suffisante pour faire l'objet d'une étude particulière; aussi fut-elle, jusqu'à un passé fort récent, évitée et qualifiée d'«assi-milée» (au français) afin d'écarter tout remords potentiel.

En effet, il fallut attendre 1981 et la seconde parution de l'excellent glossaire de Mineau et Racinoux, *Les vieux parlers poitevins*, pour que le Loudunais soit reconnu comme région possédant encore un voca-bulaire propre. Dans la première édition, parue en 1974 et intitulée *Les vieux parlers de la Vienne*, la région englobant les villages du «berceau de l'Acadie» avait été «oubliée».

Est-ce cette réputation de zone «assimilée», «francisée» qui incita Massignon à ne retenir qu'un seul point d'enquête: Guesnes, sur les six villages précités, et ce bien qu'elle ne cite aucun patronyme acadien originaire de cette paroisse? Pour quelle raison n'a-t-elle pas fait d'enquête intensive dans les villages d'où étaient partis les premiers colons, comme elle venait de le démontrer fort brillamment à l'aide de la généalogie? Lors des enquêtes en vue de l'élaboration de l'*Atlas linguistique de l'Ouest* (ALO) de Massignon et Horiot (1971-1974), très peu de points furent retenus pour cette région. Quarante kilomètres à vol d'oiseau séparent Guesnes du point le plus proche de Oiron, Argenton-l'Église, situé à l'ouest de Thouars. Si la région ne fut pas considérée comme assimilée, elle fut alors traitée comme un ensemble linguistiquement homogène, approche tout aussi erronée que la précédente.

En effet, malgré son exiguïté géographique, ce «berceau de l'Acadie» n'a jamais été linguistiquement homogène. Vingt-cinq kilomètres seulement séparent d'ouest en est Oiron de Guesnes. Les cinq villages principaux qui constituent ce «berceau» s'inscrivent, eux, dans un rayon de cinq kilomètres au sein duquel plusieurs isoglosses fort importantes du point de vue de la dialectologie régionale se croisent.

Nous ne citerons ici que les isoglosses les plus typiques, celles qui sont entrées dans la «terminologie» linguistique locale parce que ressenties comme des marques distinctives entre les parlers des locuteurs des différents villages. Ainsi, les locuteurs de tous les villages cités – à l'exception de La Chaussée qui, de ce point de vue entre autres, se rattachait au Mirebalais, baronnie située plus au sud – *tuttaient*, c'est-à-dire prononçaient les [t] finaux dans des mots comme *pot* [pɔt], *sot* [sɔt], *droit* [dʀet], *froid* [fʀet], *sifflet* [sybjet], etc.

La Chaussée partageait aussi avec le Mirebalais la façon de prononcer les [e] finaux, notamment ceux des participes passés français transformés en une voyelle palatale fermée [i] ; par exemple [al a gryʃi] «elle est montée», [i z avɔ̃ bɛ̃ kuzi] «ils ont bien parlé», [in liʃi] «une petite quantité». Le nom même du village de La Chaussée était prononcé – et l'est encore aujourd'hui par quelques vieillards entre eux – [la ʃusi]. À Aulnay et à Martaizé, ces voyelles finales semi-fermées palatales [e] étaient et restent légèrement diphtonguées; par exemple [va tə pa ɑ̃ʀejeʲ amatẽʲ] «ne vas-tu pas te mettre au travail ce matin». Par contre à Guesnes, dans le village des Chauleries proche de La Chaussée, ces voyelles françaises étaient triphtonguées en finale de mot; il en était de même à Oiron et dans le Thouarsais: [in pisoteᵉʲ] «une averse», [in ʀabɑteᵉʲ] «une correction»; les grands-parents de l'auteur habitaient à [miseᵉʲ] «Missé», dans le village de [duʀet] «Doret».

En Haut-Poitou, jusqu'à un passé fort récent, les locuteurs locaux s'offusquaient du qualificatif de *patoisants* avancé à leur endroit; pourtant, entre eux, ils se distinguaient à l'aide de démonstratifs qui ressemblaient fort peu à ceux du français officiel. Ainsi, dans certains villages, les locuteurs *qualaient* ou *calaient* (ils usaient de l'adjectif démonstratif *kale* pour exprimer les sens des démonstratifs français *ce*, *cette* et *ces*), alors qu'ailleurs ils ne le faisaient pas. Les premiers utilisaient (et utilisent encore) simplement le système suivant: [ku lum] « cet homme », [kale zu-m] « ces hommes », [kal fymel] « cette femme », [kale fymel] « ces femmes ». Ailleurs, le démonstratif pluriel, tant au féminin qu'au masculin, est [ke] : [ke nuk] « ces nœuds », [ke fɔrzɛ] « ces chouettes ». Le village de Oiron, seul, est à ranger dans cette seconde catégorie.

Concurremment, sur ce système ancien solidement implanté s'est superposé un système issu du francien: [stə] pour *ce*, *cet* et *cette* ([stə piʀun] « cette oie », [stə ʃalẽʲ] « cet éclair de chaleur »), avec les composés [stɛlla] « celle-là », [sti] ou [sila] « celui-là », qui existent en Acadie. Comme souvent lorsqu'il y a concurrence entre parlers différents, c'est la forme la plus facile à comprendre par un grand nombre, ici celle la plus proche du français, qui fut retenue.

On pourrait facilement adjoindre beaucoup d'autres exemples à ceux-ci, en particulier d'ordre lexical: tel terme se perpétuait dans une paroisse, bien que compris par les locuteurs du village voisin, mais il n'était jamais repris par ces derniers parce que considéré comme « étranger ». Aujourd'hui encore, nos vieux informateurs précisent que tel lexème est de Guesnes, de La Chaussée ou d'Aulnay et, séparément, réussissent à sérier des ensembles qui concordent.

Les familles parties de ces villages pour l'Acadie parlaient certes toutes « poitevin ». Toutefois, à la suite de l'hyperdialectalisation féodale, chaque communauté linguistique soumise au servage durant des siècles dans des fiefs différents avait forgé des particularismes locaux. En conséquence, il serait abusif de parler d'un substrat poitevin absolument uniforme au début du XVIIe siècle, alors que ces différences étaient encore patentes il y a moins de cinquante ans.

PROBLÉMATIQUE, MÉTHODOLOGIE ET DÉBUT D'ÉLABORATION DU CORPUS ACADIEN / POITEVIN

L'intérêt d'entreprendre un travail scientifique sur le comparatisme acadien / poitevin s'imposa à la suite de deux approches empiriques différentes :

1° À la lecture de glossaires comme celui de Poirier ou en parcourant la thèse de Massignon, nous fûmes persuadé de l'indéniable parenté entre l'acadien et le parler du Haut-Poitou.

2° Lors de la venue de nombreux groupes de visiteurs acadiens au «berceau de l'Acadie», comme tout locuteur natif du Haut-Poitou, nous fûmes interloqué certes par la similitude de la langue de certains avec notre ancien parler, mais aussi, *a contrario*, par l'absence de ressemblance au moins sur le plan phonétique chez d'autres. L'acadien connaissait donc de nombreuses variantes, ce que nous pûmes vérifier sur place, au cours de l'été 1988, tant au Nouveau-Brunswick qu'en Nouvelle-Écosse.

Se posait alors le problème de la genèse de l'acadien ou des acadiens. Ces variantes régionales étaient-elles dues à des adstrats ajoutés à un substrat commun poitevin (saintongeais) comme en vint à conclure Massignon et, dans ce cas, quelles étaient l'origine dialectale et l'importance de ces apports subséquents? Le peuplement acadien s'était-il fait à partir de groupes différents, étrangers les uns aux autres? Si cette seconde hypothèse devait se révéler exacte, dans quelle région d'Acadie le substrat poitevin était-il présent? La réponse (bien qu'encore partielle) nous est venue d'une recherche située dans deux directions séparées mais complémentaires: l'analyse livresque et le travail sur le terrain.

Prenant pour commencer le glossaire de Poirier, nous y avons relevé tous les termes que nous connaissions personnellement. Ce travail complété ensuite avec l'assistance de notre père pour le Thouarsais et, dans les villages de Guesnes (Les Chauleries), La Chaussée et Aulnay, grâce à la patience de vieux informateurs, nous avons pu constater que 58 % du lexique considéré comme acadien restait connu. Or, ce fort pourcentage indiquait plus de canadianismes (particularités du français parlé par les différentes communautés francophones du Canada) que de véritables acadianismes tels que nous les avons définis précédemment.

Dans toutes les sources consultées, le glossaire de Poirier donc, mais aussi le travail de Massignon et même les glossaires plus récents de Boudreau (1988) pour Rivière-Bourgeois ou de Thibodeau (1988) pour la baie Sainte-Marie, est considéré comme acadianisme tout écart d'avec la norme française. S'en remettre à cette seule définition revient cependant à nier les particularités lexicales tant québécoises qu'acadiennes. Pour les sérier, nous avons fait appel à trois sources. Tout d'abord, le *Glossaire du parler français au Canada* de Rivard et Geoffrion (1930), dans lequel nous avons cherché les lexèmes acadiens / poitevins indiqués par les auteurs comme spécifiquement acadiens. Bien souvent toutefois, aucune précision n'était fournie quant au caractère québécois ou acadien de beaucoup de termes. Les auteurs cherchaient plus à décrire le français de l'Est canadien qu'à sérier ses deux composantes principales, d'ailleurs étroitement imbriquées en Gaspésie et aux Îles-de-la-Madeleine, régions appartenant à la province de Québec mais peuplées en partie d'Acadiens. Nous avons ensuite dépouillé *Le parler populaire du Québec et de ses régions voisines* (PPQ) de Dulong et Bergeron (1980), en retenant comme acadianismes les termes très répandus en Acadie et très peu présents au Québec (Îles-de-la-Madeleine et Gaspésie exclues). Cela n'était bien sûr opératoire que dans la mesure où, à la suite d'une question retenue comme entrée dans le PPQ, nous rencontrions un terme connu en Poitou. Si ce terme n'apparaissait que dans le domaine linguistique acadien, il était acadien sans conteste ; s'il était attesté dans plus de cinq points d'enquête au Québec, nous ne le considérions plus comme un pur acadianisme, mais comme un canadianisme ou un américanisme. Or, très souvent, des termes poitevins apparaissaient de façon isolée. Comme ils figuraient dans le vocabulaire de contexte reproduit dans le PPQ[2], il nous fallait vérifier s'ils étaient connus en Acadie et presque inconnus au Québec. Pour ce faire, le fichier du Trésor de la langue française au Québec (TLFQ), qui ne compte pas moins d'un million et demi de fiches, fut une source irremplaçable par sa précision et sa richesse. Puisque pour chaque entrée, l'origine, la date et le nom de l'utilisateur sont fournis, il fut alors possible de distinguer acadianismes et québécismes.

La revue systématique du glossaire de Poirier nous permet cependant de trouver de nombreux poitevinismes jusqu'alors jamais recueillis et de préciser les particularismes de chacun des villages du Haut-Poitou

---

2. Le vocabulaire de contexte se compose de notes diverses recueillies par les enquêteurs et que les auteurs du PPQ ont jugé utile de prendre en compte en raison de leur intérêt linguistique.

réputés points de départ des premiers Acadiens. Commençant un travail d'allées et venues entre les ouvrages édités et le terrain, cela de chaque côté de l'Atlantique, nous avons pu constater au cours de l'été 1988 que dans la péninsule acadienne même, donc dans la partie nord-est du Nouveau-Brunswick, l'acadien, sans connaître autant de particularismes locaux que son «probable» ancêtre poitevin, était très loin d'être uniforme. De plus, si le substrat poitevin paraissait évident dans la région de Paquetville–Saint-Léolin, il en allait tout autrement à Lamèque et encore plus à Petit-Rocher en remontant la baie des Chaleurs ou, plus au sud, à Baie-Sainte-Anne.

L'étude projetée s'avérant bien plus complexe que prévue, elle ne pouvait être poursuivie qu'en plusieurs étapes : 1° par un inventaire systématique de tous les acadianismes notés par les auteurs et par un relevé de ceux qui sont d'origine poitevine ; 2° par l'analyse des deux ouvrages traitant de la répartition géographique des lexèmes, plus précisément par un travail de localisation des poitevinismes dans l'œuvre de Massignon et dans le PPQ (ce sont les résultats de cette phase du travail qui sont présentés ici).

LE SUBSTRAT HAUT-POITEVIN DANS L'ŒUVRE DE MASSIGNON

Rechercher le substrat poitevin dans la thèse magistrale de Massignon peut sembler superflu, voire inutile. N'a-t-elle pas regroupé dans les pages 734 et suivantes les régionalismes d'origine française et la rubrique k) de ce sous-paragraphe ne commence-t-elle pas par «Les termes strictement poitevins et charentais»? Or, lorsque ces lignes furent écrites, le seul et unique ouvrage disponible et traitant en partie du Haut-Poitou était le glossaire de Lalanne, publié en 1868. Bien que remarquable, cet ouvrage est bien sûr loin d'être exhaustif, puisqu'il était censé couvrir le Poitou dans son ensemble, alors qu'à cette époque presque chaque village aurait pu faire l'objet d'une enquête.

Si le travail de Mineau et Racinoux paru plus d'un siècle plus tard, en 1982, avait existé, Massignon se serait rendu compte que beaucoup de termes qu'elle a attribués à des provinces autres que le Haut-Poitou étaient en fait également en usage dans cette région du Centre-Ouest.

Ainsi, les termes *buttereau* «côteau», *planche* «plat (pour un terrain)», *fourgailler* «tisonner», *dégrucher* «descendre» (contraire de *grucher* «grimper»), que Massignon a déclaré être angevins, sont également connus et en usage en Haut-Poitou. De même *crâler* «craquer» n'est pas uniquement champenois; le gallot (dialecte français parlé en Bretagne) doit également partager avec le Haut-Poitou: *pivelé* «marqué de taches (en parlant du poil d'une vache)», *motelon* «grumeau», *raguenâser* «radoter», *raguenâsoux* «radoteur»; de même, *niau* «nichet» n'est pas uniquement bourguignon, etc. En fait, la proportion du vocabulaire dialectal provenant du Haut-Poitou (ou du moins qu'on y rencontre) est bien plus élevée que celle qui est avancée par Massignon.

Certes, le but principal de Massignon était autre. Elle voulait avant tout montrer comment une population adapte son parler à un milieu naturel nouveau. Parmi les 1 941 entrées choisies pour son questionnaire, beaucoup correspondent seulement à un environnement nord-américain. Il s'ensuit bien sûr que tout ce qui concerne la mer, la majeure partie du vocabulaire lié à la flore, à la faune et au climat ne peuvent être trouvés dans un quelconque substrat poitevin.

Pour des raisons qui aujourd'hui ne peuvent être que des suppositions, Massignon n'a pas mené véritablement d'enquête linguistique dans les villages d'Aulnay, de La Chaussée, de Martaizé, etc. Elle aurait pourtant trouvé là confirmation, sur le plan linguistique, de ce qu'elle avait découvert grâce à la généalogie et à l'histoire. Des termes dialectaux inconnus ailleurs en France se retrouvent en Acadie; en particulier, la moitié de ceux que Massignon a qualifiés d'«acadianismes d'origine française inconnue» (p. 737): *bordouille* «pâte cuite dans l'eau bouillante» est à La Chaussée une pâtée liquide à la composition indéfinissable. À La Chaussée également, un *muce* «petit veau» est encore connu surtout sous la forme d'appellatif: [ptʃi ptʃi mys o] (à Aulnay, une vache en chaleur [myz] ses congénères, c'est-à-dire qu'elle les sent). *Go* «gosier» fit l'objet d'un très long développement de la part de Poirier dans son glossaire (p. 253) et il en situa l'origine, comme toujours chez lui, en Touraine et dans le Berry où il croyait que seul le «bon français» est parlé, sans renvoyer à aucune source. Massignon classe ce terme parmi les «acadianismes d'origine française inconnue» (p. 276). Mineau et Racinoux (1981) notent *got* (prononcé

[go]) : rigole, canal d'amenée d'eau (Loud, Mirebeau). Ces auteurs précisent même que ce terme est connu uniquement en Loudunais et dans le Mirebalais. Dans le Thouarsais et à Oiron, village d'origine des nombreux Doiron d'Amérique du Nord, le dérivé de *go*, *dégotter*, signifie «décavillonner» (enlever la terre autour des ceps de vigne), donc dégager le *go*, la rigole. En Acadie, *dégotter*, c'est retirer l'appât de l'estomac de la morue qui s'est engottée. Le terme *calouetter* «cligner des yeux», pour lequel Massignon n'a donné aucune origine dialectale, est très connu et encore utilisé avec ce sens dans le Thouarsais où, pour préciser qu'un lièvre au gîte écarquille de grands yeux, les chasseurs disent : [i depuje d ke kalo] «il dépouillait de ces calots» (les calots étant alors de grands yeux).

Si individuellement, à l'exception de *go*, ces termes ne sont pas attestés partout dans les points d'enquête de Massignon, pris globalement, on les trouve dans toutes les régions de peuplement acadien, ce qui tend à prouver qu'un substrat ayant pour origine le Haut-Poitou existe partout. *Go* (entrée 1463 dans Massignon) est attesté dans tous les points d'enquête qu'elle réalisa au Nouveau-Brunswick et en Nouvelle-Écosse, à l'exception de ceux qui sont situés dans l'île du Cap-Breton. Nous avons également trouvé ce terme à Larry's River lors d'une enquête effectuée en novembre 1990. Le terme *muce* (entrée 836) apparaît au sud de Moncton (N.-B.) et dans les trois principaux points d'enquête faits par Massignon en Nouvelle-Écosse (Pointe-de-l'Église, Pubnico et Pomquet). *Calouetter* (entrée 1499) existe dans les mêmes communautés que le mot *muce*. Par contre, *bordouille* (entrée 1343) ne semble connu que dans l'île du Cap-Breton. *Dégotter* (entrée 593) a été relevé dans la région de Moncton, dans l'île du Cap-Breton, à Pointe-de-l'Église et à Pubnico.

Dans l'ouvrage de Massignon, nous avons rencontré 283 acadianismes que nous qualifierions de «purs» (inconnus hors des Provinces maritimes canadiennes) et qui sont ou ont été connus en Haut-Poitou. Parmi ces 283 emplois, 276 ont été entendus par nous-même ou par nos vieux informateurs poitevins qui ont pu les utiliser, bien qu'aujourd'hui beaucoup ne soient plus que souvenirs. Cependant, les 7 qui ont disparu ont été consignés il y a quelque 120 ans dans le glossaire de Lalanne (1868). Ces chiffres à eux seuls montrent l'extrême stabilité des dialectes même à une époque où l'introduction de l'école obligatoire et la révolution des techniques ne pouvaient qu'accélérer leur effacement.

Les particularités lexicales du poitevin et de l'acadien sont attribuables en partie à la rétention d'archaïsmes et à la présence de termes d'origine dialectale. Nous avons donc, pour chaque point d'enquête de Massignon, distingué les archaïsmes (mots attestés dans les dictionnaires français des XVIe et XVIIe siècles) des termes qui n'apparaissent que dans les dialectes, en particulier en poitevin. Dans le cas où un peuplement acadien isolé n'aurait eu en commun avec le poitevin que des archaïsmes français (pouvant provenir de n'importe quelle province), l'origine poitevine des premiers ascendants de ce lieu pouvait être mise en doute.

La première colonne du tableau 1 indique le nombre d'acadianismes connus en Poitou et retenus par région parmi les 283 qui sont attestés dans les Provinces maritimes et qui ont sûrement appartenu au substrat de départ. Afin de faciliter l'analyse, nous avons joint, pour chaque région, les pourcentages de rétention. Dans la seconde colonne, nous avons précisé pour chaque région acadienne le nombre de termes dialectaux parmi les acadianismes partagés avec le poitevin. Ces chiffres sont suivis du pourcentage de dialectal dans le substrat poitevin trouvé dans chaque région.

Pour le point 24 (Pomquet), Massignon ne fit qu'une enquête ultérieure avec un informateur venu à Paris. En novembre 1990, nous avons complété cette enquête à l'aide d'un questionnaire concernant 136 termes poitevins et acadiens : 92 d'entre eux étaient connus à Pomquet. Au cours de ce séjour, nous fîmes le même sondage dans le village francophone de Larry's River qui n'a presque jamais fait l'objet d'une mention dans une quelconque étude linguistique. Le questionnaire portait sur 121 termes (moins qu'à Pomquet, point pour lequel nous avons ajouté ultérieurement certains lexèmes cités par Massignon).

TABLEAU 1
RÉTENTION DES POITEVINISMES EN ACADIE

Points d'enquête*	Nombre d'acadianismes / poitevinismes (sur un total de 283)		Part du dialectal	
1. Madawaska (États-Unis)	33	11,6 %	10	30,3 %
2. Sainte-Anne de Madawaska (N.-B.)	34	12,0 %	9	26,4 %
3. Carleton (Gaspésie)	85	30,0 %	29	34,1 %
4. Bonaventure (Gaspésie)	84	29,6 %	28	33,3 %
5. Petit-Rocher (N.-B.)	99	34,9 %	30	30,3 %
6. Lamèque (N.-B.)	94	33,2 %	29	30,8 %
7. Acadieville (N.-B.)	117	41,3 %	38	32,4 %
8. Saint-Antoine (N.-B.)	137	48,4 %	44	32,1 %
9. Saint-Joseph (N.-B.)	96	33,9 %	32	33,3 %
10. Mont-Carmel (Î.-P.-É.)	103	36,3 %	33	32,0 %
11. Les Caps et				
21. Havre-aux-Maisons (Î.-de-la-M.)	137	48,4 %	49	35,7 %
12. Chéticamp (N.-É.)	137	48,4 %	44	32,1 %
13. Boudreauville (N.-É.)	113	39,9 %	41	36,2 %
14. Chezzetcook-Ouest (N.-É.)	74	26,1 %	20	27,0 %
15. Pointe-de-l'Église (N.-É.)	166	58,6 %	57	34,3 %
16. Pubnico-Ouest (N.-É.) et				
23. Sainte-Anne-du-Ruisseau (N.-É.)	159	56,1 %	56	35,2 %
24. Pomquet (N.-É.)	92 / 136	67,6 %	38	41,3 %
L.R. Larry's River (N.-É.)	71 / 121	58,6 %	24	33,8 %

* Pour la localisation des points d'enquête, voir la carte 2.

Parmi les 16 points d'enquête principaux visités par Massignon, la région de Madawaska, aux confins du Maine et du Québec, se distingue nettement. Le substrat poitevin n'est que de 12 % parmi les Brayons (nom des habitants du lieu). Un autre ensemble apparaît autour de la baie des Chaleurs avec les points 3, 4, 5 et 6 qui conservent autour de 30 % du substrat poitevin d'origine. Beaucoup de termes poitevins, acadianismes trop marqués, ont dû certainement être abandonnés au cours des très nombreux échanges avec les voisins québécois. Nous savons pour y avoir enquêté en 1988 que, dans la péninsule acadienne du Nouveau-Brunswick, l'élément poitevin est plus ou moins important selon les villages. Par exemple, à Saint-Léolin, à Bertrand, à Paquetville, peuplés de *nations* (c'est-à-dire de grandes familles), dont les ancêtres viennent du Poitou (comme les Thériault, les Landry, les Robichaud,

NOMBRE DE POITEVINISMES PAR POINT D'ENQUÊTE VISITÉ PAR MASSIGNON

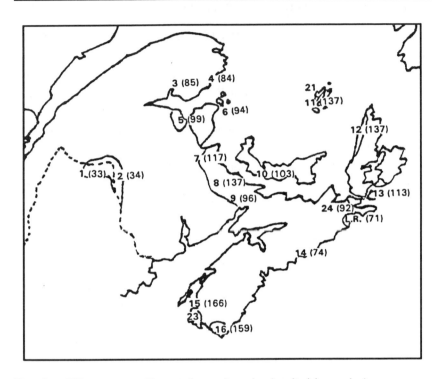

Note : Les chiffres entre parenthèses représentent le nombre de poitevinismes relevés.

1. Madawaska (États-Unis)
2. Sainte-Anne de Madawaska (N.-B.)
3. Carleton (Gaspésie, Québec)
4. Bonaventure (Gaspésie, Québec)
5. Petit-Rocher (N.-B.)
6. Lamèque (Île de Shippagan, N.-B.)
7. Acadieville (N.-B.)
8. Saint-Antoine (N.-B.)
9. Saint-Joseph (N.-B.)
10. Mont-Carmel (Î.-P.-É.)
11. Les Caps (Îles-de-la-Madeleine, Québec)
12. Chéticamp (N.-É.)
13. Boudreauville (Île Madame, N.-É.)
14. Chezzetcook-Ouest (N.-É.)
15. Pointe-de-l'Église (N.-É.)
16. Pubnico-Ouest (N.-É.)
21. Havre-aux-Maisons (Îles-de-la-Madeleine, Québec)
23. Sainte-Anne-du-Ruisseau (N.-É.)
24. Pomquet et Larry's River (L.R.) (N.-É.) (enquête de Charpentier)

les Doiron, etc.), l'élément poitevin est aisément discernable et certainement plus massif qu'à Lamèque (point 6) où la population tournée essentiellement vers la pêche a dû perdre une bonne part du vocabulaire poitevin initial qui était avant tout agricole.

Les points 7, 8 et 9, toujours au Nouveau-Brunswick, se caractérisent par un fort élément poitevin : plus de 41 % et 48 % pour les deux premiers et 33,9 % pour le dernier. Le plus faible pourcentage enregistré dans la région de Saint-Joseph a peut-être pour explication la proximité de Moncton, ville à demi anglophone, et de la Nouvelle-Écosse, où plus de 95 % de la population parle anglais. Pour le point 10, situé dans l'Île-du-Prince-Édouard, la faiblesse du pourcentage poitevin par rapport au point 7 (Acadieville) ou au point 8 (Saint-Antoine) peut également provenir du peuplement. En effet, la *nation* dominante dans l'île est celle des Arsenault. Leur ancêtre ne vient pas du Haut-Poitou mais de La Rochelle, semble-t-il.

Le plus fort pourcentage trouvé au Nouveau-Brunswick se situe en 8 (Saint-Antoine), soit 48,4 %. C'est ce même pourcentage que l'on rencontre aux Îles-de-la-Madeleine où nous avons mis ensemble les points 11 (Les Caps) et 21 (Havre-aux-Maisons). À une première enquête en avait succédé une autre, complémentaire de la précédente. L'isolement et un gros peuplement de familles d'origine poitevine peuvent expliquer ce fort pourcentage que l'on retrouve exactement en 12, à Chéticamp, dans l'île du Cap-Breton, et qui n'est dépassé en Nouvelle-Écosse qu'en 15, à Pointe-de-l'Église, avec 58,6 %, et en 16, à Pubnico-Ouest, avec 56,1 %. Nous ne trouvons pas d'explications autres qu'historiques à la présence de cet important substrat poitevin dans ces deux derniers points. Certes, ces deux régions sont restées également isolées, mais l'anglicisation du vocabulaire y fut forte et la proportion des patronymes d'origine poitevine y serait même plus faible que pour beaucoup d'autres peuplements acadiens. Mais contrairement aux autres communautés acadiennes réinstallées après la Déportation, les familles de Pointe-de-l'Église et de Pubnico ne sont pas revenues de France mais des colonies anglaises de la côte est des États-Unis. Leur parler n'a pas été soumis à d'autres influences francophones ; elles auraient alors mieux conservé le parler commun de la vieille Acadie avec ses marques dialectales que personne n'aurait relevées, ni même condamnées.

Le plus faible pourcentage de poitevinismes du point 13 (Boudreauville) aurait pour explication principale le peuplement mixte de l'île Madame, ce que nous avons pu vérifier sur place. Dans cette petite communauté, une partie du vocabulaire d'origine dialectale, dont l'usage était limité au Poitou et qui n'était pas comprise des autres communautés migrantes, ne pouvait qu'être abandonnée, conformément à un processus de pidginisation bien connu.

Tant pour Pomquet que pour Larry's River, les pourcentages présentés ne peuvent être comparés avec ceux de l'étude générale de Massignon. Ils sont très élevés car nous avions choisi pour notre questionnaire les mots poitevins et acadiens les plus répandus. Le but était de voir, dans ces deux points, s'il existait un substrat poitevin ou s'il s'agissait de peuplements n'ayant eu aucun rapport avec l'ancienne Acadie d'avant 1755.

Dans la seconde colonne du tableau, comme nous l'avons mentionné plus haut, nous avons voulu préciser la part du dialectal dans le nombre des acadianismes attestés dans chaque région. Bien que l'inventaire lexical ait montré la présence du substrat poitevin dans l'ensemble des communautés acadiennes, il n'était certainement pas superflu de préciser la seule part de l'élément dialectal car cela va à l'encontre du vieux mythe voulant que l'acadien soit un état de langue, un ensemble d'archaïsmes qui auraient été l'usage courant à l'époque de Rabelais. Les 16 points d'enquête révèlent une constante des plus remarquables : partout le vocabulaire d'origine dialectale représente un tiers des acadianismes. Les deux autres tiers sont constitués d'archaïsmes de la langue française attestés dans les dictionnaires de Godefroy, de Huguet et de Cotgrave. Il y a fort à parier que nous trouverions la même proportion dans le glossaire de Lalanne (1868) ou dans celui de Mineau et Racinoux (1981).

Le seul autre ouvrage actuellement disponible traitant de la répartition géographique de l'acadien est *Le parler populaire du Québec* (PPQ) ou *Atlas linguistique de l'est du Canada*. Nous y avons également cherché tous les acadianismes communs avec le poitevin.

L'ACADIEN, LE SUBSTRAT POITEVIN
ET LE QUÉBÉCOIS À LA LUMIÈRE
DE L'*ATLAS LINGUISTIQUE DE L'EST DU CANADA*

L'analyse détaillée de cet important ouvrage de quelque 3 650 pages devait, selon nous, répondre à deux objectifs : 1° vérifier et confirmer les résultats obtenus dans la thèse de Massignon ; 2° permettre de trouver de nouveaux acadianismes d'origine poitevine.

Le premier but ne fut que partiellement atteint. Certes, c'est dans les Provinces maritimes (Nouvelle-Écosse, Nouveau-Brunswick, Île-du-Prince-Édouard) et aux Îles-de-la-Madeleine que se situe le plus grand nombre d'acadianismes d'origine poitevine. Cette présence reste aussi importante en Gaspésie et sur la Côte-Nord, mais la comparaison ne pouvait être poussée plus avant. Il ne s'agit ni du même questionnaire ni, bien souvent, des mêmes points d'enquête. Il semblerait que les thèmes abordés dans le PPQ (érablière, repas, boissons) étaient moins propices à faire ressortir les acadianismes que les sujets abordés par Massignon. En effet, malgré un nombre plus élevé de questions (2 310 contre 1 941 chez Massignon), proportionnellement moins d'acadianismes / poitevinismes sont apparus.

Par contre, le PPQ a permis de trouver dans l'ensemble de l'Est canadien, souvent de façon isolée, de nouveaux acadianismes d'origine poitevine : 324 acadianismes (tels que nous les avons définis) furent relevés. Maintes fois, ils apparurent dans le « vocabulaire de contexte » d'une question, c'est-à-dire au cours de simples conversations, et également dans le « vocabulaire complémentaire », ou encore à la question 2310, « Vocabulaire de contexte général », qui livre 96 pages de vocabulaire acquis hors enquête officielle. Ce vocabulaire acadien apparu fortuitement sans que les témoins aient répondu exactement au questionnaire préétabli ne saurait être considéré comme présent ou absent dans toute autre région, d'où l'impossibilité d'établir des taux de rétention par point d'enquête.

Notre analyse du PPQ nous a permis de montrer l'existence de termes acadiens dans l'ensemble du territoire québécois. Ancien refuge de nombreux exilés acadiens, les Îles-de-la-Madeleine (au moins certains villages) s'avèrent de ce fait linguistiquement aussi acadiennes que le

Nouveau-Brunswick par exemple et même beaucoup plus que le Mada-waska. La côte sud de la Gaspésie, au nord de la baie des Chaleurs, atteste une forte ascendance acadienne, en particulier à Bonaventure. Le peuplement acadien révélé par le substrat poitevin apparaît également sur la Côte-Nord. Dans ce dernier cas, il s'agit de migrations connues et relativement récentes; les familles d'immigrants n'ont pas eu le temps d'être linguistiquement assimilées.

Si l'on exclut les points d'enquête des trois provinces acadiennes, des Îles-de-la-Madeleine, de la Gaspésie et de la Côte-Nord, domaine acadien ou influencé directement par l'acadien (soit 45 points), sur les 121 restants, 25 points de la vallée du Haut-Saint-Laurent (de l'embou-chure de la rivière Saguenay, sur la rive gauche, et de Rivière-du-Loup, sur la rive droite, jusqu'à la frontière de l'Ontario au sud) présentent au moins 5 poitevinismes. Deux explications peuvent être avancées pour justifier une telle présence : 1° il s'agirait là d'archaïsmes partagés par le Québec et le Poitou, limités à quelques points, qui auraient été conservés par des immigrants poitevins venus au Québec ; 2° après le Grand Dérangement de 1755-1758, les réfugiés acadiens auraient amené avec eux ce vocabulaire qui serait resté dans les « Petites Cadies » (villages d'origine acadienne au Québec).

En fait, nous n'avons rencontré en tout et pour tout que trois termes exclusivement d'origine poitevine, qui sont attestés au Québec et qui semblent étrangers au domaine acadien actuel. Ce sont : *s'acra-poutir*, à Saint-Félix (Charlevoix, Québec), *sabourin* (os pour la soupe), relevé par Massignon à Carleton (Gaspésie), et *le bidou* (dernier-né), attesté à Verner (Ontario). Ces trois termes ne sont pas des archaïsmes (exception faite de *sabourin* qui découle du vieux terme français *savouret*) mais des emplois propres aux locuteurs du Poitou. La suite de l'étude va montrer qu'ils ne sont probablement pas venus directement de France, mais qu'ils se sont implantés par le biais de l'acadien car la plupart se situent dans des régions où d'autres acadianismes d'origine poitevine apparaissent.

Nous avons relevé les points d'enquête de la province de Québec où subsistent au moins cinq acadianismes. Alors que la plupart sont très présents dans les régions nord-est du Québec influencées par des peu-plements acadiens, dans la vallée du Haut-Saint-Laurent par contre, ils n'apparaissent qu'en 25 endroits. Si l'on place ces points sur un fond de carte pris dans le PPQ, leur configuration correspond incontestablement à celle qui est constituée par les implantations acadiennes des années 1755 et suivantes (voir carte 3). La présence en Abitibi de huit points présentant plus de cinq acadianismes s'explique par une forte immigration acadienne provenant de Nouvelle-Écosse au début de ce siècle. Les trois poitevinismes précédemment cités comme étant en apparence propres au Québec se retrouvent dans des points d'enquête rappelant les «Petites Cadies». On les trouve à Saint-Fidèle (Charlevoix) et à Saint-Côme (Joliette). Bergeron (1981) a rappelé la création de «Petites Cadies» dans ces régions : près de Saint-Fidèle, à Baie-Saint-Paul, aux Éboulements et, non loin de Saint-Côme, à Saint-Jacques de l'Achigan et à L'Assomption (voir carte 4).

Le passage en revue systématique des quelque un million et demi de fiches du fichier du TLFQ (couvrant l'Est canadien) nous a permis de trouver cinq autres poitevinismes ayant été en usage au Québec : *brénée* «nourriture à cochons», attesté en l'année 1725, *choppe* «blet» en 1672, *paillonne* «récipient de paille tressée» en 1685, *prouillère* «attelage de charrue» en 1703 et 1838, *renasser* «grogner, maugréer» en 1877. Donc, de tout temps, très peu de termes (purement) poitevins semblent avoir existé au Québec. En outre, presque la moitié de ces poitevinismes sont tombés en désuétude. Ceux qui se sont maintenus étaient acadiens et sont restés en usage dans les «Petites Cadies».

À ceux qui nous reprocheraient de raisonner en lexico-statisticien à partir de données numériquement peu importantes, nous opposerons plusieurs arguments permettant d'affirmer qu'il s'agit là de chiffres très certainement inférieurs à la réalité sociolinguistique et historique.

Tout d'abord, en ce qui concerne la langue, l'influence poitevine au Québec fut, comme nous venons de le voir, toujours faible. En outre, les auteurs du PPQ n'ont pas cherché à enquêter systématiquement dans les «Petites Cadies». Très souvent, les points d'enquête qu'ils choisirent se situaient par hasard dans des zones proches d'anciens peuplements acadiens, d'où la présence d'un certain nombre d'acadianismes. On est en droit de penser que, si des enquêtes avaient été menées directement dans les villages fondés par des réfugiés acadiens, le nombre d'acadianismes / poitevinismes aurait été plus grand. Bien souvent, en effet, chaque village de l'Est canadien a conservé des caractéristiques propres liées à son peuplement d'origine. Pour s'en convaincre, il suffit de comparer les résultats obtenus dans les deux villages de l'enquête aux Îles-de-la-Madeleine : ils vont du simple au double. En Gaspésie, à Saint-Siméon («Petite Cadie»), les acadianismes / poitevinismes relevés (70) sont plus du triple de ceux qui ont été relevés à Saint-Godefroi (20), cette dernière paroisse ayant connu un peuplement autre qu'acadien.

De plus, dans ces régions de peuplement acadien, il doit exister des synonymes : un terme québécois et un terme acadien. Les auteurs du PPQ, ne pouvant connaître toutes les particularités lexicales québécoises et acadiennes, se satisfaisaient de la première réponse donnée, ignorant s'il convenait d'en attendre une autre.

Cependant, même partiels, ces résultats sont d'une extrême importance pour évaluer le maintien d'un substrat, même doublement transplanté. En outre, ils aident à comprendre le peuplement du Québec et la genèse du québécois par l'intermédiaire de l'acadien.

Si les «Petites Cadies» restent encore distinctes, au moins sur le plan lexical, dans l'ensemble linguistique québécois, pourtant réputé pour son unité, c'est que la langue québécoise était d'ores et déjà fixée lorsque les Acadiens arrivèrent entre 1755 et 1760.

Il n'y a donc pas eu choc des patois au Québec, au moins après 1760 et, pour la période précédente, nous sommes des plus sceptiques. S'il y avait eu choc des patois, selon la formulation de Philippe Barbaud (1984), l'uniformisation n'aurait pu être la même car en aucun endroit les composantes lexicales dues à l'immigration n'auraient été similaires. Nous avons vu, grâce au fichier historique du TLFQ, que les poitevinismes ou mots patois qui étaient inconnus dans les autres provinces de l'ouest de la France n'ont pas disparu d'un coup : il n'y a pas eu «choc», mais lente érosion.

Selon les estimations de Lortie (1903-1904), de 1608 à 1700, 1 367 immigrants de l'ouest de la France (524 d'Aunis, 569 du Poitou, 274 de Saintonge) sont arrivés dans la vallée du Saint-Laurent. À la même époque, 1 309 seulement sont venus du nord-ouest de la France (113 du Maine, 958 de Normandie, 238 du Perche). Malgré cette relative

CARTE 3

MOTS COMMUNS AU POITEVIN ET À L'ACADIEN ATTESTÉS
DANS L'ATLAS LINGUISTIQUE DE L'EST DU CANADA

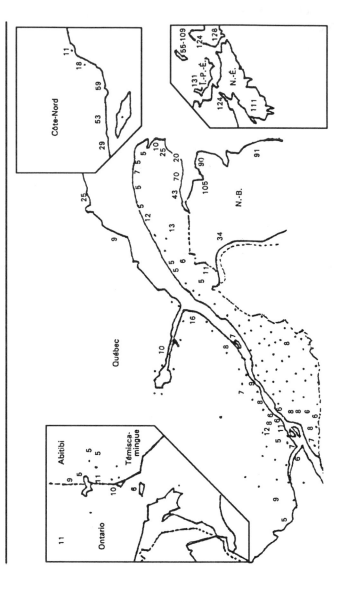

Note : Le chiffre représente le nombre d'acadianismes relevés en un même point d'enquête. Le point signifie qu'on n'a pas relevé
d'acadianismes ou que leur nombre est inférieur à 5.

LES IMPLANTATIONS ACADIENNES AU QUÉBEC, 1755-1760

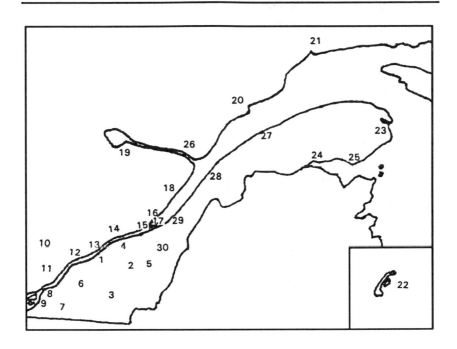

Source : Bergeron (1981).

1. Saint-Grégoire (comté de Nicolet)
2. Bois-Francs
3. Estrie
4. Lotbinière
5. Beauce
6. Richelieu
7. L'Acadie / La Prairie
8. Grand Montréal
9. Verdun
10. Montcalm / Laurentides
11. Saint-Jacques de l'Achigan / L'Assomption
12. Yamachiche / Maskinongé / Pointe-du-Lac
13. Trois-Rivières / Cap-de-la-Madeleine
14. Montcalm / Batiscan / Portneuf
15. Québec / Sainte-Foy / L'Ancienne-Lorette
16. Saint-Joachim / Montmorency
17. Saint-François / Île d'Orléans
18. Baie-Saint-Paul / Les Éboulements / La Malbaie
19. Hébertville / Jonquière / Kénogami
20. Havre-Saint-Pierre / Pentecôte / Saguenay
21. Côte-Nord
22. Îles-de-la-Madeleine
23. Cap-des-Rosiers / Gaspé / Pabos
24. Tracadièche / Bonaventure / Ristigouche
25. Matapédia
26. Témiscouata
27. Matane / Mont-Joli / Rimouski
28. Trois-Pistoles / L'Île-Verte / Cacouna
29. L'Islet / Kamouraska
30. Beaumont / Bellechasse / Saint-Gervais

supériorité numérique, l'élément poitevino-saintongeais est des plus faibles dans le lexique québécois. Cela s'explique parce que, antérieurement, de 1608 à 1660, le premier groupe de provinces (Aunis, Poitou, Saintonge) a fourni 239 immigrants contre 637 pour le second (Maine, Normandie, Perche).

Cela démontre la primauté de la chronologie des arrivées sur le nombre des immigrants dans la genèse de parlers issus de contacts de populations multilingues. Arrivés les premiers, les Normands-Manceaux ont imposé leur langue aux nouveaux immigrants qui se sont insérés dans ce moule déjà plus ou moins francisé, francisation renforcée par les mariages avec les «filles du roi». De même en Acadie, les premières familles issues du Haut-Poitou ont transmis aux générations suivantes leurs habitudes langagières. Les nouveaux venus acquirent des traits spécifiquement poitevins: *gau* «gosier, rigole», *muce* «veau», *buttereau* «monticule», *bordouille* «pâtée liquide», etc.

On peut en déduire qu'en linguistique générale, plus particulièrement en créolistique, le nombre aussi importe moins que l'antériorité. Par exemple, dans le cas du créole haïtien, il convient moins d'évaluer combien d'esclaves de l'ethnie fon sont venus d'Afrique que de chercher à savoir s'ils furent les premiers à être déportés dans l'île.

Nous pensons que si les parlers francophones d'Amérique du Nord sont la résultante du choc de patois, celui-ci s'est produit en France, avant le départ des émigrants, comme l'a suggéré Poirier (1985). Nous en voulons pour preuve la disparition complète du pronom neutre de la troisième personne du poitevin /o/, -/u/: [ɛt u ku va mujeᵉʲ] / *est* + pronom + *que* + pronom + *va mouiller* / «va-t-il pleuvoir?»; [u vla tu pɑ finiʲ] / pronom + *voilà t* + pronom + *pas fini* / «n'est-ce pas fini?», etc. Ce pronom est sans nul doute une des composantes les plus employées mais aussi les plus caractéristiques des parlers poitevino-saintongeais. Or, jamais aucune trace de ce pronom n'a été relevée en Amérique du Nord. Difficilement compréhensible pour les officiers royaux, les marins et les immigrants issus d'autres provinces, il a été abandonné très tôt par les locuteurs natifs. Comme nous l'avons montré pour les démonstratifs, il y a eu choix conscient des locuteurs, quelle que soit l'importance de leur groupe, de ne retenir de leur parler que ce qui était compris du plus grand nombre (souvent la forme française). Il s'agit là d'un processus de réduction linguistique connu dans les cas de contact de langues. Il a dû commencer dès les mois d'attente du départ, dans les ports et au cours des longues traversées.

*

*   *

Nous n'avons fait que décrire un travail qui est très loin d'être terminé, que ce soit en Poitou ou dans les régions de l'Est canadien peuplées par des descendants d'Acadiens.

L'analyse du travail de Massignon et du PPQ, principaux ouvrages situant géographiquement les lexèmes (beaucoup d'autres, excellents, comme l'ouvrage de Lavoie pour la grande région comprenant Charlevoix, le Saguenay, le Lac-Saint-Jean et la Côte-Nord, ont traité de zones plus restreintes), nous a cependant permis de situer les aires présentant des lexèmes d'origine poitevine. Plus l'on s'éloigne du bassin des Mines (Nouvelle-Écosse), centre principal de l'ancienne Acadie, et plus l'on se rapproche du Québec, moins l'on trouve de termes d'origine poitevine dans les parlers régionaux acadiens (les Îles-de-la-Madeleine, isolées, faisant exception). Par extrapolation, il est possible d'affirmer que l'« acadianité » d'un lieu peut se mesurer au pourcentage des termes poitevins retenus dans le parler local. La présence dans l'ensemble du domaine étudié d'un substrat lexical poitevin tient à son ancienneté ; ce substrat est certainement antérieur à la Déportation. Il a essaimé ensuite au gré des pérégrinations des réfugiés. Cette étude lexico-statistique partielle – nous avons trouvé des dizaines d'autres acadianismes / poitevinismes tant dans le TLFQ que dans Poirier –, qui fournit des indications sur les taux de rétention d'un substrat lexical, doit impérativement être suivie d'une analyse phonétique dudit substrat. En effet, certaines régions présentent un grand nombre de termes poitevins, comme celle de Chéticamp (Nouvelle-Écosse), n'ont conservé que très peu de traits phonétiques propres au Haut-Poitou. Sur le plan phonétique, de toutes les régions que nous avons visitées, c'est celle de Paquetville au Nouveau-Brunswick qui nous semble avoir le plus de traits communs avec le Haut-Poitou. On y trouve une liquide rétroflexe [l], des chuintantes légèrement aspirées [ʃʰ], [ʒʰ], la même confusion des nasales, etc.

En raison de la proximité du Québec et du fait que la région est un lieu de passage, le parler de Paquetville a perdu des acadianismes lexicaux au profit de québécismes, mais la phonétique s'y est maintenue car habitent là d'importantes *nations* («grandes familles») acadiennes d'origine poitevine : des Thériault, des Landry, des Doiron, etc.

Au Nouveau-Brunswick, où les Acadiens furent refoulés et où ils purent se regrouper par *nations*, l'élément phonétique poitevin semble directement lié à l'importance de ces *nations*. En Nouvelle-Écosse, la problématique est tout autre : une différence doit être opérée en fonction des lieux de déportation. Les Acadiens qui, comme à la baie Sainte-Marie, furent déportés sur les côtes de l'Amérique anglaise, ont réintroduit un parler peu modifié. Les caractéristiques phonétiques du substrat poitevin et de l'adstrat saintongeais y sont encore très vivantes. Par contre, les déportés qui, comme à Chéticamp, à Pomquet, à l'île Madame, ont séjourné en France à Belle-Île, à Cherbourg ou ailleurs sur les côtes, n'ont pu que modifier leur parler, le franciser, cela d'autant plus que d'autres groupes sont venus se joindre à eux, ajoutant autant d'adstrats différents et entraînant ainsi divers processus de pidginisation. Il est indéniable que lexicologie et phonétique comparées sont, à égalité, indispensables à la découverte du substrat poitevin au Canada. La recherche lexicale s'impose en premier car c'est sur les seuls poitevinismes et acadianismes lexicaux que peut porter vraiment la comparaison phonétique aujourd'hui en Poitou. Le présent travail sera donc poursuivi dans plusieurs directions : 1° terminer la recherche des termes d'origine poitevine dans les parlers acadiens et les localiser ; 2° faire une étude de phonétique comparée de ce vocabulaire commun. Ce n'est que lorsque ces travaux auront atteint leur terme qu'il sera possible d'évaluer convenablement le rôle et le maintien du (d'un) substrat et l'aide que cela peut apporter à la compréhension de la genèse de langues exportées.

Bibliographie

Barbaud, Philippe (1984), *Le choc des patois en Nouvelle-France. Essai sur l'histoire de la francisation au Canada*, Sillery, PUQ, XVIII + 204 p.

Bergeron, Adrien (1981), *Le grand arrangement des Acadiens au Québec*, Montréal, Élysée, 8 vol.

Boudreau, Éphrem (1988), *Glossaire du vieux parler acadien*, Montréal, Éditions du Fleuve, 245 p.

Charpentier, Jean-Michel (1987), « Approche ethno-linguistique d'un parler poitevin », dans *Cahiers ethnologiques, langues et langages*, 8, Université de Bordeaux II, p. 7-73.

Charpentier, Jean-Michel (1989), « Le(s) parler(s) acadien(s) et le substrat du Haut-Poitou », dans *Actes du XVᵉ Colloque SILF*, Moncton et Pointe-de-l'Église, Université de Moncton, Centre de recherche en linguistique appliquée, p. 169-182.

Dulong, Gaston, et Gaston Bergeron (1980), *Le parler populaire du Québec et de ses régions voisines. Atlas linguistique de l'est du Canada*, Gouvernement du Québec, Ministère des Communications en coproduction avec l'Office de la langue française, 10 vol.

Flikeid, Karin (1991), « Les parlers acadiens de la Nouvelle-Écosse (Canada) : diversification ou origines diverses ? », dans Brigitte Horiot (dir.), *Français du Canada – français de France*, Actes du IIᵉ Colloque international de Cognac, du 27 au 30 septembre 1988, Tübingen, Niemeyer, p. 195-214.

Lalanne, Charles-Claude (1868), *Glossaire du patois poitevin*, réimpr. par Slatkine Reprints, Genève, 1976, XL + 265 p.

Lortie, Stanislas (1903-1904), « De l'origine des Canadiens-français », dans *Bulletin du parler français au Canada*, 1, 9, p. 160-165 ; 2, 1, p. 17-18.

Massignon, Geneviève (1962), *Les parlers français d'Acadie. Enquête linguistique*, Paris, Klincksieck, 2 vol., 980 p.

Massignon, Geneviève, et Brigitte Horiot (1971-1974), *Atlas linguistique et ethnographique de l'Ouest (Poitou, Aunis, Saintonge, Angoumois)*, Paris, CNRS, 2 vol.

Mineau, Robert, et Lucien Racinoux (1981), *Glossaire des vieux parlers poitevins*, 2ᵉ édition, Poitiers, Brissaud, 564 p.

Poirier, Claude (1985), compte rendu de Philippe Barbaud, *Le choc des patois en Nouvelle-France*, dans *Revue d'histoire de l'Amérique française*, 39, 1, p. 93-95.

Poirier, Pascal (1953, 1977), *Glossaire acadien*, t. 1, 1953, Nouveau-Brunswick, Université Saint-Joseph ; t. 2-5, 1977, Université de Moncton, Centre d'études acadiennes (manuscrit de 1927).

Rivard, Adjutor, et Louis-Philippe Geoffrion (1930), *Glossaire du parler français au Canada*, préparé par la Société du parler français au Canada, Québec, L'Action sociale limitée, XIX + 709 p.

Thibodeau, Félix E. (1988), *Le parler de la baie Sainte-Marie (Nouvelle-Écosse) : le vocabulaire de Marc et Philippe*, Yarmouth (N.-É.), Lescarbot, 138 p.

Les causes de la variation géolinguistique du français en Amérique du Nord

L'éclairage de l'approche comparative

Claude Poirier
Département de langues et linguistique
Université Laval

On sait que la variation géographique du français en Europe s'explique dans une large mesure par l'influence des substrats. Le français s'est en effet implanté sur des territoires où l'on parlait des dialectes apparentés par leurs origines à celui de Paris, mais distincts de celui-ci ; ces parlers ont laissé des traces dans la langue qui les a recouverts peu à peu depuis le Moyen Âge. Une autre cause de la diversité des français régionaux d'Europe tient à l'influence de langues (adstrats) avec lesquelles le français est entré en contact dans certaines régions : flamand, allemand, italien, espagnol, etc.

Les variétés de français d'Amérique du Nord présentent elles aussi des différences sensibles les unes par rapport aux autres ; l'acadien, le québécois et le louisianais, pour se limiter aux variétés souches, ont chacun une physionomie particulière. Il n'est pas nécessaire de faire une longue recherche pour se rendre compte que la cause première de la variation du français en Europe, c'est-à-dire l'influence des substrats, ne peut pas être invoquée pour expliquer la diversité des français d'Amérique. En effet, il n'y a pas eu, en Amérique du Nord, superposition du français à des langues locales, mais plutôt transmission naturelle de la langue d'une génération à l'autre depuis l'époque des premiers immigrants français : il n'y a donc pas lieu de parler de substrats.

Le but de cet article est de faire la démonstration que la comparaison des variétés régionales du français en Amérique du Nord est susceptible de fournir des données de première importance pour l'explication historique de certaines caractéristiques de ces variétés et de faire apparaître les causes de leurs différences, surtout si l'on pratique cet exercice à la lumière des données de l'histoire, de la géographie, de la toponymie et autres sciences humaines. Cette démonstration, je l'espère, pourra favoriser une plus grande concertation entre les spécialistes de ces disciplines dans le but de donner une explication globale plus satisfaisante du phénomène de l'implantation et de la diversification du français en Amérique du Nord.

Pour cette comparaison, on dispose d'un bon nombre d'enquêtes linguistiques, les unes couvrant des territoires étendus (par exemple Massignon, 1962 ; Dulong et Bergeron, 1980 ; Lavoie *et al.*, 1985), d'autres de petites localités (par exemple Landry, 1943 ; Hull, 1956). Ces travaux portent surtout sur la variété québécoise, mais la variété acadienne et les autres variétés canadiennes font l'objet de descriptions de plus en plus nombreuses ; pour le français louisianais, on dispose de toute une série de thèses qui ont été réalisées à la Louisiana State University dans les années 1930 et 1940. Ces travaux sont de valeur inégale, mais aucun d'entre eux ne peut être écarté ; la description la plus modeste peut tout aussi bien livrer le renseignement dont on a besoin pour étayer un raisonnement, faire pencher la balance en faveur d'une explication plutôt qu'une autre.

C'est en travaillant à la recherche des origines du français québécois, dans le cadre des travaux du Trésor de la langue française au Québec (TLFQ), que la nécessité de la comparaison pour l'étude des français d'Amérique s'est imposée à moi. Au départ, l'équipe du TLFQ cherchait à préciser la provenance des traits caractéristiques du français québécois en mettant en rapport les usages québécois avec ceux des régions de France qui ont fourni des immigrants à la colonie laurentienne.

Peu à peu, il est devenu évident qu'il fallait élargir cette comparaison à d'autres régions francophones d'Europe, en raison du fait qu'elles pouvaient avoir conservé des traits du français ancien qui s'étaient perdus ailleurs, et même à des territoires où la langue qui s'est développée n'est pas une variété de français mais un créole, comme à la Réunion (voir Poirier, 1979).

C'est cette même méthode que j'ai appliquée à l'étude de certains traits des français nord-américains. Je présenterai ici quelques-uns des faits que j'ai examinés en les mettant en relation avec trois des facteurs principaux de la variation géolinguistique du français en Amérique du Nord que ma recherche comparative m'a permis de dégager ou de confirmer[1].

LE PEUPLEMENT D'ORIGINE

C'est depuis les années 1940 qu'on a commencé à s'intéresser sérieusement à la question des grandes régions linguistiques du domaine français en Amérique du Nord (voir Haden, 1942). On trouve cependant dès le XIXe siècle des renseignements sur cette question dans divers écrits (par exemple Dunn, 1880, s.v. *amarrer* et *(bottes) malouines*). On dispose aujourd'hui de données importantes sur le sujet grâce aux contributions de Massignon (1962), de Vinay (1973), de Dulong et Bergeron (1980), de Lavoie *et al.* (1985), etc.

On sait qu'il existe tout un faisceau d'isoglosses séparant le domaine acadien[2] et le domaine québécois. On connaît l'exemple classique que constitue l'opposition entre *aune* et *verne*, ces mots servant à désigner le petit arbre qui croît dans les lieux humides, le premier au Québec, le second en Acadie. Cette opposition est confirmée par la toponymie ; les dérivés du mot *aune* se retrouvent au Québec (par

---

1. Qu'on me permette ici de remercier mes collègues Lionel Boisvert, Jean-Denis Gendron et Claude Verreault, dont les commentaires ont permis d'améliorer la première version de ce texte, ainsi que Martine Germain qui a participé à sa révision finale.

2. Par *domaine acadien*, j'entends ici non seulement les territoires où le français est parlé dans les Provinces maritimes, mais également les zones de peuplement acadien sur le territoire québécois (baie des Chaleurs, Basse-Côte-Nord et, bien sûr, Îles-de-la-Madeleine).

exemple *Saint-Roch-des-Aulnaies*), ceux du mot *verne* en Acadie (par exemple *La Vernière*, aux Îles-de-la-Madeleine). Les géolinguistes (par exemple Weinhold, 1984, p. 273) n'ont pas manqué de voir que ces deux mots étaient également en distribution complémentaire sur le sol de France : *aune* est le mot de la partie nord (domaine d'oïl), *verne* celui de la partie sud (domaine d'oc).

La distribution des mots servant à désigner la bouilloire est également bien connue : si l'on simplifie un peu les choses, on constate que *coquemar* est le mot des Acadiens, que *bombe* est le mot de l'est du Québec et *canard* celui de l'ouest, la ligne de démarcation entre les deux derniers ayant la forme d'une pointe en direction de Montréal à partir de Saint-Ubalde (Portneuf), passant à l'est de Baie-du-Febvre (Yamaska), à l'ouest d'Acton Vale (Bagot) et revenant juste au nord de Sherbrooke pour se terminer dans la région de Lac-Mégantic (voir la question 170 dans Dulong et Bergeron, 1980)[3]. En fait, la répartition géographique de ces deux mots est beaucoup plus complexe, avec de nombreux cas de superposition à l'intérieur de chacune des deux zones. En Abitibi-Témiscamingue et dans les régions francophones de l'Ontario, les deux mots sont en concurrence, ce qui s'explique par le peuplement mixte de ces régions à partir de chacune des zones occupées par *bombe* et *canard* dans la vallée du Saint-Laurent.

Si l'on prend en compte les données sur l'histoire de ces mots au Québec, on peut constater que *canard* était connu dans la zone est du Québec au XVIIIe siècle, ce qui suggère que la suprématie actuelle de *bombe* dans cette zone n'était peut-être pas aussi nette autrefois ; la pénétration de *bombe* dans l'aire de *canard* traduirait alors une poussée ultérieure en direction ouest et refléterait l'influence du parler de la région dominée par Québec sur celle dominée par Montréal. Quant à *coquemar*, les données du fichier du TLFQ montrent que c'était le mot général au début de la colonie ; *coquemar* a été supplanté par *canard* et par *bombe* et ne s'est finalement maintenu que dans l'aire acadienne, qui est la plus conservatrice (*coquemar* n'est plus attesté au Québec à partir du milieu du XIXe siècle).

---

3. La répartition géographique des mots *bombe* et *canard* a été remarquée déjà au XIXe siècle (voir Dunn, 1880, et Clapin, 1894, s.v. *bombe*).

La prononciation du phonème /ʀ/ au Canada français a fait l'objet de divers travaux depuis le milieu du siècle. On a dès le départ attiré l'attention sur la répartition des deux façons de prononcer cette consonne, à l'avant de la bouche et avec le bout de la langue ([r] apical), à l'arrière et avec le dos de la langue ([ʀ] dorsal): le premier est celui qui domine dans la région de Montréal, le second dans celle de Québec. D'après les données de Dulong et Bergeron (1980, vol. 1, p. 31), l'isoglosse des /ʀ/ suit une trajectoire qui passe par Yamachiche, sur la rive nord du fleuve Saint-Laurent, et qui sépare Sherbrooke et La Patrie, près de la frontière américaine; ces données correspondent *grosso modo* à celles qu'avait enregistrées Vinay (1950, p. 492). Sauf quelques exceptions, les francophones canadiens hors Québec pratiquent le [r] apical (voir les mêmes sources; voir aussi Hull, 1956, p. 49; Lucci, 1972, p. 109).

On pourrait invoquer encore un grand nombre d'exemples, phonétiques et lexicaux, pour illustrer la réalité de grandes régions linguistiques au Canada français. Ceux qui précèdent suffisent pour bien faire comprendre qu'il existe deux grands domaines, le québécois et l'acadien, et que le français du Québec se divise lui-même en deux variétés géographiques, celle de l'Est et celle de l'Ouest, avec une zone de transition qui se situe dans la grande région de Trois-Rivières (les isoglosses se répartissent sur plusieurs kilomètres dans cette zone intermédiaire). Comme la chose a été signalée pour *bombe* et *canard*, cette distinction se répercute dans les régions peuplées à une époque plus récente selon que les colons venaient de la région de l'Ouest ou de celle de l'Est.

Massignon (1962, p. 70-75, 740-741) a déjà exposé les raisons expliquant les différences d'usage entre les Acadiens et les Québécois, différences qui se manifestent dès l'époque de la colonisation. La plus importante de ces raisons est le peuplement d'origine: la proportion des immigrants originaires de régions situées au sud de la Loire (que j'identifie ici à l'ouest de la France, à l'instar de Massignon) est beaucoup plus forte en Acadie qu'au Québec où la population s'est au contraire développée à partir de trois noyaux équilibrés se rattachant aux régions du nord-ouest, du centre et de l'ouest de la France. On comprend tout de suite, à la lumière de ces données, la répartition des mots *aune* et *verne* au Canada français (voir ci-dessus).

D'autres facteurs ont également joué dans la formation des deux grandes régions linguistiques que constituent l'Acadie d'une part, le Québec et sa diaspora d'autre part (franco-ontarien et franco-canadien de l'Ouest) : 1) la séparation plus ancienne de l'Acadie d'avec la France (séparation définitive en 1713, après une période de ballottement de près d'un siècle entre le pouvoir français et le pouvoir anglais) ; 2) les rapports plus étroits que les Acadiens ont entretenus avec les populations de langue anglaise ; 3) l'influence prépondérante qu'ont eue, dans la formation du français acadien, les familles fondatrices venues de la seigneurie du Loudunais (aujourd'hui le département de la Vienne), alors que le français du Québec était soumis à des influences plus diversifiées et à une emprise plus grande du parler de la région parisienne.

Le peuplement d'origine me paraît également devoir être invoqué comme étant la raison principale de la division du domaine québécois entre la partie est et la partie ouest. La façon même dont les isoglosses se répartissent selon une ligne nord-sud à peu près à mi-chemin entre Québec et Montréal suggère déjà qu'il y a eu rencontre de deux groupes importants dont les usages caractéristiques se sont ajustés dans une zone intermédiaire dont les frontières varient un peu, comme pour rendre compte de mouvements de poussée d'est en ouest ou inversement. Les linguistes n'ont pas vraiment encore examiné cette question des rapports entre les groupes fondateurs et les caractéristiques du québécois de l'Est et celles du québécois de l'Ouest. Dans les études qui ont été faites des origines du peuplement (par exemple Charbonneau *et al.*, 1987), on fusionne généralement les données concernant les établissements montréalais et québécois, ce qui masque le phénomène.

Il faut en effet se rendre compte que les trois noyaux français à l'origine du peuplement de la colonie laurentienne n'ont pas eu une influence égale dans les établissements de Québec (1608), de Trois-Rivières (1634) et de Ville-Marie (1642). Dechêne (1974, p. 95) nous apprend en effet que « [l]a prépondérance numérique des immigrants de l'Ouest [de la France] est particulièrement marquée à Montréal » ; près des deux tiers de l'échantillon qu'elle a étudié étaient « originaires d'un secteur restreint qui s'étend depuis la Garonne jusqu'aux confins des pays de la Loire » et cette immigration était d'origine rurale dans une proportion de 65 %. En mettant en rapport les données de Dechêne avec celles qui concernent l'ensemble de la colonie laurentienne – à savoir que les régions du Nord-Ouest, du Centre et de l'Ouest ont fourni un nombre comparable d'immigrants, ce qui a été établi déjà par Lortie (1903-1904); que les immigrants étaient majoritairement d'origine urbaine (voir la contribution de Charbonneau et Guillemette dans le présent volume) –, il faut conclure: que la région de Québec a reçu proportionnellement plus de colons venant du centre de la France (région dominée par l'influence parisienne) et du nord-ouest que celle de Montréal; que l'influence des ruraux a été sensiblement plus forte dans la région de Montréal.

Québec aurait donc reçu un nombre plus important de locuteurs connaissant les usages linguistiques de Paris. À ce facteur lié au peuplement s'est ajoutée une tendance normalisatrice découlant de la présence des fonctionnaires de l'administration française qui étaient en poste à Québec; il y a donc eu à Québec une double influence parisienne: celle du peuple et celle de l'aristocratie. Que cette influence ait été moins grande à Montréal est confirmé, par exemple, par la suprématie de la prononciation ancienne du /ʀ/ dans cette région; on sait que le [r] apical, qui s'est conservé à Montréal, était en net recul devant le [ʀ] dorsal dans la langue de l'aristocratie parisienne au XVIIe siècle[4], mais qu'il se conservait dans la langue du peuple et qu'il s'est maintenu jusqu'au XXe siècle dans les parlers régionaux. Le français de Montréal serait au départ, plus que celui de Québec, tributaire d'usages régionaux et populaires.

Diverses cartes qu'on peut dresser sur la base des données de Dulong et Bergeron (1980) fournissent des indices qui donnent du crédit à cette hypothèse, par exemple celle qui concerne le concept « abeille » (question 642). Weinhold (1984) a fait remarquer, à propos de la concurrence des mots *mouche* (ou *mouche à miel*) et *abeille* pour désigner l'insecte qui produit le miel, que les deux mots sont bien implantés dans la région montréalaise, mais qu'*abeille* domine nettement dans la région de Québec. Or, *mouche à miel* était indiscutablement le mot général des colons qui sont venus au Canada au XVIIe siècle.

---

4. « [...] dès le XVIIe siècle, l'ancienne *r* apicale n'était plus en usage [à Paris] dans les milieux dont le parler servait de modèle » (Straka, 1979, p. 466).

Puisque, sur le territoire de la France, *abeille* a été diffusé dans le domaine d'oïl à partir de Paris, on doit conclure que la suprématie d'*abeille* dans la région de Québec y dénote une influence normative de source parisienne plus grande qu'à Montréal où *mouche* (*à miel*) conserve encore une bonne assise, comme d'ailleurs en Acadie où le mot *abeille* n'a pas réussi à percer, d'après les enquêtes des dialectologues[5].

La région de Montréal a donc subi une certaine influence de la norme parisienne, beaucoup plus nette qu'en Acadie, mais moins forte qu'à Québec, phénomène qui doit être évalué dans le prolongement de la situation qui avait cours déjà au XVIIe siècle. Cette influence de la norme parisienne continue de jouer à Montréal, directement (comme partout au Québec) ou par l'intermédiaire de l'usage de la capitale québécoise ou de régions qui partagent les mêmes caractéristiques, comme on le voit par le recul rapide, depuis deux décennies, de la prononciation [r], typique de Montréal, devant celle de Québec, soit [ʀ] (voir Santerre, 1979).

Mais le phénomène de l'influence de la norme parisienne est plus complexe que cela. On observe en effet que la région de Montréal a parfois en commun avec la région parisienne des usages lexicaux que celle de Québec ne connaît pas. Par exemple, à Montréal, on emploie traditionnellement le mot *hameçon*, alors que Québec a maintenu longtemps le dialectalisme *ain* (ou *haim*) ; de même, les ruraux de Montréal employaient le mot français *tombereau*, alors que ceux de Québec utilisaient le mot *banneau*, régional depuis longtemps en France (voir Juneau, 1977, p. 111, 192). Comment donc s'expliquent ces phénomènes inverses, qui ne paraissent cependant liés qu'au lexique ? S'agit-il surtout de mots relatifs aux réalités rurales, ce qui pourrait fournir une piste d'explication ? Y avait-il en France correspondance, dans certains cas, entre les usages de la région parisienne et ceux de l'Ouest, qui se seraient ainsi opposés à ceux du Nord-Ouest ? Cette explication pourrait

---

5. On ne doit pas perdre de vue en effet que les données sur lesquelles s'appuient les observations dont il est fait état ici concernent l'*usage traditionnel* tel qu'il était pratiqué par des témoins ruraux âgés au début des années 1970. Ces données sont extrêmement précieuses pour la reconstitution de ce qui s'est passé, mais il est évident qu'elles ne rendent pas compte de l'usage le plus récent : par exemple, dans la ville même de Montréal, le mot *abeille* est évidemment en usage depuis longtemps.

rendre compte du cas de *tombereau* qui est le mot non seulement de Paris, mais aussi de l'ouest de la France, alors que *banneau* est le mot du nord-ouest (Normandie, Maine), ce qui renvoie à l'explication première : l'influence du peuplement d'origine.

Le peuplement d'origine ne peut cependant, à lui seul, rendre compte de toutes les différences que l'on observe entre le québécois de l'Est et le québécois de l'Ouest, comme il ne suffit pas à expliquer les particularités géographiques du français en Acadie (voir sur ce point Flikeid, 1991). D'autres facteurs doivent être invoqués, par exemple le déplacement des locuteurs, l'histoire des communautés (aspect capital dans le cas de l'Acadie, compte tenu des bouleversements causés par la Déportation), etc. L'étude de la restructuration des usages, telle qu'elle est pratiquée par Valdman et Mougeon, fournit également des données importantes pour une explication d'ensemble. L'insistance qui est mise ici sur l'influence du peuplement d'origine vise à attirer l'attention sur un aspect qui n'a pas été examiné de façon suffisante à ce jour. Comme il s'agit d'un aspect capital, dont la connaissance est essentielle pour bien apprécier les causes ultérieures de la diversification linguistique des parlers français nord-américains, il faut absolument aller plus loin dans cette voie avant d'élaborer des théories qui risqueraient de manquer de fondement historique.

Sur ce point, les linguistes attendent beaucoup des historiens et des démographes. Il serait peut-être révélateur de connaître non seulement l'identité des immigrants qui se sont implantés dans la colonie laurentienne, mais aussi celle de ceux qui sont retournés en France[6] ; on sait en effet que la première génération de colons a eu une influence déterminante sur la formation de la koinè (les commentateurs français font encore au XIXe siècle de nombreux rapprochements entre les traits du français canadien et les habitudes linguistiques des Normands et des Percherons, qui ont été les premiers à s'établir à Québec). Les locuteurs qui ne sont pas restés venaient-ils des mêmes régions que ceux qui ont fait souche ? Leurs usages ont-ils pu influencer ceux de la communauté

---

6. Charbonneau *et al.* (1987, p. 12) rappellent qu'on a évalué à « plus des deux tiers la proportion des immigrants rentrés en France au XVIIe siècle après un court séjour au Canada ».

naissante puisqu'ils n'ont pas eu de descendance? Et, pour répondre plus directement à la question traitée ici, ne serait-il pas nécessaire de faire une comparaison entre les lieux d'origine des colons qui se sont implantés respectivement à Québec, à Trois-Rivières et à Montréal?

LES MOUVEMENTS DE POPULATION

Une des caractéristiques les plus frappantes de la phonétique québécoise, pour un étranger, est la prononciation assibilée des occlusives dentales [t] et [d] quand elles sont suivies de la voyelle [i], de la voyelle [y], ou des semi-voyelles [j] ou [ɥ]. Ce trait se retrouve dans tous les milieux et sur la presque totalité du territoire du Québec. Du point de vue physiologique, l'assibilation consiste dans un relâchement hâtif de l'occlusion, ce qui a pour effet d'allonger la durée de la portion finale de la consonne (la détente), d'où la perception d'un «bruit fricatif d'une explosion prolongée» (Gendron, 1966, p. 120; voir aussi Haden, 1941, qui illustre la description technique du phénomène à l'aide de palatogrammes). On transcrit généralement le son produit par [tˢ] ou par [dᶻ], selon le cas.

Il n'a jamais fait de doute pour les chercheurs que ce trait de prononciation était ancien et à mettre en relation avec les habitudes articulatoires des immigrants qui ont fondé la colonie laurentienne (voir notamment Rousseau, 1935, p. 370-372; Haden, 1941, p. 288; Gendron, 1966, p. 125, 131; Dumas, 1987, p. 10). Mais, comme pour la plupart des traits du français québécois, certains ont suggéré qu'il pouvait s'agir d'une habitude conditionnée par l'influence anglaise. Rousseau (1935) a fait la démonstration que cette explication n'était pas la bonne – il réfutait la thèse qu'il puisse s'agir d'un développement lié à l'influence du *th* anglais – en invoquant justement un argument d'ordre géolinguistique: le fait que ce trait phonétique soit inconnu des Acadiens qui sont pourtant bilingues et «parlent même parfois plus volontiers anglais» (p. 369). Dunn (1874) paraît avoir été le premier à proposer une origine anglaise pour cette prononciation:

> Nous pouvons prononcer certains mots d'une manière plus ou moins vicieuse, à cause de l'usage habituel que nous faisons de la langue anglaise; ainsi, nous prononçons les lettres *d*, *l* et *t*, devant l'*i* et l'*u*, de

la même manière que ces lettres se prononcent en anglais dans les mots expé*di*ent, indivi*du*al, famil*i*ar, di*lu*te, *tee*total, *tu*be[7].

Bien que l'origine européenne du phénomène ne fasse pas de doute, il reste qu'on doit s'interroger sur la raison de l'absence d'assibilation dans le domaine acadien et sur l'époque à laquelle ce trait phonétique a pu se généraliser au Québec. Sur ces points encore, la comparaison des français nord-américains permet d'entrevoir une explication et de reconstituer la genèse du phénomène.

Établissons-en d'abord clairement la distribution géographique. L'assibilation est générale dans le domaine québécois (la presque totalité du territoire du Québec) ; elle est par contre inexistante dans le domaine acadien (voir par exemple Lucci, 1972, p. 88 ; Ryan, 1981, p. 116, 118), sauf dans la partie du Nouveau-Brunswick qui touche le Québec. L'assibilation est d'ailleurs le trait linguistique le plus évident permettant de distinguer un Québécois et un Acadien ; comme le rappelle Dumas (1987, p. 8), « si quelqu'un prononce dans tous les cas *t* et *d* sans jamais de *ts* ni de *dz*, la première idée qui nous vient est qu'il est d'origine acadienne ».

Pour ce qui est du territoire québécois, il faut cependant faire une exception pour la région de Charlevoix où l'assibilation est moins bien implantée et paraît être un phénomène plus récent que dans les autres régions du Québec. Dans l'étude qu'il a faite du parler de Charlevoix, Stein (1974, p. 30), qui a mené son enquête en 1973-1974 dans des familles établies depuis longtemps dans cette région, signale que

---

7. L'auteur rapproche ici deux phénomènes distincts qui sont reliés à la palatalisation des consonnes (phénomène par lequel la langue vient faire une pression sur le palais dur pendant la production d'une consonne) ; d'une part l'assibilation de *t* et *d*, qui fait l'objet de notre discussion, d'autre part, semble-t-il, la prononciation du *l* palatal qui est bien attestée en québécois des XVIIe et XVIIIe siècles (voir Juneau, 1972, p. 136-137), mais dont on trouve peu de traces par la suite (voir par exemple Geddes, 1893, p. 16, col. b). Concernant la prononciation des *t* et *d*, Dunn ajoutait, dans une autre version de cet article publiée dans *L'Opinion publique*, le 15 janvier 1874 : «La classe instruite, surtout depuis quelques années, se défait de cet accent, et, aux intonations près, parle très bien.» Cette tendance corrective, dont Gendron (1966, p. 132) fait encore état, n'a pas eu de suite.

l'assibilation est inconnue chez les témoins qu'il a interrogés[8] : «/t/ and /d/ do not assibilate before high vowels or yod. The dialect of Charlevoix shares this non assibilation feature with Acadian speech.»

Une observation semblable avait été faite déjà par La Follette (1952, p. 359) qui avait étudié quatre contes folkloriques relevés quelques années plus tôt par Luc Lacourcière dans la région de Charlevoix[9] : «Nous signalons également l'absence des variantes assibilées [ts] et [dz] qui existent pourtant dans d'autres régions de la province de Québec.» Enfin, Juneau (1976, p. 55) signale la quasi-absence d'assibilation chez une conteuse d'une région qui continue l'aire linguistique charlevoisienne, celle de la Côte-Nord (Grandes-Bergeronnes, Saguenay).

J'ai voulu vérifier le bien-fondé de ces affirmations en écoutant quelques enregistrements effectués auprès de témoins charlevoisiens et conservés aux Archives de folklore de l'Université Laval[10]. J'ai donc choisi au hasard douze enregistrements réalisés entre 1952 et 1971 auprès de témoins habitant la partie centrale de Charlevoix (surtout Baie-Saint-Paul, Les Éboulements, Saint-Hilarion); six des témoins étaient nés au XIXe siècle (entre 1876 et 1899), un autre était né en 1909 et une en 1939; pour les quatre autres témoins, la fiche ne donne aucune indication sur l'âge (voir l'annexe). Des douze témoins formant l'échantillon, cinq assibilent de façon constante, comme à Québec (témoins 6, 7, 8, 9 et 10); deux n'assibilent pas du tout (témoins 1 et 3) et les cinq autres (témoins 2, 4, 5, 11 et 12) n'assibilent que de façon occasionnelle et à un faible degré. On peut observer que les témoins dont on sait qu'ils sont nés au XIXe siècle n'assibilent pas ou assibilent très peu.

---

8. L'auteur précise (à la p. 17) que ses informateurs étaient nombreux, mais qu'il a fréquenté surtout un groupe de 12 personnes âgées et peu instruites. Il ajoute : «My daily observations had proven to me that my informants' speech represented well the dialect of Charlevoix.»

9. Les quatre conteurs dont la langue a été étudiée par La Follette étaient nés au XIXe siècle; ils habitaient respectivement aux Éboulements, à Saint-Joseph-de-la-Rive, à Saint-Irénée et à Clermont.

10. Je tiens à remercier ici Linda Lamontagne qui m'a apporté son aide pour le repérage et l'écoute de ces enregistrements et m'a ainsi aidé à bien établir les faits.

Les données que j'ai recueillies confirment donc les observations faites par Stein, La Follette et Juneau concernant l'absence ou, du moins, le caractère quelque peu exceptionnel de l'assibilation dans Charlevoix. Ces données indiquent cependant que cette prononciation se répand dans cette région depuis quelques décennies, ce qui invite à nuancer l'affirmation de Stein : au moment de ses enquêtes (en 1973-1974), l'assibilation était certainement mieux connue dans Charlevoix qu'en Acadie. Il reste qu'on peut affirmer qu'il y a à peine une vingtaine d'années, la prononciation non assibilée des consonnes [t] et [d] devant [i], [y], [j] et [ɥ] était encore bien représentée dans le parler traditionnel d'une aire linguistique formant le cœur de la région de Charlevoix ; d'autre part, compte tenu que les témoins nés au XIXᵉ siècle ne connaissent pour ainsi dire pas l'assibilation, on peut croire que cette prononciation est un phénomène récent dans cette région, ou du moins qu'il n'a pris de l'ampleur qu'à une époque récente[11].

---

11. Comme l'a fait remarquer Jean-Yves Dugas dans un commentaire écrit qu'il m'a fait parvenir, on peut s'étonner que l'assibilation fasse partie des habitudes articulatoires des habitants du Saguenay–Lac-Saint-Jean, puisque cette région a été colonisée massivement à partir de Charlevoix. Selon Dugas, « les premiers groupes des arrivants au Saguenay au cours de la période de 1852 à 1869 étaient originaires pour une proportion de 80 % de Charlevoix, alors que la Côte-du-Sud a fourni quelque 13 % des effectifs humains originels du Saguenay–Lac-Saint-Jean, pendant que la région de Québec n'a contribué sous cet aspect que d'un maigre 6 % ». Cette question mériterait effectivement d'être approfondie ; il serait intéressant notamment de vérifier (par exemple en écoutant des enregistrements effectués dans les années 1950 et 1960) si les gens âgés (nés au XIXᵉ siècle) pratiquaient l'assibilation. Mais il faudrait d'abord mieux cerner le phénomène dans Charlevoix : qu'en était-il des prononciations assibilées dans la région de La Malbaie d'où sont partis (en 1838) les premiers colons qui sont venus s'établir au Saguenay–Lac-Saint-Jean ? On sait que cette partie du territoire de Charlevoix est depuis longtemps un lieu de villégiature et a été plus perméable aux influences extérieures. Par ailleurs, dans la mesure où des groupes substantiels de colons sont venus au Saguenay–Lac-Saint-Jean à partir d'autres régions, dans une proportion de près de 20 % d'après les données de Dugas, il sera difficile de tirer argument du fait qu'on ne trouverait aucun cas de prononciation non assibilée dans la région du Saguenay–Lac-Saint-Jean ; la dynamique qui se développe à l'intérieur des communautés hétérogènes est complexe, comme on a pu le voir par les recherches qui ont porté sur la formation de la koinè québécoise (voir à ce propos les diverses contributions réunies dans Mougeon et Beniak, 1994). Des facteurs comme l'implantation hâtive de certains groupes, l'influence de l'usage québécois général (qui devait bien commencer à se faire sentir vers la fin du XIXᵉ siècle), l'étalement de la population sur un territoire relativement étendu, etc., devront être pris en compte pour qu'on ait une image d'ensemble.

Il faut préciser, pour la compréhension de la démonstration qui va suivre, que la région de Charlevoix n'a reçu ses premiers colons stables que dans le dernier quart du XVIIᵉ siècle ; Baie-Saint-Paul, par exemple, a été colonisée vers 1678 par un groupe venant de la région de Québec (les premiers registres datent de 1681). Par la suite, les habitants de Charlevoix ont vécu en vase clos jusque vers le début du XXᵉ siècle (le lien ferroviaire avec Québec n'a été établi qu'en 1914); selon le géographe Blanchard, les paroisses de Charlevoix «étaient réellement des îles, souvent isolées entre elles et à peu près privées de communications par terre avec Québec» (pour cet aspect historique, voir les références dans Stein, 1974, p. 2-10).

Dans les autres parlers français d'Amérique du Nord, l'assibilation est connue partout où l'influence québécoise s'est fait sentir. Il faut cependant préciser encore deux choses qui auront une grande importance pour la datation du phénomène. D'abord, l'assibilation n'est que partielle dans le parler de Windsor (Ontario), région qui a reçu ses premiers colons francophones en 1701 ; il s'agissait d'un groupe appartenant à la seconde génération des habitants de Montréal, qui accompagnait les militaires chargés d'établir un fort «au Détroit» (voir Hull, 1956, p. 38). Ce phénomène d'assibilation partielle est décrit comme suit par Hull (p. 49) :

> The dentals [t] and [d] are affricated before [i] and [y]. The Windsor sound is not, however, quite the same as the clear Montreal [ts], [dz], but a slightly affricated [tˢ], [dᶻ], varying to [tˢ], [dᶻ], especially before [y]. For example : *outil* [utˢi] ; *dur* [dᶻy:r, dᶻy:r]. This probably represents an earlier stage of the affricating process.

Ensuite, l'assibilation se produit de la même façon qu'au Québec dans la région de Old Mines (Missouri), colonisée par des pionniers d'origine canadienne entre 1723 et 1726 (voir Thogmartin, 1979, p. 111, 114 ; Carrière, 1941, p. 513).

Pour compléter ce tour d'horizon, il convient de mentionner que le phénomène de l'assibilation est attesté aussi dans le créole d'Haïti et dans celui de l'île Maurice ; on en trouve des traces dans certaines variétés de français louisianais, sans doute par influence du créole haïtien (voir Hull, 1974, p. 68).

Le point sur lequel je veux insister ici est le suivant: la simple comparaison des français nord-américains fournit des données de première importance pour circonscrire l'aire linguistique à partir de laquelle le phénomène de l'assibilation s'est diffusé en Amérique du Nord, pour préciser la période au cours de laquelle il s'est développé et peut-être même pour reconstituer le processus articulatoire qui lui a donné naissance.

On sait que les caractéristiques phonétiques voyagent peu d'une communauté à une autre, contrairement à ce qui se passe pour le vocabulaire. Si donc un trait de prononciation particulier, comme c'est le cas pour l'assibilation, se retrouve à des endroits différents du continent nord-américain, c'est soit qu'il a été apporté par des immigrants français qui se sont implantés simultanément à divers endroits, soit qu'il a été diffusé peu à peu sur le continent par des groupes issus d'une région où l'on pratiquait l'assibilation.

La comparaison de l'usage québécois et de l'usage acadien permet de poser l'hypothèse que l'assibilation n'était pas un phénomène important dans les communautés du sud de la Loire, du moins dans la première partie du XVIIe siècle, puisqu'il ne se retrouve pas en Acadie dont le peuplement d'origine vient de cette région de la France. Par ailleurs, les communautés francophones où ce trait phonétique est connu en Amérique du Nord se sont développées à partir de groupes issus du Québec (Windsor, Missouri); cette constatation est une indication que le phénomène s'est répandu à partir du Québec, ce qui n'empêche pas que ce trait de prononciation ait pu être importé d'Europe. Le fait que l'assibilation soit connue dans des parlers créoles donne à penser justement que le phénomène est d'origine européenne; Rousseau (1935) et Hull (1974, p. 68) signalent d'ailleurs divers cas d'assibilation dans des parlers de France.

Pour ce qui est de la datation, on peut arriver à une hypothèse plausible en mettant en rapport les usages de trois régions peuplées à partir de Québec ou de Montréal: celles de Charlevoix, de Windsor et du Missouri. On a établi plus haut que l'assibilation des [t] et [d] était un phénomène récent dans la région de Charlevoix; on peut déduire de cela que l'assibilation ne faisait pas partie des habitudes articulatoires des premiers colons (venant de la région de Québec) qui s'y sont installés vers 1680. Dans la seconde région (celle de Windsor), dont le peuplement remonte à 1701, l'assibilation est mieux implantée, mais elle n'est encore que partielle ; c'est là une indication que le phénomène avait progressé de façon sensible dans la colonie laurentienne au cours des vingt années qui avaient suivi la fondation de Charlevoix. Enfin, puisque l'assibilation est complète dans la région du Missouri, fondée par des Canadiens vers 1725, on pourrait en conclure que ce trait phonétique avait atteint le terme de son évolution au Québec dans la colonie laurentienne à cette époque. Il faut cependant montrer un peu de prudence sur ce dernier point, car il est difficile de faire la preuve que ce trait de prononciation n'a pas pu se consolider au Missouri par la suite, sous l'influence d'autres immigrants venant du Québec ; la progression rapide du phénomène entre 1680 (Charlevoix) et 1701 (Windsor) permet malgré tout de penser que l'assibilation a atteint son stade final dans un laps de temps assez court.

En somme, l'assibilation aurait connu un développement rapide à partir de la fin du XVIIe siècle. D'une tendance latente dans des régions de France, l'assibilation serait devenue, quelque quarante ans après les premières manifestations qu'on peut en supposer dans la colonie laurentienne, une des caractéristiques principales de la prononciation québécoise. Il reste à découvrir les raisons de l'émergence de ce trait de phonétique. On est tenté d'y voir, à première vue, le résultat de l'influence de groupes qui seraient arrivés dans la colonie laurentienne après les premières vagues d'immigrants, puisque l'assibilation est un phénomène relativement tardif comparativement à d'autres tendances phonétiques du français québécois ; les historiens et les démographes ont peut-être la réponse à cette question : d'où venaient les colons qui se sont implantés dans la colonie laurentienne entre 1660 et 1680 ?

Hull (1974, p. 68) suggère que ce trait de prononciation a pu se répandre à partir du port de Nantes, mais il faudrait vérifier cette hypothèse qui vise à appuyer sa théorie selon laquelle les français nord-américains seraient issus d'une variété maritime de français. On peut cependant faire un meilleur accueil à son explication concernant le développement tardif de ce phénomène dans la vallée de la Loire ; cette hypothèse concorde avec son absence en acadien et son apparition en québécois vers la fin du XVIIe siècle seulement. Hull tire argument de cet état de choses pour suggérer que les créoles à base française qui ne connaissent pas l'assibilation doivent s'être stabilisés avant ceux qui la connaissent, ce qui fait voir encore les multiples leçons qu'on peut tirer de la comparaison des aires géolinguistiques.

Dans le texte qu'il publie ici même, Léon met le phénomène de l'assibilation en rapport avec celui de l'affaiblissement des prononciations palatales héritées de France[12]. L'assibilation s'inscrirait dans un processus de dépalatalisation des occlusives [c] et [ɟ], lesquelles sont attestées au Québec depuis le début de la colonie (voir Juneau, 1972, p. 119-138). Les palatales [c] et [ɟ] auraient d'abord connu, en régressant, un stade [tʃ] ou [dӡ] (affrication), qui caractérise encore l'acadien, avant d'atteindre la position alvéolaire où se produit l'assibilation; l'assibilation correspondrait ainsi à un stade de dépalatalisation plus avancé que les prononciations acadiennes.

Les données géolinguistiques semblent appuyer cette hypothèse que Gendron (1966, p. 122) avait évoquée déjà sans cependant lui donner sa préférence. En effet, l'acadien, dont la formation est ancienne (première moitié du XVIIᵉ siècle), ne connaît que le premier stade de dépalatalisation, soit l'affrication; le français de Windsor (qui représente un usage du début du XVIIᵉ siècle) rendrait compte d'une étape intermédiaire où l'assibilation se manifeste sans que le stade affriqué ne soit totalement disparu (voir le témoignage de Hull, ci-dessus); le stade final de l'évolution est atteint dans le français du Missouri et dans celui du Québec où l'assibilation est complète.

L'étude du phénomène de l'assibilation conduit ainsi à la mise en évidence d'un autre facteur permettant d'expliquer la variation des français nord-américains, c'est-à-dire les mouvements de population. En effet, la carte géolinguistique de l'assibilation rend compte du fait que des traits linguistiques se sont répandus sur le territoire de l'Amérique du Nord à la faveur du déplacement de groupes de francophones. On aurait évidemment pu invoquer d'autres exemples

---

12. « [...] on pourrait supposer, pour tous les phénomènes reliés à la palatalisation, y compris l'assibilation, non pas une palatalisation récente en français canadien, mais une palatalisation ancienne, et admettre un affaiblissement général du système comme un phénomène plus tardif. La forte palatalisation ancienne du normand invite à aller dans ce sens. »

illustrant l'influence de ce facteur, notamment le mieux connu, celui de l'introduction des caractéristiques phonétiques et lexicales acadiennes en Louisiane à la suite de l'arrivée massive de colons acadiens qui s'y sont réfugiés après la Déportation. L'exemple que j'ai choisi avait l'avantage de montrer que la prise en compte de ce facteur pourrait s'avérer extrêmement rentable pour l'explication globale de phénomènes à propos desquels on s'interroge encore.

L'INFLUENCE MULTIFORME DE L'ANGLAIS

Que l'anglais ait exercé une influence beaucoup plus grande sur certaines communautés francophones de l'Amérique du Nord que sur d'autres n'a pas à être démontré. Les francophones canadiens vivant à l'extérieur du Québec, qui baignent dans un milieu essentiellement anglophone, ont évidemment adopté dans leurs parlers de nombreux anglicismes qui n'ont pas cours au Québec ou qui n'y sont connus que de façon marginale, sans parler du phénomène de l'alternance de code qui est bien représenté chez eux (sur ces questions, voir notamment Mougeon et Beniak, 1989). L'influence de l'anglais a joué de façon plus déterminante encore dans le cas des parlers français des États-Unis où le français n'est protégé par aucun statut officiel (sauf en Louisiane, depuis quelques années) ; l'évolution de ces parlers a été littéralement façonnée par les contacts constants avec l'anglais, le français ne pouvant compter pour sa survie que sur la force de la tradition orale (pour le Missouri par exemple, voir Carrière, 1939, p. 119 ; Thogmartin, 1979, p. 115-116).

Il ne fait donc pas de doute que l'influence de l'anglais est l'un des facteurs principaux de la différenciation des parlers français d'Amérique du Nord. Le français du Québec, même s'il ne permet pas d'illustrer toutes les formes que cette influence a pu prendre, est sans doute celui qui a connu le plus grand nombre de situations différentes où la pression de l'anglais s'est exercée, dans le temps, dans l'espace et à travers les divers milieux de la société. En somme, l'anglais a fait sentir sa pression de façon répétée et sur divers fronts, pénétrant tel secteur du vocabulaire, colorant fortement le parler de telle région ou de tel groupe, avec des mouvements de retraite auxquels il a été forcé devant la résistance acharnée dont a fait preuve la collectivité québécoise.

L'histoire de l'influence anglaise au Québec n'est pas aussi simple qu'on pourrait le croire. Il faut en effet prendre conscience qu'elle s'est produite à des époques différentes, par l'intermédiaire de groupes différents et dans des circonstances différentes. Non seulement l'opération de repérage des anglicismes est-elle loin d'être terminée, mais il reste beaucoup à faire pour expliquer comment les emprunts ont pénétré dans le français du Québec. Une meilleure connaissance de l'ensemble du phénomène est nécessaire non seulement sur le plan académique, pour bien établir les faits, mais peut-être surtout sur le plan sociolinguistique, pour mieux juger de cette influence et pour guider l'évaluation qu'on doit faire aujourd'hui des nombreux emprunts que le français du Québec a faits à l'anglais[13].

Le français du Québec a emprunté à l'anglais britannique et à l'anglais américain, selon les époques. Il ne faut donc pas se surprendre qu'on trouve au Québec à la fois le mot *lift* au sens de « monte-charge », qui appartient à l'usage britannique, et le mot *char* au sens de « wagon », calque de l'anglais américain *car*; ou encore que certains de ces emprunts, qui demeurent usuels au Québec, correspondent à des mots qui ont vieilli en anglais, par exemple *chum* « ami ». De plus, ces emprunts ont été faits en grande partie par voie orale, ce qui peut expliquer que certains emplois ne soient pas attestés dans les dictionnaires anglais, par exemple *pinch* au sens de « moustache »[14].

Divers groupes d'anglophones ont tour à tour fait sentir leur présence sur le territoire du Québec et ces groupes ont exercé une influence différente : les Britanniques étaient bien implantés à Québec et à Montréal au XIXe siècle et c'est sous leur domination que se sont formés les vocabulaires du droit et du Parlement ; les loyalistes ont dominé pendant une partie du XIXe siècle dans la région des Cantons-de-l'Est ; les Irlandais ont fourni de bons contingents au XIXe siècle,

---

13. La Chaire pour le développement de la recherche sur la culture d'expression française en Amérique du Nord (CEFAN) a organisé, à l'hiver 1992, un séminaire multidisciplinaire intitulé « Anglicisme et identité québécoise » au cours duquel ont été examinés divers aspects de cette question (les actes du séminaire seront publiés dans cette même collection).

14. Cet emploi est peut-être à mettre en relation avec le sens de « pincée (de tabac) » (voir à ce sujet Poirier, 1985, p. 106-107).

notamment dans la région de Québec. Par ailleurs, le territoire du Québec touche aux États-Unis au sud, à l'Ontario à l'ouest et au Nouveau-Brunswick à l'est ; or, on ne parle pas tout à fait le même anglais dans ces régions.

Mercier (1981, p. 123-133) a mis en lumière le fait que les dénominations anglaises dont on se sert au Québec pour désigner la chaussure de sport avaient des origines différentes. *Shoe-claque*, qui découle probablement, par étymologie populaire (rapprochement effectué avec le mot *claque*), de l'anglais *shoe-pack*, est le mot qui domine à l'est de Trois-Rivières et en Abitibi ; *shoe-pack* a dû pénétrer par la langue du commerce. *Running-shoe(s)* s'est imposé à l'ouest de Trois-Rivières ; il s'agit d'un mot de l'anglais canadien qui a sans doute été adopté par voie orale. Près de la frontière sud du Québec et dans les Cantons-de-l'Est, on dit plutôt *sneak* qui est un mot de l'anglais familier. La carte qu'on peut ainsi dresser à partir des données de Dulong et Bergeron (1980, question 1936) illustre à elle seule trois voies différentes par lesquelles les mots anglais ont pénétré dans le français du Québec.

On connaît donc un bon nombre de pistes à explorer pour expliquer les différences que présentent diverses régions du Québec en ce qui a trait aux anglicismes. Il reste à préciser ce qui s'est passé dans chaque cas ; la comparaison des aires géolinguistiques apporte sur ce point un éclairage fort utile en complétant la recherche dans les fichiers historiques et les dictionnaires.

Les différences régionales attirent évidemment l'attention parce qu'elles paraissent poser un problème. Or, on pourrait se demander au contraire comment s'expliquent les anglicismes qui sont répandus sur tout le territoire du Québec : comment se fait-il que ces emprunts, qui représentent la majorité des cas, soient connus partout, même dans les régions où les populations n'ont pour ainsi dire pas été mises en contact avec des anglophones ? On sait qu'un bon nombre de ces emplois ont été introduits par le commerce, que d'autres ont été véhiculés par les journaux, que d'autres enfin ont été adoptés simultanément à plusieurs endroits parce que c'étaient des termes usuels dans divers milieux de travail (chantiers, industries). Mais peut-être faudrait-il examiner de près une autre cause qui pourrait bien se révéler importante, compte tenu des données nouvelles que les historiens ont mises à notre disposition au cours des dernières années, soit les rapports avec la Nouvelle-Angleterre.

Roby (1990) a décrit l'épopée de ces Québécois qui ont quitté leurs patelins d'origine pour s'établir dans cette région des États-Unis où ils rêvaient d'améliorer leurs conditions de vie. Entre 1840 et 1930, environ 900 000 Québécois vivront cette aventure. Pendant quelques décennies, il s'établit une sorte de va-et-vient entre le Québec et la Nouvelle-Angleterre, les émigrants revenant au pays pour s'occuper de leurs terres, visiter leurs familles ou se réinstaller pendant les périodes où la récession ralentit la production industrielle dans le Nord-Est américain.

Il paraît inévitable que, dans ce contexte, les Québécois, devenus Franco-Américains, aient apporté au Québec, lors de leurs déplacements, les mots anglais qu'ils avaient adoptés par la force des choses en travaillant aux États-Unis. Compte tenu que les migrants venaient de diverses régions du Québec, leur influence a pu se faire sentir dans l'ensemble du territoire de la province. Maintenant que les historiens ont établi les faits et mesuré l'importance des déplacements entre le Québec et la Nouvelle-Angleterre, les linguistes devraient prendre le relais et scruter les documents qui leur permettraient de découvrir l'incidence qu'a pu avoir l'épopée de la Nouvelle-Angleterre sur l'anglicisation du français du Québec.

Une petite recherche que j'ai faite, il y a une quinzaine d'années, dans le journal *La Tribune* de Woonsocket m'a permis de voir que les anglicismes que j'y relevais étaient les mêmes que je retrouvais dans la presse québécoise de l'époque (Poirier, 1978, p. 80-81). Je ne m'étais pas alors inquiété de savoir s'il pouvait y avoir eu importation d'anglicismes à partir de la Nouvelle-Angleterre, mais la question mériterait d'être examinée en comparant les sources. C'est la recherche que j'ai faite avec quelques étudiants sur l'origine du mot *pâté chinois* qui m'a conduit à m'intéresser à cette question (Poirier, 1988a) ; il paraît en effet possible que cette appellation découle d'une traduction de *China pie*, d'après le nom d'une petite localité située à l'extrémité nord du lac China, dans le Maine. La Nouvelle-Angleterre aurait ainsi fourni, pour la seconde fois, un nom de mets qui s'est révélé très populaire au Québec, le premier étant le mot *bean* (voir Poirier, 1988b).

On voit donc que l'étude de l'anglicisme nécessitera encore bien des recherches si l'on veut en arriver à une connaissance approfondie du phénomène, notamment des voies de pénétration des emprunts. Les manuels correctifs, qui sont les principaux ouvrages de nature linguistique à avoir traité de l'anglicisme, n'ont donné du phénomène de l'anglicisation qu'une image étriquée, leurs auteurs se limitant à condamner les emprunts. Or, pour comprendre le phénomène de l'anglicisation de la langue et de la société québécoise, il ne suffit pas de faire l'inventaire des formes en cause, mais il est nécessaire de les mettre en rapport avec les époques, avec les lieux, avec les groupes de locuteurs et avec les activités qui ont pu être des facteurs facilitant l'adoption des emprunts à l'anglais. Examinée dans cette perspective, l'anglicisation n'est plus un phénomène purement linguistique, mais une expérience humaine qui a profondément modifié la personnalité des Québécois, en raison des multiples formes qu'elle a pu prendre.

*

*   *

Dans ce texte, j'ai cherché à montrer que la variation géolinguistique du français en Amérique du Nord s'explique par des causes qui peuvent être mises en évidence par la simple comparaison des aires linguistiques. Cette comparaison est susceptible de révéler l'origine des faits, de faire découvrir les époques où ces faits se sont produits, les régions à partir desquelles ils se sont diffusés, etc. ; elle peut aussi faire prendre conscience de la complexité de certains phénomènes qu'on a pu traiter de façon trop superficielle dans le passé. On aura compris en outre que la recherche linguistique doit de plus en plus s'appuyer sur les travaux de spécialistes d'autres disciplines auxquels les linguistes, à leur tour, fourniront des données pour leurs démonstrations scientifiques.

Annexe

L'assibilation dans la région de Charlevoix: étude d'un échantillon d'enregistrements (Archives de folklore, Université Laval)

1. Coll. Luc Lacourcière (enr. 3244, bob. 1662).
    Enr. de 1952, Les Éboulements. Homme de 76 ans, cultivateur.
    Aucune assibilation (deux cas de légère assibilation). Palatalisation dans *tourtière* et *moitié*.

2. Coll. Luc Lacourcière (enr. 1803, bob. 1346).
    Enr. de 1954, Saint-Joseph-de-la-Rive. Homme de 74 ans.
    En général, pas d'assibilation. Quelques cas d'assibilation faible.

3. Coll. Luc Lacourcière (enr. 1806, bob. 1346).
    Enr. de 1954, Les Éboulements. Homme de 72 ans.
    Aucune assibilation (sauf un cas ou deux où la consonne est légèrement assibilée).

4. Coll. Luc Lacourcière (enr. 1752, bob. 1334-1335).
    Enr. de 1954, Clermont. Homme de 55 ans.
    Assibilation rare et très légère. Les [d] sont presque toujours non assibilés.

5. Coll. Luc Lacourcière (enr. 3228, bob. 1661).
    Enr. de 1956, Saint-Hilarion. Homme de 66 ans, cultivateur.
    Assibilation légère, souvent aucune assibilation.

6. Coll. Luc Lacourcière (enr. 3231, bob. 1661).
    Enr. de 1956, Saint-Hilarion. Homme (âge non précisé).
    Assibilation constante, comme à Québec (à l'occasion plus faible pour le [d]).

7. Coll. Pierre Perrault (enr. 73, bob. 4927).
    Enr. de 1961, Saint-Joseph-de-la-Rive. Homme (âge non précisé), constructeur de bateaux.
    Les prononciations assibilées et non assibilées sont à peu près à égalité. Quelques cas de palatalisation nette (*quinze*, *quai*).

8. Coll. Pierre Perrault (enr. 74, bob. 4927).

Enr. de 1961, Les Éboulements. Homme (âge non précisé), garde-phare.

Assibilation constante, comparable à celle de Québec.

9. Coll. Pierre Perrault (enr. 86, bob. 4930).

Enr. de 1961, Baie-Saint-Paul. Homme (âge non précisé).

Assibilation constante, comparable à celle de Québec.

10. Coll. Richard Sage (enr. 10, bob. 6093).

Enr. de 1970, Baie-Saint-Paul. Femme de 31 ans, professeure (15 années d'étude).

Assibilation quasi constante, parfois plus faible pour les [d]. Palatalisation occasionnelle, qui paraît liée à certains mots (par exemple *diable*).

11. Coll. Richard Sage (enr. 9, bob. 6093).

Enr. de 1970, Baie-Saint-Paul. Homme de 87 ans, cultivateur (6 années d'étude), aucun déplacement à l'extérieur.

Assibilation très rare.

12. Coll. Jean-Arthur Harvey (enr. 6, bob. 78).

Enr. de 1971, Sainte-Mathilde (près de Cap-à-l'Aigle). Homme de 62 ans, cultivateur, a vécu quelque temps dans une communauté religieuse.

Presque pas d'assibilation.

Bibliographie

Carrière, J.-M. (1939), « Creole Dialect of Missouri », dans *American Speech*, 14, 2 (avril), p. 109-119.

Carrière, J.-M. (1941), « The Phonology of Missouri French : A Historical Study », dans *The French Review*, 14, 5 (mars), p. 410-415 ; 6 (mai), p. 510-515.

Charbonneau, Hubert, *et al.* (1987), *Naissance d'une population. Les Français établis au Canada au XVIIe siècle*, Paris et Montréal, Institut national d'études démographiques et PUM, VIII + 232 p.

Clapin, Sylva (1894), *Dictionnaire canadien-français*, Montréal et Boston, C.O. Beauchemin & Fils et Sylva Clapin, XLVI + 389 p. (réimpr., PUL, 1974).

Dechêne, Louise (1974), *Habitants et marchands de Montréal au XVIIe siècle*, Paris et Montréal, Plon, 588 p.

Dulong, Gaston, et Gaston Bergeron (1980), *Le parler populaire du Québec et de ses régions voisines. Atlas linguistique de l'est du Canada*, Québec, Gouvernement du Québec, Ministère des Communications en coproduction avec l'Office de la langue française, 10 vol.

Dumas, Denis (1987), *Les prononciations en français québécois*, Sillery, PUQ, XV + 155 p.

Dunn, Oscar (1874), « Le « patois » canadien », dans *Journal de l'instruction publique*, Québec, 18, 1 (janvier), p. 8 (article non signé mais qui peut être attribué à cet auteur qui publie un texte intitulé « Notre « patois » » dont le contenu est semblable dans *L'Opinion publique*, le 15 janvier 1874, p. 25).

Dunn, Oscar (1880), *Glossaire franco-canadien*, Québec, Imprimerie A. Côté et Cie, XXVI + 199 p. (réimpr., PUL, 1976).

Flikeid, Karin (1991), « Les parlers acadiens de la Nouvelle-Écosse (Canada) : diversification ou origines diverses ? », dans Brigitte Horiot (dir.), *Français du Canada – français de France*, Actes du IIe Colloque international de Cognac, du 27 au 30 septembre 1988, Tübingen, Niemeyer, p. 195-214.

Geddes, James (1893), « Two Acadian French Dialects Compared with the Dialect of Ste. Anne de Beaupré », dans *Modern Language Notes*, VIII, 8 (cité d'après un tiré à part, 22 p.).

Gendron, Jean-Denis (1966), *Tendances phonétiques du français parlé au Canada*, Paris et Québec, Klincksieck et PUL, XX + 254 p.

Haden, Ernest F. (1941), « The Assibilated Dentals in Franco-Canadian », dans *American Speech*, 16, 4 (décembre), p. 285-288.

Haden, Ernest F. (1942), « The French-Speaking Areas of Canada : Acadians and Canadians », dans *Bulletin. American Council of Learned Societies*, 34 (mars), p. 82-89.

Haden, Ernest F. (1973), « French Dialect Geography in North America », dans Thomas A. Sebeok (dir.), *Current Trends in Linguistics*, 10, 1, La Haye et Paris, Mouton, p. 422-439.

Hull, Alexander (1956), « The Franco-Canadian Dialect of Windsor, Ontario : A Preliminary Study », dans *Orbis*, 5, p. 35-60.

Hull, Alexander (1974), « Evidence for the Original Unity of North American French Dialects », dans *Revue de Louisiane*, 3, 1 (été), p. 59-70.

Juneau, Marcel (1972), *Contribution à l'histoire de la prononciation française au Québec. Étude des graphies des documents d'archives*, Québec, PUL, XVIII + 311 p.

Juneau, Marcel (1976), *La jument qui crotte de l'argent : conte populaire recueilli aux Grandes-Bergeronnes (Québec). Édition et étude linguistique*, Québec, PUL, 143 p.

Juneau, Marcel (1977), *Problèmes de lexicologie québécoise. Prolégomènes à un Trésor de la langue française au Québec*, Québec, PUL, 278 p.

La Follette, James E. (1952), « Étude linguistique de quatre contes folkloriques du Canada français », thèse de doctorat, Université Laval, XIII + 634 p.

Landry, Joseph Allyn (1943), « The Franco-Canadian Dialect of Papineauville, Quebec. Phonetic System, Morphology, Syntax, and Vocabulary », thèse de doctorat, The University of Chicago, VII + 274 p.

Lavoie, Thomas, Gaston Bergeron et Michelle Côté (1985), *Les parlers français de Charlevoix, du Saguenay, du Lac-Saint-Jean et de la Côte-Nord*, Québec, Gouvernement du Québec, Ministère des Communications, 5 vol.

Lortie, Stanislas (1903-1904), « De l'origine des Canadiens-français », dans *Bulletin du parler français au Canada*, 1, 9, 1903, p. 160-165 ; 2, 1, 1904, p. 17-18.

Lucci, Vincent (1972), *Phonologie de l'acadien (parler de la région de Moncton, Nouveau Brunswick, Canada)*, Montréal, Paris et Bruxelles, Didier (coll. Studia Phonetica, 7), VIII + 150 p.

Massignon, Geneviève (1962), *Les parlers français d'Acadie. Enquête linguistique*, Paris, Klincksieck, 2 vol., 980 p.

Mercier, Louis (1981), « Contribution à la connaissance du vocabulaire de la chaussure en français québécois. Étude diachronique et synchronique », thèse de maîtrise, Université Laval, 340 p.

Mougeon, Raymond, et Édouard Beniak (dir.) (1989), *Le français canadien parlé hors Québec. Aperçu sociolinguistique*, Québec, PUL, X + 262 p.

Mougeon, Raymond, et Édouard Beniak (dir.) (1994), *Les origines du français québécois*, Sainte-Foy, PUL, X + 332 p.

Poirier, Claude (1978), « L'anglicisme au Québec et l'héritage français », dans Lionel Boisvert, Marcel Juneau et Claude Poirier (dir.), *Travaux de linguistique québécoise*, vol. 2, Québec, PUL, p. 43-106.

Poirier, Claude (1979), « Créoles à base française, français régionaux et français québécois : éclairages réciproques », dans *Revue de linguistique romane*, 43, p. 400-425.

Poirier, Claude (1985), « Coping with English Borrowings in the *Dictionnaire du français québécois* », dans *Dictionaries. Journal of the Dictionary Society of North America*, 7, p. 94-111.

Poirier, Claude (1988a), « Le pâté chinois : le caviar des jours ordinaires », dans *Québec français*, 70 (mai), p. 96-97.

Poirier, Claude (1988b), « Préférez-vous les « beans », les bines ou les fèves au lard ? », dans *Québec français*, 72 (décembre), p. 96-97.

Roby, Yves (1990), *Les Franco-Américains de la Nouvelle-Angleterre, 1776-1930*, Sillery, Septentrion, 434 p.

Rousseau, Jacques (1935), « La prononciation canadienne du *t* et du *d* », dans *Le Canada français*, XXIII, 4, p. 369-372.

Ryan, Robert W. (1981), *Une analyse phonologique d'un parler acadien de la Nouvelle-Écosse (Canada). (Région de la baie Sainte-Marie)*, Québec, Centre international de recherche sur le bilinguisme, V + 183 p.

Santerre, Laurent (1979), « Les [r] montréalais en régression rapide », dans *Protée*, VII, 2 (automne), p. 117-131.

Stein, Dominique Shuly (1974), « The French-Canadian Dialect of County Charlevoix, Québec », thèse de doctorat, The University of Michigan, V + 176 p.

Straka, Georges (1979), *Les sons et les mots. Choix d'études de phonétique et de linguistique*, Paris, Klincksieck, 622 p. (l'article cité, « Contribution à l'histoire de la consonne R en français », a d'abord été publié en 1965).

Thogmartin, Clyde (1979), « Old Mines, Missouri et la survivance du français dans la Haute Vallée du Mississippi », dans Albert Valdman (dir.), *Le français hors de France*, Paris, Champion, p. 111-118.

Vinay, Jean-Paul (1950), « Bout de la langue ou fond de la gorge ? », dans *The French Review*, 23, p. 489-498.

Vinay, Jean-Paul (1973), « Le français en Amérique du Nord : problèmes et réalisations », dans Thomas A. Sebeok (dir.), *Current Trends in Linguistics*, 10, 1, La Haye et Paris, Mouton, p. 323-406.

Weinhold, Norbert (1984), « Observations sur deux cartes de l'ALEC : ABEILLE et AUNE », dans *Travaux de linguistique et de littérature*, Strasbourg, XXII, 1, p. 265-274.

Les productions culturelles

L'enquête d'identité dans la chanson francophone d'Amérique

André Gaulin
Département des littératures
Université Laval

J'ai donné à l'hiver 1991 un cours que j'avais intitulé «L'essai et la *question* linguistique au Québec». Je ne sais par quelle alchimie de transcription mon titre est devenu sur le babillard officiel: «L'essai et le *problème* linguistique au Québec». Quelqu'un avait-il adapté le texte d'après la structure mentale qui nous fait vivre notre culture comme une relation problématique au sens de Lucien Goldmann?

Cette fois-ci, si vous avez lu le titre de mon article comme «*La quête* de l'identité dans la chanson francophone d'Amérique», c'est que vous avez cédé à l'association syntagmatique que l'on fait le plus souvent. J'aurai donc à m'expliquer sur mon expression «l'enquête d'identité», et cela convient assez dans le cadre continental nord-américain où parler français et le vivre équivalent trop souvent à devoir se justifier. L'enquête d'identité rend mieux à mon sens cette constante nécessité de la francophonie américaine de lier une quête intérieure à la matérialité de l'autre, interlocuteur obligé sinon destinataire dans la mesure où aucun espace francophone d'ici (le Québec, l'Acadie, l'Ontario et le Manitoba français, la Fransaskoisie, la Louisiane, la Franco-Américanie...) n'est son propre référent, son propre répondant et son propre représentant. C'est à cela sans doute que renvoie le titre de l'article d'Eric Waddell «Un continent-Québec et une poussière d'îles: asymétrie et éclatement au sein de la francophonie nord-américaine». Continent et archipel ou, pour évoquer Alain Grandbois, ensemble d'«îles de la nuit»? Ne faut-il pas lire ainsi Anne Hébert dans son profond cheminement du *Premier jardin* (Seuil, 1988) quand elle dit de Pierrette Paul, alias Flora Fontanges, qui revient dans la capitale de son «pays natal»: «Le nom de la ville de son enfance n'est pas affiché au tableau des départs» (p. 10). Et plus loin: «Il va falloir traverser l'Atlantique, durant de longues heures, et aborder quelque part en Amérique du Nord, avant que le nom redouté ne soit visible sur un tableau d'affichage, en toutes lettres, comme un pays réel où elle est convoquée pour jouer un rôle au théâtre» (*Ibid.*). Parler français en Amérique serait-il jouer un rôle? Ou, comme le titrait André Langevin dans un de ses essais dans *Maclean* en 1966, «Parler français, une forme d'extrémisme?» (*Maclean*, 6, 1).

Vous admettrez donc, pour faire bref, que le mot *enquête* rend mieux la situation du non-lieu, du moins juridique, que je viens d'évoquer. C'est d'ailleurs Clémence DesRochers qui m'a inspiré ce mot avec sa chanson éponyme qui évoque le travail profond de la mémoire non seulement personnelle, mais aussi collective et historique. L'enquête, dans la chanson, devient le rendez-vous de soi avec soi, en un lieu-dit, comme de chacun des archipels francophones en dépit des contraintes adverses.

> Si je prends la peine de chanter
> Avant d'être dépaysée
> C'est peut-être pour empêcher
> Vos cris de se mettre à pleurer
> Au beau milieu de ma journée
> Si je prends la peine de chanter
> C'est pas pour vous dépayser
> Vous ne me laissez le choix
> C'est vos vieux noms, c'est votre voix
> Qui sont montés du fond de moi.
> («Avant d'être dépaysée», Daniel Deschênes).

Cette montée du collectif historique en soi, Gilles Vigneault le rend aussi dans cette chanson qui constitue essentiellement sa poétique comme poète sonorisé:

Est-ce vous que j'appelle
Ou vous qui m'appelez
Langage de mon père
Et patois dix-septième
Vous me faites voyage
Mal et mélancolie
Vous me faites plaisir
Et sagesse et folie
Il n'est coin de la terre
Où je ne vous entende
Il n'est coin de ma vie
À l'abri de vos bruits
Il n'est chanson de moi
Qui ne soit toute faite
Avec vos mots vos pas
Avec votre musique.
(«Les gens de mon pays», 1965).

Si l'on s'en tient à une définition de l'enquête, prenons le *Larousse* par exemple, on parle d'une «réunion de témoignages pour élucider une question douteuse» (*Petit Larousse illustré*, 1980, p. 375). En fait, la chanson francophone ressemble assez à cela, avec un registre qui va du cri au chant – y compris «le chant trop chaud» qu'évoque Sylvie Tremblay dans «Simple Pathétik» –, du mode mineur fréquent au majeur. Un musicologue pourrait d'ailleurs vérifier si le mode mineur n'est pas d'autant plus utilisé que l'on va vers la minorisation des espaces. Il faut en outre signaler ici les discours concurrents et parfois divergents du texte littéraire et du texte musical qui forment indissolublement ce que l'on appelle une chanson. Un bel exemple qui illustre cela, c'est le «Tout le monde est malheureux» de Gilles Vigneault (1966) où le texte musical prend le contre-pied de la tristesse, sujet du texte. À l'occasion d'un festival de la chanson francophone tenu au cinéma Outremont, les 2 et 3 décembre 1977, le poète Michel Garneau, quant à lui, a interprété «Prendre un verre de bière, mon minou» sur un rythme tout à fait lent qui fait de la gaie chanson à boire (et à déboires) une chanson triste qui force le destinataire à inverser le sens des mots. Dans l'enregistrement qui a été fait de ce spectacle (*Les réjouissances ou «Les p'tits oiseaux transportent l'éternité»*, Le Tamanoir, 1977), on peut constater la résistance de la foule à cette interprétation mais qui finit par comprendre que cette chanson à boire est en fait une chanson de déréliction.

CHANSONS DANS LA MÉMOIRE LONGTEMPS

L'un des traits communs de la chanson francophone nord-américaine, c'est la remontée presque constante dans la mémoire. On pourrait citer ici le psalmiste: «Que ma langue s'attache à mon palais si je perds ton souvenir [Jérusalem]». La chanson d'ici ressemble assez à ce que dit toujours Vigneault, on ne l'a peut-être pas assez remarqué, dans «Les gens de mon pays»:

> Les gens de mon pays
> Ce sont gens de parole
> Et gens de causerie
> Qui parlent pour s'entendre
> Et parlent pour parler.

On chante donc d'abord pour s'entendre comme ces coureurs de bois qu'évoque Octave Crémazie dans une lettre de 1866 à Henri-Raymond Casgrain: «Quand le trappeur parcourt les forêts du nouveau monde, il chante les refrains naïfs de son enfance [...] pour ranimer son courage et non pour faire admirer sa voix: ainsi de moi.»

Est-ce donc cette immense solitude, qui nous a ensuite abolis dans la désolation historique, qui nous fait d'abord chanter comme dans le poème d'Alfred DesRochers où le(s) fils déchu(s) entonne(nt) «À la claire fontaine»:

> Ils l'ont si bien redite aux échos des forêts,
> Cette chanson naïve où le rossignol chante,
> Sur la plus haute branche, une chanson touchante,
> Qu'elle se mêle à mes pensers les plus secrets.
> («Je suis un fils déchu», À l'ombre de l'Orford, 1930).

Cette enquête dans la mémoire constitue souvent un arrachement au sommeil, à l'oubli. Ainsi dans cette puissante invective de Zachary Richard qui lance, aidé par le cinéma et le son, le chant de l'hallali, chant qui, comme dans les folklores tristes ou gais du jésuite Germain Lemieux d'Ontario, garde l'âge des mots du Moyen Âge:

> Réveille, réveille
> C'est les goddams qui viennent
> Brûler la récolte
> Réveille, réveille
> Hommes acadiens

Pour sauver le village
[...]
J'ai vu mon pauvre père
Était fait prisonnier
Pendant que ma mère
Ma belle mère braillait
J'ai vu ma belle maison
Était mise aux flammes
Et moi j'su resté orphelin
Orphelin de l'Acadie.
(« Réveille »).

Il n'y a pas de correspondance de ce cri au Québec, sinon dans la poésie de Gaston Miron ou de Paul Chamberland (ou, dans un autre registre, dans le rock québécois). À voix nue, puis réconforté par l'orchestre qui ajoute le tam-tam aux mots, Zachary Richard ressemble à un muezzin qui crie, ou qui pleure plus haut, son message déchirant et retardataire. Dans une version plus vive, plus déterminée, emportée dans la vague musicale ascendante, Édith Butler reprend l'invitatoire ; cette fois, les tambours ont remplacé les tam-tams pendant que, signe d'éveil, un chœur soutient la douleur du chant mémoriel. Sur ce même disque de 1976, Butler traduit bien la dépossession de ces fils d'Acadie :

Comme des Juifs errants
Ils ont marché si longtemps
Qu'ils ont fini par revenir
Dans le pays d'avant.
(« Comme des Juifs errants », Jean-Claude Dupont /
Daniel Deschênes).

Cependant, dans la première chanson québécoise, acadienne ou franco-ontarienne, le retour au folklore est autre chose qu'une mode rétro, même s'il signifie pourtant la détermination de revenir aux sources de sa joie perdue. Chez Édith Butler, par exemple, on peut parler d'une utilisation joyeuse et militante du folklore, un folklore qui reprend son mordant comme dans l'émouvante « Eugénie Melanson » du poète Herménégilde Chiasson. Qu'on écoute par exemple la « Marie Caissie » dont la gaieté folle emprunte l'envers de l'ancienne tristesse historique. Davantage, le folklore, à la manière de Butler (on pourrait parler de Jacques Labrecque, de Raoul Roy ou d'Yves Albert pour le Québec ou de Gilles Vigneault pour certains textes), est une respiration intérieure, un langage jamais interrompu, un turlutage de la vie, un «nounage» qui s'associe la harpe et le dulcimer un peu comme le groupe Beausoleil-Broussard a si finement combiné un menuet de Jacques Hotteterre (vers 1700) avec le «reel des deux classes». Folklore militant toujours comme dans la «Mutinerie» du groupe 1755 ou dans «Le grain de mil» de Butler, une interprétation d'un souffle et d'une finesse, où l'herbe pousse encore son combat: «Nos amants sont en guerre ° Ils combattent pour nous ° S'ils gagnent la bataille ° Ils auront nos amours». Tout en renouant avec la France profonde et patrimoniale, ce folklore qu'a valorisé en Ontario Garolou ou CANO, par exemple, s'invente aussi, donnant les premières chansons d'ici:

> Ah! que le papier coûte cher
> Dans le Bas-Canada
> Surtout aux Trois-Rivières
> Que ma blonde a m'écrit pas
> Ah! que c'est ennuyant
> D'être si éloigné
> À vivre dans la tristesse
> Six mois dans les chantiers.

Ce texte n'est-il pas l'ancêtre de chansons comme «La Manic» de Georges Dor, encore une histoire d'écriture et d'ennui, ou comme «Ah! que l'hiver» de Gilles Vigneault. On pourrait aussi citer au titre du folklore qui devient chanson «La vie pénible des cageux» du disque *Chez nous* (Office de la télécommunication éducative de l'Ontario, 1975). Retenons plutôt sur ce même disque un passage du «Train», chanson de François Lemieux, qui évoque l'effacement des signes culturels, ou du moins le danger de leur disparition:

> Un Franco-Ontarien
> C'est un amplificateur débranché
> C'est un cul-de-sac en plein océan
> C'est un Diefenbaker en temps d'élection
> C'est un Réal Caouette avec la langue attachée
> C'est un sentiment qui est parti se coucher...
> Mais l'bâtard
> Il dort pas encore
> On va l'brasser
> Parce que moi j'parle
> Français à la maison.

CHANSON(S) ET TERRITOIRE(S)

Est-ce à dire qu'il est plus difficile de maintenir le chant dans un territoire que dans l'autre? C'est là poser une question délicate où donner une réponse pourrait paraître en même temps un jugement de valeur. Pour le moment, soulignons plutôt que le même disque *Chez nous* comprend trois chansons de Robert Paquette, qui n'a plus besoin de présentation au Québec. Son œuvre chansonnière va de la vie ontaroise dans *Dépêche-toi soleil* ou *Prends celui qui passe* à la vie montréalaise et urbaine. On peut évoquer par exemple son *Paquette*, disque paru en 1981, ou son *Gare à vous*, de 1984, qui est rentré dans le giron domestique de l'après-référendum. Est-ce une façon de dire que Robert Paquette est devenu québécois?

Si la réponse était oui, ce serait aussi le cas du Franco-Manitobain Daniel Lavoie qui passe de «J'ai quitté mon île» à, disons, «Ils s'aiment», c'est-à-dire d'un micro-espace de «détresse et [d']enchantement» à la condition planétaire. Mais davantage, le talentueux Lavoie passe de l'hésitation à chanter en français – car il faut bien vivre de ce métier si on le fait à son corps défendant – à un public élargi qui le motive assez pour que sa carrière se poursuive dans la langue de sa communauté natale. Si ce public plus large a été, pour Paquette, le Québec, pour Lavoie, c'est plutôt la France où sa chanson dialectique sur l'amour dans une planète en sursis (plus de 500 000 copies vendues en France) lui vaut son pesant d'or et son envol dans toute la francophonie.

Cela n'empêche certes pas l'auteur de *Tension Attention* de revenir à une manière moins sophistiquée (entendez «coûteuse», entre autres choses) et de produire en 1990 son disque *Long courrier*, où le poète évoque le paysage de son Ouest natal:

> Y'a que les corbeaux dans les champs aujourd'hui
> Le travail des hommes attend la pluie
> La terre est noire, brune, blonde ou rousse.
> Y'a que les corbeaux dans les champs aujourd'hui
> Que revienne l'eau au fond des puits
> La terre est chaude et le blé y pousse.

Pourtant, l'évocation se fait sous une forme nostalgique, comme chez Clémence DesRochers, en ce qui a trait au micro-espace de son imaginaire :

> Veux-tu encore de ce jardin plutôt étroit
> De ce domaine où je t'amène
> C'est toujours le même poème
> Que tu reçois.
> (« C'est toujours la même chanson que je chante »).

Cependant, chez Lavoie, à la manière de Butler qui évoquait « le parler doux que vous avez° [et] qui [lui] est resté » (« Avant d'être dépaysée »), c'est une source commune qui est évoquée, la France, rappelant la Bretagne nommée du « Réveille » de Zachary Richard :

> Y'a des jours de plaine on voit jusqu'à la mer
> Y'a des jours de plaine on voit plus loin que la terre
> Y'a des jours de plaine où l'on entend parler nos grands-pères dans
> le vent
> [...]
> J'ai des racines en France aussi longues que la terre
> J'ai une langue qui danse aussi bien que ma mère
> Une grande famille des milliers de frères et de sœurs dans le temps.

Finalement, cette diaspora francophone participe solidairement, quoique diversement, à la langue de France, du Québec et d'Acadie. Faut-il le rappeler, et même en France, pour tous ces locuteurs francophones, le français constitue encore mondialement un lieu de communication et de solidarité, même si certains locuteurs africains, par exemple, ont malheureusement été exploités dans cette langue. En Amérique, plus particulièrement, il convient de rappeler que le français réunit des communautés qui ont subi les avatars de l'Histoire, qu'en conséquence la langue française qui y a été humiliée redonne à tous ceux qui s'affirment en elle ressourcement et dignité.

Cependant, dans son expression culturelle, cette langue de la francophonie d'Amérique est variable. Dans la chanson québécoise à tout le moins, elle va de l'affirmation du salut du village (Natashquan est d'abord cela) jusqu'à l'expression de la sauvegarde ou de la souveraineté des territoires. En ce sens, par exemple, la chanson acadienne paraît affirmer un mode de vie plurielle, que ce soit la vie quotidienne de l'Île-du-Prince-Édouard avec Angèle Arsenault ou celle des Îles-de-

la-Madeleine avec Georges Langford. Mais, m'en voudra-t-on de privilégier l'Acadie territoriale, celle où la langue correspond à un territoire
précis, celui que chante si bellement Calixte Duguay, des *Aboiteaux*
(1976) jusqu'au *Retour à Richibouctou* (1978), un pays à remettre en
évidence :

> Mais les aboiteaux attendent quelque part
> Que le pays d'alentour s'éveille.

Me sera-t-il permis aussi de croire que ce pays d'alentour pourrait être
également le Québec, un Québec enfin souverain dans sa culture, seul
répondant de lui-même pour le meilleur plus que pour le pire ?

On ne pourrait concevoir en effet une francophonie américaine
sans l'un et l'autre points d'appui territoriaux. Pour qu'une culture ait
des chances de se dire sans aliénation ou sans occultation, il faut
qu'elle puisse répondre d'elle-même sans interférence, surtout sur un
continent qui l'a souvent trahie, qui parle une langue également pres-
tigieuse par sa bibliothèque et sa présence dans le monde. En tout cas,
la chanson québécoise, elle, a fait son indépendance ; comme la poésie,
elle a nommé le territoire, elle est passée de la *canadienne francitude*
(notion littéraire) à la *québécitude*. Il reste à l'Histoire la possibilité de
s'ajuster à la réalité. Cette chanson va des souffrances des chansons de
l'ethnie française (entendez ici une part de Louisiane, du Manitoba, de
l'Ontario) à celles du peuple acadien ou à celles de la nation québécoise.
Elle va de Félix à Félix, celui qui, en 1949, chantait *in petto* « L'hymne
au printemps » :

> Mais dans mon cœur je m'en vais composer
> L'hymne au printemps pour celle qui m'a quitté.

Cette amie, France perdue, liberté annoncée, reviendra « au mois de
mai, après le dur hiver » historique, et fera oublier au Patriote insularisé
« grande blessure dessous l'armure » (« Le tour de l'île »). « Regarde
dans la rue, le printemps est venu ° Et si tu as aimé, tu t'attarderas, ce
matin-là… » (« Ce matin-là », 1955).

Avec Vigneault, avec « La complainte du phoque en Alaska » de
Michel Rivard, en passant par « L'escalier » de Paul Piché, image de
l'accouchement (« Quand j'ai compris que j'faisais un très long détour °
Pour aboutir seul dans un escalier… »), le deuxième Leclerc, poète à

qui l'on a demandé ses papiers en 1970, refait le « tour de l'île » comme Josué, le tour de Jéricho. Cette île microcosmique est devenue le symbole de la France, un pays du retour essentiel. Mais, surtout, un pays de souveraineté, un pays de référence, sans altération et sans brouillage.

La chanson francophone nord-américaine dans son ensemble se solidarise à une langue d'appartenance qui, dans beaucoup de cas, lui tient lieu de patrie, une patrie forcément fragile. Plus particulièrement, la chanson acadienne affirme une vie collective sur un territoire marqué des signes de la vie d'un peuple aussi ancien que celui du Québec. Par ailleurs, en assumant l'espace du Saint-Laurent et des Laurentides, la Laurentie de « Bozo » ou de « Bozo-les-culottes », en disant « ce qui s'passe à Trois-Rivières et à Québec ° [...] à Montréal ° dans les rues sales et transversales » (« La Manic »), en affirmant l'amour, son sujet privilégié, un amour associé à un lieu fraternel, la chanson québécoise, elle, a postulé un Québec affranchi de toute servitude au sens juridique du mot. Une retrouvaille de sa nue propriété.

La chanson française américaine, comme toutes les chansons à texte d'ailleurs, reste un discours intertextuel qui constitue notre électro-cardiogramme, les instantanés de nos vies collectives en vases communicants. Comme toute chanson, souvent méprisée, synonyme de sornettes pour ceux qui raisonnent par les seules espèces sonnantes et trébuchantes, la chanson de l'Amérique française participe de la « solitude rompue » dont a parlé Anne Hébert. Je donne le dernier mot à l'Acadie tout contre laquelle je me sens. J'ai ainsi l'impression d'entendre toujours les voix humaines de mon enfance dans l'île d'Orléans de mes quatre grands-parents. J'entends, oui, Marie-Louise Gobeil, ma grand-mère, tante Florentine dont le nom chante comme un poème, tante Blanche à la liberté affichée, demandant à mon père descendu à l'île malgré la côte qu'il nous avait fallu monter :

> Comment ça va, comment ça va ?
> Comment ça va avec vous autres ?
> Moi j'vous dis ça depuis les côtes
> Comment ça va, comment ça va ?
> [...]
> Comment ça va, comment ça va ?
> Crois-tu toujours en ton étoile ?
> En ce qu'elle cache, ce qu'elle dévoile

Comment ça va, comment ça va?
(«Comment ça va?», Lise Godbout / Édith Butler).

Évidemment, les groupes et chansonniers québécois récents me rappellent, eux, à l'urgence de faire mon lit plutôt que d'y dormir. En pensant au poète Miron qui affirme: «Nous ne serons plus jamais des hommes si nos yeux se ferment», je vous laisse sur un extrait des French B., groupe rap, qui annonce aussi qu'une porte doit être ouverte ou fermée.

> J'm'en souviens d'la langue,
> d'la langue des doux French Kiss,
> j'm'en souviens encore, mais pour combien de temps?
> J'm'en souviens tellement,
> j'la mettrais dans l'vinaigre pour qu'elle dure plus longtemps.
> T'en souviens-tu d'la langue
> Do you remember when we were French?

Faut-il voir dans cette chanson rap, qui emprunte au rythme du «calleur» des anciennes danses traditionnelles, la volonté affirmée de la plus récente génération de prendre en compte le long combat de l'Amérique française? Et de porter au crédit du français de larges territoires d'épanouissement dans une culture qui parle la langue de Gaston Miron, de Gabrielle Roy, d'Antonine Maillet et de Germain Lemieux?

Le rôle des universités américaines dans la diffusion de la culture francophone en Amérique du Nord

Robert Schwartzwald
American Council for Quebec Studies
University of Massachusetts, Amherst

Comment juger de l'étendue des études francophones dans les établissements d'enseignement supérieur aux États-Unis ? La réponse à cette question dépend autant de la définition du champ qu'on se donne que de l'interprétation qu'on fait des données quantitatives. Parler de la diffusion de la culture « francophone » nord-américaine aux États-Unis oblige à tenir compte d'une pléthore de programmes et d'orientations, parfois complémentaires, souvent contradictoires.

LA PERCEPTION DES ÉTUDIANTS FRANCO-AMÉRICAINS

En tant que professeur rattaché à la principale université d'État du Commonwealth of Massachusetts, je suis confronté quotidiennement à ces complémentarités et à ces contradictions. J'ai, dans mes cours, des étudiants nommés Brault, Boulanger, Lévesque qui parlent peu ou pas du tout le français. C'est la langue de leurs grands-parents qu'ils sont parfois incités à apprendre comme s'ils étaient poussés par une force intérieure ; presque toujours, ils avoueront avoir entendu quelques mots du *French-Canadian*, mais il leur est impossible de concevoir que ce parler ait quelque chose à voir avec ce que l'on enseigne à l'«université» !

Cette situation, qui se répète d'une année à l'autre, me laissait perplexe au début, mais j'ai appris à l'accepter en la tenant pour symptomatique de l'histoire difficile des Franco-Américains du Northeast. Dans un premier temps, j'ai pris conscience des liens historiques entre le Québec et la Nouvelle-Angleterre, surtout à travers ces témoins silencieux des grandes migrations du passé que sont les manufactures de textile qui dominent toujours les paysages urbains de nombreuses villes de ma région[1]. Aujourd'hui, on apprécie ces édifices pour leur beauté architecturale et pour la solidité de leurs matériaux; avant que la récession n'ait frappé le Nord-Est américain, on en a converti plusieurs en condominiums de luxe !

La grande crise des années 1930 et la mobilité géographique qu'a engendrée l'entrée des États-Unis dans la Deuxième Guerre mondiale ont mis fin à l'intégrité des Petits Canadas où vivaient les immigrants qui travaillaient dans ces manufactures. La vie francophone a connu un épanouissement extraordinaire au cours des premières décennies du XXe siècle : associations fraternelles, établissements de crédit et corporations ouvrières, écoles et hôpitaux, cercles littéraires et musicaux, quotidiens et revues, et elle a laissé une littérature marquée d'un réalisme urbain ; les manifestations culturelles de ces communautés ont été nombreuses. Leur dynamisme était tel que, à la fin du dernier siècle et au début du XXe, plusieurs porte-parole canadiens-français des deux côtés de la frontière sont allés jusqu'à préconiser soit l'annexion du Québec aux États-Unis, soit la création d'une nouvelle république francophone et catholique qui aurait englobé la Nouvelle-Angleterre, le Québec et les territoires limitrophes francophones de l'Ontario et des Provinces maritimes ! Si, aujourd'hui, on s'étonne de l'audace, voire de la folie, de telles idées, il importe de rappeler qu'à l'époque le *New York Times* les estimait suffisamment dangereuses pour les condamner dans un éditorial[2] !

---

1. Ma véritable initiation à la culture et à l'histoire des Franco-Américains a eu lieu à la suite d'une invitation que j'ai reçue à préparer une conférence pour le vernissage d'une exposition de photographies d'Ulrich Bourgeois, né au Québec mais domicilié la plus grande partie de sa vie à Manchester (New Hampshire). Voir Schwartzwald (1987).

2. Pour un exposé fascinant sur les propos des « impérialistes » canadiens-français de l'époque, voir LeBlanc (1985).

Affirmer que la communauté franco-américaine du Nord-Est n'a fait que parcourir le chemin commun à tout le *middle America*, qu'elle a subi, à son tour, les processus connexes de l'assimilation et de la folklorisation de la culture, c'est aller trop vite et refuser de faire les distinctions qui s'imposent lorsqu'on veut évaluer la situation de la culture franco-américaine dans le milieu universitaire.

Examinons, à titre de comparaison, le cas de l'étudiant franco-américain et celui de son homologue italo-américain en prenant en considération les représentations culturelles auxquelles chacun peut s'identifier. L'Italo-Américain, même s'il est américain de troisième ou de quatrième génération, est habituellement invité à se réclamer de la culture de l'Italie dans les établissements d'enseignement supérieur. Même si ses origines ancestrales remontent aux régions méridionales et défavorisées de cette péninsule unifiée, l'étudiant aura toute liberté de s'identifier à la grande tradition de la culture italienne et il sera même invité à le faire ; les immigrants récents réclameront comme la leur la littérature d'un Calvino, d'un Levi ou des écrivains italiens qui séjournent souvent aux États-Unis. Enfin, l'«ethnicité» italo-américaine est valorisée, et non seulement en dehors de l'université, à travers les films et les émissions de télévision ; assez souvent, ces manifestations mêmes de son identité deviendront objets d'étude dans les cours de *popular culture* et de cinéma.

En revanche, pour un Franco-Américain, le problème est plus complexe : en premier lieu, si on convient que sa «mère patrie» est le Canada, il devient minoritaire dans ses origines mêmes, car le Canada pour un Américain est un territoire où le français a surtout valeur de *curiosité*, dans le sens le plus touristique du terme ! Et le Québec reste encore une *province* dont le statut comme sujet d'étude est loin d'être établi. La «mère patrie» des Franco-Américains ne serait «ni pays, ni patrie» pour les instances universitaires qui accordent la consécration culturelle.

Malheureusement, les autres modèles de valorisation culturelle ne sont guère plus favorables aux Franco-Américains. Contrairement aux étudiants et aux professeurs latino-américains qui participent à la lutte de toute une population à l'échelle continentale pour la reconnaissance de son apport à la société étasunienne et contrairement à certains immigrants qui se trouvent valorisés grâce à leur statut encore récent d'exilés ou de persécutés, les Franco-Américains se heurtent à une difficulté de taille : coupés de la France par l'intermédiaire du Canada, où leurs ancêtres avaient passé quand même deux bons siècles, et établis depuis trop longtemps aux États-Unis pour être véritablement des immigrés, les points de repère leur manquent tant au sein des réseaux universitaires traditionnels que parmi les forces « progressistes » de la « diversité ».

Depuis un quart de siècle, la diffusion de la culture francophone née des grandes migrations canadiennes connaît, il est vrai, un certain progrès grâce à la mise en valeur de l'*ethnicité* comme composante de l'identité américaine. Dans les années 1980, des cours et une programmation variée sur l'histoire de la communauté franco-américaine ont vu le jour, comme la *Franco-American and Québec Heritage Series* à l'Université de l'État de New York à Albany. Cette initiative fut soutenue par le National Endowment for the Humanities qui respectait ainsi son mandat de reconnaître la diversité culturelle aux États-Unis. De même, plusieurs Humanities Foundations des États du Nord-Est ont accordé, au cours de cette décennie, des subventions aux universitaires qui s'engageaient dans des projets d'histoire orale et de documentation photographique. En Louisiane, les universités d'État jouent un rôle important dans la valorisation et la diffusion de la culture francophone, dans ses aspects tant historiques que contemporains. Elles fournissent en outre un soutien précieux à ceux qui entreprennent d'enseigner le français et la culture des francophones louisianais dans les écoles primaires et secondaires. À ces manifestations d'intérêt pour la culture francophone s'ajoutent des recherches, comme celles sur les anciennes seigneuries de la Nouvelle-France sur les bords du lac Champlain, qui se poursuivent à l'Université du Vermont, ainsi que des thèses de doctorat, comme celle sur la journaliste et romancière Camille Lessard-Bissonnette qu'a soutenue récemment Janet Lee Shideler (1991).

Cela dit, il faut constater qu'à l'exception de quelques programmes exemplaires, comme celui de l'Institut français dirigé par Claire Quintal au Collège de l'Assomption (Worcester, Massachusetts) et celui de l'Université du Maine à Orono, la diffusion de la culture franco-américaine à travers les établissements d'enseignement supérieur a un avenir moins assuré que celle des autres cultures ethniques qui peuvent compter sur une certaine stabilité à cet égard. Si la culture des franco-phones des États-Unis fait parfois l'objet d'un examen sommaire dans le cadre d'un cours portant sur la *francophonie*, vocable utilisé pour englober toutes les zones ayant eu un rapport colonial avec la France, la problématique principale dans ce type de cours est liée à la colonisation et à la décolonisation du continent africain et des Antilles. Puisqu'il s'agit de considérer toutes les grandes questions dans cette optique, y compris celle de l'utilisation du français, la spécificité du vécu franco-américain s'accommode mal à cette approche.

LE PROGRÈS DES ÉTUDES QUÉBÉCOISES DANS LES UNIVERSITÉS AMÉRICAINES

Qu'en est-il, alors, des *études canadiennes-françaises*? Souvent, le fait de ranger sous cette appellation l'étude du fait français au Canada et même dans la «diaspora» américaine traduit une tendance à privilégier le côté *traditionnaliste* d'une ethnie. En revanche, les efforts pour promouvoir les études *québécoises*, qu'elles soient insérées ou non dans un programme d'études canadiennes, sont d'une importance primordiale pour la diffusion de toutes les expressions culturelles de la francophonie en Amérique du Nord. Il peut paraître paradoxal que le fait de choisir le Québec comme sujet d'étude soit le meilleur moyen pour les autres francophones d'Amérique du Nord d'être pris en compte dans les études universitaires. Or, sans cette légitimation d'une «mère patrie», il est douteux que leur présence se manifeste autrement que de façon marginale.

Malgré les difficultés qu'éprouvent ceux et celles qui veulent enseigner et faire de la recherche sur le Québec dans les universités américaines, le bilan de leurs efforts n'est pas négatif. J'espère, au contraire, démontrer combien les études québécoises ont progressé depuis une quinzaine d'années. Toutefois, il faut reconnaître que, dans leur ensemble, les *area studies* ont été difficiles à implanter aux États-Unis; même aujourd'hui, on assiste à une contre-offensive organisée de la part des intellectuels conservateurs qui s'attaquent à l'existence même de champs aussi vastes que les *Women's Studies* et les *African-American Studies*, sans parler des *Québec Studies*. Ce dernier champ d'études a toujours eu ses adversaires au sein des départements de français, à l'intérieur desquels il s'est développé dans la plupart des cas, mais où la culture et la littérature québécoises occupent une place mineure dans les programmes. Souvent, les Franco-Américains eux-mêmes ont adopté des attitudes désobligeantes à l'égard de la *langue canadienne*. Traumatisés, il ne faut pas l'oublier, par les offensives assimilatrices de l'Église catholique dans le Nord-Est américain, ils n'étaient pas en mesure de résister à cette dévalorisation.

Enfin, il faut avouer que les transformations qu'a connues le Québec depuis les années 1960 ont provoqué le malaise sinon la méfiance chez les traditionnalistes de la communauté franco-américaine. Aussi, pour des raisons souvent diamétralement opposées – honte du passé et méfiance quant au virage séculier et moderniste du Québec contempo-rain –, ce n'est pas nécessairement dans la communauté franco-américaine que l'on trouvera l'intérêt le plus vif envers la culture qué-bécoise actuelle aux États-Unis, même s'il est vrai que certains jeunes essaient d'effectuer un rapprochement avec le Québec contemporain pour appuyer un processus de renouveau communautaire.

La diffusion de la culture québécoise aux États-Unis est de plus en plus l'affaire des jeunes savants qui ont «découvert» le Québec non à cause d'un lien de parenté, mais plutôt en raison de l'intérêt intrinsèque de diverses manifestations de sa culture dans le sens le plus large du terme. Il se peut que leurs prédécesseurs aient été non seulement les éminents sociologues Hughes et Miner, mais aussi la professeure Marine Leland, Américaine éduquée à Québec et amie de bien des écrivains québécois de son époque. Mme Leland a été la première à donner un cours de «civilisation canadienne-française» aux États-Unis ; c'était dans la région où j'enseigne, au Smith College à Northampton (Massa-chusetts) durant la Deuxième Guerre mondiale. Pendant l'occupation de la France (1940-1944), Marine Leland a pris les fonds de la biblio-thèque de son collège qui étaient normalement consacrés à l'acquisi-tion de livres français et les a assignés à l'achat de livres canadiens. Elle a pu ainsi rassembler une impressionnante collection de livres anciens sur la Nouvelle-France ainsi qu'une vaste collection d'ouvrages québécois modernes.

Aujourd'hui aux États-Unis, on donne des cours sur le Québec en sciences sociales comme en littérature. De plus en plus, on intègre aux textes d'apprentissage de la langue française du matériel pédagogique portant sur le Québec, alors qu'auparavant on refoulait les données sur le français du Québec au 25e chapitre, qu'on avait rarement le temps d'aborder à l'intérieur des limites d'un trimestre de 14 semaines! Dans les congrès des sociétés savantes nationales et régionales américaines, des communications sur le Québec, voire des séances entières, ne font plus exception. La principale société savante consacrée aux études québécoises, l'American Council for Québec Studies (ACQS), a vu le nombre de ses membres grimper de 17, il y a 12 ans, jusqu'à 450 en 1992! À ses congrès biennaux, c'est maintenant la norme de prévoir une quarantaine de séances réunissant plus d'une centaine de communications sur un vaste éventail de sujets. De plus en plus, les universitaires québécois et canadiens participent à ces congrès de leur propre initiative et sur une base d'échange; on y parle *avec*, et non plus *à* ses collègues américains. Quant à la revue *Québec Studies*, publiée par cette société savante, on la trouve actuellement dans bien des bibliothèques au Canada et aux États-Unis, et ses dossiers, par exemple celui sur la rétrospective du cinéma québécois des années 1980 ou encore celui sur la crise d'octobre de 1970, ont été jugés excellents. On a su, dans la préparation de ces dossiers, marier habilement les contributions des spécialistes et des intervenants québécois et les meilleures recherches des universitaires américains. Deux autres sociétés savantes, l'Association for Canadian Studies in the United States (ACSUS) et le Conseil international d'études francophones (CIEF), consacrent, elles aussi, une partie importante de leurs congrès et de leurs publications aux études québécoises. On peut encore lire des articles scientifiques sur le Québec dans une vaste gamme de revues spécialisées, sans parler des numéros spéciaux consacrés au Québec.

Par ailleurs, les programmes voués à la formation des chercheurs et des enseignants américains jouent un rôle important dans le développement des études québécoises aux États-Unis. À titre d'exemple, il y a le *Québec Summer Seminar* de l'Université de l'État de New York à Plattsburgh. Chaque été, un groupe d'universitaires sélectionnés passe une dizaine de jours à Montréal et à Québec où ils assistent aux conférences et aux causeries données par des spécialistes universitaires et des personnalités québécoises représentant divers secteurs : gouvernement, entreprise privée, monde du travail, industries culturelles, etc.

Ce programme a déjà permis l'initiation de plusieurs dizaines d'universitaires américains à l'étude du Québec, certains d'entre eux étant même devenus des chercheurs parmi les plus respectés dans le champ des études québécoises. Pour leur part, les gouvernements du Québec et du Canada offrent des bourses de perfectionnement et de recherche aux universitaires américains. Ces bourses sont destinées à promouvoir le développement de cours consacrés entièrement ou partiellement à l'étude du Québec et du fait français au Canada ainsi qu'à la publication d'articles, de monographies et d'anthologies.

BILAN D'UNE ENQUÊTE

Grâce à une étude réalisée par l'American Council for Québec Studies au cours de l'année universitaire 1989-1990, il est maintenant possible de mieux préciser l'étendue des études québécoises aux États-Unis. Avec un taux de réponse de plus de 30 %, cette étude a une valeur statistique indéniable. Ont été consultés des membres des principales sociétés savantes américaines dont nous avons déjà parlé (ACQS, ACSUS, CIEF) ainsi que d'anciens participants au *Québec Summer Seminar*. Les résultats révèlent que les études québécoises sont bien représentées dans les programmes des établissements d'enseignement supérieur américains, depuis les *colleges* qui n'offrent que des diplômes de premier cycle jusqu'aux universités où l'on peut rédiger une thèse de doctorat. Un peu plus du tiers des répondants donnent un cours qui traite exclusivement du Québec, alors que, pour la moitié d'entre eux, le Québec est pris en compte dans le contexte de la francophonie mondiale. Environ 16 % des répondants ont participé déjà à la direction d'un mémoire de maîtrise ou d'une thèse de doctorat portant sur le Québec.

C'est la littérature qui constitue de loin le principal champ de spécialisation des répondants ; elle l'est dans un tiers des cas. Pourtant, il est remarquable de constater que plus de la moitié des répondants sont spécialisés en sciences sociales (sciences politiques, économique, géographie, histoire...), ce qui contredit la tendance voulant que les études québécoises aient leur assise exclusive en lettres[3]. Autre fait

---

3. Si l'on se souvient du rôle important joué par Hughes et Miner, par exemple, il est surprenant de constater que la sociologie ne serait la spécialisation que de 4 % des

intéressant, tandis que 70 % des spécialistes en littérature ont déjà publié sur le Québec, moins d'un quart d'entre eux disent que leurs cours de littérature québécoise sont intégrés à un programme ou à une spécialisation (*major*) en études québécoises. Deux interprétations sont possibles : ou bien cela confirme que souvent le seul cours donné sur le Québec dans un établissement porte sur sa littérature (il y aurait alors absence de programme sur le sujet ou d'une *major* prenant en compte cet aspect), ou bien les spécialistes en littérature rencontrent plus de résistance de la part de leurs collègues en ce qui concerne l'intégration des études québécoises à un programme de cours pluridisciplinaire.

Il est intéressant de noter comment l'optique dans laquelle la question du Québec est abordée change selon le champ d'études ; ainsi, en sciences politiques, c'est généralement dans un cours sur le Canada que l'on étudiera « la question du Québec » de même que les institutions gouvernementales québécoises ; en histoire, on consacre souvent des cours entiers à l'époque coloniale et même au XIXᵉ siècle préconfédéral. Dans le domaine des communications, le Québec et le Canada sont souvent comparés aux pays de l'Amérique latine ou de l'Europe quant à leurs politiques de production et de diffusion. L'intérêt manifesté actuellement aux États-Unis pour les questions du bilinguisme et de la variation linguistique font que le Québec, ou plus précisément le français du Québec, est étudié par les linguistes et les sociolinguistes. Cependant, ces derniers semblent hésitants à s'identifier aux études québécoises en tant que *area study*, phénomène que l'on observe également auprès des chercheurs en sciences de l'administration[4].

---

répondants. Comme le disent très justement Gill et Kissner (1990, p. 12) : « The dearth of sociologists is especially striking given the significant « Québec presence » in that discipline in the 1930s and 1940s, when research on Québec in other social science disciplines was still all but unknown. »

4. « In general, most business professors view area-studies programs as being based in the humanities and social sciences, as indeed most have been. The result is a vicious circle in which even those whose courses or research are focused on a particular country or geographic area have not perceived themselves as being involved in area studies. Accordingly, they tend not to participate in traditional area studies programs or be affiliated with area studies organizations like the ACQS. Unfortunately, this perception by business professors has sometimes been reinforced by a perception on the part of many of the humanists and social scientists who usually dominate area studies programs that the study of business is irrelevant to these programs » (Gill et Kissner, 1990, p. 17).

LA PLACE DES ÉTUDES QUÉBÉCOISES

La situation que nous venons de décrire pose le problème des modalités institutionnelles des études québécoises dans les universités et collèges américains. Les programmes d'études québécoises sont fort développés au premier cycle surtout dans les universités situées dans les États limitrophes du Québec, dont l'Université de l'État de New York à Plattsburgh, l'Université du Maine à Orono et l'Université du Vermont à Burlington. Or, le plus souvent, c'est dans le cadre d'un programme pluridisciplinaire d'études canadiennes qu'on trouve les cours sur le Québec. Les centres d'études canadiennes offrent aux étudiants une programmation complémentaire, qui comprend des conférences, des festivals du film et des excursions pédagogiques au Québec. Même si une spécialisation en études canadiennes n'est pas en soi un laissez-passer adéquat pour ceux et celles qui envisagent de faire carrière dans le milieu universitaire américain, elle peut mener à des ouvertures professionnelles dans bien des secteurs, surtout si elle est articulée ou combinée avec une spécialisation dans une discipline traditionnelle, comme les sciences politiques ou les lettres.

Il reste deux questions auxquelles j'ai porté une attention particulière car elles renseignent sur la formation des futurs spécialistes et chercheurs en études québécoises aux États-Unis. Seulement un quart des répondants disent s'être intéressés aux études québécoises avant le début de leur carrière professionnelle (champ de recherche ou sujet de mémoire ou de thèse), alors que la vaste majorité d'entre eux s'y sont initiés grâce aux recherches entreprises une fois embauchés, soit à travers la préparation d'un cours, soit par leur participation à un programme spécial comme le *Québec Summer Seminar*, soit par le fait qu'ils ont reçu une bourse de perfectionnement ou de recherche. Les statistiques révèlent également que ces participants et boursiers persistent dans la recherche, même s'il leur est impossible de donner des cours sur le Québec dans leurs établissements. Par conséquent, l'existence des programmes d'incitation destinés aux professeurs demeure un facteur d'une grande importance, même si l'on espère que l'enracinement progressif de la recherche et des cours facilitera le contact avec les études québécoises pour les étudiants d'aujourd'hui et de demain.

Enfin, on ne soulignera jamais assez le rôle de l'apprentissage du français dans la productivité des chercheurs en études québécoises. Alors que le français est la langue maternelle du quart des répondants, près de 50 % d'entre eux ont eu leur premier contact avec la langue à l'école. En revanche, 15 % seulement ont commencé à apprendre le français au cours du premier cycle universitaire et 7 % au cours de leurs études supérieures. Alors, si l'intérêt pour les études québécoises amène très souvent une certaine réorientation professionnelle (qui souvent n'est pas sans heurts pour ceux et celles qui l'entreprennent), cela est quand même l'affaire de professeurs qui, pour la plupart, manifestaient une sympathie pour la culture d'expression française dès leur jeunesse, sinon leur enfance. Évidemment, la connaissance du français est plus grande chez les spécialistes en littérature et en langue ; par contre, c'est chez les spécialistes en sciences sociales que l'on remarque la corrélation la plus nette entre le niveau du français, d'une part, et la recherche et la fréquence des publications, d'autre part. C'est pourquoi les auteurs du rapport recommandent que des cours d'immersion destinés aux spécialistes en sciences sociales soient offerts au Québec[5].

REGARD SUR LES ÉTUDES LITTÉRAIRES

Pour compenser quelque peu l'aspect statistique de ce survol, je mettrai maintenant l'accent sur les études littéraires, domaine qui m'est le plus familier. Comme je l'ai déjà noté, la possibilité d'enseigner la littérature québécoise, ou même canadienne d'expression française, va souvent de pair avec la diffusion des études francophones (Antilles, Sahel, Maghreb, etc.) dans leur ensemble. Hélas, il reste encore trop d'établissements pour qui même un seul cours global – et superficiel – sur la francophonie est un « luxe » que l'on s'offrira de temps à autre.

---

5. « Reading and oral comprehension are the most important tools (at least in the short run) for social science or business professors and others with a serious research and teaching interest in Québec, as evidenced in the fact that it is in these areas that most of those social science respondents who have developed a facility in French are the strongest. [T]here would be considerable utility in the development of a summer French immersion program focusing on the acquisition of reading as the primary skill, to be followed by oral comprehension and speaking, on a Québec university or CEGEP campus » (Gill et Kissner, 1990, p. 14).

On se réjouit donc chaque fois qu'un établissement abandonne sa réserve et décide de proposer un éventail de cours dans ce vaste domaine.

Force est de constater que, dans l'enseignement de la littérature québécoise, on doit presque toujours tenir compte du fait que la plupart des étudiants y seront initiés dans le cadre d'un programme d'études littéraires françaises. Ils auront alors spontanément tendance à comparer les œuvres québécoises avec des œuvres antérieures de l'Hexagone, comme si la littérature québécoise dérivait de la littérature française. Cela peut faire penser à l'éternel débat sur « l'arbre et la branche », mais il existe une autre raison, tout à fait valable, de parler des deux littératures ensemble, soit le caractère de plus en plus pluriculturel du Québec et le fait d'y trouver des écrivains des diverses expressions françaises du monde. Tout comme la France, le Québec, en tant que société moderne et développée, doit faire face à l'effondrement de sa vieille homogénéité (que l'on appelle gentiment « la France profonde » à Paris) et construire sa spécificité nationale sur de nouvelles assises. On ne saurait prétendre que les conditions dans lesquelles cette problématique se développe sont les mêmes dans les deux pays, mais les jalons d'un dialogue sur une nouvelle réalité commune sont désormais posés. Cet aspect de la culture québécoise actuelle et, plus précisément, son expression littéraire suscitent un intérêt certain aux États-Unis.

Il n'y a rien de surprenant à constater à quel point les cours de littérature qui sont donnés reflètent fidèlement les préoccupations de recherche des professeurs. Cela est le cas notamment lorsqu'on prend en compte le rôle joué par le mouvement féministe quant à l'accueil qui est réservé à la littérature québécoise et canadienne-française aux États-Unis. Les universitaires américaines se montrent à la fois éblouies et ravies par l'audace textuelle et revendicatrice des écrivaines québécoises. Si, en France, le mouvement féministe a engendré une réflexion critique qui se manifeste surtout dans des ouvrages de théorie et de philosophie, la réflexion parallèle au Québec se distingue par sa forme hybride, les genres s'entremêlant pour donner lieu à une *fiction-théorie* qui se reconnaît à son ironie, à son humour et surtout à un déchaînement linguistique conjugué à une désinvolture bien nord-américaine ! Un bon nombre d'articles, de monographies et de numéros spéciaux de revues sont consacrés à *l'écriture au féminin* et les chercheuses en *Women's*

Studies comptent parmi celles qui font les études les plus poussées sur le Québec.

Aux États-Unis, la critique littéraire, bien que dominée toujours par le poststructuralisme français, commence à s'ouvrir à d'autres paradigmes qui valorisent de nouveau l'histoire littéraire. La littérature québécoise, en raison de son *code switching*, de ses aspects carnavalesques et de ses formes hybrides, a déjà attiré l'attention de ceux qui s'adonnent à la déconstruction et aux études du postmodernisme. La problématique de l'articulation du sujet et de l'identité, bien représentée dans le corpus québécois, devient à son tour un axe privilégié de recherche. À ce titre d'ailleurs, l'idée reçue selon laquelle le Québec se trouve dans une situation unique grâce à ses doubles liens avec le Vieux Monde et avec le Nouveau Monde n'est pas à rejeter d'emblée.

Enfin, la réception de la littérature québécoise dans les universités américaines ne saurait échapper à deux facteurs d'ordre global : la crise généralisée des études littéraires aux États-Unis et la redéfinition du champ qui y est associé. La remise en question des vieux canons crée bien sûr une ouverture pour les littératures à diffusion restreinte. En même temps, il est fort possible que les œuvres soient assimilées directement aux débats qui se passent plutôt sur le plan théorique. C'est pourquoi, parallèlement à l'expansion du répertoire des cours en littérature francophone, plusieurs universitaires optent pour le *mainstreaming*, c'est-à-dire l'intégration des ouvrages québécois ou canadiens-français dans des corpus de cours qui sont organisés non plus selon l'origine nationale, ni selon la périodisation, ni même selon le genre, mais plutôt autour d'une préoccupation critique ou théorique.

L'ATTITUDE AMÉRICAINE QUANT AUX AUTRES CULTURES

Enfin, il faut tenir compte du problème global de l'«incompréhension» américaine à l'égard des autres cultures. Sur ce point, le Québec n'est pas l'objet d'un traitement discriminatoire. Il n'y a pas plus d'intérêt aux États-Unis pour la vaste majorité des cultures du monde qu'il n'y en a pour celle du Québec. Cette situation pourrait bien jouer à l'avantage du Québec dans la mesure où le savant américain sera amené à voir dans la culture québécoise non pas l'expression d'une altérité radicale ni celle d'une région exotique, mais plutôt une matrice de différences pertinentes sur un territoire voisin.

À ce titre, il faut reconnaître que les programmes qu'ont créés les gouvernements ont beaucoup fait pour encourager dans les établissements d'enseignement supérieur américains le développement d'une sensibilité aux aspirations culturelles et politiques des francophones de tout le continent. Il en est résulté une sympathie, voire une amitié durable. Cette sympathie et cette amitié sont cruciales et ne peuvent être remplacées par un « virage économique » de la part des stratèges gouvernementaux. Ceux-ci auraient tort de croire que la simple promotion des relations commerciales suffirait si on ne pouvait compter sur un milieu bien informé sur le Québec, capable de lui porter attention aussi bien en période faste qu'en période de crise. De même, les établissements d'enseignement supérieur au Québec ont tout intérêt à développer avec leurs homologues américains des programmes conjoints destinés à favoriser l'exploration de questions communes. Je parle non seulement de programmes d'échange, mais aussi de colloques conjoints au niveau des deuxième et troisième cycles, ainsi que de projets de recherche.

Enfin, les réseaux naissants d'une francophonie institutionnalisée, ainsi qu'ils ont été proposés à l'occasion des sommets internationaux, mettent de l'avant une nouvelle dimension du rayonnement culturel du Québec susceptible de provoquer un certain intérêt dans des domaines universitaires tels que les communications et les relations étrangères. Le Québec poursuit aujourd'hui, en concurrence avec la France, une relation de nature économique et technologique avec les pays du monde en voie de développement. Même s'il n'est pas aux prises avec un problème de mauvaise conscience colonialiste et même si sa politique est de ne pas favoriser l'usage du français dans ces pays au détriment des langues indigènes et nationales, il n'en reste pas moins que le Québec s'en distingue par le fait qu'il appartient au groupe des pays développés. Dans la mesure où les cours et les recherches sur la culture et la civilisation francophones pourront être réorientés pour tenir compte de cette perspective nouvelle, on aura reconnu un aspect à la fois contemporain et fondamental de la culture francophone en Amérique du Nord.

*

*   *

En conclusion, il me semble que la diffusion de la culture des francophones nord-américains dans les universités des États-Unis ne dépendra que partiellement des facteurs relevant des défis couramment posés à ces établissements en ce qui a trait à l'attention qu'ils portent aux questions multiculturelles. Bien sûr, l'étude du destin des minorités ethniques au Canada et aux États-Unis cadre parfaitement avec la démarche comparatiste actuellement favorisée pour l'étude de bien des aspects des relations canado-américaines. Mais il me paraît inévitable que la conjoncture politique jouera fortement dans la diffusion de ces cultures, à défaut de leur enracinement «canonique» dans les universités américaines. Il est incontestable que les aspirations politiques énoncées au cours des années 1970 ont été en grande partie responsables d'une prise de conscience plus nette des réalités québécoise *et* franco-américaine. De la même façon, à la suite de l'échec de l'Accord du lac Meech, nous avons pu observer un intérêt accru pour le Québec.

Soulevons un dernier élément de l'étude du Québec aux États-Unis, à savoir son caractère multiethnique; car au-delà de la prise de conscience qu'il existe plusieurs variétés du français, le fait qu'on puisse maintenant séparer le terme *expression française* d'un présupposé ethnique pour donner au français le statut de *lingua franca* d'une nation définie sur le plan juridique permet de poser la question du *pluralisme*, ce qui porte un pouvoir de légitimation considérable aux États-Unis. Poser l'expérience unique de vivre en français en Amérique du Nord sans devoir recourir tout de suite aux *topoï* du *défi* et de la *résistance* n'est plus utopiste. Si l'on prend en considération le bouleversement des relations au sein des États multinationaux à travers le monde, on doit admettre que le cas du Québec est exemplaire par rapport à plusieurs de ces situations quant à sa volonté de conjuguer modernité et identité. Cet atout servira à la longue les intérêts de ceux et celles qui veulent voir mieux représentée dans les universités américaines *toute* la diversité francophone de l'Amérique du Nord.

Bibliographie

Gill, Robert, et Jeanne Kissner (1990), *Plus ou moins : The State of Québec Studies in the United States, 1990*, Radford, Virginia, American Council for Québec Studies.

LeBlanc, Robert G. (1985), « The Francophone « Conquest » of New England : Geopolitical Conceptions and Imperial Ambition of French-Canadian Nationalists in the Nineteenth Century », dans *The American Review of Canadian Studies*, 15, 3 (automne), p. 288-310.

Schwartzwald, Robert (1987), « The French-Canadian Experience in New England », dans *The Massachusetts Review*, 28, 1 (printemps), p. 149-163.

Shideler, Janet Lee (1991), « Traditionalism, Feminism, and Regionalism in the Work of Camille Lessard-Bissonnette, or « The Quiet Evolution » », thèse de doctorat, Amherst, University of Massachusetts.

La diffusion du patrimoine oral des Français d'Amérique[1]

Jean-Pierre Pichette
Département de folklore
Université de Sudbury

En raison de la longue et nécessaire solidarité qui lie indissolublement langue et folklore, il était de mise qu'on voulût également traiter de celui-ci dans un ouvrage ayant celle-là comme point de convergence. Les folkloristes, ces ethnologues voués à l'étude de l'oralité, n'ont-ils pas été parmi les premiers à reconnaître dans la langue populaire un patrimoine véritable et à la considérer en tant que tradition propre avec son cortège de variantes en même temps qu'indispensable véhicule de toutes les autres traditions orales (voir Lacourcière, 1946)? C'est que la littérature orale, à laquelle nous ramenons ici le patrimoine oral, s'avère un produit culturel vivant qui, bien avant les spéculations des théoriciens et l'ère des subventions gouvernementales, occupait déjà, au chapitre de la diffusion, une position avantageuse, attendu qu'elle est par nature entièrement imprégnée des particularités régionales du français populaire nord-américain.

D'entrée de jeu, précisons que par *littérature orale* nous entendons l'ensemble des narrations et des œuvres anonymes, transmises par la parole d'une génération à l'autre, adaptées au passage par les membres de la collectivité et conservées jusqu'à nos jours par la mémoire seule, sans le support de l'écriture, tout simplement parce que ces œuvres ont

---

1. L'expression *Français d'Amérique* apparaît déjà chez Marius Barbeau en 1916 (p. 2).

été jugées utiles ou plaisantes aux yeux du peuple qui continue de les véhiculer.

Cette appellation de *littérature orale* recouvre à la fois tout le champ de la littérature mouvante, représentée par les genres majeurs que sont les contes, les légendes et les chansons, et le domaine de la littérature fixée en formules brèves, identifiée aux genres mineurs que sont les comptines, les devinettes, les jurons, les proverbes et les dictons de toutes sortes[2].

Par l'expression *diffusion du patrimoine*, nous entendrons successivement la répartition géographique et temporelle des traditions orales qui ont cours partout où se sont établies des communautés françaises en Amérique et aussi longtemps que celles-ci vivent ; la propagation culturelle entre ces diverses communautés françaises et aussi interculturelle entre ces dernières et les groupes ethniques qui sont entrés en contact avec elles ; la collecte de ce patrimoine oral par les folkloristes qui se sont rendus en ces lieux variés et ont constitué des centres d'archives régionaux qui certifient cette pluralité ; et enfin la transmission artificielle de ces traditions par les anthologies et les études qu'on en tire.

C'est donc opportunément que le présent article a pour dessein d'établir que le conte populaire (et, par extension, toute la tradition orale) constitue une production spirituelle originale, complexe et vivante, qu'il est un objet d'étude tout aussi indispensable aux linguistes qu'aux ethnologues et, conséquemment, que le témoignage privilégié qu'il apporte du caractère distinct de ces diverses sociétés en fait un objet de diffusion des plus appropriés.

CONNAISSANCE DU PATRIMOINE ORAL

Attesté à peu près partout en Amérique française, c'est-à-dire partout où des chercheurs amateurs ou professionnels se sont donné la peine de le consigner, le conte populaire, comme du reste les autres genres qui composent la littérature orale, est aujourd'hui connu surtout par les travaux des ethnologues-folkloristes.

---

2. Ces distinctions entre littérature mouvante et littérature fixée, plus pratiques que théoriques, ont été utilisées par Arnold Van Gennep (1938, p. 654).

C'est à Marius Barbeau, « sourcier extraordinaire et travailleur inlassable » (Lacourcière, 1945, p. 8), que l'on doit les premières et fructueuses investigations dans le domaine de la littérature orale. Les folkloristes ont d'ailleurs constaté le « laconisme des anciennes relations sur tout ce que nous appelons aujourd'hui le folklore » (*Ibid.*, p. 4). En dehors de quelques brèves considérations sur la langue régionale des Canadiens (Dulong, 1966, p. XX, 3-5) et des remarques plus nombreuses sur les chansons d'aviron de nos anciens voyageurs (Laforte, 1984, p. 145-159) qui, jusqu'au XXe siècle, reviendront à la manière de clichés sous la plume des visiteurs étrangers, les écrits des deux premiers siècles du Canada français se font en effet plutôt avares à ce sujet. Le XIXe siècle avait bien vu, comme on sait, plusieurs de ses littérateurs se préoccuper des récits populaires : les Aubert de Gaspé, Taché, Fréchette, Lemay, Casgrain, Faucher de Saint-Maurice et autres avaient fait leur profit des légendes traditionnelles de leur époque dont ils usèrent couramment comme prétexte de leurs exercices littéraires, mais sans aucun souci scientifique (Boivin, 1975). Seuls les travaux d'Hubert La Rue (1863, 1865) et d'Ernest Gagnon (1865) sur les chansons populaires du Canada et ceux d'Alcée Fortier (1895) sur les contes populaires louisianais méritent une mention à ce titre ; malheureusement, ils n'ont pas eu de successeurs immédiats.

Mais, pour que Barbeau s'orientât vers ce domaine, il lui aura fallu ces interrogations de l'anthropologue américain Franz Boas : « Les Canadiens-français [*sic*] ont-ils conservé leurs anciennes traditions orales ? Y a-t-il encore, en Canada, des anciennes chansons, des contes, des légendes et des croyances populaires ? » (Barbeau, 1916, p. 1). Embarrassé, Barbeau se tourne alors vers ses informateurs hurons de la Jeune-Lorette et canadiens-français de Kamouraska et de la Beauce qui auront tôt fait de le persuader « que les ressources du folklore canadien sont apparemment inépuisables » (*Ibid.*). En effet, en une dizaine d'années, au moyen de l'enquête orale directe, il allait doter le Musée national d'Ottawa d'un fonds de 9 000 chansons et de 300 contes et légendes qu'il enregistra au phonographe ou, plus souvent, qu'il nota à la sténographie auprès de ses témoins de Québec, de Charlevoix, de la Beauce et de la Gaspésie. En outre, il aura su intéresser, par son enthousiasme et sa détermination, une véritable équipe de collaborateurs qui lui communiqueront de précieux documents de leur région d'origine ;

pour apprécier l'ampleur de son influence, citons pour mémoire les abbés Gallant et Arseneault de l'Île-du-Prince-Édouard, le père Daniel Boudreau de la Nouvelle-Écosse, Joseph-Thomas LeBlanc du Nouveau-Brunswick, Adélard Lambert de la Nouvelle-Angleterre, Édouard-Zotique Massicotte de Montréal, Gustave Lanctot de Laprairie, le père Archange Godbout de Lotbinière, François Brassard du Saguenay et de nombreux associés occasionnels installés à Ottawa.

Entre-temps, Joseph-Médard Carrière faisait des séjours prolongés dans les anciens établissements français de la vallée du Mississippi : le sud-ouest de la Louisiane, l'Indiana, l'Illinois et principalement La Vieille Mine au Missouri où il recueillit 73 contes pendant les étés de 1934 à 1936[3].

Après des débuts aussi remarquables, la recherche allait connaître un nouvel essor sous la poussée de Luc Lacourcière. Ce dernier, en fondant les Archives de folklore de l'Université Laval en février 1944[4], permit l'implantation de la discipline en milieu universitaire et, par voie de conséquence, la formation de disciples qui, par leurs enquêtes nombreuses et soutenues en différentes régions du Québec, de l'Acadie et de certains États des États-Unis, ont contribué à la création d'un des centres ethnologiques les plus riches et les mieux organisés du monde. Plus de 40 000 chansons, 10 000 contes et 9 000 légendes, sans compter des milliers de fiches sur de multiples sujets de littérature orale, dis-tribués en plus de 1 400 collections, sont aujourd'hui conservés dans ces archives qui continuent d'accumuler les fruits des collectes nouvelles (Saulnier, 1990). Parmi les pionniers et les plus illustres représentants de cette équipe, les Félix-Antoine Savard, Madeleine Doyon-Ferland, Conrad Laforte, sœur Marie-Ursule Sanschagrin, Catherine Jolicœur, Corinne Saucier et Elizabeth Brandon ont ajouté des points d'enquête nouveaux, notamment dans toute l'Acadie, en Estrie et jusque dans la lointaine Louisiane.

---

3. Ces contes ont été intégralement publiés en français populaire, précédés d'un résumé en anglais (Carrière, 1937).

4. Dans l'allocution qu'il prononça en mai 1981, lors de la réception de l'ordre de la Fidélité française, le titulaire rappelait la décision historique du Conseil du Séminaire de Québec «d'établir une chaire de Folklore à la Faculté des lettres [de l'Université Laval] et de confier cette chaire à M. Luc Lacourcière», prise en date du 21 février 1944 (Lacourcière, 1981, p. 40).

Bien plus, l'exemple et le rayonnement des Archives de folklore inspirèrent l'établissement de centres d'études universitaires disséminés dans une demi-douzaine d'enclaves francophones du Canada et des États-Unis. Dès 1948, le père Germain Lemieux lançait des recherches dans le Nouvel-Ontario qui conduisirent à la création du Centre franco-ontarien de folklore en 1972 et du Département de folklore de l'Université de Sudbury en 1981. En 1970, un pionnier du folklore acadien, le père Anselme Chiasson, devenait directeur du Centre d'études acadiennes de l'Université de Moncton. Roger Paradis fondait, en 1972, le Centre d'études biculturelles (Bicultural Studies Center) de l'Université du Maine à Fort Kent. En 1974, l'Université Southwestern de la Louisiane créait le Centre de folklore acadien et créole (Center for Acadian and Creole Folklore) à Lafayette. L'année suivante, Gerald Thomas inaugurait le Centre d'études franco-terre-neuviennes de l'Université Memorial à Saint-Jean. Signalons encore la section des recherches sémiolinguistiques et ethnolinguistiques du Centre de documentation en études québécoises de l'Université du Québec à Trois-Rivières qui conserve les enquêtes dirigées par Clément Legaré sur le conte populaire de la Mauricie entre 1974 et 1978. Enfin, le Centre canadien d'études sur la culture traditionnelle du Musée canadien des civilisations d'Ottawa a longtemps poursuivi l'œuvre de la section de folklore inaugurée par Marius Barbeau, puis continuée par Carmen Roy, avant de verser dans le multiculturalisme[5]. Il faut ajouter à ces établissements officiellement voués à l'étude du patrimoine oral un certain nombre d'autres dépôts régionaux d'archives de moindre importance, indépendants ou rattachés à des centres connus par ailleurs, et de création récente, fondés à la faveur de l'engouement contemporain pour la documentation orale. Bien que la plupart de ces établissements aient un mandat régional clairement défini, il demeure qu'ils forment un réseau de documentation diffus, présent à peu près partout en Amérique française, mais plus enchevêtré qu'articulé et à la recherche d'une véritable et indispensable cohésion.

---

5. Pour une description plus détaillée des activités de la plupart de ces centres, on se reportera au « Dossier de l'enquête folklorique », dans « Folklore et tradition orale au Canada », *Revue de l'Université Laurentienne*, 8, 2 (février 1976), p. 107-137.

ANALYSE DU PATRIMOINE ORAL

La récupération des matériaux de tradition orale par l'enquête directe auprès des informateurs de la plupart des régions françaises de l'Amérique a contribué à l'éclosion des nombreux centres d'archives ci-devant énumérés. C'est l'analyse et la comparaison de cette copieuse documentation qui aideront les chercheurs à concevoir jusqu'à quel point cette littérature orale recueillie ici aurait maintenu vivant le fonds traditionnel français, l'aurait adapté au contexte nord-américain et en aurait fait une production originale.

Maintien de la tradition française

Pour peu qu'un observateur ne considère que le millier de contes populaires publiés dans les trois principales collections depuis le début du siècle et qui représentent moins de 10 % de la documentation mise à jour – soit les 8 livraisons de *Contes populaires canadiens* parues sous la direction de Marius Barbeau et ses collaborateurs de 1916 à 1950 dans le *Journal of American Folk-Lore*, les 32 tomes de la monumentale série du père Germain Lemieux (1973-1991), *Les vieux m'ont conté*, et les 8 titres de la collection « Mémoires d'homme »[6] –, il conclura indubitablement que la tradition orale française s'est maintenue abondante et vigoureuse partout en terre d'Amérique. Pour une population environ sept fois moindre que la France, les Français d'Amérique avaient fourni, à la fin des années 1970, autant de contes en nombre absolu, 10 000, que toutes les provinces de la mère patrie réunies[7]. Cet observateur ne manquera pas de remarquer non plus que, pour la demi-

---

6. Cette collection, dirigée par Jean-Pierre Pichette, regroupe actuellement les ouvrages suivants : Laforte (1978), Aucoin (1980), Bergeron (1980), Dupont (1980), Legaré (1980), Legaré (1982), Desjardins et Lamontagne (1984) et Legaré (1990).

7. Estimation française de Delarue en 1957 (1976, p. 34). Pour sa part, Luc Lacourcière évaluait à 9 000 « le nombre total des versions de contes retrouvées dans la tradition orale française nord-américaine » à la fin des années 1960 (dans Lemieux, 1970, p. VIII) et « à environ dix mille » au début des années 1970 (dans Lemieux, 1973, t. I, p. 11).

douzaine de contes ayant fait l'objet d'études comparées[8], la tradition du Nouveau Monde n'a rien à envier à celle de l'Ancien ni pour le nombre des versions ni pour leur qualité, à un point tel que le dernier comparatiste en date a pu fièrement conclure, au terme de sa volumineuse recherche, à « la vigueur de la tradition française transplantée au Canada, plus riche et mieux conservée ici que dans son pays d'origine » en demeurant « très fidèle à ses sources européennes » (Pichette, 1991, p. 570-571).

Adaptation au contexte nord-américain

Tradition riche et vigoureuse, fidèle à ses origines, avons-nous dit, mais aussi patrimoine vivant plutôt qu'héritage sclérosé, donc susceptible et capable d'adaptation.

Comme dans tout cas de transplantation massive, il était inévitable que nos traditions orales se modifient dans leur nouveau terroir, que certaines reprennent force et racine, se ramifient et vivent d'une vie nouvelle, alors que d'autres, plus chétives, vivotent, dépérissent et meurent parce qu'elles étaient inadaptées. Cette discrimination ou sélection naturelle, sorte de darwinisme culturel, opère par l'oubli de thèmes devenus insignifiants et la rétention des traditions signifiantes, celles qui gardent actualité et pertinence. Combien de ces traditions orales seraient ainsi disparues au cours des siècles ? Difficile à dire puisque, pour les dénombrer, il faudrait les avoir conservées dans le pays d'origine. Or, nous l'avons dit, les études comparatives effectuées à ce jour marquent au contraire une plus grande vitalité des traditions narratives du Nouveau Monde. Les points de comparaison étant de ce côté encore insuffisants, il est clair qu'il faudra poursuivre des recherches complémentaires pour y suppléer.

En attendant, c'est la comparaison avec les coutumes de la vie sociale qui permet de vérifier la sénescence de certaines traditions. Le domaine de la religion populaire en procure un bon exemple. L'absence de certains lieux sacrés très répandus en Europe, telles les sources et les

---

8. Toutes sont des thèses de maîtrise ou de doctorat dirigées par Luc Lacourcière : Bernier (1971), Lemieux (1970), Schmitz (1972), Éthier (1976), Low (1978) et Pichette (1991).

fontaines, survivances des lieux de cultes préchrétiens, s'expliquerait par le fait que l'on a développé ici des cultes et des lieux de pèlerinage plus tardifs, mieux surveillés et plus conformes à l'enseignement de l'Église ; ils sont dédiés à la Vierge, au Sacré-Cœur, à saint Joseph et à sainte Anne[9].

La variété des activités de travail et de subsistance selon les régions de peuplement a favorisé, par certains aspects, la régionalisation de quelques thèmes narratifs. C'est ainsi que les légendes de chercheurs de trésors enfouis par les pirates et de vaisseaux fantômes accusent une popularité évidente dans les villages de pêcheurs acadiens et québécois, que les récits de chasse-galerie et de blasphémateurs châtiés sont particulièrement fréquents dans les territoires qui ont accueilli les chantiers forestiers, le Nouveau-Brunswick, le Québec, le nord-est des États-Unis et l'Ontario, et que les cas de lycanthropie, de quêteux jeteurs de sorts, de lutins, de feux follets, de diable danseur ou constructeur et de prêtres opérant des miracles prolifèrent à peu près partout dans les régions agricoles où la sanction morale sévit rapidement dans un encadrement religieux sans faille.

Au contact de diverses communautés ethniques, les Français d'Amérique ont su faire leurs certains apports étrangers et les assimiler à leur patrimoine oral, à la différence des Anglo-Américains qui ne semblent guère avoir été perméables à la culture des autochtones et des immigrants[10]. Des Amérindiens, de qui ils avaient pourtant emprunté plusieurs techniques de culture matérielle se rapportant aux moyens de transport et à la mode vestimentaire de même que de nombreux faits de langue relatifs à la toponymie, à la flore et à la faune, les Canadiens n'ont retenu que très peu de récits oraux : la légende des Windégos paraît presque un cas isolé[11]. La contribution africaine, par les créoles de la Louisiane et du Missouri, aurait même été plus grande, surtout

---

9. Voir la conclusion d'Anne-Marie Desdouits (1987, p. 409) qui reprend une observation de Pierre Boglioni sur les pèlerinages québécois.

10. Cette remarque de Stith Thompson, énoncée en 1919 dans sa thèse « European Tales Among the North American Indians » et reprise par la suite (voir Thompson, 1977, p. 286), a été récemment corroborée par Pichette (1991, p. 574).

11. Germain Lemieux (1975, t. VI, p. 29-32, 40-43) en a publié deux versions recueillies de la bouche d'un Métis du Manitoba.

dans le domaine du conte populaire où ils nous ont laissé de nombreux contes d'animaux (Brandon, 1961, p. 34-36)[12]. De même, l'influence celtique, par l'intermédiaire des Irlandais et des Écossais, a plusieurs fois été démontrée dans la transmission du conte populaire, en Acadie surtout, sans que les descendants de ces groupes ethniques n'aient eux-mêmes aucunement retenu cette portion de leur héritage culturel (Schmitz, 1978, p. 383-384).

Mieux, certaines traditions orales françaises ont même marqué le légendaire anglo-américain : les exploits du célèbre Joseph Montferrand ont souventes fois été recueillis chez nos voisins du nord des États-Unis, en contact avec des populations canadiennes ou franco-américaines, chez qui on reconnaît le nom du héros malgré des déformations linguistiques évidentes : George Monteiro (1960, p. 28) en relève 17 variantes incluant les formes Mouffreau, Maufree, Mufraw, Montferrat, Murphraw et Murphy. À la suite de Marius Barbeau, certains folkloristes anglophones avancent en outre l'hypothèse que le grand héros de la mythologie anglo-américaine, Paul Bunyan, ne serait que la transposition du Petit-Jean de nos contes populaires, devenu peut-être Bon-Jean et anglicisé en Bunyan (Robins, 1982, p. 104).

Il est toutefois certain que la tradition franco-canadienne du conte populaire a profondément marqué les traditions orales amérindiennes. C'est d'ailleurs cette découverte, due aux hypothèses de l'anthropologue américain Franz Boas, qui a été la cause directe des recherches de Marius Barbeau dans ce domaine. La présence de récits européens dans le répertoire des conteurs amérindiens ne pouvait s'expliquer que par l'action déterminante des conteurs de sang espagnol dans le sud des États-Unis et par celle des Canadiens français au nord[13]. Or, on ne possédait en 1914 aucun recueil de récits populaires canadiens-français en Amérique du Nord. C'est donc pour remédier à cette situation que Barbeau se mit en quête de ces narrations ; il publiera les fruits de ses

---

12. Le premier tome du *Catalogue raisonné du conte populaire français en Amérique du Nord*, préparé par Luc Lacourcière et Margaret Low, est consacré aux contes d'animaux ; sa publication apporterait une base sûre pour juger de cette question.

13. Thompson (1977, p. 286-287) confirme l'hypothèse formulée par Franz Boas (1914, p. 385-386).

collectes personnelles et de celles de ses collaborateurs dans le *Journal of American Folk-Lore* entre 1916 et 1950.

L'influence des traditions françaises sur les populations amérindiennes et anglophones avait déjà été remarquée dans le champ voisin de la chanson folklorique au XIXᵉ siècle. Dans la relation qu'il fait de la « visite pastorale de Mgr J.-Thomas Duhamel dans le Haut de l'Ottawa », l'abbé Jean-Baptiste Proulx témoigne sans équivoque de la nécessité des chansons pour les voyageurs et de la prépondérance de la tradition française ; en date du 7 août 1881, du lac Abbitibi, il écrit :

> Nous entrâmes dans la baie en faisant retentir les échos d'alentour des anciennes chansons canadiennes ; du reste ce n'est pas la première fois, et ce ne sera pas la dernière. Dans ces pays d'en haut, ces chants semblent être l'accompagnement indispensable du voyage ; tous les connaissent, Français, Anglais, Sauvages. M. Rankin n'a pas chanté une seule chanson anglaise, mais il ne s'est pas passé un jour sans qu'il n'ait répété « En roulant ma boule » ; « Alouette, jolie alouette » ; « Par derrière chez ma tante », etc. Nos Sauvages ont chanté « Un Canadien errant » traduit en leur langue ; mais le plus souvent ils entonnaient l'« Ave Maris Stella » ou de pieux cantiques (Proulx, 1885, p. 41-42)[14].

Production culturelle originale

En considérant cette étonnante capacité de rétention du fonds traditionnel français alliée au libre-échange culturel entre les communautés francophones elles-mêmes et les populations autochtones et anglophones de ce continent, on peut sans crainte avancer que les Français d'Amérique ont maintenu, différemment et indépendamment de leur pays d'origine, leur patrimoine oral et que, ce faisant, ils ont en quelque sorte acquis le statut de « société distincte » que la signature tout à fait personnelle qu'ils se sont donnée veut exprimer.

Pour s'en convaincre, deux exemples suffiront. La chanson folklorique fournit le premier. Dans son inventaire méthodique des chansons populaires de toute la francophonie, Conrad Laforte (1981, p. 459-503) a dû créer un nouveau cycle afin de regrouper les chansons de

---

14. Nous avons déjà utilisé cette citation dans un article antérieur (Pichette, 1989, p. 21).

voyageurs, de coureurs de bois et de forestiers[15]. Ce cycle des voyages compte 85 chansons types, dont 5 seulement sont connues en France. Voilà donc un cycle presque exclusivement canadien puisque, des 933 versions répertoriées, moins de deux douzaines ont été relevées sur le territoire français.

Le second exemple provient de notre étude des jurons du Canada français (Pichette, 1980). Par les multiples interjections de l'ancienne France qu'il garde toujours vivantes, le répertoire des jurons franco-canadiens manifeste une vitalité très française, d'autant plus qu'il a su adapter les procédés traditionnels d'euphémisation à sa propre expérience culturelle. Il révèle aussi une créativité prodigieuse si l'on considère qu'un millier de termes, à peu près tous inconnus en France, s'emploient à la seule fin de tempérer moins d'une vingtaine de jurons dits injurieux et que 539 d'entre eux sont des néologismes (Pichette, 1984, p. 251).

Ainsi, il ne fait pas de doute que nos traditions orales sont restées vivantes et qu'elles se sont même enrichies et renouvelées au cours des siècles, bien que les apparences, trop souvent trompeuses, puissent momentanément induire certains chercheurs à les interpréter dans le sens de l'érosion culturelle par suite des migrations. Pourtant, des observateurs étrangers ont déjà soutenu la thèse opposée. L'assurance de Gustave de Beaumont, par exemple, de passage dans la région de Sault-Sainte-Marie en août 1831, devrait porter à la réflexion :

> Le peu de temps que j'ai passé avec les Canadiens m'a prouvé combien le caractère national, et surtout le caractère français, se perd difficilement ; la gaieté française qu'ils ont conservée tout entière contraste singulièrement avec le sang-froid glacial des Américains. Il est aussi à remarquer que les Français du Canada sont plus gais que nous ne le sommes maintenant en France ; la raison en est simple : leur situation a moins changé que la nôtre ; ils n'ont point passé à travers notre Révolution qui a tant influé sur la nouvelle direction que notre caractère national a pris[e] ; ils n'ont point comme nous leur attention fixée sur des intérêts politiques qui les préoccupent exclusivement. Il est donc vrai de dire

---

15. Laforte dénombre 85 types appartenant à la section « L. Cycle de voyage : les coureurs de bois, les chantiers forestiers, la drave, etc. ». Dans l'étude détaillée de ce cycle, Madeleine Béland (1982) utilise jusqu'à 91 types.

que, quant au *caractère antique* de la nation, ils sont plus Français que nous ne le sommes (Beaumont, 1973, p. 122-123)[16].

À quoi devons-nous la vitalité phénoménale de notre patrimoine? À un stimulus déclenché par le choc migratoire? Ou aux souvenirs indélébiles qui survivent en dépit de l'éloignement du pays natal et qui, pour cette raison, seraient plus fidèlement transmis? Ou encore, tout simplement, au prolongement d'un climat favorable à leur épanouissement? Nous ne saurions le dire à ce stade-ci de nos recherches. Cependant les causes de ces faits d'expérience, tout comme les solutions véritables au problème des influences interculturelles, ne pourront transparaître qu'au terme de nombreuses et patientes études comparatives.

*

*   *

La tradition orale française, on le sait de façon certaine, a débordé les frontières géopolitiques et linguistiques du Canada français. On en a retrouvé des traces dans les cultures amérindienne, anglo-canadienne et américaine. Pour en suivre la diffusion à la grandeur du continent, il faut des outils de recherche sûrs, des catalogues et des bibliographies raisonnées. Contrairement à la chanson qui bénéficie des travaux de classification de Conrad Laforte, le conte et la légende n'ont pas encore de tels instruments de référence. L'absence de ces ouvrages mis en chantier par le regretté Luc Lacourcière se fait cruellement sentir et paralyse même à l'occasion les recherches qu'on voudrait entreprendre.

C'est pourquoi il importe que la compilation de la *Bibliographie raisonnée des traditions françaises d'Amérique*[17] soit poursuivie et complétée parallèlement à l'*Encyclopédie des traditions populaires du Québec et de l'Amérique française* dont nous venons de poser les

---

16. Cette référence nous fut aimablement communiquée par Yves Lefier, professeur de littérature à l'Université Laurentienne.

17. C'est encore Lacourcière qui a eu l'idée de cette bibliographie générale et, à cette fin, il a accumulé et commenté des milliers de références tout au long de sa carrière. Voir la section qu'il en a détachée et publiée en 1958.

bases[18]. Dans le domaine du conte, nous déplorons grandement l'arrêt des travaux de rédaction du *Catalogue raisonné du conte populaire français en Amérique du Nord* conçu et dirigé par Luc Lacourcière[19]; nous en souhaitons vivement la reprise et la publication sous la direction de sa fidèle collaboratrice, Margaret Low. De plus, l'édition de corpus régionaux de récits populaires, ce que la collection «Mémoires d'homme» essaie de faire avec des moyens plus que modestes, doit s'amplifier. La mise sur pied d'un grand projet d'édition critique de textes populaires représentatifs de chacune des régions de l'Amérique française innoverait encore en encourageant à travailler de concert les folkloristes et les linguistes, auxquels pourraient dès lors s'adjoindre des experts de disciplines auxiliaires, géographes, historiens ou autres spécialistes des sciences humaines; l'achèvement d'une telle entreprise favoriserait à coup sûr la diffusion de textes pédagogiques exemplaires illustrant les particularités des français régionaux dans le contexte familier et naturel de la narration.

À l'exemple des dialectologues qui ont dépouillé les Archives de folklore de l'Université Laval, de jeunes équipes devraient faire de même pour les collections rassemblées par les ethnologues-folkloristes et déposées dans les centres régionaux hors Québec. Mais elles devraient continuer les enquêtes et en commander de nouvelles en collaboration avec des ethnologues cette fois, d'abord pour compléter leurs analyses là où les données sont insuffisantes, puis, un peu partout, pour faire les mises à jour toujours nécessaires dans le domaine mouvant du patrimoine oral dont la langue et le folklore sont les pièces maîtresses.

Ces vœux rejoignent la conviction lucide de notre plus grand folkloriste et s'appuient sur l'invitation implicite qu'il lançait aux membres de la Société du parler français, réunis dans les vieux murs de l'Université Laval en 1946; rappelons-la:

---

18. Nos collègues Jean-Claude Dupont, professeur en arts et traditions populaires à l'Université Laval, et Jean Daigle, titulaire de la Chaire d'études acadiennes à l'Université de Moncton, forment avec nous l'équipe de direction de ce projet de longue haleine.

19. Trois tomes étaient en voie d'achèvement au moment de la mort de l'auteur principal.

[...] sans l'écriture beaucoup de choses essentielles à notre humanité se sont religieusement et fidèlement transmises de génération en génération jusqu'à nous. [...] C'est dans ce commerce avec le peuple que le folkloriste rencontre inévitablement la langue. [...] Pour tout dire, je ne conçois pas que des études linguistiques soient complètes sans la connaissance de ce premier et génial nomenclateur qu'est le peuple. Et j'estime que la science du folklore qui fréquente chez le peuple est capable de rendre à votre œuvre, Messieurs du Parler français, les plus nombreux et utiles services (Lacourcière, 1946, p. 493, 495).

Trente ans plus tard, Marcel Juneau (1978, p. 245) ratifiait intégralement l'opinion de Lacourcière : « Les matériaux sonores accumulés par les ethnographes sont certainement l'une des meilleures sources documentaires, sinon la meilleure, dont dispose le linguiste d'ici. »

Bibliographie

Aucoin, Gérald E. (1980), *L'oiseau de la vérité et autres contes des pêcheurs acadiens de l'île du Cap-Breton*, Montréal, Les Quinze (coll. Mémoires d'homme), 221 p.

Barbeau, Marius (1916-1950), « Contes populaires canadiens », dans *Journal of American Folk-Lore*, New York, 1ʳᵉ série (1916), 29, 111 ; 2ᵉ série (1917), 30, 115 ; 3ᵉ série (1919), 32, 123, et (1920) (légendes et croyances), 33, 129 ; 4ᵉ série (1923), 36, 141 ; 5ᵉ série (1926), 39, 154 ; 6ᵉ série (1931), 44, 173 ; 7ᵉ série (1940), 53, 208-209 ; 8ᵉ série (1950), 63, 248.

Beaumont, Gustave de (1973), *Lettres d'Amérique 1831-1832*, Paris, PUF, 220 p.

Béland, Madeleine (1982), *Chansons de voyageurs, coureurs de bois et forestiers*, Québec, PUL (coll. Ethnologie de l'Amérique française), XI + 432 p.

Bergeron, Bertrand (1980), *Les Barbes-bleues. Contes et récits du lac Saint-Jean*, Montréal, Les Quinze (coll. Mémoires d'homme), 261 p.

Bernier, Hélène (1971), *La fille aux mains coupées (conte-type 706)*, Québec, PUL (coll. Les Archives de folklore, 12), XII + 191 p.

Boas, Franz (1914), « Mythology and Folk-Tales of the North American Indians », dans *Journal of American Folk-Lore*, New York, 27, 106 (octobre-décembre), p. 374-410.

Boivin, Aurélien (1975), *Le conte littéraire québécois au XIXᵉ siècle. Essai de bibliographie critique et analytique*, Montréal, Fides, XXXVIII + 385 p.

Brandon, Elizabeth (1961) [1959], « Le conte français en Louisiane », dans *Internationaler Kongreß der Volkserzählungsforscher in Kiel und Kopenhagen*, Berlin, Walter de Gruyter, p. 34-36.

Carrière, Joseph-Médard (1937), *Tales from the French Folk-Lore of Missouri*, Evanston et Chicago, Northwestern University, VIII-[1]-354 p.

Delarue, Paul (1976) [1957], *Le conte populaire français I*, Paris, G.-P. Maisonneuve et Larose, 394 p.

Desdouits, Anne-Marie (1987), *La vie traditionnelle au pays de Caux et au Canada français. Le cycle des saisons*, Québec et Paris, PUL et CNRS, XV + 439 p.

Desjardins, Philémon, et Gilles Lamontagne (1984), *Le corbeau du Mont-de-la-Jeunesse. Contes et légendes de Rimouski*, Montréal, Les Quinze (coll. Mémoires d'homme), 287 p.

Dulong, Gaston (1966), *Bibliographie linguistique du Canada français*, Québec, PUL, XXXII + 167 p.

Dupont, Jean-Claude (1980), *Contes de bûcherons*, Montréal, Les Quinze (coll. Mémoires d'homme), 215 p.

Éthier, Pauline (1976), « Monographie du conte-type 590 A. L'épouse traîtresse dans la tradition canadienne-française », thèse de maîtrise, Québec, Université Laval, XIV + 246 p.

Fortier, Alcée (1895), *Louisiana Folk-Tales in French Dialect and English Translation*, Boston et New York, Houghton, Mifflin & Co. (coll. Memoirs of the American Folklore Society, 2), XI + 122 p.

Gagnon, Ernest (1865), *Chansons populaires du Canada*, recueillies et publiées avec annotations, etc., Québec, Bureaux du « Foyer canadien », VIII + 375 p.

Juneau, Marcel (1978), « L'ethnographie québécoise et canadienne-française en regard des visées de la philologie et de la dialectologie », dans Jean-Claude Dupont (dir.), *Mélanges en l'honneur de Luc Lacourcière. Folklore français d'Amérique*, Ottawa, Leméac, p. 243-261.

Lacourcière, Luc (1945), « Les études de folklore français au Canada », dans *Culture*, 6, p. 3-9.

Lacourcière, Luc (1946), « La langue et le folklore », dans *Le Canada français*, 33, 7 (mars), p. 489-500.

Lacourcière, Luc (1958), « Bibliographie raisonnée de l'anthroponymie canadienne », dans *Mémoires de la Société généalogique canadienne-française*, 9, 3-4 (juillet-octobre), p. 153-173.

Lacourcière, Luc (1981), « Allocution de M. Luc Lacourcière », dans *Vie française*, 35, 10-12 (octobre-décembre), p. 36-42.

Laforte, Conrad (1978), *Menteries drôles et merveilleuses. Contes traditionnels du Saguenay*, Montréal, Les Quinze (coll. Mémoires d'homme), 287 p.

Laforte, Conrad (1981), *Le catalogue de la chanson folklorique française*, vol. II : *Chansons strophiques*, Québec, PUL (coll. Les Archives de folklore, 20), XVI + 841 p.

Laforte, Conrad (1984), « Le répertoire authentique des chansons d'aviron de nos anciens canotiers (voyageurs, engagés, coureurs de bois) », dans *Présentation*, Société royale du Canada, p. 145-159.

La Rue, Hubert (1863), « Les chansons populaires et historiques du Canada », dans *Le Foyer canadien*, I, p. 321-384.

La Rue, Hubert (1865), « Les chansons populaires et historiques du Canada », dans *Le Foyer canadien*, III, p. 5-72.

Legaré, Clément (1980), *La bête à sept têtes et autres contes de la Mauricie*, Montréal, Les Quinze (coll. Mémoires d'homme), 279 p.

Legaré, Clément (1982), *Pierre la Fève et autres contes de la Mauricie*, Montréal, Les Quinze (coll. Mémoires d'homme), 367 p.

Legaré, Clément (1990), *Beau Sauvage et autres contes de la Mauricie*, Sillery, PUQ (coll. Mémoires d'homme), 301 p.

Lemieux, Germain (1970), *Placide-Eustache. Sources et parallèles du conte-type 938*, Québec, PUL (coll. Les Archives de folklore, 10), VIII + 214 p.

Lemieux, Germain (dir.) (1973-1991), *Les vieux m'ont conté*, Publications du Centre franco-ontarien de folklore (Sudbury), Montréal et Paris, Bellarmin et Maisonneuve et Larose, 32 t.

Low, Margaret (1978), « L'oiseau mystérieux du château volant : monographie internationale du conte-type 708 A* (462) », thèse de doctorat, Québec, Université Laval, XXVI + 473 p.

Monteiro, George (1960), « Histoire de Montferrand : l'athlète canadien *and* Joe Mufraw », dans *Journal of American Folklore*, Philadelphie, 73, 287 (janvier-mars), p. 24-34.

Pichette, Jean-Pierre (1980), *Le guide raisonné des jurons. Langue, littérature, histoire et dictionnaire des jurons*, Montréal, Les Quinze (coll. Mémoires d'homme), 305 p.

Pichette, Jean-Pierre (1984), « Jurons franco-canadiens : typologie et évolution », dans *Le statut culturel du français au Québec*, Actes du congrès « Langue et société au Québec », II, textes colligés et présentés par Michel Amyot, Québec, Éditeur officiel du Québec, p. 245-251.

Pichette, Jean-Pierre (1989), « La chanson folklorique en Ontario français », dans Conrad Laforte (dir.), *Ballades et chansons folkloriques*, Québec, Université Laval, Actes du CELAT, 4 (mai), p. 17-28.

Pichette, Jean-Pierre (1991), *L'observance des conseils du maître. Monographie internationale du conte type A.T. 910 B précédée d'une introduction au cycle des bons conseils (A.T. 910-915)*, Sainte-Foy et Helsinki, PUL (coll. Les Archives de folklore, 25) et Academia Scientiarum Fennica (coll. Folklore Fellows Communications, 250), XX + 672 p.

Proulx, Jean-Baptiste (1885), *Voyage au lac Abbitibi*, 3ᵉ édition, Montréal, Librairie Saint-Joseph, Cadieux & Derome, 244 p.

Robins, John D. (1982), *Paul Bunyan Superhero of the Lumberjacks*, Edith Fowke (édit.), Toronto, NC Press, 112 p.

Saulnier, Carole (1990), *État général des fonds et des collections des Archives de folklore*, 2ᵉ édition revue et augmentée à partir de l'édition de 1984 réalisée par Hélène Bernier et Hélène Mercier, Québec, Université Laval, Division des archives, Publication, 14 (avril), [4]-228 p.

Schmitz, Nancy (1972), *La mensongère (conte-type 710)*, Québec, PUL (coll. Les Archives de folklore, 14), XIV + 310 p.

Schmitz, Nancy (1978), « Éléments gaéliques dans le conte populaire canadien-français », dans Jean-Claude Dupont (dir.), *Mélanges en l'honneur de Luc Lacourcière. Folklore français d'Amérique*, Ottawa, Leméac, p. 383-391.

Thompson, Stith (1977) [1946], *The Folktale*, Berkeley, University of California Press, X + 510 p.

Van Gennep, Arnold (1938), *Manuel de folklore français contemporain*, t. IV, Paris, A. et J. Picard, p. 558-1078.

Journalisme et création romanesque en Nouvelle-Angleterre francophone, 1875-1936

André Senécal
Department of Romance Languages
University of Vermont

Jeanne la fileuse, d'Honoré Beaugrand, *Les deux testaments*, d'Anna Duval-Thibault, *Bélanger ou l'histoire d'un crime*, de Georges Crépeau, *Mirbah*, d'Emma Port-Joli, *Un revenant*, de Rémi Tremblay, *La jeune Franco-Américaine*, d'Alberte Gastonguay, *Canuck*, de Camille Lessard, *L'innocente victime*, d'Adélard Lambert : le roman québéco-américain de langue française se résume à ces huit titres publiés entre 1875 et 1936. Encore faudrait-il éliminer trois de ces volumes. Depuis la publication de *La littérature française de Nouvelle-Angleterre* de sœur Mary-Carmel Therriault en 1946 (voir en particulier p. 233-245), on compte *Bélanger ou l'histoire d'un crime* de Georges Crépeau parmi les romans[1]. Ce texte n'a pas la longueur d'un roman et il ne se réclame pas de l'esthétique du genre, même si nous parlons d'un feuilleton. Il s'agirait plutôt de l'ébauche d'une nouvelle. *Un revenant* et *L'innocente victime* sont de la plume de Québécois qui ont séjourné aux États-Unis assez longtemps pour mériter le nom de Québéco-Américains. De plus, admettons que la trame événementielle de ces deux récits évoque bel et bien des détails historiques de la guerre de Sécession ou des Petits

---

1. À titre d'exemple, voir Chartier (1980).

Canadas. Écrits au Canada maintes années après le retour de leur auteur au pays, destinés au public canadien (*La Patrie* offre *Un revenant* à ses lecteurs de 1884 ; *Le Droit* d'Ottawa publie *L'innocente victime* en 1936), ces deux titres ne sont pas des romans québéco-américains. Le roman francophone de la Nouvelle-Angleterre se résume donc à cinq titres échelonnés sur une période de plus d'un demi-siècle. Cette pénurie nous force à remettre en question l'existence même d'un roman québéco-américain. Sommes-nous en présence d'un roman ou de romanciers québéco-américains ? Au fond, cette question est moins importante que celles-ci : L'univers romanesque des cinq auteurs reflète-t-il l'expérience québéco-américaine ? Et quelle est cette expérience québéco-américaine ?

On oublie trop vite ce que fut cette société précaire qui vécut le temps de trois générations en symbiose avec le Québec de Mercier, de Gouin et de Taschereau. En 1875, au moment où Honoré Beaugrand publie *Jeanne la fileuse*, on compte moins d'un demi-million de Québéco-Américains regroupés dans les grands centres urbains de l'État de New York et de la Nouvelle-Angleterre. En 1936, l'année où on publie le dernier roman, *Canuck*, à l'époque où Jack Kerouac et Grace Metalious apprennent leur catéchisme, la population des Petits Canadas s'élève à un peu plus d'un million[2]. Ce chiffre considérable peut nous égarer. Nous sommes sept ans après l'affaire de *La Sentinelle*, sept ans avant l'entrée en guerre des États-Unis. Ces deux dates fatidiques ponctuent l'évanouissement du fait francophone en Nouvelle-Angleterre. Persécuté par le racisme catholico-irlandais, sapé par le cancer sourd de l'assimilation, processus que la Grande Guerre accélérera grandement, le fait francophone en Nouvelle-Angleterre fut l'histoire de trois générations. La brièveté de ce printemps sans suite ne doit pas nous laisser sous-estimer son ampleur et sa vivacité. En 1910, apogée du phénomène, on comptait en Nouvelle-Angleterre 202 paroisses et 101 missions francophones desservies par 432 prêtres d'origine canadienne-française. Plus de 2 000 sœurs et frères enseignaient le *Catéchisme de Québec* et l'histoire du Canada à 55 000 élèves, alors que 3 500 Québéco-Américains poursuivaient leur cours classique dans les collèges de la

---

2. Pour la quantification de l'émigration québécoise aux États-Unis, on consultera Yolande Lavoie (1972, 1981).

province de Québec[3]. Pourtant ces statistiques insoupçonnées nous parlent d'une mince élite, d'un phénomène aberrant. Cette élite rejoignait-elle les masses laborieuses, les centaines de milliers de Québéco-Américains qui travaillaient dans les filatures de Lowell, de Manchester, de Fall River, de Holyoke? De quelle culture cette classe ouvrière se réclamait-elle? Invoquait-elle le même Dieu que ses prêtres? Lisait-elle les mêmes livres que ses médecins? Avait-elle les mêmes divertissements que ses dentistes et ses pharmaciens? Sa vision du monde et ses intérêts de classe coïncidaient-ils avec ceux des travailleurs intellectuels, en particulier des journalistes et des maîtresses d'école qui ont écrit les cinq romans dont nous parlons? Tout est là.

Ce qui nous intéresse, c'est la position que chaque auteur a choisi d'occuper pour analyser la société québéco-américaine de son temps, position qui deviendra évidente si nous notons les deux caractéristiques essentielles des œuvres:

1) Fait remarquable, le roman québéco-américain est un roman féminin. Non seulement quatre des cinq titres furent-ils écrits par des femmes, mais leur référence dominante est l'apprentissage de la féminité et les rapports entre pouvoir et sexualité.

2) Le roman est québéco-américain non pas parce qu'il traduit la réalité sociale québéco-américaine, c'est-à-dire celle d'une population ouvrière sans pouvoir et de culture populaire, mais parce qu'il accuse les intérêts de classe d'une mince élite transplantée aux États-Unis.

Le roman québéco-américain ne s'adresse pas à une réalité sociale contingente, mais bien à un ensemble d'idéaux et de valeurs qui relèvent d'un subjectivisme de classe, qui ne colle pas à la réalité historique. Un seul roman, *Canuck*, le tout dernier, provient de l'observation du vécu. Lessard est l'unique auteur à avoir pu traduire dans l'univers romanesque la réalité sociale dont elle était témoin. Ce roman, qui n'est pas sans extravagances héritées du feuilleton, nous plonge dans le quotidien de

---

3. Voir Desrosiers et Fournet (1911, en particulier p. 229-231). Pour obtenir de plus amples renseignements sur l'effectif québéco-américain des collèges classiques, on consultera l'œuvre capitale de Claude Galarneau (1978).

la famille Labranche de Lowell, au Massachusetts. Il décrit l'âpre vie du Québéco-Américain typique : les journées éreintantes de familles entières happées dès l'aube par l'usine. Ces détails de vie révèlent déjà l'univers que décriront Tamara Hareven et Randolph Langenbach (1978) dans *Amoskeag*. Les scènes de Lessard témoignent indubitablement d'un lieu, d'un moment. En même temps, elles ressemblent étrangement aux tableaux des Valleyfield ou des Drummondville du temps. Le vrai historique de Camille Lessard ou des informateurs de Tamara Hareven correspond à celui des Québécois que Jacques Rouillard (1974), Fernand Harvey (1978) ou Terry Copp (1974) ont décrit.

On retrouvera des détails de la vie des filatures ou du quotidien domestique des Québéco-Américains dans *Mirbah*, d'Emma Port-Joli, ou dans *Jeanne la fileuse*, d'Honoré Beaugrand. Ces détails sont fugitifs ou ils sont collés à l'intrigue romanesque. Ils se greffent au roman plutôt qu'ils le définissent. Beaugrand a beau nous renvoyer à la classe ouvrière – « l'émigration dont nous voulons parler ici, c'est l'émigration de la misère et de la faim » (p. 168) –, il n'en est rien. Dans une œuvre qu'il décrit lui-même comme étant « moins un roman qu'un pamphlet », l'auteur ne brosse pas une fresque épique de l'exode ; il offre une analyse politique et idéologique de la nouvelle Confédération canadienne et de ses maux (voir Senécal, 1983). Ce livre d'un des grands chefs de file des rouges est un tract destiné à la défense de l'émigré et du système économique auquel il participait. Muni des statistiques et des épithètes gonflées du promoteur, Beaugrand nous donne une histoire de la ville de Fall River et du progrès des émigrés. Jeanne Girard, qui parfois devient le regard et la voix de Beaugrand, est une héroïne québéco-américaine invraisemblable. Éduquée par les sœurs, destinée à l'élite, elle deviendra, après son bref séjour de Cendrillon dans les filatures, la femme d'un des piliers de l'aristocratie foncière de Lavaltrie. Même à titre de témoin savant, Jeanne « la fileuse » ressemble à lady Durham plutôt qu'à mère Gamelin.

On retrouvera le même amalgame de la documentation du promoteur et des préoccupations d'une femme de qualité dans *Mirbah*, roman où l'auteur allie des passages qui ressemblent à une monographie paroissiale avec les observations d'une héroïne sauvée, donc exclue, du milieu abject des filatures. En voyant Amélie Rodier, le contremaître alsacien de l'usine Skinner reconnaît tout de suite, à ses doigts fins, une élève des Ursulines ; il a soin de soustraire cette créature racée à l'environnement sale, brutal, souvent immoral, des « salons » de cardage. Au fond, ces personnages témoins sont des reines de France momentanément égarées dans une cour des miracles.

Le roman québéco-américain reflète peu l'expérience du Québéco-Américain. Il traduit plutôt l'idéologie de classe de ses auteurs. Il nous faut, pour les besoins de la cause, élargir le concept de classe. Cette narration romanesque n'appartient pas seulement au grand discours ultramontain de la survivance et à la moralité victorienne de la bourgeoisie catholique ; elle est aussi et surtout un discours de femmes, de femmes qui souscrivent au grand discours ultramontain de la survivance et à la moralité victorienne, bien sûr, mais surtout de femmes qui sont conscientes de leur rôle social défini par la biologie. Ces auteurs représentent non seulement la bourgeoisie des professionnels, mais aussi la solidarité des femmes. En cela, ce roman est absolument fascinant par ce qu'il révèle sur la conscience de classe de la femme québéco-américaine instruite et, en même temps, de la femme québécoise. Car, toutes deux ne font qu'une, ces femmes auteurs étant nées et ayant fait leur apprentissage de la vie au Québec. Ces romancières sont donc les sœurs de Laure Conan, d'Éva Senécal et de Gaëtane de Montreuil. Précieux témoignages que les leurs si on compte le peu d'auteurs féminins de l'époque.

Les images de la femme dans ces romans proviennent de deux problématiques : le pouvoir et la sexualité. Le pouvoir est mis en cause par le biais des thèmes du mariage forcé, de l'héritage et de la violence maritale. Le titre du roman de Lambert, *L'innocente victime*, résume parfaitement le portrait de la femme qui se dégage de ces thèmes. La sexualité, elle, est explorée par l'intermédiaire des interdits et de leurs conséquences sociales. Que la femme s'abandonne à ses appétits charnels, qu'elle se mal marie, qu'elle devienne fille-mère, qu'elle succombe aux machinations de l'homme-serpent, elle sera précipitée dans le gouffre de l'ignominie et dans les affres effarantes de l'indigence et de l'immoralité de la condition ouvrière.

Les valeurs principales qui servent de références à ces romancières sont celles de la bourgeoisie bien-pensante victorienne, vision du monde que Philippa Levine (1987) a très bien cernée dans le chapitre « Mariage et moralité» de son livre *Victorian Feminism* (p. 129-155). Le rôle social de l'homme et celui de la femme sont déterminés par leur biologie. La femme accuse une sexualité en attente qui ne sera éveillée que par l'instinct procréateur aiguillonné (c'est peut-être trop dire) par la sexualité irrépressible du mâle. Le rôle de la femme est passif, réticent dans la respectabilité qui est l'instinct des bien-nées. Cette vision de la femme est tout à fait celle qu'Alberte Gastonguay offre de la fille franco-américaine dans *La jeune Franco-Américaine*. Le portrait de Jeanne Lacombe qui «se conserve» grâce à la prière et à son ascendance québéco-américaine est irremplaçable. On pourra dire que cette femme domine sa sexualité et qu'elle sort indemne des périls initiatiques de l'adolescence. En récompense, elle gagne non seulement le paradis, mais la respectabilité et l'identité ethnique : elle est catholique et franco-américaine. Ici, nous ne sommes pas loin du programme idéologique de *La mère canadienne et son enfant* où l'appel à la race côtoie l'hygiène bourgeoise. Derrière les langes et le protocole chaste et sain qui doit régler l'instinct maternel, on trouve tout un programme idéologique qui définit la respectabilité victorienne. Ce code de respectabilité, basé sur la valeur et sur l'importance déterminante de la moralité, c'est-à-dire du comportement sexuel, assigne à l'homme et à la femme leur sphère propre, mais, et c'est tout aussi important, il sépare la femme ouvrière de la femme bourgeoise. La respectabilité est donc un signe d'élection, un signifiant qui confond pureté sexuelle et pureté sociale et, pour la Québéco-Américaine engagée dans le combat de la survivance, pureté raciale. La référence dominante de l'auteur de *La jeune Franco-Américaine* est un ensemble d'idéaux et de valeurs qui relèvent d'un subjectivisme de classe. L'objection n'est pas que cette référence soit chimère, mais qu'elle ne recouvre qu'une partie infinitésimale de la réalité québéco-américaine. Le modèle idéal de la féminité que Mme Gastonguay-Sasseville propose ne renvoie pas aux *tenement houses* des Petits Canadas, à ces familles grouillantes qui vivaient dans une unique chambre où mijotaient la violence et la bestialité. Il renvoie à l'idéal féminin d'Henri Bourassa.

Le roman d'Alberte Gastonguay-Sasseville reste un curieux et unique traité qu'on rangera avec *Albert ou l'orphelin catholique*, de Thomas. *Les deux testaments*, d'Anna Duval-Thibault, et *Mirbah*, d'Emma Port-Joli, eux, colportent d'autres modèles de féminité. Ils

sont sans aucun doute nos premiers romans féministes. C'est leur imaginaire et la cohésion de leurs héroïnes face à l'homme qui les rendent
signifiants. Dans les deux romans, le thème principal est celui de
l'inviolabilité du choix sexuel de la femme auquel sont reliés son rôle
et son statut social de même que son succès matériel. La liberté de la
femme est contrainte par un homme inique qui veut substituer au choix
libre le mariage forcé et tout un système de valeurs contaminées par
l'argent et un pouvoir désordonné. Dans *Les deux testaments*, l'abus de
la femme prend la forme d'une persécution psychologique. C'est l'histoire de la revanche d'une mère, jetée dans le lit d'un Tartuffe par son
père simoniaque. Plus tard, initiée au pouvoir de la sexualité, de l'argent
et du système légal qui le régit, l'épouse de force formera avec sa fille
une sororité. Alliées contre l'homme inique, déterminées à promouvoir
une moralité féminine (l'amour-passion, l'estime de l'homme basée sur
sa vertu et non pas sur sa richesse matérielle), les deux femmes réussiront
à instaurer un nouvel ordre qui exemplifie l'éthique féminine, associée
d'ailleurs avec les véritables leçons du christianisme.

   Mirbah, d'Emma Port-Joli, va plus loin dans ses revendications.
L'héroïne se rachète et épouse (en messe basse, cela va sans dire) le
père de son enfant, un caissier pauvre mais probe qu'elle aime d'un
amour vrai. Ce mariage lui attire la vengeance démoniaque de son
tuteur qui compromet le couple et poursuit l'héroïne jusque dans la
folie. Sauvée de la déchéance sociale par l'intervention des religieuses
d'un couvent qui recueillent son poupon et qui intercèdent pour elle
auprès de l'Église et de l'État – on pensera ici au rôle de la profession
religicuse tel que Marta Danylewycz (1988) l'a révélé –, l'héroïne ne
peut échapper à la tutelle de son oncle bourreau qui torture et ruine sa
nièce. Dans le refuge de sa folie, cette femme bafouée attaquera non
seulement les hommes dont elle est la victime, mais Dieu, l'homme-fils
dont elle réduit le *Pater* à une parodie, à un *credo* communard. La femme
de *Mirbah*, roman extraordinaire, a recours à une supériorité morale
pour s'affranchir de tout, du servage matrimonial, des lois et même,
dans sa folie, de Dieu.

   Ces deux romans montrent l'institution familiale, l'autorité patriar-
cale et, par extension, le magistère de l'Église et les lois de la société
comme des sources majeures de l'oppression des femmes. L'affranchis-
sement dans ces romans n'est pas total. Le texte chiffré se conforme au

codage de la société ; aux dernières pages de *Mirbah*, par exemple, on lit en lettres majuscules une fin édifiante qui donne une leçon des plus orthodoxes : «REPENTIR, GRÂCE, PARDON». Cette conclusion n'enlève rien au message subversif qui la précède.

Le roman québéco-américain est en fait, nous l'avons trop suggéré, un roman québécois. À ce titre, son intérêt principal se résume à deux thèmes : son idéologie de classe et son féminisme, thèmes qui se conjuguent. Ce roman est, pour parodier Belleau (1980), fictif : il adopte comme référence dominante une idéologie, c'est-à-dire «un ensemble d'idéaux, de valeurs, de principes ou même de théories qui sont en apparence explicatifs de la «société» tout entière sinon du monde, mais qui relèvent en fait d'un subjectivisme de classe» (Zéraffa, 1976, p. 47), une idéologie qui masque l'histoire. C'est pour cette raison que, du point de vue québéco-américain, ce roman, excepté *Canuck*, est doublement fictif. Le véritable roman québéco-américain sera écrit par la prochaine génération. On peut le lire, en anglais, dans la révolution tranquille de Grace Metalious ou dans le continent perdu de Jack Kerouac.

Bibliographie

Beaugrand, Honoré (1878), *Jeanne la fileuse. Épisode de l'émigration franco-canadienne aux États-Unis*, Fall River, Massachusetts, [s. éd.], 188 p. Le roman aurait été publié en feuilleton dans *La République* de Fall River en 1875. L'édition la plus récente est celle qu'a présentée et préparée Roger Le Moine, Montréal, Fides, 1980, 312 p.

Belleau, André (1980), *Le romancier fictif. Essai sur la représentation de l'écrivain dans le roman québécois*, Québec, PUQ, 155 p.

Chartier, Armand (1980), « Pour une problématique de l'histoire littéraire franco-américaine », dans Claire Quintal et André Vachon (dir.), *Situation de la recherche sur la Franco-Américanie*, Québec, Conseil de la vie française en Amérique, p. 81-100.

Copp, Terry (1974), *The Anatomy of Poverty: The Condition of the Working Class in Montreal, 1897-1929*, Toronto, McClelland and Stewart, 192 p.

Crépeau, Georges (1892), *Bélanger ou l'histoire d'un crime*, en feuilleton dans *L'Étoile*, Lowell, Massachusetts. Édition la plus récente : Bedford, New Hampshire, National Materials Development Center for French, 1979, 49 p.

Danylewycz, Marta (1988), *Profession religieuse. Un choix pour les Québécoises, 1840-1920*, Montréal, Boréal, 246 p.

Desrosiers, Louis-Joseph-Adélard, et Pierre-Auguste Fournet (1911), *La race française en Amérique*, 2ᵉ éd. augm., Montréal, Beauchemin, 306 p.

Duval-Thibault, Anna (1888), *Les deux testaments*, en feuilleton dans *L'Indépendant*, Fall River, Massachusetts. Publié également en volume la même année, Fall River, [s. éd.]. Édition la plus récente : Bedford, New Hampshire, National Materials Development Center for French, [1979], 204 p.

Galarneau, Claude (1978), *Les collèges classiques au Canada français (1620-1970)*, Montréal, Fides, 287 p.

Gastonguay, Alberte (1933), *La jeune Franco-Américaine*, Lewiston, Maine, [s. éd.], 65 p.

Hareven, Tamara, et Randolph Langenbach (1978), *Amoskeag: Life and Work in an American Factory-City*, New York, Pantheon Books, 395 p.

Harvey, Fernand (1978), *Révolution industrielle et travailleurs: une enquête sur les rapports entre le capital et le travail au Québec à la fin du 19ᵉ siècle*, Montréal, Boréal Express, 347 p.

Lambert, Adélard (1936), *L'innocente victime*, en feuilleton dans *Le Droit*, Ottawa. Édition la plus récente (la seule reliée) : Bedford, New Hampshire, National Materials Development Center for French, 1980, 82 p.

Lavoie, Yolande (1972), *L'émigration des Canadiens aux États-Unis avant 1930. Mesure du phénomène*, Montréal, PUM, 87 p.

Lavoie, Yolande (1981), *L'émigration des Québécois aux États-Unis de 1840 à 1930*, Québec, Éditeur officiel, 68 p.

Lessard-Bissonnette, Camille [Liane] (1936), *Canuck*, Lewiston, Maine, Le Messager. Édition la plus récente : Bedford, New Hampshire, National Materials Development Center for French, 1980, 119 p.

Levine, Philippa (1987), *Victorian Feminism, 1850-1900*, Tallahassee, Florida, The Florida State University Press, 176 p.

Port-Joli, Emma [Emma Dumas] (1910-1912), *Mirbah*, en feuilleton (dix fascicules) dans *La Justice*, Holyoke, Massachusetts. Édition la plus récente : Bedford, New Hampshire, National Materials Development Center for French, 1979, 247 p.

Rouillard, Jacques (1974), *Les travailleurs du coton au Québec, 1900-1915*, Montréal, PUQ, 152 p.

Senécal, André (1983), « The Economic and Political Ideas of Honoré Beaugrand in « Jeanne la fileuse » », dans *Quebec Studies*, 1, p. 200-207.

Therriault, sœur Mary-Carmel (1946), *La littérature française de Nouvelle-Angleterre*, Montréal, Fides, 324 p.

Tremblay, Rémi (1884), *Un revenant. Épisode de la guerre de Sécession aux États-Unis*, en feuilleton dans *La Patrie*, 8 septembre-20 novembre, Montréal, Typographie de « La Patrie ». Édition la plus récente : Bedford, New Hampshire, National Materials Development Center for French, 1980, 348 p.

Zéraffa, Michel (1976), *Roman et société*, Paris, PUF, 183 p.

La formation
de la francophonie
nord-américaine

Provinces et habitats d'origine des pionniers de la vallée laurentienne

Hubert Charbonneau et André Guillemette
Département de démographie
Université de Montréal

La question de l'origine des Français passés de l'ancienne à la nouvelle France hante depuis toujours les chercheurs québécois. Historiens, linguistes, généalogistes et, plus récemment, démographes se sont employés les uns à établir les lieux d'origine, les autres à en dresser la compilation. Les connaissances essentielles sur le sujet, acquises depuis le début du siècle et qui seront passées en revue ci-après, ne peuvent être contestées. Mais des imprécisions, voire des erreurs, subsistent. En outre, les caractéristiques des immigrants n'ont guère été étudiées, les auteurs s'étant généralement contentés d'évaluer la part respective des diverses provinces dans le peuplement du Canada.

Grâce au *Registre de la population du Québec ancien* (Légaré, 1988), l'équipe du Programme de recherche en démographie historique (PRDH) de l'Université de Montréal est maintenant en mesure de fournir de nouveaux résultats. Ceux-ci se rapportent pour l'instant aux pionniers établis avant 1680. Des distinctions sont faites selon le sexe et, pour la première fois, selon le type d'habitat d'origine. L'aspect linguistique n'est pas oublié non plus. Pour être comprise, l'analyse des données doit cependant être précédée du nécessaire exposé méthodologique, les travaux antérieurs se révélant malheureusement assez peu explicites à cet égard. De même, on ne saurait éviter en toute rigueur la difficile critique des sources.

SOURCES

Au Québec, les actes de mariage constituent la source principale d'information pour déterminer le lieu d'origine des immigrants. Les contrats notariés de mariage ont également beaucoup d'importance en la matière. Il faut leur ajouter les registres de confirmation, les registres de malades des hôpitaux et les contrats d'engagement en France. Les actes de sépulture contiennent à l'occasion ce type d'information, que l'on retrouve accessoirement dans les documents les plus divers. Le dépouillement des registres paroissiaux français permet enfin de fixer avec exactitude le lieu de naissance de certains pionniers.

Le *Rituale Romanum*, en vigueur depuis 1614 en Nouvelle-France, demandait que le rédacteur inscrive le domicile du père des conjoints dans l'acte de mariage. C'est sans doute à cette réglementation ecclésiastique qu'obéissaient les prêtres du XVIIe siècle, car les prescriptions civiles n'exigeaient que la mention du domicile des époux (Bouchard et Larose, 1976). L'importance attribuée au diocèse tend d'ailleurs à confirmer cette impression. Mais il paraît souvent difficile, à vrai dire, d'attribuer un sens précis au lieu indiqué : s'agit-il de la résidence des parents, leur dernière s'ils sont décédés, ou ne s'agit-il pas plutôt du lieu de naissance de celui qui fait l'objet de l'acte ou même de son dernier domicile fixe en France ? Rarement est-il précisé clairement qu'il s'agit bien du lieu de naissance du sujet. La logique voudrait que le prêtre note soit le lieu de baptême, soit la dernière paroisse à laquelle appartenait l'époux ou l'épouse, celle où les bans auraient été publiés le cas échéant. C'était en tout cas la formule alors en usage dans la métropole et c'était aussi celle qui, à notre avis, prédominait dans le diocèse de Québec au XVIIe siècle.

Si on s'en tient aux pionniers mariés au Canada avant 1680, les pertes d'actes ont touché un peu moins d'un mariage sur cinq (Charbonneau *et al.*, 1987, p. 34). Les registres conservés ne sont pas parfaits pour autant : un bon nombre d'entre eux sont des retranscriptions consécutives à l'usage des feuilles volantes, ce qui a une incidence sur l'orthographe des noms propres et spécialement sur celle des noms de lieux français. Le prêtre qui procédait à la copie des actes n'était pas forcément celui qui enregistrait le mariage initialement : il en est résulté des erreurs susceptibles de confondre le chercheur actuel. L'exemple le plus frappant à cet égard est la retranscription faite en 1679 par Henri de Bernières, curé de Québec, des 645 actes de mariage consignés dans le registre de Notre-Dame entre le 10 janvier 1661 et le 31 juillet 1679. Il se révèle impossible de mesurer jusqu'à quel point le copiste est responsable de la déformation des noms; en revanche, sa belle écriture facilite la lecture de ces pages qui rendent compte du premier mariage de près d'un pionnier sur trois avant 1680. Le registre de Sainte-Famille de l'île d'Orléans contient aussi des copies d'actes enregistrés sur feuilles volantes par Thomas Morel de 1669 à 1671 : comme à Québec, ces actes posent un très grand nombre de problèmes quant à la graphie des toponymes.

Souvent plus précis que l'acte, le contrat de mariage mentionne aussi en général le domicile des parents du garçon ou de la fille. C'est pourquoi l'origine n'est presque jamais indiquée dans les cas de remariage, sauf pour noter le domicile d'un conjoint décédé en France. Le notaire précise fréquemment: « fils de un tel, vivant demeurant » à tel endroit, ce qui ne laisse guère de place à l'ambiguïté. Dans certains cas, le contractant est déclaré « natif » de tel endroit.

L'interprétation des autres documents est encore plus ardue, sauf pour les contrats d'engagement où le lieu déclaré correspond manifestement au domicile de l'intéressé. Il se pourrait par ailleurs que la paroisse ou le diocèse mentionné lors de la confirmation soit celle ou celui du baptême.

MÉTHODES

La détermination de l'origine des immigrants soulève de nombreux problèmes méthodologiques que les chercheurs n'ont pas toujours cernés avec clarté. Il convient de les passer brièvement en revue ; la majorité sont du ressort de la généalogie et quelques-uns concernent plutôt le statisticien.

Lecture du manuscrit

Le déchiffrement de certaines écritures, véritables hiéroglyphes, constitue une difficulté redoutable et est une source d'erreurs nombreuses. Les actes de certains notaires, en particulier, exigent une évidente expertise que n'ont pas la plupart des chercheurs. Certes, des publications de nature paléographique favorisent depuis peu la tâche à cet égard (Lafortune, 1982-1988). Il n'en subsiste pas moins une abondance d'embûches. Qu'on en juge : un auteur expérimenté a lu *Cherache* quand il convient sans doute de lire *Chênes* ; un autre a lu *Mouton* là où le notaire Duquet a écrit *Aventon ;* les meilleurs généalogistes ont lu *St-Esric de Massa* (transformé en *St-Éric de Massac*) quand il faut plutôt relever *St-Esrie de Matta*. Plusieurs ont vu *Jovincens* au lieu de *Jouiniens* (pour *Junien*), ou encore *Douzac* pour *Touzac*, *Trêve* pour *Tire* ou même *Choulles* pour *Moulins*. La liste est inépuisable. Les confusions les plus fréquentes proviennent de la difficulté de distinguer les minuscules *i*, *n*, *m*, *u* ou *v*, notamment quand elles se succèdent nombreuses dans un même mot.

Déclaration de l'origine

L'origine est généralement déclarée par l'immigrant lui-même. Il arrive cependant que ce soit le fait d'une tierce personne, comme dans un acte de sépulture. Le lieu mentionné est le plus souvent un toponyme paroissial, accompagné ou non de son vocable, c'est-à-dire du nom du saint patron de l'église : *Tourouvre* ou mieux *Saint-Aubin de Tourouvre*. Mais la déclaration ne correspond parfois qu'à un diocèse, à une région ou, plus vaguement encore, à une province : par exemple, « de l'évêché de Saintes », « de l'île d'Oléron » ou, simplement, « de Saintonge ».

Le rédacteur orthographie les noms de lieux en fonction de ses connaissances, mais aussi d'après la prononciation et l'accent des immigrants ; si cette pratique n'engendre guère de problèmes dans le cas des villes connues, il en va tout autrement pour les petits villages. Comme nul ne pouvait prétendre connaître les 40 000 paroisses de France, la translittération phonétique revêt forcément des formes variées. C'est ainsi que *St-Jouan* peut correspondre à *St-Ouen*, que *St-Omer* cache *St-Baumer*, que *Coignat* remplace *Cauna*, que *Dissay* peut s'écrire successivement *Isset* ou *Guissais*, que sous *Cachiat* (lu *Cachiot*), il faut deviner *Queyssac* et que le *pays Donne*, c'est tout simplement le *pays d'Aunis*.

Il arrive aussi que le rédacteur complique les choses : le bourg de *Jauzé* devient sous sa plume *St-José*, par exemple. L'attribution du diocèse est parfois erronée, car tous les immigrants ne savent manifestement pas à quel évêché se rattache leur paroisse d'origine ; le prêtre doit alors procéder à des déductions. Si chaque problème pris isolément se résout presque toujours facilement, l'addition des diverses difficultés constitue en revanche une source infinie d'énigmes : ainsi, s'il va de soi que *St-Army* équivaut à *St-Rémi*, il se révèle nettement plus ardu de déceler que *Ste-Thérèse* provient d'une mauvaise lecture de *St-Thermie*, autre forme de *St-Rémy*.

Dans l'ensemble du XVIIe siècle, la documentation laisse toutefois l'impression d'une assez grande facilité de communication entre immigrants d'une part et rédacteurs (généralement prêtres ou notaires) d'autre part. L'accent ne paraît avoir été qu'une cause mineure de problèmes, en l'occurrence. Tout au plus peut-on souligner l'écriture un peu plus malmenée que la moyenne des toponymes ruraux de provinces comme le Périgord et le Limousin, par exemple. Par opposition, les déclarations des colons arrivés des pays voisins de la France ont donné lieu à des interprétations dont on ne trouve presque pas d'exemple pour les pionniers venant de l'Hexagone : ainsi Suzanne *Betefer* ou *Botfaite* de la ville de *Cletaste* doit se lire Suzanne *Bedford* de la ville de *Gloucester* ; Cornelius *Aubry* (pour *O'Brien* ou *O'Brennan*) se déclare d'une ville que le rédacteur a transcrit sous la forme non identifiable de *Diasony Hovillean* en Irlande ; Pierre *Moller* dit L'Allemand, enfin, est déclaré originaire d'un lieu introuvable, lu tantôt *Escalis*, tantôt *Sralissa* !

Nous n'avons repéré qu'un seul lieu français inscrit en patois : il s'agit d'*Avrillé* en Vendée, mentionné sous sa forme poitevine d'*Auvregnat* (Robert, 1989, p. 10).

Localisation de l'origine

Il ne suffit pas de bien relever un toponyme ; il convient aussi de le situer précisément sur la carte, ce que n'ont pas toujours fait les chercheurs. On ne saurait se satisfaire à cette fin du recours à un simple dictionnaire des communes de France actuelles. Il importe de consulter les répertoires établis au XVIIIe siècle. Environ 10 % des paroisses de l'Ancien Régime ont disparu, selon nos calculs, et près de 20 % ont plus ou moins changé de nom. Les ouvrages du XVIIIe siècle étaient autrefois peu accessibles au Québec et c'est sans doute pourquoi nos prédécesseurs signalent rarement leurs instruments de recherche en la matière. À peine peut-on relever une liste faisant état, en 1951, de l'un de ces dictionnaires (Auger, 1951). Il faut attendre les années récentes pour voir citer (Robert, dep. 1984) les indispensables publications de Saugrain (1709), Doisy (1753) et Expilly (1762-1770). De nouvelles publications s'ajoutent également de nos jours : celle de Dupâquier (1977) sur le Bassin parisien et surtout la magnifique collection des *Paroisses et communes de France* (Bardet et Motte, dep. 1974). Il faut enfin mentionner l'*Atlas historique de Normandie* (1967) que l'on souhaiterait voir imiter dans l'ensemble du territoire français.

Les paroisses homonymes abondent dans l'ancienne France, même à l'intérieur d'une province. Les similitudes sont en outre multipliées par les erreurs d'écriture ou de lecture : par exemple, *Savigné, Savignieu, Sauvigné, Sauvigney, Souvigné, Savigny, Sauvigny* ou *Souvigny* sont susceptibles de désigner une seule et même paroisse ; or, d'après Doisy (1753), ces différents toponymes concernent 49 paroisses au XVIIIe siècle, dont 12 en Bourgogne seulement. Dans la seule Normandie, on retrouve 17 paroisses sous le nom de *Neuville*.

Autre problème, le fait que certaines paroisses soient désignées par un vocable d'église, comme *Saint-Pierre* ou *Saint-Martin*. Il s'ensuit qu'on ne sait pas toujours si, par exemple, *St-Martin* est un toponyme complet ou non. Plus encore, *St-Martin, évêché de Rouen* peut désigner soit l'une des 2 paroisses de ce nom dans cette ville, soit l'une des 20 paroisses portant le nom de *Saint-Martin* dans le diocèse de Rouen, sans compter toutes celles qui sont désignées d'un autre nom mais dont le vocable est aussi *Saint-Martin*.

La toponymie française se révèle fort heureusement d'une constance remarquable à travers les siècles. Même les noms des paroisses supprimées subsistent encore à notre époque comme lieux-dits, de sorte qu'il est toujours possible de les retrouver sur les cartes à grande échelle (par exemple celles de l'Institut géographique national ou celles de Michelin).

Définition des provinces

Dernier obstacle, le classement par province n'est pas de tout repos. Le mot *province* a sous l'Ancien Régime, du moins du point de vue civil, un sens vague, imprécis et qui ne correspond à aucune division administrative précise (Mirot et Mirot, 1980). Comme les gouvernements portaient des noms de province, il en ressort beaucoup de confusion, d'autant plus que la tradition populaire attribuait à certaines provinces des délimitations discutables. Par exemple, la Picardie se serait étendue sur toute la moitié septentrionale de l'Île-de-France. Le statisticien doit donc trancher là aussi et nécessairement de façon quelque peu arbitraire.

Compte tenu de nos objectifs, nous retenons d'abord le territoire actuel de la France continentale : cela permet de distinguer 36 provinces au départ, y compris la Savoie et le comté de Nice. Il nous paraît cependant utile de découper l'immense Guyenne, de façon à séparer la Gascogne et le Périgord de la Guyenne proprement dite. Nous ajoutons aussi quatre petites provinces correspondant à des parties du Bassin parisien desquelles sont issus de nombreux pionniers : la Brie, la Beauce, le Perche et le Saumurois. En comptant Paris à part, nous obtenons 43 territoires appelés ci-après provinces (voir carte 1).

Ce découpage entraîne une grande diversité d'origines que la petitesse des effectifs migratoires ne nous permet guère de conserver pour l'analyse. Des regroupements s'imposent et nous retiendrons soit 22 ensembles, soit 9 grandes régions, suivant les exigences de la statistique.

TRAVAUX ANTÉRIEURS

Le premier auteur qui ait affronté tous ces défis méthodologiques fut l'historien François-Xavier Garneau, probablement dès 1846. Il compulsa les minutes de 33 notaires de l'ancien gouvernement de Québec, pour en tirer une compilation relative à 2 002 immigrants arrivés au Canada avant 1700. Il partagea la France en 46 unités territoriales, mais il n'expliqua aucunement ses procédés et ne chercha pas non plus à déterminer avec exactitude les divers lieux d'origine. Il lui fut impossible de classer 45 toponymes, mais il distingua les colons originaires des pays étrangers (voir Garneau, 1859).

Carte 1
LES ANCIENNES PROVINCES DE FRANCE

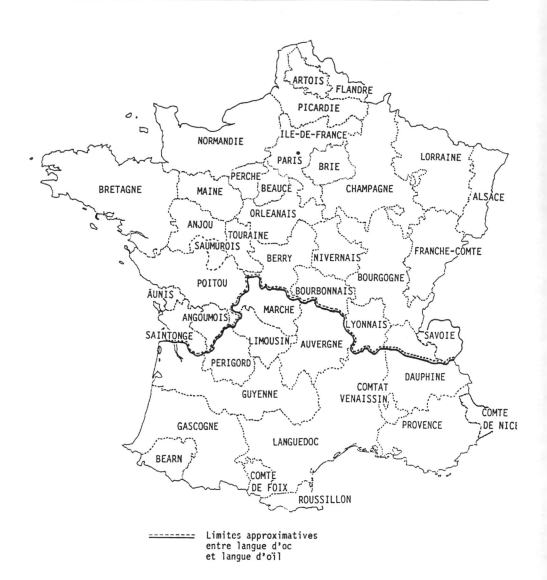

ARTOIS
FLANDRE
PICARDIE
ILE-DE-FRANCE
NORMANDIE
PARIS
BRIE
LORRAINE
PERCHE
BRETAGNE
MAINE
BEAUCE
CHAMPAGNE
ALSACE
ORLEANAIS
ANJOU
TOURAINE
SAUMUROIS
FRANCHE-COMTE
BERRY
NIVERNAIS
BOURGOGNE
POITOU
BOURBONNAIS
AUNIS
MARCHE
ANGOUMOIS
LYONNAIS
SAVOIE
SAINTONGE
LIMOUSIN
AUVERGNE
PERIGORD
DAUPHINE
COMTAT
VENAISSIN
GUYENNE
COMTE
DE NICE
GASCOGNE
PROVENCE
LANGUEDOC
BEARN
COMTE
DE FOIX
ROUSSILLON

========= Limites approximatives
entre langue d'oc
et langue d'oïl

Peu après, Jean-Baptiste Ferland (1861-1865) innova à son tour en publiant la première liste nominative de colons par lieu précis d'origine. Il se limita cependant à 426 hommes recensés dans les deux seuls registres de Québec et de Trois-Rivières. Ses travaux eurent en réalité plus d'ampleur, car, quelques années auparavant, Rameau de Saint-Père (1859) avait déjà produit un tableau relatif à 1 781 immigrants de sexe masculin, grâce à des recherches non publiées faites par Margry et Ferland sur l'ensemble du Régime français. Ces compilations, qui ne tiennent pas compte des colons issus d'autres pays que la France, font successivement état de 32 puis de 40 provinces distinctes ; le classement est en outre établi par période de mariage.

La publication du dictionnaire généalogique de Cyprien Tanguay (1871-1890) marqua ensuite un progrès considérable. En dépouillant l'ensemble des registres paroissiaux du Régime français, le célèbre généalogiste allait fournir la matière aux premières statistiques exhaustives. Lui-même n'eut pas le loisir d'identifier les toponymes patiemment relevés ni d'en tirer une quelconque compilation. Ce fut plutôt l'œuvre de deux autres ecclésiastiques : Stanislas Lortie et Archange Godbout. Le premier dressa une statistique à laquelle on se réfère encore, alors que le second s'intéressa à tous les aspects de la question.

L'abbé Lortie (1903-1904) publia deux tableaux : l'un, d'après Tanguay, se rapporte à 3 757 immigrants des deux sexes qui se sont mariés avant 1701 ; l'autre incorpore le dépouillement du registre des confirmations de Québec pour la même période et porte sur 4 894 personnes, dont un peu plus d'un millier restées célibataires ou reparties en France. Les immigrants sont répartis selon 38 provinces et en fonction de l'époque où ils apparaissent dans les registres, c'est-à-dire le plus souvent suivant l'année de mariage. Les cas indéterminés, comme les non-Français, sont passés sous silence. Rien n'est dit sur la méthode ; on en déduit que l'auteur a tout simplement relevé, sans les contrôler, les renseignements archivistiques fidèlement recopiés par Tanguay.

Beaucoup plus critique, le père Godbout (1946) a dressé les compilations les plus complètes pour l'ensemble du Régime français, mais il ne les a que partiellement publiées. Il s'est surtout efforcé d'attribuer un lieu précis à chaque immigrant en comparant entre elles les informations tirées des diverses sources. C'est aussi lui qui a le mieux identifié les différents toponymes paroissiaux. Sa lecture des manuscrits et ses déductions sont rarement prises en défaut. Il n'a malheureusement pu compléter son œuvre et ses publications sont dispersées (voir Godbout, 1951-1965). Des chercheurs ont exploité ses travaux à des fins statistiques (Harris, 1972; Charbonneau, 1975).

D'autres auteurs ont fait de même en prenant comme base le dictionnaire de Tanguay. Citons Benjamin Sulte qui, selon Malchelosse (1947), a classé les origines de 7 234 immigrants pour la période 1608-1750. Pour sa part, É.-Z. Massicotte (1937) a constitué un tableau dans lequel il n'oublie ni les étrangers, ni les cas indéterminés. Sa compilation, qui partage la France en 46 unités territoriales, porte sur 3 704 immigrants établis entre 1700 et 1765.

Plus récemment, de nombreux chercheurs se sont intéressés à l'origine de certains immigrants, aux pionniers arrivés au début de la colonie (Trudel, 1983) ou venant d'une province en particulier (Fournier, 1981). On a même entrepris le répertoire complet de tous les immigrants d'origine connue qui se sont mariés (Robert, dep. 1984). Mais l'ouvrage qui a le plus nettement fait progresser nos connaissances est le *Dictionnaire généalogique des familles du Québec* de René Jetté (1983). Grâce à son flair et à son imagination, celui-ci a pu identifier un très grand nombre de toponymes restés plus ou moins obscurs jusque-là. On peut seulement regretter qu'il n'ait guère consulté les dictionnaires du XVIIIe siècle; il n'a pas toujours cherché non plus à fixer chaque paroisse sur la carte et son travail se limite à la période s'étendant de 1608 (fondation de Québec) à 1730.

Jetté a profité des travaux du PRDH de l'Université de Montréal. Notre équipe a en effet entrepris, à la fin des années 1960, de dépouiller, à l'instar de Tanguay, tous les registres paroissiaux de la vallée laurentienne depuis 1621 (premier acte conservé à Notre-Dame de Québec) jusqu'à 1850. Une partie des résultats a déjà été publiée dans l'*Atlas historique du Canada* (Charbonneau et Robert, 1987): en particulier, une carte inédite a été dressée illustrant de quelles localités venaient les immigrants avant 1760. Cependant, ce bilan a dû être produit à une époque où l'état d'avancement de la recherche obligeait encore le recours aux ouvrages traditionnels, surtout pour le XVIIIe siècle. Limitées aux Français qui se sont mariés, ces données faisaient tout de même état de 8 527 immigrants, le plus fort total considéré jusque-là. Mais les connaissances ont continué de progresser depuis.

NOUVEAUX RÉSULTATS

Longtemps accaparé par l'élaboration et l'informatisation des données, le PRDH n'a pu accorder à la question des lieux d'origine tout l'effort qui était requis. Une révision complète s'imposant, nous avons entrepris d'examiner, cas par cas, tant les sources manuscrites que les imprimés portant sur la question.

Avant de songer aux immigrants isolés qui n'ont généralement fait que passer dans la colonie, il a paru logique de s'en tenir d'abord aux colons qui se sont mariés. Aussi avons-nous cherché, dans un premier temps, à clarifier le mieux possible la situation des 3 428 pionniers établis avant 1680. Pour chacun d'eux, nous avons littéralement passé à la loupe toute l'information les concernant. Seuls quelques manuscrits moins accessibles nous ont échappé jusqu'à maintenant, mais ils consistent surtout en des contrats de mariage d'immigrants dont l'origine ne pose pas de difficultés d'interprétation. Un lieu, c'est-à-dire le premier lieu de résidence connu, a été attribué à chaque pionnier, parfois arbitrairement quand il a fallu trancher entre des déclarations divergentes. Presque tous les toponymes ont été situés sur la carte. Quelques-uns restent en suspens, que nous ne désespérons pas de débrouiller un jour, au fur et à mesure de la parution des volumes des *Paroisses et communes de France* (Bardet et Motte, dep. 1974).

Grâce aux dictionnaires du XVIIIᵉ siècle, chaque paroisse de France peut être classée comme urbaine ou rurale. Plus encore, les bourgs sont distingués de la masse des paroisses rurales, alors que les villes sont réparties en trois catégories : grandes, moyennes, petites. Sont considérées ici comme grandes les agglomérations d'environ 25 000 habitants ou plus ; il s'en trouve 22 qui ont fourni des pionniers au Canada. Les petites villes sont celles de moins de 1 000 feux (4 000 à 5 000 habitants), toutes les autres étant classées comme moyennes. En ajoutant les situations indéterminées, on obtient donc six possibilités pour chacune des provinces de France, ce qui nous a conduits à dresser une liste de 252 codes (42 provinces × 6), sans compter des codes distincts pour Paris, Rouen et La Rochelle. Intégrés ensuite au *Registre de la population du Québec ancien* (Légaré, 1988), ces codes devaient permettre de multiplier les possibilités d'analyse.

Provinces dominantes

Près de 99 % des pionniers d'origine connue se rattachent à une province de France, une quarantaine seulement se déclarant d'un autre pays. Après l'exclusion de ces derniers, il reste 3 384 immigrants des deux sexes que tout autorise à considérer comme des Français. Parmi eux, 7 % ne peuvent être classés par province ; nous avons fait le choix de les répartir au prorata des cas connus, de façon à conserver dans les calculs la totalité des pionniers d'origine française.

La distribution par province apparaît au tableau 1 où des regroupements ont été effectués pour éviter les trop faibles effectifs. Seules trois provinces ne sont pas en cause : l'Alsace, le Roussillon et le comté de Nice. En revanche, quelques-unes prennent la part du lion, les six plus importantes regroupant 70 % des pionniers. La Normandie arrive en tête (19,6 %), devant l'Île-de-France (17,8 %), suivie de l'Aunis (11,9 %) et du Poitou (10,5 %). Plus loin, le Perche (5,3 %) et la Saintonge (5,1 %) devancent toutes les autres parmi lesquelles aucune n'atteint 3 % de l'ensemble.

Le classement diffère peu de celui qui est proposé par Lortie (1903-1904). Soulignons les quelques légères différences : moins de Normands et de Percherons, d'Angevins et de Manceaux, de Picards, de Champenois et de Méridionaux ; plus de Parisiens en revanche, de même que de Poitevins, de Saintongeais et d'Angoumois. La concentration s'en trouve accrue. Par comparaison avec les chiffres que nous avons publiés dans l'*Atlas historique du Canada* (Charbonneau et Robert, 1987), la Normandie et l'Île-de-France augmentent leur part, alors que le Poitou et l'Aunis régressent.

TABLEAU 1

**DISTRIBUTION DES PIONNIERS* PAR PROVINCE D'ORIGINE
(POUR 100)**

Province	Lortie	*Atlas historique*	PRDH (1991)
Bretagne	2,6	2,9	2,8
Normandie	20,8	19,0	19,6
Perche	6,6	6,3	5,3
Île-de-France	15,9	16,9	17,8
Brie, Beauce	1,7	2,1	2,3
Orléanais, Touraine	3,2	3,2	3,6
Anjou, Saumurois	3,8	3,2	3,4
Maine	3,9	2,5	2,8
Picardie, Artois, Flandre	3,3	2,6	2,4
Champagne, Lorraine, Franche-Comté	3,7	2,5	2,9
Bourgogne, Lyonnais	1,5	1,3	1,3
Poitou	8,7	11,1	10,5
Aunis	11,8	13,1	11,9
Saintonge	4,6	5,1	5,1
Angoumois	1,6	2,0	2,4
Berry, Nivernais, Bourbonnais	0,8	1,1	1,1
Marche, Limousin, Auvergne	1,0	1,1	1,1
Guyenne, Périgord	2,0	2,1	1,9
Provinces du Midi	2,5	1,9	1,8
Ensemble	**100**	**100**	**100**
(Nombres absolus)	(2 770)	(3 525)	(3 384)

* Immigrants français des deux sexes, mariés avant 1680 ; les cas indéterminés sont répartis au prorata.
Sources : Lortie, 1903-1904 ; Charbonneau et Robert, 1987 ; Programme de recherche en démographie
historique (Université de Montréal).

La répartition par grandes régions montre également quelques changements (voir tableau 2). Seconde chez Lortie, la région Poitou-Charentes bondit au premier rang, nettement devant la Normandie et le Perche réunis. Ce dernier groupe recule, de même que les pays de la Loire, pendant que s'accroît l'importance relative de Paris et de sa région. L'écart entre la Normandie et la région parisienne diminue de moitié. La part totale de ces quatre principales régions augmente quelque peu, jusqu'à rassembler plus de cinq pionniers sur six. À l'opposé, les pays de langue d'oc (au sud de la ligne de démarcation sur la carte 1) ne fournissent pas 5 % de l'ensemble.

TABLEAU 2

IMPORTANCE RELATIVE DES PRINCIPALES RÉGIONS D'ÉMIGRATION (POUR 100)

Lortie		PRDH	
Région	**%**	**Région**	**%**
1. Normandie-Perche	27,4	1. Poitou-Charentes	29,9
2. Poitou-Charentes	26,7	2. Normandie-Perche	24,9
3. Région parisienne	17,6	3. Région parisienne	20,1
4. Pays de la Loire	10,9	4. Pays de la Loire	9,8
Ensemble	**82,6**		**84,7**

Sources : Lortie, 1903-1904 ; Programme de recherche en démographie historique (Université de Montréal).

Taux d'émigration

La taille des provinces varie sensiblement tant en population qu'en superficie. Vingt-cinq fois plus populeuse que le Perche, la Normandie, par exemple, ne fournit pas quatre fois plus de pionniers que la patrie des Cloutier, des Gagnon et des Boucher. Il en résulte des taux d'émigration fort dissemblables (voir tableau 3), les plus élevés étant le fait de deux petites provinces, l'Aunis et le Perche. Même réuni à la Saintonge et à l'Angoumois, l'Aunis présente encore un taux dix fois supérieur à la moyenne, sans doute en raison du rôle joué par le port de La Rochelle dans le développement de la colonie. Quant au Perche, son éloignement de la côte ne l'empêche nullement de figurer au second rang que lui valent ici les hasards de l'histoire.

La place tenue par Paris tient à sa fonction de capitale et, plus précisément, à l'émigration des « filles du roi », comme on le verra ci-après. Suivent dans l'ordre le Poitou, la Normandie et les pays de la Loire, tous au-dessus de la moyenne. Toutes les autres provinces, sauf l'Île-de-France (sans Paris), se situent nettement sous la moyenne, les indices les plus faibles caractérisant celles de langue d'oc.

TABLEAU 3
NOMBRE DE PIONNIERS PAR PROVINCE
POUR 100 000 HABITANTS VERS 1700

Province	Nombre de pionniers	Population vers 1700 (en milliers)	Taux d'émigration (pour 100 000)
Aunis	403	72	560
Perche	180	70	257
Saintonge, Angoumois	257	288	89
Paris	439	510	86
Poitou	354	612	58
Normandie	662	1 820	36
Touraine, Anjou, Saumurois, Maine	258	1 069	24
Orléanais, Beauce	113	607	19
Île-de-France, Brie	200	1 238	16
Picardie, Artois, Flandre	81	1 155	7
Berry, Nivernais, Bourbonnais	37	614	6
Bretagne	94	1 655	6
Champagne, Lorraine, Alsace, Franche-Comté	97	1 820	5
Guyenne, Périgord	66	1 482	4
Bourgogne, Lyonnais	44	1 169	4
Marche, Limousin, Auvergne	37	1 145	3
Provinces du Midi	62	3 734	2
Ensemble	**3 384***	**19 060**	**18**

* Les cas indéterminés sont répartis au prorata.
Source : Dupâquier *et al.*, 1988.

Variations chronologiques

L'importance relative des diverses provinces fluctue singuliè-rement au cours du temps (voir tableau 4), d'autant plus que les nombres en cause ne sont guère considérables. Premiers arrivés, les gens du Perche et les Normands occupent une place prépondérante à l'aube du pays : avant 1640, ils représentent les deux tiers des colons et jusqu'à 90 % avec ceux de la région parisienne. C'est très nettement la période la plus homogène sur le plan des origines provinciales. Après avoir dominé jusqu'au milieu du siècle, le Perche recule progressivement

TABLEAU 4

IMPORTANCE RELATIVE DES PRINCIPALES PROVINCES D'ÉMIGRATION PAR PÉRIODE (POUR 100)

1608-1639		1640-1649		1650-1659		1660-1669		1670-1679	
Perche	34	Perche	20	Normandie	19	Normandie	19	Île-de-France	29
Normandie	31	Aunis	19	Aunis	17	Île-de-France	17	Normandie	18
Île-de-France	21	Normandie	17	Île-de-France	12	Poitou	14	Poitou	10
Autres	14	Autres	44	Autres	52	Autres	50	Autres	43
Ensemble	100		100		100		100		100

Source : Programme de recherche en démographie historique (Université de Montréal).

avant de disparaître pour de bon. La Normandie lui succède et réussit à se maintenir ensuite parmi les premières : c'est d'ailleurs la seule province figurant constamment dans les trois premiers rangs.

Complètement absent avant 1640, l'Aunis se hisse au deuxième rang dès les deux décennies suivantes. Il cède ensuite la place au Poitou, lequel se classe bon troisième après 1660. D'une décennie à l'autre, l'Île-de-France conserve une place fort honorable, à l'instar de la Normandie ; les Parisiens s'emparent d'ailleurs du premier rang entre 1670 et 1680.

Ainsi, au cours du demi-siècle considéré ici, la région Normandie-Perche domine initialement ; elle se maintient ensuite au deuxième rang, pendant trois décennies consécutives, derrière la région Poitou-Charentes, puis après la région parisienne durant la dernière période. Dans tout cela, seul l'établissement des soldats de Carignan témoigne d'une relative diversité des origines, comme on le verra plus loin.

Normands et Parisiennes

Les immigrantes, dont près de la moitié se concentrent dans deux provinces, constituent dans l'ensemble un contingent plus homogène que les hommes. Trois pionnières sur dix arrivent de l'Île-de-France, contre moins d'un pionnier sur dix. Le Poitou, au contraire, a deux fois plus d'importance du côté masculin. Mais les hommes sont normands avant tout (voir tableau 5).

Sous les Cent-Associés (1627-1663), les pionnières de l'Aunis sont les plus nombreuses ; mais lorsque le roi prend la colonie en main (1663), l'Île-de-France domine très nettement en doublant sa part : plus de la moitié des filles du roi sont parisiennes (Landry, 1992). Chez les hommes, la Normandie demeure au premier rang, mais le Poitou se classe tout près à partir de 1663. Par région, le Centre-Ouest ou Poitou-Charentes l'emporte chez les pionniers, devant le groupe Normandie-Perche, et il se retrouve deuxième après la région parisienne du côté féminin.

TABLEAU 5

IMPORTANCE RELATIVE DES PRINCIPALES PROVINCES D'ÉMIGRATION
SELON LE SEXE DES PIONNIERS (POUR 100)

	1608-1662			1663-1679			1608-1679	
Sexe masculin		Sexe féminin		Sexe masculin		Sexe féminin		Sexe masculin	Sexe féminin

1608-1662		1663-1679		1608-1679	
Sexe masculin	**Sexe féminin**	**Sexe masculin**	**Sexe féminin**	**Sexe masculin**	**Sexe féminin**
Normandie 24	Aunis 21	Normandie 20	Île-de-France 37	Normandie 20	Île-de-France 30
Aunis 12	Île-de-France 18	Poitou 18	Normandie 17	Poitou 13	Normandie 17
Perche 11	Normandie 16	Aunis 9	Aunis 10	Aunis 11	Aunis 14
Île-de-France 10	Perche 12	Île-de-France 8	Poitou 7	Île-de-France 9	Poitou 6
Poitou 8	Saintonge 6	Saintonge 6	Champagne 5	Saintonge 6	Perche 5
Autres 35	Autres 27	Autres 39	Autres 25	Autres 41	Autres 28
Ensemble 100	**100**	**100**	**100**	**100**	**100**

Source : Programme de recherche en démographie historique (Université de Montréal).

Des colons d'origine urbaine

Un homme sur trois environ et près de trois femmes sur cinq se déclarent d'origine urbaine, avons-nous déjà constaté à propos de ces pionniers (Charbonneau, 1990). Après révision, ces proportions se trouvent sensiblement redressées : c'est presque la moitié des hommes et environ sept femmes sur dix qu'il convient désormais d'écrire (voir tableau 6). Plus complète, la nouvelle définition repose davantage sur la notion qu'on se faisait de la ville au XVIIe siècle, puisque le classement a été établi ici d'après les dictionnaires publiés sous l'Ancien Régime. La majorité des colons sont donc des citadins et plusieurs parmi ceux qui se disent de la campagne sont en outre passés par la ville.

Les pionniers recrutés sous les Cent-Associés sont les plus ruraux, mais cela tient presque exclusivement au sexe féminin. Les filles du roi, arrivées à partir de 1663, sont près de trois fois sur quatre des urbaines, alors que les immigrantes débarquées au début de la colonie, souvent avec leur famille, viennent davantage de la campagne.

Les provinces qui fournissent les plus fortes proportions de ruraux, tant d'un sexe que de l'autre, sont le Perche, le Maine, le Poitou, la Saintonge et l'Angoumois : plus de sept hommes sur dix et au moins une femme sur deux dans tous les cas. À l'opposé, les provinces présentant les effectifs les plus urbanisés sont l'Île-de-France et l'Aunis, de même que l'Orléanais et la Touraine, toutes caractérisées par l'importance du contingent féminin. Mais les hommes qui viennent de ces provinces se révèlent à peine moins fréquemment de la ville que leurs compatriotes de l'autre sexe. Paris et La Rochelle interviennent ici de façon déterminante, réunissant avec Rouen le tiers des urbains et plus de la moitié des urbaines.

Bien que les villes ne rassemblent pas 20 % des Français à l'époque, l'importance des citadins, même à l'aurore de la colonie, ne saurait étonner. L'histoire des migrations nous enseigne que les individus les plus susceptibles de se déplacer se concentrent dans les villes. Souvent moins bien adaptés à leur milieu, ils sont d'autant plus sujets à l'émigration que les communications les placent, plus que les paysans, en contact avec le monde extérieur (Landry, 1992).

TABLEAU 6

IMPORTANCE RELATIVE DES PIONNIERS D'ORIGINE URBAINE SELON LA RÉGION D'ORIGINE,
LA PÉRIODE D'ARRIVÉE ET LE SEXE (POUR 100)

Région	1608-1662		1663-1679		1608-1679	
	Sexe masculin	Sexe féminin	Sexe masculin	Sexe féminin	Sexe masculin	Sexe féminin
Bretagne	26,9	60,0	44,7	81,3	37,5	76,2
Normandie-Perche	40,3	44,6	39,6	70,2	40,0	57,9
Région parisienne	66,7	78,0	68,7	86,2	67,6	84,3
Loire	27,8	47,1	61,1	88,0	43,3	67,3
Nord	63,6	71,4	54,8	45,5	57,1	51,7
Est	39,1	58,3	48,3	62,9	44,2	62,2
Poitou-Charentes	44,3	68,3	35,2	55,0	39,0	61,9
Centre	38,5	57,1	55,0	50,0	50,9	53,3
Sud	68,8	100,0	50,6	28,6	53,5	44,4
Ensemble	43,3	61,3	45,3	73,7	44,4	69,0

Source : Programme de recherche en démographie historique (Université de Montréal).

Habitat d'origine

Un peu moins de la moitié des pionniers arrivent de villes grandes ou moyennes et cette proportion dépasse même 60 % dans le cas des femmes ; environ le quart viennent d'une petite ville ou d'un bourg et moins de trois sur dix se rattachent aux paroisses ne comportant pas d'agglomération digne de ce nom (voir tableau 7). Cela tend à signifier que les pionniers appartiennent bien davantage au monde des artisans et des journaliers qu'à celui des laboureurs. Et le phénomène se révèle aussi net sous les Cent-Associés que par la suite, ce qui ne manque pas d'étonner.

Deux fois plus importants que les petites villes à l'époque en France, les bourgs concernent près de quatre immigrants ruraux sur dix. Si l'on observe peu de variations entre les sexes à cet égard, on constate, contre toute attente, que la fraction de ruraux originaires d'un bourg diminue avec le temps. Les premiers défricheurs ne se sont manifestement pas tous recrutés au milieu des massifs forestiers de France.

À vrai dire, le taux d'émigration augmente avec la taille des agglomérations (voir tableau 8). Les villes grandes et moyennes fournissent respectivement quatre et trois fois plus de pionniers que la moyenne, proportionnellement à leur population. Les petites villes et les bourgs affichent un taux moyen, alors que les paroisses rurales se caractérisent par un indice presque dix fois plus faible que celui des grandes villes. Les résultats précédents s'en trouvent confirmés : le recrutement des colons est davantage conditionné par l'offre que par la demande. À qui attend des paysans, défricheurs, bûcherons, agriculteurs, se présentent de préférence des citadins qui connaissent souvent mieux la taille des habits ou le maniement des armes que la faucille ou la hache. Il n'empêche que, dans ce pays hautement agricole qu'est la France du XVIIe siècle, peu d'individus se trouvent vraiment éloignés de la terre.

TABLEAU 7

DISTRIBUTION DES PIONNIERS SELON LE TYPE D'HABITAT D'ORIGINE,
LA PÉRIODE D'ARRIVÉE ET LE SEXE*

Habitat	1608-1662				1663-1679				1608-1679			
	Sexe masculin	%	Sexe féminin	%	Sexe masculin	%	Sexe féminin	%	Sexe masculin	%	Sexe féminin	%
Grandes villes	126	13,9	111	21,1	179	16,9	385	43,1	305	15,5	496	34,9
Villes moyennes	200	22,1	172	32,6	185	17,5	196	21,9	385	19,6	368	25,9
Petites villes	66	7,3	40	7,6	115	10,9	77	8,6	181	9,2	117	8,2
Bourgs ruraux	213	23,5	94	17,8	185	17,5	77	8,6	398	20,1	171	12,0
Paroisses rurales	300	33,1	110	20,9	394	37,2	159	17,8	694	35,4	269	18,9
Ensemble	905	100	527	100	1 058	100	894	100	1 963	100	1 421	100

* À l'exclusion des non-Français ; les cas indéterminés sont répartis au prorata.
Source : Programme de recherche en démographie historique (Université de Montréal).

TABLEAU 8

**NOMBRE DE PIONNIERS PAR TYPE D'HABITAT D'ORIGINE
POUR 100 000 HABITANTS VERS 1700**

Habitat	Proportion de la population française vers 1700 (pour 100)	Proportion de l'effectif des pionniers (pour 100)	Taux d'émigration (pour 100 000)
Grandes villes	5,5	23,7	76
Villes moyennes	7,3	22,3	54
Petites villes	6,0	8,8	26
Bourgs ruraux	20,3	16,8	15
Paroisses rurales	60,9	28,5	8
Ensemble	**100**	**100**	**18**

Sources : Meyer, 1983 ; Dupâquier *et al.*, 1988.

Statut linguistique

Ces fondateurs de la souche canadienne-française forment-ils un ensemble relativement homogène sur le plan linguistique ? Il convient sans doute de répondre par l'affirmative à cette question, s'il faut en juger par leurs origines (Charbonneau, 1990). Quatre sur dix viennent en effet des provinces francisantes du Bassin parisien (Barbaud, 1984), et cette proportion s'élève même aux deux tiers si on se limite aux immigrants de la première heure, c'est-à-dire aux colons établis avant 1640. Reste à savoir ensuite dans quelle mesure les urbains des autres provinces s'expriment en français : comme ils représentent 30 % des pionniers, on aboutit à une proportion de sept francisants sur dix immigrants (huit sur dix avant 1640) dans l'hypothèse où les citadins sont rapidement classés dans le groupe de langue française, quelle que soit leur province d'origine. L'idée est d'autant plus acceptable qu'il s'agit très souvent de villes importantes : les Rouennais, les Dieppois, les Rochelais, les habitants de Poitiers, Caen ou Nantes devaient avoir une assez bonne connaissance du parler français. De nombreux auteurs affirment en outre que les patoisants de langue d'oïl se comprenaient tous entre eux (Asselin et McLaughlin, 1981).

Or, les immigrants originaires des provinces de langue d'oc sont en nombre négligeable : un homme sur 13, une femme sur 75 environ.

Il faut de plus attendre jusqu'à 1665, l'année de l'arrivée du régiment de Carignan, pour que ces immigrants méridionaux prennent une place significative. Ils constituent en effet 20 % des hommes établis cette année-là ; mais comme il s'agit essentiellement de militaires, dont un certain nombre d'officiers, et qu'il y a parmi eux une fraction appréciable de citadins, on peut estimer que leur assimilation est déjà largement commencée lorsqu'ils débarquent dans la colonie.

Quand on sait enfin quel rôle les mères jouaient dans la transmission de la langue, on ne saurait trop insister sur le caractère fortement francisant du contingent féminin arrivé dans la colonie.

*

*   *

La personnalité de la colonie a été forgée par les pionniers qui, arrivés tôt, ont vécu assez longtemps pour exercer une influence durable sur leur patrie d'adoption. Un Poitevin arrivé vers 1670 n'a pas la même importance qu'un Normand débarqué avant 1635. Les immigrants repartis en France sitôt leur engagement terminé ne sauraient se comparer aux pionniers dont la progéniture a vite essaimé sur les rives du Saint-Laurent.

Aussi nous a-t-il paru opportun de calculer la part des diverses provinces en faisant le cumul des années vécues avant 1680 par les pionniers issus de chacune d'elles. Mais les résultats ne donnent pas une image très différente de celle qui se dégage des premiers tableaux ci-dessus. Seuls les gens du Perche se distinguent avec une durée moyenne de présence nettement au-dessus de l'ensemble : 27 ans contre 16 ans. Comme le Perche n'a fourni somme toute que des effectifs réduits à l'aurore du pays, son importance relative se révèle finalement inférieure à celle d'une province comme le Poitou, dont l'intervention tardive ne l'a pas empêché de fournir deux fois plus de colons au total ; de même, les femmes de l'Île-de-France occupent une place triple de celle des immigrantes du Perche, malgré une durée moyenne de présence deux fois plus faible. L'importance numérique relative des uns a compensé la précocité de l'établissement des autres.

Si la pointe migratoire marquée par les filles du roi et les soldats de Carignan a eu autant d'importance que le mouvement des arrivées sous les Cent-Associés dans le devenir de la colonie, il n'empêche que les immigrants de la première heure, Normands et Percherons en particulier, n'ont pu se faire ravir le rôle initiateur qu'ils ont nécessairement eu, tant sur le plan linguistique qu'en la plupart des matières. Il reste à voir comment les derniers débarqués se sont fondus dans le groupe initial. C'est là notre prochain objectif: l'analyse de la formation des unions selon l'origine combinée des conjoints.

Bibliographie

Asselin, Claire, et Anne McLaughlin (1981), « Patois ou français : la langue de la Nouvelle-France au 17ᵉ siècle », dans *Langage et société*, 17, p. 3-58.

Atlas historique de Normandie (1967), Caen, Centre de recherches d'histoire quantitative, Faculté des lettres et sciences humaines de l'Université de Caen.

Auger, Roland J. (1951), « Les soldats de la guerre de Sept Ans », dans *Mémoires de la Société généalogique canadienne-française*, IV, 4 (juin), p. 243.

Barbaud, Philippe (1984), *Le choc des patois en Nouvelle-France*, Sillery, PUQ, 204 p.

Bardet, Jean-Pierre, et Claude Motte (dir.) (dep. 1974), *Paroisses et communes de France*, Dictionnaire d'histoire administrative et démographique, Paris, CNRS, 30 vol. étaient parus en 1991.

Bouchard, Gérard, et André Larose (1976), « La réglementation des actes de baptême, mariage, sépulture au Québec, des origines à nos jours », dans *Revue d'histoire de l'Amérique française*, 30, 1 (juin), p. 67-84.

Charbonneau, Hubert (1975), *Vie et mort de nos ancêtres. Étude démographique*, Montréal, PUM (coll. Démographie canadienne, 3), 268 p.

Charbonneau, Hubert (1990), « Le caractère français des pionniers de la vallée laurentienne », dans *Cahiers québécois de démographie*, 19, 1 (printemps), p. 49-62.

Charbonneau, Hubert, Bertrand Desjardins, André Guillemette, Yves Landry, Jacques Légaré et François Nault (1987), avec la collaboration de Réal Bates et Mario Boleda, *Naissance d'une population. Les Français établis au Canada au XVIIᵉ siècle*, Paris et Montréal, PUF et PUM, (INED, coll. Travaux et documents, 118), VIII + 232 p.

Charbonneau, Hubert, et Normand Robert (1987), « Origines françaises de la population canadienne, 1608-1759 », dans R. Cole Harris (dir.), *Atlas historique du Canada*, vol. I : *Des origines à 1800*, Montréal, PUM, planche 45.

Doisy, Pierre (1753), *Le royaume de France et les États de Lorraine*, Paris, N. Tilliard, 1 172 p.

Dupâquier, Jacques (1977), *Statistiques démographiques du Bassin parisien, 1636-1720*, Paris, Gauthier-Villars, 783 p.

Dupâquier, Jacques, *et al.* (1988), *Histoire de la population française*, t. 2 : *De la Renaissance à 1789*, Paris, PUF, 601 p.

Expilly, Jean Joseph d' (1762-1770), *Dictionnaire géographique, historique et politique des Gaules*, Paris, Desaint et Saillant, 6 vol.

Ferland, Jean-Baptiste (1861-1865), *Cours d'histoire du Canada*, Québec, Auguste Côté, 2 vol.

Fournier, Marcel (1981), *Dictionnaire biographique des Bretons en Nouvelle-France, 1600-1765*, Québec, Archives nationales du Québec (coll. Études et recherches archivistiques, 4), 213 p.

Garneau, François-Xavier (1859), *Histoire du Canada*, 3ᵉ édition, Québec, P. Lamoureux, 2 vol.

Godbout, Archange (1946), « Nos hérédités provinciales françaises », dans *Les Archives de folklore*, t. I, Montréal, Fides, p. 26-40.

Godbout, Archange (1951-1965), « Nos ancêtres au XVIIᵉ siècle », série d'articles dans *Rapport de l'Archiviste de la province de Québec*, t. 32-40, 1951-1960, puis dans *Rapport des archives du Québec*, t. 41-43, 1961-1965.

Harris, R. Cole (1972), « The French Background of Immigrants to Canada before 1700 », dans *Cahiers de géographie de Québec*, 38 (septembre), p. 313-324.

Jetté, René (1983), avec la collaboration du Programme de recherche en démographie historique, *Dictionnaire généalogique des familles du Québec – des origines à 1730*, Montréal, PUM, XXX + 1 180 p.

Lafortune, Marcel (1982, 1983, 1988), *Initiation à la paléographie franco-canadienne*, Montréal, Société de recherche historique Archiv-Histo inc., vol. 1, 1982, 59 p. ; vol. 2, 1983, 71 p. ; vol. 3, 1988, 48 p.

Landry, Yves (1992), *Orphelines en France, pionnières au Canada : les filles du roi au XVIIᵉ siècle*, Montréal, Leméac, 436 p.

Légaré, Jacques (1988), « A Population Register for Canada under the French Regime : Context, Scope, Content, and Applications », dans *Canadian Studies in Population*, 15, 1, p. 1-16.

Lortie, Stanislas (1903-1904), « De l'origine des Canadiens-français », dans *Bulletin du parler français au Canada*, 1, 9, 1903, p. 160-165 ; 2, 1, 1904, p. 17-18.

Malchelosse, Gérard (1947), « À propos de nos origines », dans *Les Cahiers des Dix*, 12, p. 231-268.

Massicotte, É.-Z. (1937), « D'où viennent les colons au XVIIIᵉ siècle », dans *Le Bulletin des recherches historiques*, XLIII, 2 (février), p. 53-56.

Mathieu, Jacques (1987), avec la collaboration de Pauline Therrien-Fortier et de Rénald Lessard, « Mobilité et sédentarité : stratégies familiales en Nouvelle-France », dans *Recherches sociographiques*, 28, 2-3, p. 211-227.

Meyer, Jean (1983), *Études sur les villes en Europe occidentale. Milieu du XVIIᵉ siècle à la veille de la Révolution française*, Paris, Société d'édition d'enseignement supérieur, 217 p.

Mirot, Léon, et Albert Mirot (1980), *Manuel de géographie historique de la France*, Paris, Picard, 623 p.

Rameau de Saint-Père, Edme (1859), *La France aux colonies*, Paris, Jouby, 355 p.

Robert, Normand (dep. 1984), *Nos origines en France, des débuts à 1825*, Montréal, Société de recherche historique Archiv-Histo inc., 6 vol. étaient parus en 1991.

Robert, Normand (1989), *Nos origines en France, des débuts à 1825*, vol. 5 : *Poitou*, Montréal, Société de recherche historique Archiv-Histo inc., 141 p.

Saugrain, Claude (1709), *Dénombrement du royaume par généralités, élections, paroisses et feux*, Paris, Claude Saugrain, 2 t., 408 p. et 342 p.

Tanguay, Cyprien (1871-1890), *Dictionnaire généalogique des familles canadiennes depuis la fondation de la colonie jusqu'à nos jours*, t. I-VII, Montréal, Eusèbe Senécal.

Trudel, Marcel (1983), *Catalogue des immigrants, 1632-1662*, Montréal, Hurtubise HMH, 569 p.

La francophonie nord-américaine

Mise en place et processus de diffusion géohistorique

Dean Louder, Cécyle Trépanier et Eric Waddell
Département de géographie
Université Laval

De cette petite province de Québec, de cette minuscule colonie française sont sortis les trois-quarts du clergé de l'Amérique du Nord.

Éminence, [...] il vous faudrait rester deux ans en Amérique, franchir cinq mille kilomètres de pays, depuis le Cap-Breton jusqu'à la Colombie Anglaise, et visiter la moitié de la glorieuse république américaine – partout où la foi doit s'annoncer, partout où la charité peut s'exercer – pour retracer les fondations de toutes sortes – collèges, couvents, hôpitaux, asiles – filles de ces institutions mères que vous avez visitées ici. Faut-il en conclure que les Canadiens français ont été plus zélés, plus apostoliques que les autres ? Non, mais la providence a voulu qu'ils soient les apôtres de l'Amérique du Nord (Bourassa, 1910).

Ce discours tenu par Henri Bourassa devant l'évêque de West-minster en visite à Montréal reflète la vision élitiste de l'Amérique française véhiculée par certains tenants du pouvoir au début du siècle. Une vision populaire de cette même Amérique s'est exprimée plus récemment dans une nouvelle écrite par l'écrivain Clark Blaise, descendant de la famille Blais de Lac-Mégantic :

My father told it to me one day over beers in a bar in Manchester as though he were giving me an inheritance. One of my uncles, the one who'd gone to California, had taken the easy northern route across Ontario and the prairies, then down the west coast lumber trails, without missing a single French *messe* along the way. All America is riddled like Swiss cheese, with pockets of French (1974, p. 89).

Si Blaise a raison, sommes-nous aujourd'hui en mesure de cerner ces «poches»? Pouvons-nous les mettre sur la carte? Existe-t-il une francophonie nord-américaine objective?

FRANCOPHONIE NORD-AMÉRICAINE À LA CARTE

Plusieurs définitions de *francophone* s'offrent à nous. Énumérons-en quelques-unes: 1) personne d'origine ethnique française; 2) personne dont la langue maternelle est le français[1]; 3) personne qui peut parler le français, peu importe son origine ethnique; 4) personne qui vit en français[2]. *Ainsi, le poids de la francophonie nord-américaine varie considérablement selon la définition retenue.*

Dans le contexte nord-américain, si l'on reconnaît la francophonie comme étant une «communauté historique», la variable «origine ethnique française» permet d'obtenir une *définition englobante* de la francophonie, tandis que la variable «français parlé à la maison» conduit à une *définition plus restrictive mais culturellement plus vivante* (voir tableau 1 et figures 1 et 2)[3].

Retenons, dans un premier temps, la vision historique du phénomène et examinons la mise en place de cette francophonie. Dans un deuxième temps, nous tenterons de trouver un certain sens géopolitique au modèle contemporain qu'elle présente.

---

1. Au Canada, *langue maternelle* veut dire première langue apprise et encore comprise; aux États-Unis, cette dernière exigence n'est pas de rigueur.

2. Cet aspect est le plus souvent mesuré au Canada comme aux États-Unis par la variable «français parlé à la maison».

3. Pour une analyse régionale plus détaillée, voir Brousseau (1988) ou Brousseau et Miller (1988).

TABLEAU 1

LE POIDS DÉMOGRAPHIQUE DE LA FRANCOPHONIE NORD-AMÉRICAINE, 1980-1981

	Population totale	Origine ethnique française		Français parlé à la maison	
		N	%	N	%
Canada	24 035 421	6 431 535	27	5 920 867	25
États-Unis	226 080 071	12 890 949	6	1 549 144	1
Amérique du Nord	250 115 492	19 322 484	8	7 470 011	3

Sources: Recensement canadien, 1981 ; Bureau of the Census, USA, 1980, dans Brousseau et Miller, 1988.

LE PROCESSUS DE MISE EN PLACE : TROIS FOYERS

Le processus de mise en place de la francophonie nord-américaine s'articule autour du concept de trois foyers « américains », chacun ayant donné naissance à une diaspora continentale : le Québec (1608), l'Acadie (1604) et la Louisiane (1682) (voir figure 3). S'ajoutent aux trois foyers deux collectivités, le plus souvent passées sous silence, dont la contribution à la formation de l'espace « francophone » est appréciable : celle des Métis et celle des Haïtiens.

Le foyer québécois

Enraciné depuis bientôt quatre siècles dans la vallée du Saint-Laurent, le peuple québécois a survécu à la bataille des plaines d'Abraham. Avec le temps et beaucoup d'efforts, il s'est imposé comme une société distincte à l'intérieur d'un pays jeune à la recherche de sa propre identité, le Canada. Pourtant, l'histoire des Québécois ne se limite pas au Québec. Une partie importante du peuple a vécu une mouvance continentale et ce, au rythme de frontières économiques successives : la traite des fourrures et les explorations à l'échelle continentale du XVIIe au XIXe siècle ; le bois, les mines et l'agriculture de l'Ontario et du Midwest américain pendant le XIXe siècle ; le chemin de fer du Nord et l'industrie de l'Ontario pendant la même période ; les « facteries » de la Nouvelle-Angleterre et l'agriculture dans les Prairies canadiennes au

FIGURE 1

POPULATION D'ORIGINE ETHNIQUE FRANÇAISE

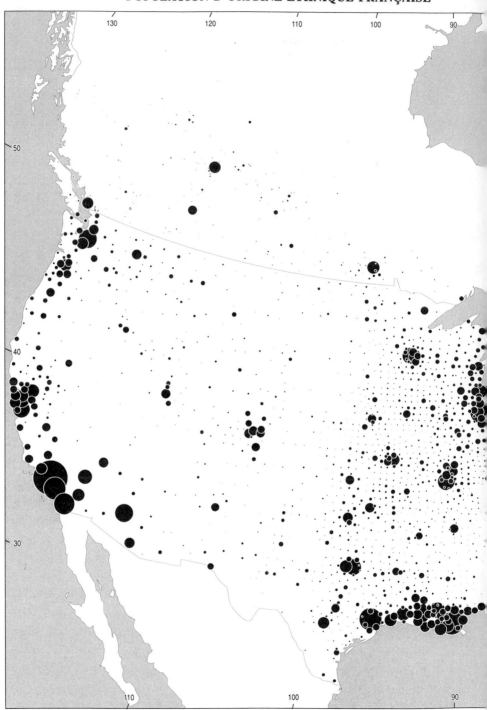

Sources: Statistique Canada 1981 et United States, Bureau of the Census 1980

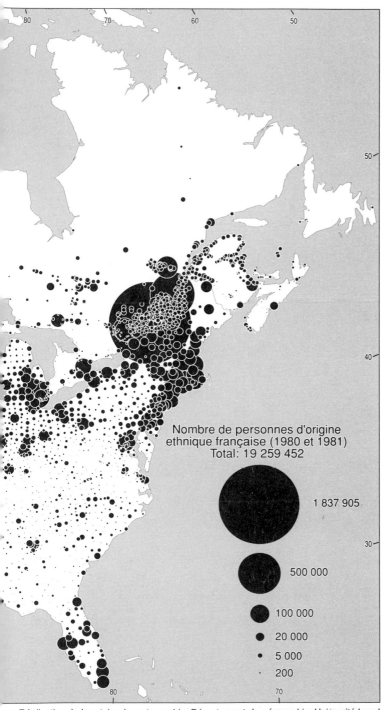

Nombre de personnes d'origine
ethnique française (1980 et 1981)
Total: 19 259 452

1 837 905

500 000

100 000

20 000

5 000

200

Réalisation: Laboratoire de cartographie, Département de géographie, Université Laval

FIGURE 2
FRANÇAIS PARLÉ À LA MAISON

Sources: Statistique Canada 1981 et United States, Bureau of the Census 1980

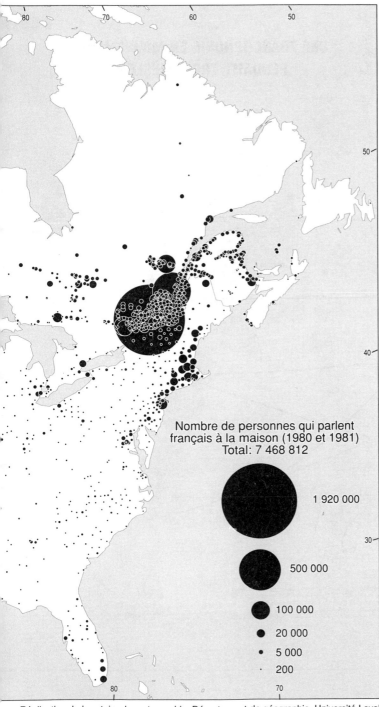

Nombre de personnes qui parlent
français à la maison (1980 et 1981)
Total: 7 468 812

1 920 000

500 000

100 000

20 000

5 000

200

Réalisation: Laboratoire de cartographie, Département de géographie, Université Laval

FIGURE 3

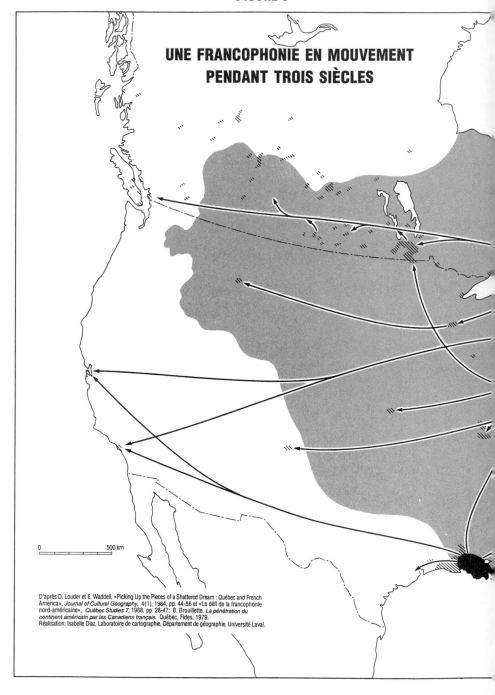

UNE FRANCOPHONIE EN MOUVEMENT
PENDANT TROIS SIÈCLES

0   500 km

D'après D. Louder et E. Waddell, «Picking Up the Pieces of a Shattered Dream : Québec and French
America», *Journal of Cultural Geography*, 4(1), 1984, pp. 44-56 et «Le défi de la francophonie
nord-américaine», *Québec Studies 7*, 1988, pp. 28-47; B. Brouillette. *La pénétration du
continent américain par les Canadiens français*. Québec, Fides, 1979.
Réalisation: Isabelle Díaz, Laboratoire de cartographie, Département de géographie, Université Laval.

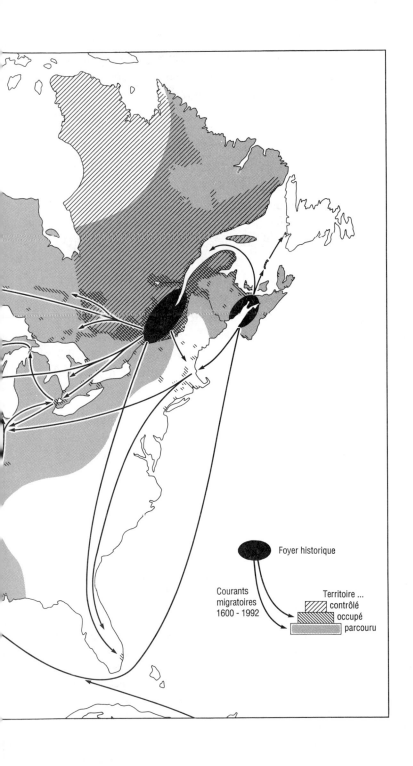

Foyer historique

Courants
migratoires
1600 - 1992

Territoire ...
contrôlé
occupé
parcouru

XIXe et dans la première moitié du XXe siècle ; et plus récemment, la chaleur de la Floride, le pétrole de l'Alberta et le rêve de la Californie[4]. Étant donné l'envergure de sa diaspora, il n'est pas surprenant que le Québec puisse revendiquer le titre de mère patrie[5].

Le foyer acadien

Des colons français s'établissent en Acadie au début du XVIIe siècle. À l'origine centrée sur ce qui est aujourd'hui la baie de Fundy en Nouvelle-Écosse, l'Acadie a eu une existence tragique. Sa localisation à la charnière de deux colonies ennemies a scellé son destin. Conquise à maintes reprises par les Anglais, sa population fut finalement déportée pendant la période 1755-1763. Environ le tiers des Acadiens rentreront au bercail après 1763. Ce retour sera contrôlé par les autorités britanniques qui s'assureront de la dispersion géographique des Acadiens à l'intérieur du territoire qui deviendra les Provinces maritimes. Un autre tiers s'enracinera au Québec, alors que 17 % choisiront la Louisiane. Les mouvements subséquents des Acadiens se feront surtout pour des raisons économiques, vers la Nouvelle-Angleterre ou vers le Québec (LeBlanc, 1983).

Pour l'instant, l'Acadie demeure encore un territoire imaginaire, donc sans frontières, mais le désir de certains francophones du Nouveau-Brunswick de lui voir attribuer un statut juridique se manifeste au gré de la situation politique canadienne et québécoise[6].

---

4. Voir Louder, Morissonneau et Waddell (1983), Morissonneau (1983), Lalonde (1983), Dupont (1985), Mailloux (1985) et Chaput (1985).

5. Voir Louder (1988, 1989). Dean Louder a présenté en outre les conférences suivantes sur le même thème : « Le Québec mère patrie : une étape normale dans l'évolution de l'identité québécoise », communication présentée dans le cadre des Mardis universitaires, à l'Université Laval, le 7 novembre 1989 ; « Le Québec : mère patrie pour les Franco-Américains », conférence prononcée le 23 février 1991 au Secrétariat permanent des peuples francophones dans le cadre d'une journée consacrée au thème « Francophonie et communautés culturelles : panorama de la dynamique continentale et mondiale de la francophonie ».

6. À l'occasion du congrès de la Société des Acadiens du Nouveau-Brunswick, en octobre 1979, les participants proposèrent l'idée d'une onzième province canadienne qui serait acadienne. Actuellement, certains parlent d'une éventuelle annexion au Québec de la partie francophone du Nouveau-Brunswick (voir Fleury, 1991).

Le foyer louisianais

Explorée par des Canadiens français, colonisée par la France puis par l'Espagne avant de devenir américaine, la Louisiane se distingue en tant que terre d'accueil d'une diversité de populations incomparable au sein de la francophonie nord-américaine. Des colons français et allemands et une population noire ont marqué ses débuts. L'Espagne y installa des Espagnols et des gens des îles Canaries, mais s'y retrouvèrent aussi 4 000 réfugiés acadiens et, à partir de 1791, à la suite de la révolution de Saint-Domingue (Haïti), près de 10 000 réfugiés également répartis entre planteurs, gens de couleur libres (population mulâtre non esclave, de l'anglais *free people of colour*) et esclaves. Dans le prolongement de la Révolution française et des guerres napoléoniennes, un certain nombre de réfugiés politiques français aboutiront aussi en Louisiane. Sa vente aux États-Unis en 1803 par Napoléon, qui venait à peine de la récupérer, marquera le début d'une immigration anglo-américaine importante et d'une diversification ethnique encore plus grande, alors que La Nouvelle-Orléans deviendra la porte du sud du continent pour les immigrants à la poursuite du rêve américain. Commenceront alors la résistance et l'assimilation aux nouveaux maîtres. Tout en livrant son combat, la Louisiane française « américaine », pour des raisons économiques, se prolongera hors de ses frontières, notamment au Texas, au Mississippi et en Californie[7]. Le mouvement de renouveau culturel amorcé vers la fin des années 1960 semble aujourd'hui à bout de souffle. Il a néanmoins réussi à créer un territoire symbolique d'appartenance, l'Acadiana, et une identité régionale pour les francophones blancs, l'identité cadjine[8].

Tout comme la Louisiane française qui n'a montré ces dernières années que son visage acadien, la francophonie nord-américaine, dans son ensemble, projette une image tant partiale que partielle de sa

---

7. Étant donné les conditions sociales et économiques qui limitaient la mobilité sociale des Noirs dans le sud des États-Unis, la mobilité géographique des Noirs francophones fut beaucoup plus marquée que celle des Cadjins, qui étaient profondément enracinés en Louisiane. Ce sont surtout eux qui émigraient sur de grandes distances.

8. Pour une analyse complète de la situation de la Louisiane française au seuil du XXIe siècle, voir Trépanier (1989).

configuration véritable. Ainsi, deux grandes collectivités non blanches brillent par leur absence dans ce «rassemblement de famille».

LES GRANDS OUBLIÉS DE L'HISTOIRE ET D'AUJOURD'HUI

Les Métis

Jusqu'aux années 1960, le terme *métis* faisait référence strictement à la population issue d'unions entre Canadiens français et Amérindiennes, dans le contexte de la traite des fourrures et de la chasse aux bisons dans l'Ouest canadien[9]. Parlant français, cri ou mitchif, épousant la religion catholique et parcourant les plaines à partir de la rivière Rouge, ce peuple développa au XIXe siècle une forte conscience collective. La nation métisse a connu son apogée sous Louis Riel, dont le rêve était de construire une province homogène, sœur du Québec, et d'y accueillir les nombreux autres groupes ethniques qui arrivaient dans l'Ouest à cette époque. La nouvelle de sa pendaison par le gouvernement fédéral a provoqué un rassemblement de 50 000 personnes au Champ-de-Mars, à Montréal, le 22 novembre 1885, et a entraîné plus tard l'effondrement du Parti conservateur au Québec. Après la mort de son chef, la nation métisse a été dispersée aux quatre coins des Prairies et les «Bois brûlés» ont été relégués aux oubliettes.

Depuis une vingtaine d'années, l'ensemble des *sang-mêlé* de l'Ouest canadien et des États frontaliers américains se sont approprié le terme *métis*. Ce faisant, ils ont affirmé leur identité propre et leur marginalité économique et sociale, diluant du même coup l'apport du fait français chez cette collectivité. Toutefois, le souvenir d'un chevauchement réel de cultures et d'intérêts reste vif chez de nombreux Métis de l'Ouest, même si le destin de ce peuple est dorénavant très différent de celui des Canadiens français (Vastel, 1985; Sawchuk, 1978).

---

9. À ce propos, les ouvrages dits « classiques » sont les suivants : Giraud (1945) et Trémaudan (1935). Toutefois, ni l'un ni l'autre de ces ouvrages ne fait l'unanimité chez les Métis eux-mêmes. À ce sujet, voir Redbird (1978).

Les Haïtiens

Haïti est le seul État francophone indépendant des Antilles ; son passé et son destin sont intimement liés à ceux de la francophonie nord-américaine. À la fin du XIXᵉ siècle, alors que Saint-Domingue (Haïti) se libère du joug français, c'est vers un autre coin du premier Empire français, la Louisiane, que plusieurs milliers de planteurs, accompagnés de leurs esclaves et de gens de couleur libres, se dirigeront.

Le catholicisme a toujours été la religion dominante dans cette île. Depuis la Deuxième Guerre mondiale, ce sont des Canadiens et des Franco-Américains qui ont fourni le plus gros des effectifs des diverses communautés religieuses qui y sont implantées. Actives dans les domaines tant économique, culturel et éducatif que spirituel, ces communautés ont proposé aux Haïtiens, par la force des choses, une lecture essentiellement québécoise du monde.

Ces liens institutionnels religieux ont facilité le départ, notamment vers Montréal, d'une main-d'œuvre hautement qualifiée – à tel point qu'en 1968 le niveau de scolarité des Haïtiens était le plus élevé de tous les immigrants du Québec ! Pendant les années 1970 et 1980, la proximité du continent nord-américain a facilité l'émigration massive d'une main-d'œuvre beaucoup moins spécialisée, donnant ainsi naissance à une population d'au moins 350 000 Haïtiens dans les seules villes de Miami, New York, Boston et Chicago (Allen et Turner, 1988). Montréal en compte 60 000 autres. Située à l'extrémité nord d'un axe qui la relie à Port-au-Prince via New York et Miami, cette ville joue le rôle de capitale intellectuelle et politique de la diaspora haïtienne dans le monde[10].

Si Haïti se trouve à la périphérie de la francophonie nord-américaine, sa contribution à l'avenir de cet espace s'inscrit dans le métissage non seulement de la langue – en transformant le français en créole – mais aussi de la culture et des peuples. En infiltrant l'espace québécois, les Haïtiens ont fait voler en éclats l'image d'une francophonie canadienne « pure laine » et ils travaillent activement à

---

10. Par exemple, le président élu d'Haïti, le père Aristide, et ses proches collaborateurs ont reçu une partie importante de leur formation à Montréal.

l'élaboration d'une francophonie continentale renouvelée, faite du rapprochement entre une Amérique créole et une Amérique française à partir des pôles respectifs que constituent Port-au-Prince et Montréal (Jadotte, 1987).

RELEVER LE DÉFI : LE QUÉBEC ET L'ARCHIPEL RETROUVÉ

Comment résumer géographiquement cet univers francophone à la fois profondément enraciné en sol américain et en perpétuelle mouvance et lui trouver un certain sens géopolitique ? Waddell (1986) fournit des éléments de réponse (voir figure 4).

Une plaque tournante : le Québec

Seul État massivement et juridiquement francophone du continent, telle est l'originalité du Québec en Amérique. Si cette originalité est une source d'inspiration pour les francophones hors Québec, elle confère aux Québécois une sorte de responsabilité morale à l'égard de cette francophonie, tout en lui fournissant des alliés sûrs hors des frontières.

Des contreforts bilingues : l'Ontario français, la Nouvelle-Angleterre et l'Acadie

On trouve à l'ouest, en Ontario, une zone de prolongement démographique, culturel et économique de l'influence canadienne-française ; au sud-est, l'Acadie, aussi ancienne que le Québec et culturellement distincte ; et au sud, la Nouvelle-Angleterre, où se marient les diasporas canadienne-française et acadienne. Cette grande région « bilingue » constitue les contreforts du Québec.

Une zone de métissage : la Louisiane française et l'Ouest canadien

La diaspora continentale est caractérisée à ses limites par une région de métissage tant sur le plan économique que sur les plans culturel et racial. C'est le cas de la Louisiane où la diversité des francophones n'a d'égal que la variété de leur monde économique. C'est aussi le cas de l'Ouest canadien qui a vu naître le peuple métis bien avant

FIGURE 4

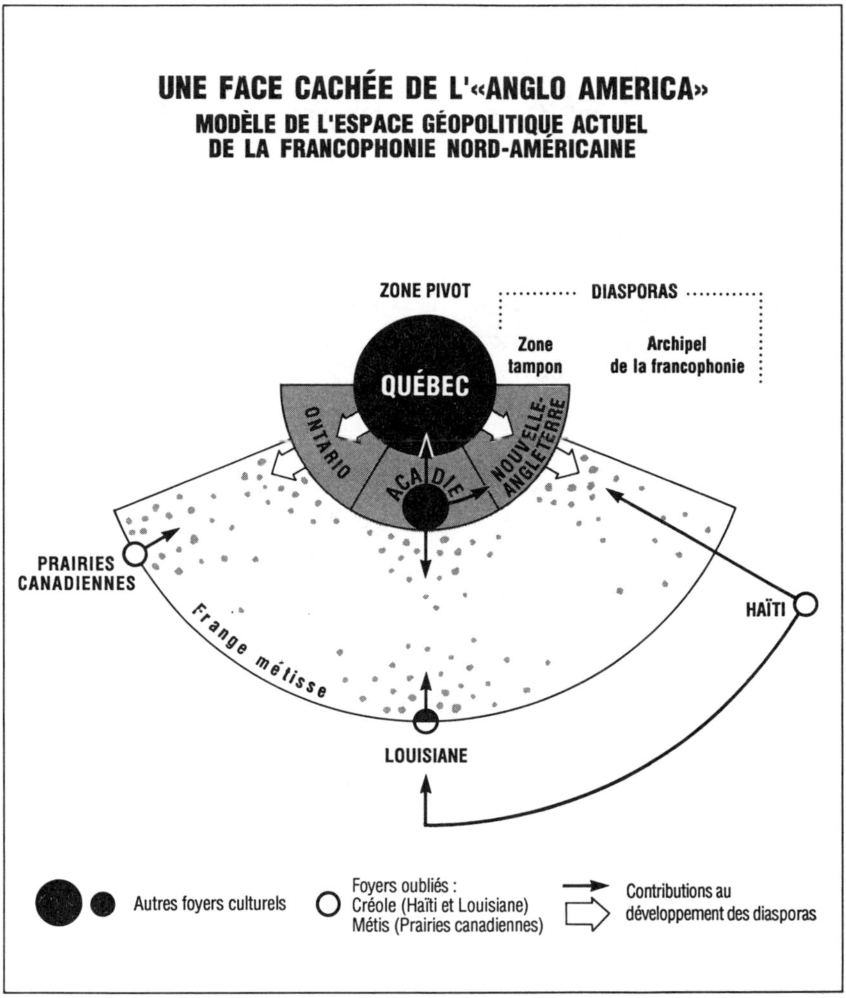
UNE FACE CACHÉE DE L'«ANGLO AMERICA»
MODÈLE DE L'ESPACE GÉOPOLITIQUE ACTUEL
DE LA FRANCOPHONIE NORD-AMÉRICAINE
ZONE PIVOT
DIASPORAS
Zone
tampon
Archipel
de la francophonie
QUÉBEC
ONTARIO
ACADIE
NOUVELLE-ANGLETERRE
PRAIRIES
CANADIENNES
HAÏTI
Frange métisse
LOUISIANE
Autres foyers culturels
Foyers oubliés :
Créole (Haïti et Louisiane)
Métis (Prairies canadiennes)
Contributions au
développement des diasporas

l'arrivée massive, à la fin du XIXe siècle, de colons originaires du Québec, de la Nouvelle-Angleterre et de divers pays d'Europe.

Un foyer créole : Haïti

L'appartenance géographique des Antilles à l'Amérique du Nord a toujours été ambiguë. On associe la région, le plus souvent, à l'Amérique latine. Pourtant, Haïti, seul État indépendant francophone à l'intérieur de la francophonie antillaise, a donné naissance au cours des trois dernières décennies à une diaspora continentale nord-américaine. Des communautés haïtiennes importantes existent à Miami, New York et Montréal. À mesure que les relations nord-sud prennent de l'ampleur, le lien Québec-Haïti se raffermit.

*

*   *

Voilà un tableau vite brossé de la francophonie nord-américaine. Trois anciennes colonies d'une France démissionnaire, précocement transformées en solides foyers américains, qui ont vu à travers les soubresauts de leur histoire une partie de leur population partir vers un ailleurs. Comme des araignées qui ont tissé leur toile, ces foyers et leurs diasporas constituent aujourd'hui la toile de fond sur laquelle se trame le destin d'une Amérique française contemporaine – un vaste archipel au centre duquel se situe la grosse île du Québec entourée d'une poussière d'îlots essaimés aux quatre vents, chacun ayant son identité propre.

Bibliographie

Allen, James, et Eugene Turner (1988), *We the People: An Atlas of America's Ethnic Diversity*, New York, Macmillan, 315 p.

Blaise, Clark (1974), *Tribal Justice*, Toronto, Doubleday, 268 p.

Bourassa, Henri (1910), « Religion, langue, nationalité », dans *Le Devoir*, 6 juillet, p. 16.

Brousseau, Yves (1988), sous la direction d'Eric Waddell, *Voir et chiffrer la francophonie nord-américaine, 1980-81*, Québec, Secrétariat permanent des peuples francophones, 163 p.

Brousseau, Yves, et Marc Miller (1988), *La francophonie nord-américaine à la carte: atlas électronique*, Québec, Département de géographie, Université Laval et Secrétariat permanent des peuples francophones.

Chaput, Donald (1985), *La participation de Canadiens français à la conquête de l'Ouest américain*, document réalisé sous les auspices de la Délégation du Québec à Los Angeles, 92 p.

Dupont, Louis (1985), « Les Québécois en Floride ou l'Amérique comme un possible », mémoire de maîtrise, Québec, Université Laval, 194 p.

Fleury, Camille (1991), « L'annexion de l'Acadie », dans *Le Devoir*, 22 février, p. A-8 (lettre).

Giraud, Marcel (1945), *Le Métis canadien, son rôle dans l'histoire des prairies de l'Ouest*, Paris, Institut d'ethnographie, 1 296 p.

Jadotte, Hérard (1987), « Amérique française et Amérique créole: une rencontre impossible ? », dans *Le Devoir*, 27 juin, p. A-9.

Lalonde, André (1983), « Les Canadiens français de l'Ouest: espoir, tragédies, incertitude », dans Louder et Waddell (dir.), p. 81-95.

LeBlanc, Robert A. (1983), « Les migrations acadiennes », dans Louder et Waddell (dir.), p. 137-162.

Louder, Dean (1988), « Le Québec d'en haut et le Québec d'en bas: Reflections a Hundred Years After », dans *Journal of Cultural Geography*, 8, 2, p. 39-47.

Louder, Dean (1989), « Le Québec et la Franco-Américanie: A Mother Country in the Making », dans *Four Hundred Years of Borderland Interaction in the Northeast*, Fredericton, Acadiensis Press, p. 126-136.

Louder, Dean, Christian Morissonneau et Eric Waddell (1983), « Introduction », dans Louder et Waddell (dir.), p. 1-10.

Louder, Dean, et Eric Waddell (dir.) (1983), *Du continent perdu à l'archipel retrouvé: le Québec et l'Amérique française*, Québec, PUL, XVIII + 294 p.

Mailloux, Claude (1985), « Discours d'État et migration interprovinciale: l'expérience des Québécois en Alberta », mémoire de maîtrise, Québec, Université Laval, 252 p.

Morissonneau, Christian (1983), « Le peuple dit ingouvernable du pays sans bornes: mobilité et identité québécoise », dans Louder et Waddell (dir.), p. 11-23.

Quintal, Claire (dir.) (1984), *L'émigration acadienne vers les États-Unis, 1842-1950*, Québec, Conseil de la vie française en Amérique (coll. Perspectives), 177 p.

Redbird, Duke (1978), «We are Metis: A Metis Perspective of the Evolution of an Indigenous Canadian People», thèse de maîtrise, Toronto, Université York, 188 p.

Sawchuk, Joe (1978), *The Metis of Manitoba: Reformulation of Ethnic Identity*, Toronto, P. Martin Associates, 96 p.

Trémaudan, Auguste H. (1935), *Histoire de la nation métisse dans l'Ouest canadien*, Montréal, Albert Lévesque, 448 p.

Trépanier, Cécyle (1989), *French Louisiana at the Threshold of the 21st Century*, Québec, Université Laval, Département de géographie, Projet Louisiane, Monographie n° 3.

Vastel, Michel (1985), «La tragédie du peuple métis», dans *L'Actualité*, 4, p. 92-100.

Waddell, Eric (1986), «Cartographier l'Amérique française», dans *Neuve-France*, 11, 3 (printemps), p. 12-13.

Un continent-Québec
et une poussière d'îles

Asymétrie et éclatement au sein
de la francophonie nord-américaine

Eric Waddell
Département de géographie
Université Laval

Le rêve d'une Amérique française homogène et solidaire, rayonnant à travers le continent à partir de la vallée du Saint-Laurent, est ô combien tenace ! Qu'elle soit perçue en tant que force civilisatrice, projet d'empire ou tout simplement face cachée de ce continent – une sorte de « doigt dans l'œil » à l'Amérique anglicisante –, nous avons tous, prêtre, politicien, intellectuel ou simple voyageur, été séduits par cette idée à un moment ou à un autre.

Je ne fais nullement exception à la règle. D'ailleurs, c'est en cherchant à délimiter cette Amérique obscure mais omniprésente que j'ai pu, à ma façon, comprendre le Québec et apprendre à aimer l'Amérique. Cet itinéraire a commencé pour moi au début de 1969 quand, témoin des grands bouleversements nationalistes de l'époque, j'ai appris que la Ligue d'intégration scolaire était menée par un Américain d'origine québécoise, Raymond Lemieux, qui avait décidé de quitter son Détroit natal et de rentrer au bercail pour défendre la seule patrie qui lui restait. Cette démarche l'avait amené à épouser une Québécoise et à s'inscrire à l'Université de Montréal afin de se réapproprier la langue de ses ancêtres et de plonger dans le Québec moderne. Par la suite, j'ai écouté

Charlebois chanter l'Amérique et nous entretenir de ce petit pays «un pouce et demi en haut des États-Unis», je me suis nourri intellectuellement de la revue *Presqu'Amérique* et j'ai ainsi dé-couvert l'américanité québécoise. Cette Amérique-là m'a amené hors frontières, par l'entremise de la littérature d'abord, accompagnant Victor-Lévy Beaulieu à la poursuite de Jack Kerouac. Et à travers lui j'ai découvert le Québec hors Québec, sa propre quête américaine... et aussi l'impossible retour. J'ai compris que, tout en étant profondément québécois, Kerouac n'était plus du Québec, qu'il habitait un autre espace-temps: un espace sans bornes, sans limites, et un temps qui s'éloignait et se rapetissait inexorablement. Ainsi j'ai décidé de traverser les frontières moi-mêmes.

LA DÉCOUVERTE D'AUTRES RÉALITÉS GÉOGRAPHIQUES

Tout départ en vacances servait de prétexte à visiter des communautés francophones hors Québec: Petits Canadas de la Nouvelle-Angleterre, baie Sainte-Marie, Chéticamp, péninsule acadienne et tant d'autres témoins d'une Amérique voilée. Des conférences universitaires m'ont permis de visiter le pays des Illinois, le Sud-Ouest ontarien, Maillardville et Moncton. Le premier véritable départ à des fins de recherche fut en 1972, en direction de la péninsule de Port-au-Port (Terre-Neuve)... où les gens parlaient bien français mais ignoraient presque tout du Québec et étaient massivement d'origine acadienne... et française. À partir de 1976, j'ai commencé à faire équipe avec Dean Louder, d'abord pour descendre en Louisiane afin de suivre le renouveau ethnique qui semblait animer le milieu francophone dans cet État lointain. À la suite de cette expérience, nos voyages en Franco-Amérique se sont intensifiés, cette fois-ci dans le cadre du cours «Le Québec et l'Amérique française»: plus d'une décennie de «stages sur le terrain» qui commençaient et se terminaient en Acadie néo-brunswickoise, mais qui comprenaient une grande boucle passant par l'Ontario français, la Nouvelle-Angleterre, le Manitoba et le Minnesota, et un séjour parmi les Métis du nord de la Saskatchewan – une façon prégnante de commémorer le centenaire de la pendaison de Louis Riel.

Cet itinéraire fut animé par une préoccupation strictement scientifique: cerner la nature et la dynamique des rapports majoritaire-minoritaire et déterminer en quel sens le statut de minoritaire francophone était foncièrement différent de celui de minoritaire anglophone (au Québec). Mais au-delà de cet objectif scientifique, je ressentais le désir, comme tant d'autres de ma génération, de faire sauter les murs de la «prison-Québec», de retrouver la famille et ainsi de renforcer l'enracinement sur le grand continent de l'État-nation naissant, et donc d'accroître la légitimité et l'autorité du Québec nouveau. Rédiger et faire connaître notre ouvrage collectif intitulé *Du continent perdu à l'archipel retrouvé : le Québec et l'Amérique française* (Louder et Waddell, 1983) a représenté le premier fruit de cette démarche, tandis que l'organisation de la Rencontre internationale Jack Kerouac, à Québec en 1987, et la publication, en 1990, d'*Un homme grand : Jack Kerouac at the Crossroads of Many Cultures / Jack Kerouac à la confluence des cultures* (Anctil *et al.*) en a été le deuxième.

L'ÉVEIL CULTUREL

En ce qui concerne le milieu culturel de ma génération, cette Amérique fut surtout chantée, d'abord par des chansonniers et des groupes de musique traditionnelle d'ici : Georges Langford («Acadiana»), Renée Claude («Shippagan»), Gilles Vigneault («Anne, ma sœur Anne»), Pauline Julien («Mommy»), Le Rêve du diable, Garolou, Ruine Babines ; ensuite par des individus et des groupes venus d'ailleurs, tels Édith Butler, Zachary Richard et CANO. Laissez-moi commettre ce crime impardonnable de me citer à ce sujet :

> C'est la musique, au milieu des années 70, qui est venue fracasser ce mur dont le Québec s'est entouré : Édith Butler, CANO, Zachary Richard... Dans l'esprit d'une certaine jeunesse à la recherche de ses propres racines, de son «authenticité», ces musiciens évoquaient la mémoire du peuple, entreposée depuis fort longtemps ailleurs et d'autant plus poignante parce que «revenue de loin» et colorée d'un exotisme certain. Il s'agissait de véritables découvertes pour nous, de «happenings collectifs» qui devaient servir à tisser des liens de solidarité avec des semblables ailleurs en Amérique. Le point de mire dans ce voyage de découverte d'une Amérique française quasiment céleste fut probablement *la Veillée des veillées* qui a duré le temps d'une nuit entière au Gesù à Montréal en 1975. Quand Sadie Courville et Dennis McGee, deux vieux violonneux de la Louisiane, ont commencé à jouer, ce fut l'extase dans la salle. Grâce à la puissance, à la joie mêlée inextricablement de tristesse de leurs instruments qui se sont transformés en de véritables êtres vivants,

ils ont réussi dans les profondeurs de la nuit montréalaise à créer une musique à couper le souffle – littéralement –, tellement elle était belle et inattendue (Waddell, 1987, p. 14).

À vrai dire, Courville et McGee étaient tout aussi touchés que nous par l'expérience puisqu'ils annoncèrent, incrédules, lors de cette soirée inoubliable, qu'il n'y avait « rien que la jeunesse dans la salle », chose inimaginable dans leur « chère Louisiane ».

L'Amérique fut également entonnée par tous ces poètes qui voulaient faire tomber les murs de leur isoloir et qui affirmaient la démesure : Lucien Francœur, Denis Vanier et surtout Patrick Straram. La Nuit de la poésie au Gesù, en 1971, et la Veillée des veillées au même endroit, en 1975, furent animées par un seul et même désir : rompre le « cordon ombilical » du Québec français et s'inscrire dans la trame d'une Amérique moderne. Claude Péloquin avec son « Vous êtes pas tannés de mourir bande de caves, c'est assez ! » à Québec et Armand Vaillancourt avec son « Québec libre » à San Francisco tenaient un seul et même discours identitaire. Ils dressaient les limites d'un nouveau territoire géographique, ouvert et apprivoisable par tout francophone qui voulait bien y pénétrer, traversé par une multitude de parcours familiers, peuplé d'âmes et de collectivités sœurs et habité par des communautés de diverses souches. Je me rappelle encore un voyage avec des étudiants en Nouvelle-Écosse, il y a une dizaine d'années. L'un d'eux, esprit vif et nationaliste intransigeant, fut bouleversé par l'accueil que nous avions reçu chez les Acadiens, constatant jusqu'à quel point les Québécois possédaient amis et lieux familiers outre-frontières. (Sa carrière professionnelle fut, sans aucun doute, transformée par l'expérience puisqu'il devint expert de l'américanité québécoise !)

L'ŒUVRE CINÉMATOGRAPHIQUE D'ANDRÉ GLADU

Mais pour moi, géographe, c'est André Gladu qui interprétait le mieux cette réalité nouvelle dans sa dimension « franco », autant dans son œuvre cinématographique qu'à travers ses gestes d'animateur socioculturel à l'Université du Québec à Montréal.

Son premier film, *Reel du pendu*, est sorti en 1972. Les trois « foyers » – Québec, Acadie, Louisiane – s'y trouvent, réunis autour d'une seule légende, celle de ce reel qui est connu et joué partout en Amérique où il y a des francophones :

> C'est l'histoire d'un gars qui devait être pendu, le shériff comme dernière faveur lui promit de lui rendre sa liberté s'il parvenait à jouer un reel sur un violon tout désaccordé et brisé. Notre bonhomme accepta, joua le reel du pendu et reprit sa liberté (Gladu, 1972, p. 41).

Bien sûr, pour Gladu, le « reel du pendu » n'est qu'une métaphore qui décrit trop bien le sort d'un peuple qui vit en liberté « conditionnelle », celui des « travaillants » de ce continent qui ont survécu sur le plan identitaire en grande partie grâce à leur marginalisation géographique et économique. C'est dans le cadre de sa série cinématographique *Le son des Français d'Amérique* que Gladu a élaboré cette thèse, tout en établissant une carte géographique de l'archipel francophone d'une richesse remarquable.

C'était l'époque où les Québécois se dirigeaient volontiers vers « les sources de notre avenir », sources qui se trouvaient en partie ailleurs en Amérique, mais qui étaient dissimulées par plusieurs décennies « d'amnésie collective ». En un certain sens, nous faisions tous « le *trip* de l'Amérique », *trip* qui déboucha sur des retrouvailles fortes en émotions... et fort fragiles !

Gladu parlait de « nos frères » en Louisiane et en Acadie. Il annonçait la solidarité de tous les marginaux (y compris la Bretagne et l'Irlande) qui avaient tant souffert aux mains du capitalisme occidental et de la « Protestant Ethic ». Il cherchait à rassembler tous ces « autres » sur les rives du Saint-Laurent, chez les seuls qui pouvaient espérer un avenir meilleur et qui étaient effectivement en train d'affirmer leur identité et de se réapproprier leur territoire.

Georges Langford annonçait pendant cette même décennie :

> C'est en arrière de Kentucky
> Dans les bebelles et les cochonneries
> Que j'ai trouvé de ma parenté
> Au beau milieu des États-Unis[1].

---

1. Extrait de sa chanson « Acadiana ».

Pendant que Langford trinquait, chantait et dansait comme tant d'autres, jusqu'à l'épuisement, dans les bars des villages cadjins du sud de la Louisiane, certains Acadiens, membres de l'éphémère Parti acadien, envisageaient d'annexer le nord-est du Nouveau-Brunswick à un Québec indépendant. Gérald Godin, poète devenu député à l'Assemblée nationale, évoquait très sérieusement la possibilité de voter une loi afin de faciliter le retour au bercail de tous les francophones de la grande diaspora continentale.

LA DÉCOUVERTE DE LA DIFFÉRENCE ET L'ÉVANOUISSEMENT D'UN TRÈS BEAU RÊVE

C'était un beau rêve... tant qu'il a duré.

Il dura à peine une décennie, puis s'évanouit au tournant des années 1980, en même temps que la grande célébration du retour à la nature. (D'ailleurs, *dropper* à la campagne et partir vers les tréfonds de l'Amérique étaient un peu la même chose. Quoi de plus normal qu'un groupe comme Garolou s'installe dans les Bois-Francs et chante « Aux Illinois » ou « Le départ pour les États »[2] !)

Ces lancées ludiques à travers le continent manifestaient dès le départ des dimensions qui allaient mener à leur propre échec. Les voyageurs québécois se sont vite rendus à l'évidence : les « Francos » de ce continent ne venaient pas d'une seule souche, ils ne parlaient pas une seule et même langue, ils ne tenaient pas le même discours, ils n'avaient pas non plus les mêmes aspirations.

Quelques refrains après avoir annoncé la découverte de sa « parenté », Georges Langford confesse, dans sa chanson « Acadiana » :
On s'est mis à parler français
C'était une langue que je ne connaissais pas
À mesure que je le comprenais
C'était lui qui ne me comprenait pas.

---

2. Garolou était un groupe québécois de musique traditionnelle dans les années 1970, dont les membres vivaient en « commune » dans les Bois-Francs. Le groupe exploitait un répertoire de chansons qui faisait souvent référence à la grande aventure continentale des gens ordinaires.

Or, les jeunes Québécois, «appelés» à enseigner en Louisiane, animés de leur fierté linguistique et culturelle, ouverts à toutes les expressions et à toutes les couleurs du fait français en Amérique et véhiculant des idées politiques neuves (lire «radicales»), ont été confrontés à une situation qu'ils n'avaient pas prévue. Ils se sont rapidement heurtés à une culture cadjine profondément conservatrice, éprise, du moins aux yeux de l'architecte du mouvement de renouveau culturel officiel CODOFIL[3], Jimmy Domengeaux, d'un désir profond d'inventer le «Great White Hope» afin de contrer l'essor du Pouvoir noir dans la région. En conséquence, les autorités québécoises et louisianaises ont dû regrouper les jeunes enseignants dans la région de Lafayette... pour mieux les surveiller!

L'équipe de chercheurs du Projet Louisiane[4] dont je faisais partie a vite compris que ses «informateurs» étaient sans exception des Américains d'abord et des Cadjins ensuite, alors que l'inverse est évidemment le cas en ce qui concerne les rapports identitaires entre le Québec et l'État central canadien. Plus grave encore peut-être, nous nous sommes fait dire à maintes reprises par nos collaborateurs cadjins qu'ils ne partageaient pas notre obsession pour la langue (française), qu'elle ne jouait nullement le rôle primordial qu'ils accordaient à la nourriture et à la famille dans la configuration de leur propre identité collective:

> Louisiana Lady, Louisiana home,
> Been gone five years now,
> Five years too long.
> Louisiana Lady, Louisiana home,
> Comin' back to raise a family,
> In the place where I belong.
> [...]
> I miss my Daddy's fussin'
> The sweet smell of the land,
> The gumbo and the jambalaya
> Cooked by Mother's hands
> La Louisiane... (Ford, 1977, p. 156).

---

3. Council for the Development of French in Louisiana, organisme créé en 1968.

4. Il s'agit d'un projet majeur des années 1970, réunissant des anthropologues et des géographes des universités Laval, McGill et York, dont Dean Louder, Cécyle Trépanier et moi-même, qui a analysé la renaissance ethnique et linguistique en Louisiane.

Nos voyages avec des étudiants lavallois, notamment dans l'Ouest canadien, nous ont révélé qu'être francophone hors Québec voulait dire parler *deux* langues. Et, ici encore, j'ai le souvenir traumatisant de l'accueil à l'aéroport de Winnipeg par nos hôtes du Collège universitaire Saint-Boniface. Quand deux d'entre eux se sont mis à parler «l'autre» langue, un de nos jeunes Québécois a lancé tout naturellement : «Quoi, deux Franco-Manitobains qui parlent anglais entre eux !» J'aurais voulu que le plancher s'ouvre sous mes pieds... Et pourtant, ce même étudiant est allé par la suite étudier et travailler en Saskatchewan, où il a œuvré au sein de la communauté fransaskoise, et il est, de son propre avis, devenu fransaskois.

Lors de ce même voyage, nous nous sommes fait sermonner royalement dans les pages du journal étudiant du même collège pour avoir prétendument voulu chercher «des Petits Québecs au Manitoba». Et là, nous avons compris la pleine portée de l'affirmation suivante, à savoir que les Franco-Manitobains ont une autre identité régionale aussi bien qu'une autre identité linguistique : ce sont des «Westerners» de langue française...

Les chocs de la scission linguistique ont même été ressentis à l'intérieur des grandes salles de concert du Québec. À l'occasion d'un de ses concerts au théâtre Saint-Denis, vers la fin des années 1970, le groupe CANO, originaire du nord de l'Ontario, s'est mis à chanter en anglais. Ce faisant, ces francophones ontariens ont trahi le rêve d'un bon nombre de Québécois et brisé la solidarité tant recherchée. Et pourtant, ils l'ont fait sans arrière-pensée, pour se révéler tels qu'ils étaient. Ils se sont fait huer par l'assistance et, en conséquence, ils ont pris la route de Toronto... pour ne plus revenir chanter au Québec.

Chez les Métis, le choc fut plus grand encore. Quelle illusion de vouloir s'approprier, voire partager Louis Riel ! Il y avait déjà l'histoire de la Vierge noire dans la cathédrale de Saint-Boniface qui avait fait sauter en mille morceaux la prétendue solidarité entre Franco-Manitobains et Métis[5]. Mais à travers leurs luttes contre le gouvernement

---

5. En 1980, de vifs propos racistes circulèrent dans la communauté franco-manitobaine à la suite du dévoilement d'une statue de la Vierge aux traits métis dans la cathédrale de Saint-Boniface. Voir, par exemple, les lettres publiées dans le journal *La Liberté* du 26 janvier et du 21 février 1980.

fédéral, les Québécois pouvaient encore se permettre de rêver... jusqu'à ce qu'Antoine Lussier annonce dans le film d'André Gladu intitulé *Des gens libres* et portant sur les Métis manitobains : «Parfois les Québécois nous prennent pour des Canadiens français, mais quand un Métis perd sa langue, il ne perd pas son identité pour autant!» La flèche allait droit au cœur. J'ai ressenti la portée réelle de cette phrase quand j'ai mis les pieds à l'Île-à-la-Crosse en compagnie de mes étudiants. Notre réaction viscérale et collective en débarquant dans cette réserve du nord de la Saskatchewan fut sans appel : «Qu'est-ce qu'on fout ici (dans le cadre d'un cours sur le Québec et l'Amérique française)?»

L'EXIL ET L'AMOUR

Nombreux sont les francophones de la diaspora qui ont cheminé en sens contraire, à la recherche d'une patrie, animés par ce que Gabrielle Roy (1984, p. 141) a appelé «cette maladie de me sentir quelque part désirée, aimée, attendue, chez moi enfin» :

> À quoi est-ce que je m'attendais? Que d'un coup tout soit changé? Que la langue que l'on m'avait dite la plus belle et la plus douce coule de source de toutes les bouches? Que l'amitié brille dans tous les regards? Que je serais instantanément reconnue, acceptée. «Ah! dirait-on, c'est une des nôtres de retour!» Et il y aurait joie à cause de l'enfant retrouvée! (*Ibid.*, p. 140)

Le Québec était bien sûr la seule patrie possible en Amérique et beaucoup y ont séjourné plus ou moins longtemps. Gabrielle Roy a passé une quarantaine d'années sur les rives du Saint-Laurent et elle est décédée à Québec. Zachary Richard de Scott en Louisiane, Patrice Desbiens de Sudbury et Daniel Marchildon de Penetanguishene, en Ontario, Michel Marchildon de Zenon Park en Saskatchewan, Kent Beaulne de La Vieille Mine au Missouri, tous ont foulé la terre-Québec à des moments critiques de leur vie. L'expérience les a certes enrichis mais, au lieu de retrouver la patrie, ils ont connu (ou connaissent), pour la plupart, l'exil, un exil qui les a souvent rapprochés de leur milieu d'origine à tel point que, après un séjour de quelques mois ou de quelques années au Québec, ils ont pris le chemin du retour :

> La Louisiane est si loin
> De ce pays
> Que mon cœur
> Est distant de l'amour (Zachary Richard)[6].

Pour personne, je n'étais l'enfant retrouvée. Je restais tout de même quelque peu une étrangère. « Sympathique, parlant comme nous autres, mais pas tout à fait de la famille. » C'est alors que j'ai compris que nous, Canadiens français, n'avons peut-être pas le sentiment du sang. Celui de la nationalité, oui, mais pas du cœur, comme les Juifs, comme d'autres dispersés. Nos gens, dès qu'ils sont éloignés, ne sont plus tout à fait nos gens. J'ai beaucoup souffert de cette distance que les Québécois mettaient alors et mettent encore entre eux et leurs frères du Canada français (Roy, 1984, p. 140).

Ils se sont, pour la plupart, apaisés. Plutôt que de parler révolution, de chercher à modifier l'ordre des choses – les tragiques leçons de l'histoire et de la géographie –, ils ont voulu s'enraciner davantage dans leur véritable milieu d'appartenance :

> La chose la plus révolutionnaire que j'ai faite, c'est de planter des chênes. Ils seront là dans cent ans. C'est mon engagement dans une continuité, à une terre meilleure (Richard, 1987, p. x).

LA QUÊTE DU DÉNOMINATEUR COMMUN

Des frères, des cousins, des exilés peut-être, le sentiment de partager quelque chose de très profond, d'appartenir à une seule et même famille. Mais comment décrire cette appartenance ? Quelle importance y accorder ? Et si les membres de la famille n'ont même pas un appellatif commun ?

Les *Québécois* sont ceux de la seule vallée du Saint-Laurent ; c'est un territoire précis, une réalité politique neuve. Parmi les résidents du Québec, un certain nombre de francophones restent fidèles à l'appellatif *Canadien français* pour exprimer leur attachement au système fédéral canadien actuel. Les *Franco-Américains* sont les habitants, de souches canadienne-française et acadienne, des seuls États de la Nouvelle-Angleterre. *Canadien* fait référence à la citoyenneté au sein

---

6. Tiré de sa chanson « C'est dur à croire », du disque *Bayou des mystères* BMI, 1976.

d'un pays majoritairement anglophone. *Français d'Amérique* est une aberration formulée par une certaine élite religieuse du XIXᵉ siècle et reprise mille fois depuis, faute de mieux. Depuis quelques années, on parle parfois de *Franco-Canadiens* pour décrire l'autre versant de la réalité francophone du Canada : les minoritaires qui sont condamnés à vivre hors Québec.

Convaincus d'une certaine unité et cherchant le mot pour le dire, le géographe et essayiste Jean Morisset et quelques autres intellectuels proposent le terme plutôt difficile de *Franco* pour décrire tant une expérience qu'une population qui ignore tout de cette étiquette.

Une expérience, mais quelle expérience ?

On a peut-être du sang d'errants dans les veines à force d'errer [...].

[...] un regret infini pour la patrie tant de fois cherchée, tant de fois perdue.

Ils me faisaient penser à des rescapés d'un long naufrage (Roy, 1984, p. 27, 50, 56).

C'est encore Gabrielle Roy (*Ibid.*, p. 63) qui raconte, dans son entêtement, la volonté du vent qui traverse le coin réservé aux Landry dans un cimetière du lointain Manitoba : « On l'eût dit occupé à retracer la pauvre histoire tout embrouillée de vies humaines égarées dans l'histoire et dans l'espace. »

Oui, il y a une filiation, une trame commune qui traverse la francophonie nord-américaine et qui agit dans les deux sens : vers le Québec et vers les profondeurs de ce continent. Mais comment la décrire ? De quoi est-elle faite ? Pour trouver la réponse, je reviens encore à ma propre expérience que je présenterai ici en trois volets : les confidences de collègues du Département de géographie de l'Université Laval, le choc des voyages et la rencontre avec les Métis.

Les confidences de mes collègues

Que pourrait-il y avoir de plus profondément québécois que mon Département lavallois ? Et pourtant, si je fais le tour des professeurs « pure laine », j'en trouve un dont le frère est religieux en Louisiane depuis une trentaine d'années, un autre qui est originaire du Manitoba, un troisième dont la tante est installée depuis des années en Californie, où elle préside l'Association Québec-Californie, un quatrième dont la grand-mère est née à Boston, un cinquième dont le frère a « sacré son camp » depuis belle lurette pour aller vivre au New Hampshire, et ainsi de suite. Et cela n'est que la surface des choses.

Pourtant, cette mouvance continentale reste toujours voilée, relevant du domaine de l'inconscient ou, à la limite, de l'action jugée purement individuelle, mais presque jamais de l'analyse savante. C'est sans doute pour cette raison qu'un collègue et ami d'une autre université québécoise, qui fait figure d'exception par ses écrits et qui, pour cette raison, a été en quelque sorte le sujet d'un de mes textes, m'a écrit pour annoncer ceci :

> T'ai-je déjà dit que mon arrière-grand-mère maternelle avait une sœur qui vivait en Californie, et qui visitait Québec de temps à autre au cours des années trente et quarante ; que les membres de ma famille se rendaient en voiture (du côté de ma mère toujours) à New York chaque année dès les années vingt et que nous avons grandi sur le chemin St-Louis dans une matrice géographique carrément continentale. Peut-être que ma quête vient de là, dans un désir profond de retrouver ces significations de ma petite enfance et qui m'ont toujours habité par la suite de façon onirique (Communication personnelle de Pierre Anctil, 1991).

Le choc des voyages

Les voyages en compagnie des étudiants lavallois ont, sans exception, eu l'effet de secouer la mémoire trop endormie, de nous éveiller, moi et mes compagnons de route, à quelque chose d'inattendu. Arriver à Penetanguishene, près de la baie Georgienne, et voir se dresser de chaque côté de la route, à l'entrée de la petite ville, des colonnes marquées « Québec » et « Ontario ». Longer la rivière Rouge pour traverser la frontière à Pembina et être reçus par une petite dame canado-américaine qui avait vécu des années dans une communauté religieuse de la rive sud de Montréal. Poursuivre notre route jusqu'à Red Lake Falls pour être accueillis dans de petites communautés canadiennes-françaises perdues dans le Midwest américain, mais où l'accueil et l'ambiance ressemblaient étrangement aux villages québécois des années 1950, à la maison des grands-parents – intimité, accent, mœurs. Combien d'étudiants m'ont avoué qu'ils se trouvaient, contre toute attente, en famille ?

La rencontre avec les Métis

Mon expérience avec les Métis a commencé au début des années 1980, d'abord avec Antoine Lussier à Chicago, ensuite avec Dennis de Montigny à Michillimakinac, l'un qui parlait tout naturellement français, l'autre qui voulait bien le réapprendre. Le premier, véritable «bois brûlé» en apparence, qui racontait des blagues et chantait des chansons québécoises (?) tard dans la soirée, et le deuxième, tout indien vêtu et coiffé, mais portant à la taille... une ceinture fléchée. Par la suite, nous avons reçu des Métis au Québec, dans le cadre de nos échanges entre étudiants. Parmi eux, il y en avait un grand, sorti droit d'un village loin au nord de l'Île-à-la-Crosse et chaussé d'une magnifique paire de mukluks artisanaux. À son premier voyage au Québec, et à vrai dire en dehors de sa province natale, il se rappelait ce mot de sa grand-mère : «Une partie de notre histoire s'est déroulée là-bas !» J'ai accompagné ce même groupe de Métis à Kahnawake, pour qu'il puisse rencontrer des frères autochtones. Nous avons écouté des discours en mohawk et dansé toute la soirée dans la maison longue. Des danses mohawks, bien sûr. Et les Mohawks ont insisté à plusieurs reprises pour connaître la musique traditionnelle de leurs visiteurs ; des Mohawks presque «blancs» et des visiteurs presque «indiens». À la sortie de la salle, un Métis a lancé tout simplement : «Vous savez, notre musique à nous, c'est des reels et des gigues», laissant ainsi ses interlocuteurs indiens stupéfaits.

C'est la mémoire enfouie qui surgit de ces expériences multiples. Des lieux et des gens totalement inconnus mais tellement familiers, suspendus dans l'infini américain. Des gens et des lieux qui dérangent profondément par leur simple présence, parce qu'ils viennent fracasser les murs de l'histoire et de la politique officielles.

COMMENT CONCEPTUALISER L'EXPÉRIENCE ?

S'il y a trame commune, il y a forcément ce phénomène indiscutable de «mouvance» : «*la terre* en Saskatchewan» du père de

Gabrielle Roy (1984, p. 65) ; sa sœur Adèle, qui s'enfonçait « de plus en plus profondément dans le nord de l'Alberta » (*Ibid.*, p. 127). Ce désir d'aller toujours plus loin... mais aussi le besoin pressant de revenir sur ses pas : « Là où nous avons été heureux, nous ferions tout pour y retourner, serait-ce au prix des derniers battements de notre cœur » (*Ibid.*, p. 121). C'est donc l'Amérique familière et attirante de Jack Kerouac où « les clôtures n'ont pas d'espoir ». Mais c'est une Amérique qui impose un enracinement précaire et, pour nombre de ces francophones, mortel :

> Tant de fois on les avait fait venir au bout du monde, pour y disparaître sans bruit et presque sans laisser de trace (*Ibid.*, p. 56).

Cette mouvance, qui remonte aux origines mêmes de la présence francophone en Amérique, donne lieu à une certaine structure qui permet d'expliquer la complexité du portrait géographique actuel.

La diversité des appellatifs

La diversité des noms que les francophones de ce continent se donnent est étourdissante. Et pourtant, ces noms relatent, de façon souvent très explicite, l'époque des départs du foyer initial et l'ampleur de l'enracinement ailleurs. Ce sont des témoins linguistiques du fait que chaque collectivité de la diaspora est suspendue dans une sorte d'espace-temps qui lui est propre, creusant ainsi l'écart entre foyer de départ et région d'accueil. Une fois le passage accompli d'un territoire à l'autre, l'identité se transforme en fonction de forces et de circonstances propres à chaque partie du continent... et dont les changements d'appellatifs tiennent compte. La figure 1 illustre bien ce processus.

Au XVIIIᵉ siècle, la vaste majorité des francophones d'Amérique se disaient soit *Canadiens* soit *Acadiens*, appellatifs largement reconnus par les autres résidents de ce continent. Cette reconnaissance s'expliquait en fonction du pouvoir, du nombre mais également de ce que je pourrais appeler l'« authenticité » – ils étaient perçus comme étant des peuples issus de la terre d'Amérique. Certains ont gardé ces noms jusqu'à aujourd'hui, notamment les Acadiens des Provinces maritimes et les Canadiens (ou « Canayens ») du Minnesota, ces derniers étant originaires du Québec mais ayant passé par la Nouvelle-Angleterre au milieu du

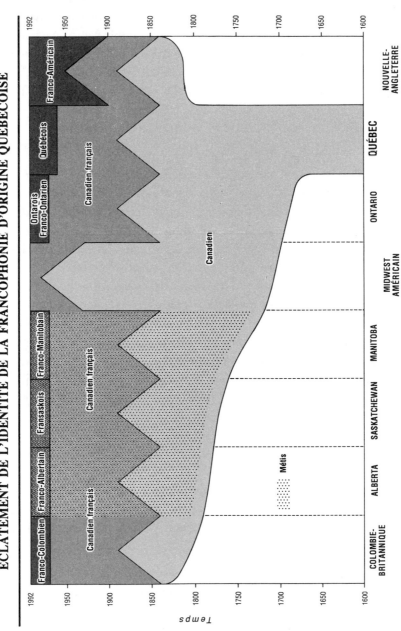

FIGURE 1

DES NOMS QUI EN DISENT LONG :
ÉCLATEMENT DE L'IDENTITÉ DE LA FRANCOPHONIE D'ORIGINE QUÉBÉCOISE

XIXe siècle avant de s'installer dans le Midwest américain quelques décennies plus tard. Se trouvant dans une situation d'isolement quasi total, étant peu nombreux et aussi «sans danger» pour le groupe majoritaire, ils ont conservé leur nom d'origine. En Nouvelle-Angleterre, la situation est un peu plus compliquée. Le peuple est resté canadien ou canadien-français, selon l'époque du départ vers «les États». Toutefois, formant une population nombreuse et ayant une vie intellectuelle et des aspirations collectives distinctes puisqu'il était installé aux États-Unis, ce groupe a formulé dès le début du siècle, par la voix de son élite, un nouveau nom pour décrire sa configuration particulière: *Franco-Américain*.

Au Canada, ces mêmes Canadiens et Acadiens ont dû composer avec des groupes d'accueil plus ou moins hostiles à leur présence. Devenus non seulement démographiquement mais aussi, à partir de la Confédération, politiquement minoritaires, les francophones originaires de la vallée du Saint-Laurent se sont réfugiés derrière l'appellatif de *Canadiens français* pour souligner leur identité distincte. Par la suite, assujettis à des frontières politiques et à des pouvoirs régionaux naissants qui minaient davantage leurs assises identitaires – notamment scolaires et donc linguistiques –, ces mêmes gens ont assumé des iden-tités provinciales: *Franco-Ontarien*, *Franco-Manitobain*, etc. Finalement, dans une tentative récente pour sortir de la condition de minoritaire et d'une illégitimité à peine voilée, l'élite franco-ontarienne, à l'instar de ses voisins devenus subitement des *Québécois*, a choisi un nouveau nom: *Ontarois*.

La structuration du territoire

Cette panoplie de noms est cause d'angoisse: celle de ne pas avoir de mot pour nommer l'ensemble de la population francophone d'Amérique. Mais elle est aussi le fruit d'une multitude d'expériences et de statuts auxquels il est possible d'accorder une expression géopolitique cohérente.

En tant que minoritaires, les francophones d'Amérique doivent toujours marchander avec un pouvoir qui leur échappe, pour se voir accorder des miettes, négocier des secteurs distincts et, si possible, se détacher du jeu imposé par les forces dominantes. La quête du pouvoir la mieux réussie est au Québec, où elle est le fruit du nombre, bien sûr, mais également d'une certaine réalité géographique et historique. Ainsi, le fleuve Saint-Laurent a toujours servi d'axe majeur de pénétration du continent et sa vallée a accueilli les principales assises institutionnelles des «Francos», en commençant par le diocèse de Québec.

En me servant de la pensée géopolitique européenne du début du siècle – et notamment des idées de Halford Mackinder –, j'ai cherché, dans un texte intitulé «Cartographier l'Amérique française» (Waddell, 1986), à structurer cette réalité spatiale contemporaine[7]. Elle est faite d'une puissante *zone pivot*, le Québec, qui constitue le seul État massivement, et juridiquement, francophone de ce continent. Ce «foyer national» est entouré de larges *contreforts bilingues* comprenant l'Ontario et la Nouvelle-Angleterre, qui se fondent à l'est avec l'Acadie, «deuxième grand foyer francophone en Amérique». Au-delà se trouve la *diaspora réelle*, faite d'une multitude de communautés de tailles différentes, souvent très éloignées les unes des autres, qui se transforme (au moins partiellement) aux limites sud et ouest en *franges métisses*.

Belle idée de géographe, diraient certains, mais qui a peu à voir avec la réalité. Et pourtant, le Québec ne démord pas de ses aspirations autonomistes, cherchant à la fois à se démarquer et à ne pas se démarquer de tout ce qui l'entoure. Mais c'est une histoire qui est connue de tous! Plus intéressant encore est le comportement des trois composantes des contreforts bilingues.

L'Ontario a pris pied à Québec, il y a deux ou trois ans, en créant un bureau du gouvernement dans la rue d'Auteuil. En Ontario, ce même gouvernement a constitué des zones bilingues, par l'entremise de la *Loi sur les services en français*, et a permis la création de commissions scolaires homogènes. Par ailleurs, les Franco-Ontariens pensent sérieusement à la fondation d'une université française (et non pas bilingue). Enfin, dans les pages du journal *L'Express* de Toronto, on voit naître une certaine modernité francophone qui ne se distingue guère dans sa vocation de celle des journaux de Montréal. D'ailleurs, c'est le directeur général de ce journal qui affirmait, à Québec, que *L'Express* est à

---

7. Voir la figure 4 du texte de Dean Louder, Cécyle Trépanier et moi-même dans le présent ouvrage.

Toronto ce que la *Gazette* est à Montréal, soit un journal de lecture essentiel pour l'ensemble de la population et non pas un simple feuillet ethnique.

La Franco-Américanie représente la grande fissure dans ce mur : rien ne peut l'empêcher de mourir. Et pourtant, si je me fie au mémoire que ses représentants ont soumis à la Commission sur l'avenir politique et constitutionnel du Québec, cette Franco-Américanie semble nous comprendre, nous appuyer même, tout en précisant le rôle qu'un Québec devenu indépendant pourrait jouer auprès d'elle :

> Pauline Marois (Commission Bélanger-Campeau) : Est-ce que la souveraineté du Québec vous apparaît comme un plus et n'est pas, à cet égard, menaçante pour votre avenir ?

> Yvon Labbé (Action pour les Franco-Américains du Nord-Est) : Pour moi, ce n'est pas menaçant du tout, parce que à mon avis, plus la culture québécoise sera forte, plus ce sera possible pour nous de nous retremper, de nous ressourcer et aussi de connaître mieux notre histoire, aussi de pénétrer le système public américain qu'on commence juste à pénétrer... (*Francophonies*, 1991, p. 8).

> Recommandation de l'Action pour les Franco-Américains du Nord-Est : Que le Québec puisse offrir la citoyenneté aux personnes d'origine québécoise vivant à l'extérieur du Québec qui en font la demande (*Ibid.*, p. 6).

L'Acadie néo-brunswickoise, plus encore que l'Ontario français, entre de plain-pied dans la modernité. Tout comme mes étudiants québécois, j'ai été bouleversé, lors d'une tournée à travers la province, par le dynamisme de la population, tant au plan des gestes qu'à celui de la parole. Pour citer Herménégilde Chiasson (1988, p. 11), dans une préface très remarquée au recueil de poèmes de Gérald Leblanc, *L'extrême frontière* : « Peut-être qu'en oubliant pour un instant notre rôle assumé de victimes nous pourrions vivre à la « mesure de notre imaginaire ». » Et effectivement, il n'est plus question dans cette province voisine de parler de « survivance », mais plutôt de croissance, de finances, de haute technologie, de relations internationales... et de culture. Une nouvelle élite culturelle a vu le jour qui revendique une « acadianité séculaire », qui refuse de mourir « dans notre accent en parlant p'tit nègre, emmurés vivants dans les Villages Acadiens de la planète [lire «la péninsule acadienne» !] » (*Ibid.*, p. 8) et qui n'a surtout pas peur de vivre à Moncton:

> Moncton. Un lieu exact, une erreur monumentale sur la carte de notre désir, le nom de notre bourreau comme un graffiti sur la planète. Moncton. Un espace difficile à aimer (un espace difficile pour aimer), une ville qui nous déforme et où nous circulons dans les ramages du ghetto. Et pourtant, c'est de cet espace que jaillit notre conscience, vécue dans les méandres de la diaspora et articulée dans un faisceau rutilant de colère et d'ironie (*Ibid.*, p. 7).

C'est une Acadie qui s'ouvre: vers la communauté internationale, en sollicitant peut-être le statut de «peuple sans État», mais aussi de plus en plus vers le Québec, en cherchant à s'éloigner des ornières de la francophonie (canadienne) hors Québec.

S'approprier le pouvoir économique et donc mettre en valeur l'espace collectif, obtenir sa juste part du pouvoir politique et public à l'intérieur des structures et des institutions existantes, développer des relations externes tout en évitant de «mettre tous ses œufs dans le même panier», affirmer son identité propre et la reformuler constamment à mesure que le monde change, donc être parmi les premiers à l'aube du XXIe siècle: voilà le défi que l'Acadie néo-brunswickoise est en train de relever.

Au-delà de ce périmètre, c'est la survie pure et simple qui préoccupe la plupart des gens, transformée dans le cas des franges métisses en une incompréhension et une hostilité à peine voilées à l'égard du Québec, ainsi qu'elles sont exprimées dans les paroles des Ovide Mercredi, Phil Fontaine et Georges Erasmus de ce monde.

Les clivages identitaires

«Une histoire commune (ou plutôt partagée) mais des destins différents.» J'ai déjà écrit cette phrase quelque part. De ces expériences diverses et divergentes sont nées des identités distinctes; encore une fois, il est possible d'établir une cartographie des identités de cet univers en faisant appel à un éventail de critères visiblement importants pour les groupes qui les épousent.

La « carte mentale » qu'on peut ainsi dessiner, réduite à sa plus simple expression et inspirée des considérations linguistiques et géo-politiques précédentes, met en relief trois confrontations géo-identitaires fondamentales : Canada–États-Unis, Québec–Canada et Acadie–Québec.

Au Canada, la langue française constitue un critère d'identité primordial. Jusqu'à nouvel ordre, il est impossible d'être francophone, de se dire Québécois, Canadien français, Fransaskois ou autre, sans maîtriser cette langue. Certes, le statut et l'importance accordés au français varient de collectivité en collectivité. Ainsi doit-on être de langue française au Québec, alors qu'ailleurs il est plutôt question d'être bilingue – souvent dans le sens de vouloir maintenir le français à côté de l'anglais, un français qui pour beaucoup est déjà devenu une langue seconde... et secondaire. Cette importance attribuée à la langue est étroitement liée à des questions de droits et reflète les aspirations politiques des communautés francophones.

Aux États-Unis, il n'est nullement question de défendre la langue... et il n'est guère question de formuler ni même de concevoir des reven-dications politiques. Puisqu'ils sont des Américains d'abord, les « Francos » font preuve d'une fidélité sans faille envers la langue an-glaise. Dans ce contexte, être francophone veut dire admettre et assumer une origine ethnique précise, savoir qu'on « vient de quelque part », posséder une conscience sociale et historique propre. Tout cela se tra-duit par un certain intérêt pour l'histoire régionale, une fascination pour les généalogies et une pratique « folklorique » importante (habituel-lement sous la forme de fêtes populaires). Certes, en Louisiane, le passé n'est jamais loin, les habitudes alimentaires restent et les réseaux familiaux sont encore puissants. Mais même dans cette prétendue « Acadie-Sud », ces considérations, ces besoins ne servent pas à mettre en cause « l'ordre établi des choses ».

Au Canada, donc, il y a recherche du pouvoir chez les franco-phones. Mais ce pouvoir n'est pas le même partout. Dans le cas du Québec, il s'agit, bien sûr, de créer un territoire francophone au sens juridique, un territoire géré par un seul État, soit celui qui l'occupe. Ailleurs, il est plutôt question de savoir si « la francophonie canadienne peut se créer un espace que l'on pourrait dire francophone ». Or, cette interrogation est tirée du programme provisoire de l'assemblée générale annuelle de la Fédération des francophones hors Québec qui a eu lieu en juin 1991, assemblée qui portait le titre combien révélateur de « Projet de société – Dessein 2000 : pour un espace francophone ». Pour la Fédération, évidemment, cet espace ne peut être tissé qu'à partir d'alliances et de partenariats et il engage bien plus le milieu associatif que celui des gouvernements ou des grandes entreprises. C'est en somme un pouvoir communautaire qui est ici désiré, pour ne pas perdre les acquis et pour assurer le maintien du groupe.

L'Acadie, par contre, semble pleinement consciente de son identité propre, de sa capacité d'endiguer l'assimilation et de s'approprier les leviers économiques de son territoire. Dans cette perspective, il y a une volonté de plus en plus claire de prendre ses distances par rapport aux Franco-Canadiens (encadrés par la FFHQ), de se rapprocher du Québec sur la base d'une collaboration horizontale et même de s'y intégrer jusqu'à un certain point, mais aussi de s'internationaliser en même temps, c'est-à-dire de voler de ses propres ailes et de parler de l'avenir bien plus que du passé.

LES RETROUVAILLES IMPOSSIBLES
ET LES VOYAGES INACHEVÉS

Où cette réflexion à double volet nous mène-t-elle ? D'abord à dire, pour citer une de mes étudiantes, qu'il y a « une parenté évidente entre les diverses collectivités francophones en Amérique, malgré les écarts qui existent quant au phénomène d'acculturation ». Et je pourrais ajouter ceci : malgré l'origine et l'itinéraire en Amérique. C'est dans ce sens que la quête que j'ai racontée au début de cette réflexion n'est pas sans fondement.

Toutefois, cette « heureuse découverte » ne débouche que trop rarement sur des retrouvailles tant et si longtemps souhaitées. Les liens familiaux (et donc « familiers ») sont entourés de nombreux pièges ; ils sont filtrés à travers une multitude de miroirs déformants. Dans ces circonstances, il importe de bien caractériser toutes ces tensions et discordances au sein de la famille étendue avant de rassembler ou même d'interpeller qui que ce soit. Dans ce sens, l'absence inattendue à ce colloque d'Antoine Lussier, d'Herménégilde Chiasson et de Barry Ancelet, qui tous les trois sont des « francophones hors Québec » possédant des identités fortes, est lourde de significations. On pourrait convoquer à Québec la génération précédente sans crainte et presque sans préavis, mais non pas celle qui la suit... Notre « cousin » métis des lointaines prairies, nos « frères acadiens » du Nord et du Sud ont quitté le bercail depuis belle lurette et doivent dorénavant faire cavalier seul sur ce continent pour mieux affronter leur propre destin. Le chevet du père spirituel n'a pas d'attrait et son discours ne semble guère pertinent.

Au-delà de cet avertissement, une vérité incontestable se dégage : il y a, au sein de cette francophonie continentale, des groupes qui disparaissent, d'autres qui surnagent, d'autres encore qui prennent place dans la modernité... et un seul, le Québec, qui se détache du petit peloton de tête. Dans cette tourmente francophone, chacun imagine et construit sa réalité à la mesure de ses aspirations et de ses moyens et en fonction des réalités qui l'entourent, d'où les déformations, les tensions et les divergences que nous connaissons si bien.

Et pour terminer mon voyage, je vous livre un dernier sentiment, coloré sans doute par mon expérience océane. Loin d'être de simples fragments d'histoire, des isolats anachroniques et homogènes, les communautés francophones d'Amérique – y compris les confettis du Grand Continent – sont d'une diversité et d'une hétérogénéité surprenantes. Hétérogénéité des origines, mais aussi, et plus important encore, hétérogénéité des expériences et des itinéraires. Entrer dans le foyer des personnes âgées à Maillardville et entendre ses résidents échanger sur leur séjour au Mexique, au Grand Lac des Esclaves, en Acadie, au Québec et dans le Midwest américain, c'est apprendre à connaître ce continent. Lire dans un livre de Clark Blaise (1974, p. 89) :

> My father told it to me one day over beers in a bar in Manchester [New Hampshire] as though he were giving me an inheritance. One of my uncles, the one who'd gone to California, had taken the easy northern route across Ontario and the prairies, then down the west coast lumber trails, without missing a single French *messe* along the way...

c'est apprendre à le parcourir.

Ces communautés francophones situées au-delà des frontières du Québec n'ont jamais été « des îles dans une mer lointaine » mais, à bien des égards, des carrefours et des points de convergence sur un continent que nous avons tous traversé dans tous les sens et à toutes les époques.

Bibliographie

Anctil, Pierre, Louis Dupont, Rémi Ferland et Eric Waddell (dir.) (1990), *Un homme grand : Jack Kerouac at the Crossroads of Many Cultures / Jack Kerouac à la confluence des cultures*, Ottawa, Carleton University Press, XXXI + 236 p.

Blaise, Clark (1974), *Tribal Justice*, Toronto, Doubleday, 268 p.

Chiasson, Herménégilde (1988), « Pour saluer Gérald Leblanc », dans Gérald Leblanc, *L'extrême frontière. Poèmes, 1972-1988*, Moncton, Éditions d'Acadie, p. 7-13.

Ford, Michael (1977), « Louisiana... », dans *Revue de Louisiane*, 6, 2, p. 156.

Francophonies (1991), bulletin d'information et de liaison du Secrétariat permanent des peuples francophones, Québec, numéro spécial (mars), 12 p.

Gladu, André (1972), « Le son des travaillants, ou la musique traditionnelle des Français d'Amérique », dans *Culture vivante*, 25, p. 33-42.

Louder, Dean, et Eric Waddell (dir.) (1983), *Du continent perdu à l'archipel retrouvé : le Québec et l'Amérique française*, Québec, PUL, XVIII + 294 p.

Richard, Zachary (1987), *Voyage de nuit. Cahier de poésie, 1975-79*, Lafayette, Éditions de la Nouvelle-Acadie, XI + 112 p.

Roy, Gabrielle (1984), *La détresse et l'enchantement. Autobiographie*, Montréal, Boréal Express, 505 p.

Waddell, Eric (1986), « Cartographier l'Amérique française », dans *Neuve-France*, 11, 3 (printemps), p. 12-13.

Waddell, Eric (1987), « La grande famille canadienne-française : divorce et réconciliation », dans Jules Tessier et Pierre-Louis Vaillancourt (dir.), *Les autres littératures d'expression française en Amérique du Nord*, Ottawa, Éditions de l'Université d'Ottawa, p. 9-18.

Parcours toponymiques de l'Amérique française

André Lapierre
Département de linguistique
Université d'Ottawa

Discipline de convergence de la linguistique, de la géographie et de l'histoire, la toponymie se prête particulièrement bien aux trois grands thèmes du présent ouvrage : langue, espace et société. Puisés à même le lexique d'une langue, les noms de lieux servent à définir et délimiter l'espace dans lequel évolue une collectivité linguistique. Ainsi une société apprivoise-t-elle son environnement en désignant dans sa propre langue les composantes de son milieu géographique. Mais la toponymie va bien au-delà de cette visée immédiate en fournissant en même temps une image intime de l'âme d'un peuple. Albert Dauzat (1946, p. 9), à ce sujet, a fait la remarque suivante : « En nous enseignant comment on a désigné, suivant les époques et les milieux, les villes et villages, les domaines et les champs, les rivières et les montagnes, elle nous fait mieux comprendre l'âme populaire, ses tendances mystiques ou réalistes, ses moyens d'expression. » Nous limiterons ici nos remarques à la toponymie d'origine française en Amérique du Nord, en particulier à son aire extra-québécoise, en raison du peu de recherche dont celle-ci a fait l'objet jusqu'ici et du cadre particulier de cet ouvrage.

LES DÉBUTS

La découverte du Nouveau Monde et son exploration subséquente ont déclenché une intense période de dénomination toponymique. Avant même que Jacques Cartier n'effectue son historique voyage dans le golfe du Saint-Laurent en 1534, l'explorateur florentin Giovanni da Verrazano, au service du roi de France François Ier, avait déjà arpenté la côte est du continent nord-américain et lui avait donné en 1524 le nom de *Nouvelle-France*. Verrazano désigne en même temps une bonne vingtaine d'entités le long de la côte est des États-Unis. Il s'agit surtout de transferts toponymiques venus de France comme *Dieppe, Honfleur*, ou encore *Angoulême*, nom qui s'appliquait au site de l'actuelle ville de New York. Mais, remarque Marcel Trudel (1973, p. 39), cette première couche onomastique française a été de courte durée, car elle fut bientôt remplacée par des toponymes espagnols, à la suite des voyages de Gomez et de Vasquez de Ayllon.

En fait, il faudra attendre la venue de Jacques Cartier pour que commence effectivement la dénomination spatiale de l'Amérique en langue française. Les relations de voyages de l'explorateur malouin ne laissent aucun doute sur la paternité des toponymes qu'il donne aux terres qu'il découvre. On lui attribue une quarantaine de désignations (Morissonneau, 1978, p. 20), la plupart hagionymiques, dont le célèbre *Saint-Laurent*, nom qui s'applique d'abord à une baie, puis à un golfe, puis au fleuve tout entier. Cette activité de dénomination se poursuivra de façon encore plus substantielle avec Samuel de Champlain dont les désignations déborderont largement l'aire couverte par Cartier, allant des côtes du Maine jusqu'au lac Huron, et lui valant, sur le plan toponymique aussi, le surnom bien mérité de « père de la Nouvelle-France ».

Il faut évoquer ici la question du substrat amérindien. On sait que les nombreuses tribus et bandes qui formaient la population autochtone de l'Amérique étaient pour la plupart nomades et sans tradition écrite. Nous savons aussi qu'elles avaient, et peut-être depuis bien longtemps, découpé leur univers géographique en assignant des noms aux nombreux lacs, ruisseaux, rivières et forêts où elles exerçaient leurs activités traditionnelles de chasse et de pêche. L'absence de documentation écrite et notre connaissance relativement pauvre des dialectes aborigènes aux XVIe et XVIIe siècles font que l'origine et l'évolution de la toponymie qui s'y rattache nous échappent complètement. Il faudra donc attendre l'arrivée des explorateurs européens, leurs récits de voyages et leurs cartes surtout, pour prendre conscience de l'abondance des noms géographiques amérindiens comme *Saguenay, Québec, Hochelaga, Niagara*,

Mississippi. Il n'existe d'ailleurs aucune étude d'envergure sur les mécanismes linguistiques qui ont fait passer les toponymes d'origine aborigène de leur forme orale à leur forme graphique européanisée.

LES DEUX COMPOSANTES

Pendant plus de 150 ans, les nombreux voyages qu'entreprennent explorateurs, missionnaires et voyageurs vont déterminer le faciès toponymique de l'Amérique française. Les grandes voies de communication, les lacs et rivières, les éléments du relief, les postes de traite et les installations civiles et militaires revêtent des noms puisés à même le répertoire lexical et l'héritage patronymique français. La toponymie de la Nouvelle-France s'organise essentiellement autour de deux grandes composantes, celle des désignations commémoratives et celle des noms descriptifs. La commémoration vise d'abord les personnalités civiles, militaires et religieuses de l'époque, sans oublier la famille royale : *Île d'Orléans, Lac Champlain, Rivière Richelieu, Port-Royal, Louisbourg, Louisiane*, par exemple. Cette toponymie commémorative est souvent hagionymique, témoin de la ferveur religieuse et de la tradition catholique des premiers arrivants : *Lac Sainte-Claire, Île Saint-Jean, Golfe et Fleuve Saint-Laurent, Rivière Saint-Charles, Sault-Sainte-Marie*, etc.

La deuxième composante, celle de la description, est beaucoup plus riche et variée sur le plan lexical et thématique puisqu'elle s'apparente largement à la flore et à la faune. Les termes proviennent soit du lexique de la langue commune, comme *Pointe aux Alouettes, Cap à l'Anguille, Rivière à la Carpe, Rivière aux Castors, Île aux Cèdres, Rivière aux Cygnes* ; soit des dialectes amérindiens, comme *Rivière l'Achigan, Rivière des Atocas, Rivière du Caribou, Cap des Maringouins* ; ou bien d'innovations lexico-sémantiques proprement nord-américaines, comme *Rivière Bête Puante, Rivière au Rat Musqué, Lac aux Sucreries*. La description vise également des champs secondaires comme les phénomènes atmosphériques : *Baie du Tonnerre, Lac à la Pluie*, ou encore la nature des cours d'eau : *Rivière aux Vases, Rivière aux Sables*.

L'INTÉRÊT DES ÉTUDES TOPONYMIQUES

L'étude de cet immense héritage toponymique n'est pas sans intérêt. À partir du dépouillement de plus de 150 cartes d'époque, Suzelle Blais (1983) a démontré comment une meilleure connaissance des noms géographiques pouvait contribuer à l'étude de la langue québécoise et du fonds français commun. Entre autres, les nombreuses attestations cartographiques qu'elle fournit permettent de préciser l'extension du champ sémantique de plusieurs lexies françaises en terre d'Amérique et même d'éclairer l'étymologie de certains mots de la langue commune que le FEW *(Französisches etymologisches Wörterbuch)* de W. von Wartburg classe parmi les mots d'origine obscure.

Dans notre étude (Lapierre, 1986, p. 344-345) de la carte du lac Ontario de Bréhant de Galinée (Trudel, 1973, p. 90), nous avons relevé une extension du champ sémantique et un changement de catégorie grammaticale de l'adjectif *rapide* qui, devenu substantif et générique, prend désormais le sens de « cascade d'eau ». De même, le mot *portage*, qui, avant l'exploration du Nouveau Monde, ne signifiait que « action de porter », va prendre en Nouvelle-France un sens nouveau, s'appliquant particulièrement à l'action de transporter à dos canot et marchandises pour éviter les nombreux sauts et rapides, caractéristiques de l'hydrographie des Pays-d'en-Haut. Il est plus intéressant encore de noter que le mot entre dans le lexique géographique avec la valeur d'un générique désignant le lieu même où se fait l'action du portage. La nomenclature géographique a aussi fourni des régionalismes comme, en Louisiane, le générique *bayou*, emprunt amérindien francisé, désignant un ruisseau de faible débit. Les travaux de Randall Detro (1986, p. 492) démontrent que le terme ne s'applique qu'à la vallée du Mississippi et qu'il a connu une étonnante extension sémantique, servant à nommer, entre autres, des lacs, des coulées et des bassins. *Rapide, portage* et *bayou* sont par la suite passés dans la langue commune et sont aujourd'hui attestés dans les dictionnaires courants. Les trois termes ont également été empruntés par les anglophones et intégrés au lexique anglo-américain.

LE SORT DE LA TOPONYMIE FRANÇAISE

Au XVIIIe siècle, les noms géographiques français recouvraient une bonne partie du continent nord-américain. Celui-ci s'étendait depuis Terre-Neuve jusqu'au pied des Rocheuses et, au sud, jusqu'en Louisiane. De leur côté, les Anglais, présents en Virginie dès le début du XVIIe siècle, avaient donné naissance à leur propre toponymie le long du littoral de l'Atlantique. Celle-ci avait pris une ampleur considérable mais, jusqu'à cette époque, la frontière toponymique coïncidait avec la frontière politique et linguistique. Cette situation de relative stabilité toponymique sera bouleversée d'abord par le traité d'Utrecht, qui fait basculer l'Acadie et Terre-Neuve dans l'aire politique anglaise en 1713, et ensuite par le traité de Paris qui, en 1763, consacre le passage de la Nouvelle-France à l'Angleterre. En même temps qu'on met en place de nouvelles structures administratives, politiques et commerciales relevant d'une tradition linguistique différente, un nouveau peuplement anglophone s'amorce sur le territoire français avec l'arrivée des loyalistes britanniques réfugiés au Canada à la suite de la guerre de l'Indépendance américaine. De ce nouveau contexte résultera un contact linguistique qui aura de sérieuses répercussions en toponymie.

Précisons d'abord que, dans une large mesure, le conquérant a respecté les noms de lieux solidement ancrés dans l'usage, en particulier dans la vallée du Saint-Laurent. L'étude des cartes et des documents de la dernière moitié du XVIIIe siècle nous montre cependant que les toponymes situés à l'extérieur de l'épicentre du peuplement français ont subi des modifications substantielles. Celles-ci peuvent être regroupées en trois grandes classes selon les procédés linguistiques qui ont modifié la forme des toponymes.

PROCÉDÉS DE TRANSFORMATION DES NOMS DE LIEUX FRANÇAIS

Le premier procédé est celui de la traduction par lequel la forme de base française est traduite dans la langue cible. En voici quelques exemples bien connus relatifs à l'Ontario: *Lac Supérieur > Lake Superior*; *Anse du Tonnerre > Thunder Bay*; *Lac des Bois > Lake of the Woods*. Le procédé a été largement utilisé, touchant même le Québec où, jusqu'à une période encore récente, on trouvait sur des cartes anglaises *Three Rivers* et *Seven Islands* à la place de *Trois-Rivières* et *Sept-Îles*. Comme l'explique Morissonneau (1972, p. 262), la traduction a pu aussi être motivée par une incompatibilité des systèmes phonologiques des deux langues, rendant difficile la prononciation du toponyme français par un locuteur anglais. De plus, on peut croire que l'homographie et la quasi-homophonie de certaines formes ont facilité le passage d'une langue à l'autre. On n'a qu'à songer aux doublets du type *Rivière au Raisin / Raisin River*; *Île au Massacre / Massacre Island*; *Rivière au Crédit / Credit River*, pour ne nommer que ceux-là.

Le deuxième procédé, qui, très souvent, relève plus de la politique que de la linguistique ou de la sociolinguistique, est celui de la substitution par lequel la forme d'origine française est tout simplement remplacée par une forme anglaise. Nous avons déjà démontré comment ce processus a été appliqué en Ontario (Lapierre, 1986, p. 345-346) où, par exemple, le premier gouverneur général du Haut-Canada, John Graves Simcoe, a changé le nom de *Rivière la Tranche*, dans le sud-ouest de la province, en celui de *Thames River* par une proclamation royale en date du 16 juillet 1792. Ces substitutions toponymiques avaient commencé en Nouvelle-Angleterre dès le XVIIe siècle et se sont poursuivies au-delà des Appalaches à mesure que les Français perdaient le contrôle de la vallée de l'Ohio. Nous connaissons encore mal l'ampleur de ce type de mutations, souvent par défaut de documentation pertinente.

Le dernier procédé est plus complexe et vise l'intégration graphophonologique des toponymes français d'origine en une nouvelle forme anglaise. Ce procédé est fréquent dans les franges de la francophonie nord-américaine et se produit surtout aux États-Unis. Il convient de distinguer ici deux modes de transformation selon que la source française est écrite ou orale. Si le passage du français à l'anglais s'appuie sur une forme écrite, l'intégration se fera par l'application des valeurs graphémiques anglaises aux graphèmes français. Ainsi *Détroit* est-il devenu [dItɹojt], *Huron* se prononce [hjuɹən], *Boisé* est devenu [bojzij], un peu comme un Allemand, n'ayant jamais entendu le toponyme *Québec*, prononcerait naturellement [kvebɛk] en accordant aux graphèmes leur valeur dans sa langue maternelle. Dans pareils cas, la forme écrite d'origine ne change pas ou très peu et c'est à travers une phonie anglaise que la forme se fixe dans l'usage. Ainsi le continent américain est-il aujourd'hui parsemé de toponymes dont la graphie est française mais dont la prononciation ne correspond plus à la forme d'origine. Aux yeux d'un visiteur étranger, c'est la facette la plus visible de la toponymie française aux États-Unis.

Si la forme de départ des désignations est orale, comme ce fut très souvent le cas dans la transmission des toponymes de bouche à oreille, la forme d'arrivée est une approximation phonétique anglaise qu'une nouvelle graphie essaie à son tour de renforcer. Ainsi, aux États-Unis, *Rivière du Chien* a donné *River Deshee*; *Rivière du Chemin* > *Dishmaw River*; *Lac Courtes Oreilles* > *Couderay*. Dans certains cas, la graphie d'origine se maintient toujours, comme dans *Lac Seul* dont la prononciation locale est [laksu:l]. Ailleurs, une même forme de départ peut produire deux formes d'arrivée. C'est le cas du toponyme *Île aux Bois Blancs*. Chez certains locuteurs, la prononciation est [bojzblæŋk], basée sur la forme écrite, chez d'autres [bwɑblɑ], à partir de la forme orale, celle-ci, à son tour, ayant généré la graphie *Bob-Lo*.

D'autres processus interviennent également, comme l'agglutination qui fait passer *Rivière aux Sables* à *Ausable River* ou encore *Pointe à Binaux* à *Point Abino*. À ces mécanismes de mutation vient souvent se greffer celui de l'étymologie populaire qui a fourni des exemples aussi étonnants que savoureux. On en rappellera ici les plus connus: *Chemin Couvert* > *Smackover*; *Rasoir* [rɑzwer] > *Roseway*; *L'Eau Froide* [lofret] > *Lowfreight*; *Purgatoire* > *Picketwire*; *Bois Brûlé* > *Bob Ruly*; *Marais de l'Orme* > *Mary Delorme*. Pour amusantes qu'elles soient, la plupart de ces étymologies n'ont jamais fait l'objet d'un examen rigoureux. Par exemple, dans son ouvrage sur les noms de lieux français des États-Unis, Coulet du Gard (1986) ne précise ni la forme française de départ, ni la première attestation et localisation de la forme d'arrivée des toponymes qu'il recense. Dans bon nombre de cas, ces étymologies restent hypothétiques et ne s'appuient pas sur une documentation suffisante. De plus, il n'existe à notre connaissance aucune typologie à l'heure actuelle qui permette de faire une synthèse de ce type de mutation onomastique, domaine pourtant riche en enseignements sur l'adstrat lexical anglo-français.

LES COUCHES TOPONYMIQUES

La toponymie de l'Ancien Régime et son prolongement actuel se présentent donc à nos yeux sous plusieurs formes, les unes plus ou moins bigarrées que les autres, selon le point d'observation. Très peu altérés dans les zones à forte densité francophone, au Québec par exemple, les noms géographiques de la Nouvelle-France et de l'Acadie constituent ailleurs sur le continent une espèce de *lingua submersa* qui ne se laisse découvrir qu'à travers une patiente étude comparative de documents français, anglais et espagnols.

Cette première couche de francité toponymique s'est enrichie après la Conquête d'une deuxième, en raison d'abord de l'accroissement remarquable des noms géographiques sur le territoire québécois aux XIXᵉ et XXᵉ siècles et ensuite de l'apport des grands mouvements migratoires qui ont marqué l'histoire des communautés francophones d'Amérique à la même époque. En fait, on pourrait dire qu'il s'établit une sorte de continuité entre la toponymie de la prise de possession et de l'exploration du territoire sous le Régime français et celle de son expansion et de son enracinement après la Conquête.

Venu du Québec et de l'Acadie, ce rayonnement toponymique va dans toutes les directions. On évalue à plus de 3 000 le nombre des noms de lieux français aux États-Unis attribuables aux Franco-Canadiens (Gerlach, 1986, p. 8). Au Canada, cette diaspora a donné naissance à une toponymie qui témoigne de la vitalité du rayonnement culturel québécois et acadien outre-frontière. Contrairement à la toponymie coloniale, celle de la diaspora est presque exclusivement dédicatoire ou commémorative et rappelle soit les lieux du Québec, soit le nom des missionnaires et premiers colons venus prendre souche en terre nord-américaine à des milliers de kilomètres de la vallée du Saint-Laurent : *Fauquier, Val Caron, Noëlville* (Ontario) ; *Notre-Dame-de-Lourdes, La Broquerie, Sainte-Agathe* (Manitoba) ; *Gravelbourg* (Saskatchewan) ; *Girouxville, Leduc* (Alberta) ; *Maillardville* (Colombie-Britannique), pour n'en nommer que quelques-uns au Canada[1].

---

1. Dans certains États et certaines provinces, l'officialisation des toponymes ne s'est pas toujours faite en tenant compte des règles de l'orthographe française.

On est loin d'avoir fait une analyse exhaustive de cette deuxième couche onomastique française, ni même de l'ensemble de la toponymie française d'Amérique. Comparativement aux études de dialectologie et de lexicographie dont le développement s'est accéléré depuis une vingtaine d'années, les travaux toponymiques accusent un retard considérable. Le Québec, au cœur même du rayonnement français en Amérique, attend toujours un véritable dictionnaire des noms de lieux pour remplacer l'ouvrage de Pierre-Georges Roy (1906), dont la mise à jour se fait attendre depuis longtemps. Heureusement, la Commission de toponymie du Québec a reconnu la nécessité d'un pareil outil et travaille présentement à la réalisation de ce dictionnaire dont la publication est prévue à l'automne 1994. Mais pour le reste de l'Amérique française, le terrain est à peine débroussaillé. Les premiers jalons de cette vaste tâche à entreprendre ont été posés à l'occasion du Premier Congrès international sur la toponymie française en Amérique du Nord, tenu à Québec en juillet 1984. Cette rencontre a permis de déterminer qu'il fallait encore multiplier inventaires et analyses avant de passer aux grands travaux de synthèse. Car ce n'est que lorsque nous disposerons des résultats de ces recherches que nous pourrons mesurer pleinement l'apport de la toponymie aux études sur les parlers français d'ici. Et, peut-être, comme le laissait entendre Albert Dauzat, aller au-delà des considérations purement linguistiques et saisir, de façon plus nuancée, l'âme des francophones d'Amérique.

Bibliographie

Blais, Suzelle (1983), *Apport de la topo-nymie ancienne aux études sur le fran-çais québécois et nord-américain*, Québec, Commission de toponymie (coll. Études et recherches toponymi-ques, 6), 105 p.

Coulet du Gard, René (1986), *Dictionary of French Place Names in the USA*, [s.l.], Deux Mondes, 431 p.

Dauzat, Albert (1946), *La toponymie fran-çaise*, Paris, Payot, 335 p.

Detro, Randall A. (1986), « French Topo-nymy of Louisiana », dans *450 ans de noms de lieux français en Amérique du Nord*, Québec, Les Publications du Québec, p. 480-510.

Gerlach, Russel L. (1986), *Settlement Patterns in Missouri : A Study of Popu-lation Origins*, Columbia, University of Missouri Press, VII + 88 p.

Lapierre, André (1986), « La toponymie de la partie occidentale de la Nouvelle-France », dans *450 ans de noms de lieux français en Amérique du Nord*, Québec, Les Publications du Québec, p. 343-349.

Morissonneau, Christian (1972), « Noms de lieux et contact des langues. Une appro-che de la choronymie du Québec », dans H. Dorion (dir.), avec la collaboration de C. Morissonneau, *Les noms de lieux et le contact des langues*, Québec, PUL, p. 246-292.

Morissonneau, Christian (1978), *Le langage géographique de Cartier et de Cham-plain. Choronymie, vocabulaire et per-ception*, Québec, PUL, 230 p.

Roy, Pierre-Georges (1906), *Les noms géographiques de la province de Qué-bec*, Lévis, [Le Soleil], 514 p.

Trudel, Marcel (1973), *Atlas de la Nouvelle-France*, Québec, PUL, 219 p.

Les défis de la francophonie nord-américaine au seuil du XXIe siècle

Évolution des services et des droits éducatifs des minorités de langue française du Canada

Angéline Martel
Télé-université

L'adoption de la *Charte canadienne des droits et libertés* en 1982 inaugure une nouvelle étape dans l'histoire de l'éducation des minorités de langue française au Canada. En vertu de l'article 23 de la Charte, la loi constitutionnelle du pays établit en effet de manière formelle, pour la première fois à l'échelle nationale, des droits scolaires particuliers pour les minorités francophones. Il s'agit là de l'évolution d'un ensemble de revendications historiques soumises par les minorités de langue française en vue d'obtenir non seulement des services d'enseignement dans leur langue, mais également des conditions d'épanouissement de leur collectivité: des écoles qui leur soient expressément réservées et dont la gestion leur appartienne.

Afin de bien saisir les conséquences de ce développement et d'en anticiper la suite, il importe de resituer celui-ci dans l'évolution générale de l'éducation des minorités francophones au pays. Tel est le premier but du texte qui suit: il présente d'abord un aperçu de l'éducation des minorités francophones avant 1982. Il décrit ensuite l'article 23 et documente les changements occasionnés par son adoption. Il analyse enfin la portée de cet article, alors qu'au début des années 1990 le Canada engage des réflexions décisives sur son identité nationale.

Nous conclurons qu'en matière d'éducation de sa minorité de langue française, l'État canadien est constamment en quête d'équilibre entre trois paliers d'intervention : le national, le provincial ou territorial et le communautaire. Au cours de l'évolution des services et des droits éducatifs de cette minorité, la répartition des pouvoirs décisionnels s'est organisée autour de ces trois axes, conformément aux objectifs poursuivis à cet égard.

ÉVOLUTION DE L'ÉDUCATION DES MINORITÉS FRANÇAISES AVANT 1982

L'autonomie initiale

Aux origines de la colonisation du Canada, les services éducatifs de langue française se développaient au fur et à mesure de l'établissement des communautés francophones à travers le territoire, au rythme et selon les besoins de chaque communauté.

En 1676, par exemple, sur le site actuel de la ville de Kingston en Ontario, une communauté francophone s'établit et se donne très tôt une école. Mais c'est surtout au milieu du XIXe siècle que se multiplient les communautés francophones du Haut-Canada et, avec elles, les écoles de langue française. En Acadie, une première école française est établie à Port-Royal en 1707. D'autres suivent au rythme de la colonisation.

Dans l'Ouest canadien, les premières écoles françaises sont créées au début du XIXe siècle par des missionnaires, avant même la fondation des premières colonies françaises. Ces écoles sont alors destinées à l'instruction et à l'évangélisation de la population indigène et métisse. Des enclaves francophones apparaîtront surtout à partir du milieu du siècle, alors que s'amorce véritablement la colonisation de l'Ouest. Chaque communauté se dotera d'une école.

À cette époque, les services éducatifs, généralement rudimentaires, sont dispensés, financés et gérés localement par les membres de la communauté, de concert avec les autorités religieuses. Les communautés francophones bénéficient donc d'une autonomie complète en matière d'éducation et ainsi assurent indépendamment une transmission de la langue et de la culture françaises par l'école.

La perte graduelle d'autonomie

Le pays sera graduellement regroupé sous l'égide de gouvernements qui prendront dès lors des dispositions relatives à l'éducation à l'intérieur de leur territoire. En 1867, l'établissement de la Confédération canadienne, qui réserve dorénavant aux gouvernements provinciaux le pouvoir exclusif de légiférer en matière d'éducation[1], a des répercussions décisives sur l'évolution de l'éducation française au pays. Par le truchement du financement public, entre autres choses, ces gouvernements occupent progressivement un domaine de compétence qui relevait jusque-là des pouvoirs locaux et dans lequel les collectivités francophones jouissaient de la plus grande autonomie. Les gouvernements provinciaux établiront ainsi des lois et des règlements régissant directement et unilatéralement, à l'échelle de chaque province, la langue d'intruction, la certification du personnel enseignant, les matières à enseigner, les manuels scolaires, l'étendue des districts scolaires, etc.

Soucieux de consolider son pouvoir et de satisfaire avant tout sa majorité linguistique, chaque gouvernement provincial tente désormais d'implanter un système d'éducation uniforme à la grandeur de son territoire. En règle générale, les mesures adoptées favorisent la majorité anglophone au détriment de la minorité francophone. De nombreuses lois viennent restreindre, abroger ou encore interdire, en tout ou en partie, les dispositions ayant permis jusque-là l'instruction en français, tandis que l'anglais est imposé peu à peu comme seule langue d'instruction autorisée.

De telles législations seront adoptées notamment au Nouveau-Brunswick (1871), en Ontario (1889 et 1913), au Manitoba (1890 et 1916), en Alberta (1892) et en Saskatchewan (1892, 1918 et 1931), surtout au cours des premières décennies de la Confédération. Citons pour exemple la promulgation du règlement 17 en Ontario en 1913

---

1. L'article 93 de la *Loi constitutionnelle de 1867* accorde aux provinces le pouvoir de légiférer en matière d'éducation : « 93. Dans chaque province et pour chaque province, la législature pourra exclusivement légiférer sur l'éducation, sous réserve et en conformité des dispositions suivantes [...] ». Ces réserves protègent les droits ou privilèges alors conférés aux écoles confessionnelles existantes (catholiques et protestantes).

(Dufresne *et al.*, 1988, p. 304): conjoncture importante dans l'histoire des francophones ontariens, ce règlement limitait délibérément l'enseignement en français aux deux premières années du primaire et l'interdisait dans les années subséquentes. Constamment l'objet de vives protestations de la part de la minorité francophone de la province, ce règlement demeure pourtant en vigueur jusqu'en 1927.

L'octroi de certains droits éducatifs

Toutefois, vers les années 1910-1920, l'évolution de l'éducation française au pays prend une nouvelle direction. Les minorités francophones s'organisent graduellement en larges associations[2], augmentant ainsi considérablement leur influence auprès des autorités provinciales. La plupart des provinces adoptent désormais une attitude plus ouverte à l'égard des collectivités francophones et commencent peu à peu à modifier leurs législations de manière à réhabiliter l'enseignement en français. Pourtant cette libéralisation se limite souvent à certains niveaux scolaires et ne concerne parfois qu'une partie de la journée scolaire, comme ce fut le cas des lois ou des règlements promulgués par les provinces suivantes: Manitoba (1896, 1955, 1963, 1967 et 1970), Nouvelle-Écosse (1908 et 1981), Saskatchewan (1896 et 1967), Alberta (1925 et 1964), Ontario (1851, 1944, 1966 et 1968), Île-du-Prince-Édouard (1971 et 1980) et Nouveau-Brunswick (1977).

Ainsi, la position des provinces se transforme graduellement à l'égard de l'éducation de la minorité de langue française. Le souci initial d'implanter un système d'éducation provincial uniforme s'accommode peu à peu de la présence de la minorité de langue française.

La reconnaissance de la dualité linguistique au Canada

Le changement d'attitude sera beaucoup plus marqué à compter des années 1960, alors qu'une nouvelle vision nationale vient influencer

---

2. À titre d'exemple, voici la date de fondation de quelques associations: l'Association canadienne française de l'Ontario (ACFO), 1910; l'Association culturelle franco-canadienne de la Saskatchewan, 1912; l'Association d'éducation des Canadiens français du Manitoba, 1916; la Société Saint-Thomas d'Aquin de l'Île-du-Prince-Édouard, 1919.

les gouvernements provinciaux et territoriaux. Le gouvernement fédéral reconnaît alors officiellement la dualité linguistique du pays et entend établir une politique nationale respectueuse de cette dualité. Dans cette optique est créée notamment la Commission royale d'enquête sur le bilinguisme et le biculturalisme (1963). C'est véritablement avec cette dernière que la question des droits scolaires des minorités de langue officielle commence à s'imposer dans les débats publics à l'échelle nationale. Les collectivités de langue française trouvent dès lors un écho sans précédent à leurs revendications en matière d'éducation[3]. En 1969, la *Loi sur les langues officielles* vient consacrer le caractère bilingue du Canada.

La question des droits scolaires des minorités de langue officielle devient par la suite un enjeu central des négociations intergouvernementales, négociations qui permettront aux minorités francophones de franchir des pas très importants en matière d'éducation[4]. Ainsi, les neuf premiers ministres des provinces à majorité anglophone publient en 1978 une déclaration commune dans laquelle ils reconnaissent formellement que l'éducation constitue l'instrument indispensable grâce auquel les minorités peuvent assurer l'épanouissement de leur langue et de leur culture. Les enfants des minorités de langue officielle, admettent-ils, ont le droit de recevoir l'enseignement dans leur langue au sein d'écoles primaires et secondaires, partout où le nombre le justifie.

---

3. Entre autres, la commission Laurendeau-Dunton accorde à l'école de la minorité un double objectif : celui de permettre l'acquisition de la langue comme moyen de communication efficace et celui d'assurer la continuité du groupe en fournissant un milieu de promotion sociale et culturelle aux minorités de langue officielle. Voir à ce sujet Martel (1991a, chap. premier).

4. Ce fut le cas en février 1971, lors de la Conférence constitutionnelle. Les premiers ministres des neuf provinces anglophones publient alors une déclaration conjointe à propos de l'enseignement dans la langue de la minorité dans laquelle on s'accorde pour dire que toute personne a le droit de recevoir un enseignement «principalement» dans la langue de la minorité, enseignement financé par les fonds publics. À nouveau en 1978, lors de la conférence de St. Andrews (Nouveau-Brunswick), les neuf premiers ministres anglophones conviennent expressément «de faire tout leur possible pour offrir l'enseignement en français et en anglais, sous réserve que le nombre le justifie». Le Québec refuse formellement de signer chacune de ces deux déclarations.

Sur ces déclarations s'appuie finalement la reconnaissance, au plan national, des droits éducatifs qui sont conférés à la minorité de langue française par l'article 23 de la Charte. Les provinces à majorité anglophone du Canada acceptent ainsi la dualité linguistique du pays et s'engagent, en principe, à fournir des conditions favorisant l'épanouissement de la langue et de la culture françaises.

L'insuffisance des mesures provinciales avant 1982 et la nécessité de dispositions constitutionnelles nationales

Malgré l'attitude plus favorable des gouvernements provinciaux envers la minorité francophone, les mesures introduites par la majorité des provinces ne suffisent pas encore, en 1982, à assurer le maintien des communautés de langue française. Le tableau 1 démontre d'abord cette insuffisance en détaillant, dans chaque province et territoire, l'évolution des effectifs scolaires de la minorité francophone pour la décennie qui précède l'adoption de l'article 23.

En effet, entre 1970 et 1981, les effectifs scolaires des minorités francophones accusent en moyenne une importante baisse de 19,6%. Pour leur part, les minorités du Manitoba, de l'Île-du-Prince-Édouard et de Terre-Neuve connaissent, en 11 ans, une diminution de plus du tiers de leurs effectifs scolaires. Les populations scolaires des provinces anglophones sont certes également en décroissance, mais de 9,7%, soit la moitié du déclin des effectifs de la minorité francophone[5].

Conséquemment à la baisse des effectifs des minorités francophones, le nombre d'écoles publiques qui leur dispensent l'enseignement diminue également au Canada, passant de 678 à 655[6].

---

5. Ce déclin des effectifs scolaires des minorités francophones au Canada est d'autant plus significatif que la population minoritaire de langue maternelle française s'est légèrement accrue pendant cette décennie. En 1971, 926 400 personnes se déclarent de langue maternelle française; 942 085 le font en 1981, soit une augmentation de 1,6%. Pourtant, cette légère augmentation des minorités francophones ne suffit pas à maintenir le poids démographique de ces collectivités. En effet, les populations des provinces majoritairement anglophones ont augmenté de 15,2% entre 1971 et 1981.

6. Ces écoles sont publiques parce qu'elles font partie des réseaux des commissions scolaires. Voir le *Rapport annuel 1983* du Commissaire aux langues officielles (1984).

TABLEAU 1
ÉVOLUTION DES EFFECTIFS SCOLAIRES PROVINCIAUX ET TERRITORIAUX* DE LA MINORITÉ DE LANGUE FRANÇAISE ENTRE 1970 ET 1981

Province et territoire	Effectifs 1970-1971	Effectifs 1981-1982	Changement 1970 / 1981
Colombie-Britannique	**	785	
Alberta	**	**	
Saskatchewan	765	1 403	+ 83,4 %
Manitoba	10 405	6 411	– 38,4 %
Ontario	115 869	94 557	– 18,4 %
Nouveau-Brunswick	60 679	48 614	– 19,9 %
Nouvelle-Écosse	7 388	5 308	– 28,2 %
Île-du-Prince-Édouard	796	529	– 33,6 %
Terre-Neuve	185	127	– 31,4 %
T.N.-O.	0	0	
Yukon	0	0	
Total	**196 087**	**157 734**	**– 19,6 %**

* Écoles et programmes subventionnés entièrement par les fonds publics et offerts au sein du réseau d'enseignement public.

** Données non disponibles ; les ministères de l'Éducation de ces provinces ne distinguaient pas entre les effectifs de la minorité et ceux des programmes d'immersion.

Source : Statistique Canada, 1989, *Langue de la minorité et langue seconde dans l'enseignement, niveaux élémentaire et secondaire*, p. 28-29.

De plus, certaines provinces à majorité anglophone n'ont pas toujours distingué formellement entre l'enseignement dans un programme en français réservé à la minorité et celui dans un programme d'immersion destiné à la majorité. En effet, entre 1970 et 1982, la nouvelle prise de conscience de la dualité linguistique canadienne a stimulé considérablement la popularité des programmes d'immersion en français. Paradoxalement, l'avènement de ces programmes a eu pour conséquence de gêner le développement de l'éducation en français destinée à la minorité francophone. En effet, ces deux activités se sont retrouvées partiellement sinon complètement amalgamées, depuis l'enseignement et l'élaboration des programmes jusqu'à leur unité de gestion au sein des ministères de l'Éducation, et cela dans la plupart des provinces et territoires. Le tableau 1 montre qu'en 1981 l'Alberta ne faisait pas encore la distinction officielle entre ces deux programmes.

Cet état de choses résume la situation déficiente de l'éducation des minorités de langue française et la nécessité d'y remédier par des dispositions constitutionnelles nationales.

L'ADOPTION DE L'ARTICLE 23

En 1982, l'article 23 de la Charte marque l'aboutissement logique de l'évolution que nous venons de décrire. Sur le plan communautaire, il restaure une prise en charge locale par la collectivité de langue française. Sur le plan provincial, il exige une transformation des dispositions légales qui doivent désormais s'accorder avec les nouvelles obligations constitutionnelles. Enfin, sur le plan national, il fournit au gouvernement fédéral une responsabilité quant à la protection de la minorité de langue française. L'article 23 doit ainsi remédier aux défauts de l'éducation précédemment instaurée pour les collectivités minoritaires francophones. Nous présenterons maintenant l'objectif de cet article, la nature des droits qu'il confère et nous analyserons la vision sociale qu'il instaure.

L'objectif poursuivi

L'article 23 établit juridiquement les obligations des neuf gouvernements signataires des provinces à majorité anglophone en ce qui a trait à l'instruction des minorités de langue officielle. La Cour suprême du Canada a décrété en 1984 que ces obligations s'appliquent également à la seule province non signataire : le Québec[7]. Hormis l'exclusion du gouvernement du Québec, les objectifs de l'article 23 ont donc préalablement fait l'objet d'un consensus négocié entre les trois paliers qui nous occupent : le national, le provincial et le communautaire.

Voici d'abord l'objectif général de cet article, tel qu'il fut répété en 1990 par la Cour suprême du Canada dans l'arrêt *Mahé et al.* : « [...] maintenir les deux langues officielles du Canada ainsi que les cultures qu'elles représentent et [...] favoriser l'épanouissement de chacune de ces langues, dans la mesure du possible, dans les provinces où elle n'est

---

7. Une dérogation est toutefois permise, celle qui stipule par l'article 59 que le critère de la langue maternelle (23(1)a)) est inopérant au Québec.

pas parlée par la majorité» (p. 14). En 1981, comme aujourd'hui, l'article 23 propose donc un seul objectif visant deux groupes distincts : de façon immédiate, la minorité anglophone du Québec et, à plus long terme, les minorités de langue française des provinces à majorité anglophone.

En ce qui concerne la minorité anglophone[8], les ressemblances évidentes entre les dispositions de la Charte canadienne et certaines clauses de la loi 101 du Québec font voir clairement les préoccupations du gouvernement fédéral et des gouvernements provinciaux signataires. On s'inquiète des limitations qu'impose alors la *Charte de la langue française* quant à l'accès à l'instruction en anglais[9], notamment par la clause dite «Québec». L'article 23 vient alors accorder le droit à l'instruction en anglais au Québec aux enfants dont le parent a reçu l'instruction primaire au Canada (clause-Canada).

De plus, le gouvernement fédéral entend fournir aux minorités francophones hors Québec des conditions scolaires comparables à celles

---

8. Nous nous attardons quelque peu sur cette minorité parce que les dispositions légales prises à son égard ont servi à définir celles dont devraient jouir les minorités de langue française.

9. La loi 101 faisait du Québec la seule province qui, en 1982, établissait clairement les critères d'admissibilité à l'instruction dans la langue de la minorité, alors que certaines provinces anglophones, notamment Terre-Neuve et la Colombie-Britannique, n'avaient aucune loi sur la langue d'instruction (Monnin, 1983). L'article VIII de la loi 101 fut donc le modèle de situation à réformer par l'article 23 de la Charte. Voir à ce sujet Proulx (1989) et l'arrêt de la Cour suprême du Canada dans l'affaire *Quebec Association of Protestant School Boards* c. *P.G. Québec*, 1984, 2 R.C.S. 66. À titre d'exemple, citons l'article 73, section VIII. Cet article permet notamment :

    Par dérogation à l'article 72, peuvent recevoir l'enseignement en anglais, à la demande de leur père et de leur mère,

    a) les enfants dont le père ou la mère a reçu au Québec, l'enseignement primaire en anglais [...].

    Cet article a inspiré le paragraphe 23(1)b) qui se lit comme suit :

    23(1) Les citoyens canadiens

    a) [...]

    b) qui ont reçu leur instruction, au niveau primaire, en français ou en anglais au Canada [...].

dont bénéficiait la minorité anglophone du Québec avant la loi 101[10].
À cet égard, le ministre de la Justice d'alors, M. Jean Chrétien, énonce
à la Chambre des communes, le 23 octobre 1981 :

> [...] le premier ministre a déclaré qu'il se montrerait favorable à toute
> proposition visant à améliorer la Charte. Ce que nous essayons de faire
> est très simple. Nous voulons garantir aux Canadiens anglophones qui
> emménagent au Québec le droit de fréquenter des écoles anglaises.
> D'autre part et pour la première fois dans l'histoire du Canada, nous
> voulons constitutionnaliser le droit des Francophones de neuf autres
> provinces d'avoir leurs propres écoles. [...] Nos objectifs sont bien
> connus. Il est grand temps à notre avis d'assurer l'égalité d'enseignement
> partout au Canada, tant pour les Anglophones du Québec que pour les
> Francophones de toutes les autres régions (*Débats des Communes*,
> p. 12115).

L'objectif d'épanouissement des minorités de langue française par
l'éducation est donc clair.

Toutefois, cet objectif contraste avec l'insuffisance, précédemment
décrite, des systèmes éducatifs des provinces à majorité anglophone à
l'égard de leur minorité francophone. Ainsi, l'article 23 prend, en principe, un caractère réparateur et novateur. Cette caractéristique est d'ailleurs confirmée à deux reprises par la Cour suprême du Canada :

> À tort ou à raison, ce n'est pas aux tribunaux qu'il appartient d'en
> décider ; le rédacteur de la Charte a manifestement jugé déficients certains
> des régimes en vigueur au moment où il légiférait, et peut-être même
> chacun d'entre eux, et *il a voulu remédier à ce qu'il considérait comme
> leurs défauts par des mesures réparatrices uniformes, celles de l'art. 23
> de la Charte*, auxquelles il conférait en même temps le caractère d'une
> garantie constitutionnelle[11].

Le juge Dickson de la Cour suprême ajoute en 1990 :

> À mon avis, les appelants ont parfaitement raison d'affirmer que
> « l'histoire révèle que l'art. 23 était destiné à remédier, à l'échelle

---

10. Ces paroles, souvent reprises ultérieurement dans les arrêts et les plaidoiries, ont servi
de preuve aux tribunaux quant aux objectifs de l'article 23.

11. Ces paroles proviennent du jugement de la Cour suprême dans l'affaire *Quebec
Association of Protestant School Boards* c. *P.G. Québec* en 1984. Elles sont reprises
intégralement dans l'arrêt de 1990 dans l'affaire *Mahé et al.* c. *La Reine* (Alberta).

nationale, à l'érosion progressive des minorités parlant l'une ou l'autre langue officielle et à appliquer la notion de « partenaires égaux » des deux groupes linguistiques officiels dans le domaine de l'éducation » (p. 16).

Par son caractère réparateur, l'article 23 exige essentiellement un nouveau système éducatif que chacun des gouvernements des provinces à majorité anglophone doit implanter pour sa minorité de langue française. Il crée donc une obligation provinciale à l'égard de la protection collective de la minorité de langue française. Afin de mieux comprendre l'ampleur que devrait prendre ce nouveau système éducatif, nous décrirons maintenant chacun des droits conférés.

Les droits conférés

L'article 23 définit de manière précise les conditions à remplir pour se prévaloir des droits qu'il confère. Il faut d'abord détenir la citoyenneté canadienne et être parent. Il faut également satisfaire à l'une des trois conditions suivantes : avoir pour première langue apprise et encore comprise la langue de la minorité officielle (alinéa 23(1)a)) ; avoir reçu au Canada son instruction primaire dans la langue de la minorité et résider dans une province où la langue de cette instruction est celle de la minorité (alinéa 23(1)b)) ; avoir un enfant ayant reçu au Canada son instruction primaire ou secondaire dans la langue de la minorité (paragraphe 23(2)). De cette définition des bénéficiaires découle une notion importante, celle d'ayant droit. Elle s'applique aux enfants dont les parents sont admissibles aux droits conférés en vertu de l'article 23. Nous apporterons plus loin des précisions démolinguistiques concernant les ayants droit.

Les droits scolaires conférés forment un ensemble qui recouvre essentiellement trois aspects. Chacun contribue à l'identité distincte de la minorité par une consolidation de la langue et de la culture françaises. Le premier aspect consacre en tant que tel le droit des minorités de langue officielle d'accéder à l'instruction dans leur langue aux niveaux primaire et secondaire. C'est un droit général qui porte sur le contenu de l'éducation : la langue et la culture françaises.

Certains jugements ont, depuis 1982, précisé la nature et la portée des droits conférés par l'article 23. Ainsi, en ce qui concerne l'instruction, un programme d'immersion dans la langue de la minorité, destiné originellement aux membres de la majorité, ne peut être considéré comme un programme d'instruction destiné à la minorité de langue officielle[12]. D'abord, dans un programme d'instruction pour la minorité, la langue maternelle est enseignée plutôt que la langue seconde. La majeure partie de la journée scolaire, sinon toute la journée, se déroule dans la langue de la minorité. En outre, par son contenu, l'instruction reflète la culture de la minorité et doit être d'aussi bonne qualité que celle dont bénéficie la majorité[13].

Le second aspect des droits conférés couvre à l'alinéa 23(3)b) le type d'établissement scolaire dans lequel cette instruction doit être dispensée. En l'occurrence, il est stipulé que l'instruction doit être fournie dans des «établissements d'enseignement de la minorité» lorsque le nombre le justifie.

Certains jugements ont ici encore permis d'apporter, depuis 1982, des précisions importantes en ce qui touche le type d'établissement scolaire dans lequel l'instruction à la minorité doit être donnée. S'agit-il d'établissements exclusivement réservés à la minorité ou d'établissements régis par la majorité mais dans lesquels certaines activités regroupent les membres de la minorité linguistique? À cet égard, plusieurs tribunaux ont confirmé que les écoles bilingues ou mixtes ne permettent pas d'assurer l'épanouissement culturel de la minorité linguistique et qu'elles sont même assimilatrices[14]. Aussi est-il nécessaire, lorsque le nombre le justifie, de former des écoles homogènes, c'est-à-dire expressément réservées aux membres de la minorité linguistique. Dans ces écoles, la langue de l'administration doit être celle de la minorité et les valeurs transmises doivent également être celles de la minorité.

---

12. Voir les arrêts suivants: *SANB* c. *Minority Language School Board No. 50 et al.*, 1983, 48 N.B.R. 2d 361; *Reference re Education Act of Ontario and Minority Language Education Rights*, 1984, 2 R.C.S. 4th 491; *Mahé et al.* c. *La Reine* (Alberta), 1985, 64 Alberta Reports 35; *Whittington* c. *Board of School Trustees of School District No. 63 (Saanich)*, 1987.

13. Voir *Marchand* c. *Simcoe County Board of Education*, 1986, 55 O.R. 2d 638.

14. Voir notamment *SANB* c. *Minority Language School Board*, 1983; *Reference re Education Act of Ontario*, 1984; *Mahé et al.* c. *La Reine* (Alberta), 1985, 1987; *Commission des écoles fransaskoises et al.* c. *P.G. Saskatchewan*, 1988; *Laurent Lavoie et al.* c. *P.G. Nouvelle-Écosse et Cape Breton District School Board*, 1988.

Le troisième aspect des droits, conféré en vertu de l'alinéa 23(3)b), assure aux minorités de langue officielle le droit de gérer leurs établissements scolaires.

D'une façon générale, les jugements des tribunaux rendus antérieurement à 1990 acceptent le principe que les minorités francophones doivent contrôler leurs établissements scolaires, mais affirment du même coup que le choix des modalités de gestion adaptées à chaque situation relève des gouvernements provinciaux.

La Cour suprême s'est par ailleurs longuement penchée sur la question en 1990 (*Mahé et al.*). Le juge Dickson estime alors que la structure et l'objectif de l'article 23 veulent accorder à la minorité la gestion et le contrôle de ses établissements d'enseignement. Ce contrôle peut prendre diverses formes ; toutefois, lorsqu'il y a instruction, il y a gestion des aspects qui assurent l'épanouissement de la langue et de la culture minoritaires. Au minimum donc, les représentants et représentantes de la minorité doivent détenir un pouvoir décisionnel absolu dans les cinq domaines suivants :

- les dépenses prévues pour l'instruction et les établissements ;

- la nomination et la direction des personnes chargées de l'administration de cette instruction et de ces établissements ;

- l'élaboration de programmes scolaires ;

- le recrutement et l'affectation du personnel, notamment des professeurs ;

- la conclusion d'accords pour l'enseignement et les services offerts aux élèves de la minorité linguistique.

Le type de structure institutionnelle requis pour appliquer les droits conférés dépend des circonstances locales et du nombre de personnes visées. Par exemple, il peut prendre la forme d'une commission scolaire indépendante ou encore celle d'une représentation proportionnelle de la minorité au sein d'une commission scolaire de la majorité.

L'article 23 stipule de plus que les droits conférés doivent être assurés par un financement public[15]. Cette confirmation remédie à une situation qui a historiquement privé une portion du groupe minoritaire des avantages d'un système d'éducation reconnu officiellement et soutenu par un financement public. En effet, parallèlement au réseau public, un réseau d'établissements privés avait été mis sur pied par les communautés religieuses francophones lorsque les gouvernements provinciaux ont adopté des mesures restrictives à l'égard de l'enseignement en français. Ce réseau a permis à une part de la minorité de se donner des conditions d'épanouissement en préservant l'accès à un enseignement dans sa langue dans des établissements homogènes tout en contrôlant, à toutes fins utiles, la gestion de cet enseignement. La Charte offre aujourd'hui ces avantages au sein du système public d'éducation.

L'article 23 assujettit par contre les droits conférés à une condition : le nombre d'enfants doit être suffisant, que ce soit pour accorder l'instruction dans la langue de la minorité ou pour fournir des établissements à la minorité. L'article ne précise pas toutefois de quelle manière doit être calculé ce nombre.

En conséquence, les tribunaux se sont butés à l'interprétation de la clause du «nombre suffisant». Ce nombre réfère-t-il strictement aux enfants inscrits ou signifiant leur volonté de s'inscrire ou bien désigne-t-il l'ensemble des ayants droit en vertu de l'article 23 ? La Cour d'appel de l'Ontario (1984) s'est prononcée en faveur de la seconde interprétation, alors que plusieurs autres tribunaux ont préféré s'en tenir à la première.

La Cour suprême du Canada (1990), pour sa part, a longuement étudié la question. Elle en conclut que :

> [...] le chiffre pertinent aux fins de l'art. 23 est le nombre de personnes qui se prévaudront en définitive du programme ou de l'établissement envisagés. Il sera normalement impossible de connaître le chiffre exact, mais on peut en avoir une idée approximative en considérant les paramètres dans lesquels il doit s'inscrire – la demande connue relative au service et le nombre total de personnes qui pourraient éventuellement se prévaloir du service (p. 37).

---

15. Alinéa 23(3)b)) : «financés par les fonds publics».

Elle encourage donc la planification de services sur la base potentielle d'un nombre se situant entre la demande relative au service et le nombre d'ayants droit.

Concurremment à une énumération des droits qu'il confère (le droit des minorités de langue officielle d'accéder à l'instruction dans leur langue aux niveaux primaire et secondaire, le droit à l'instruction dans des «établissements d'enseignement de la minorité» lorsque le nombre le justifie, et le droit réservé aux minorités de langue officielle de gérer leurs établissements scolaires), aux conditions qu'il appose (financement public et nombre suffisant) et à l'objectif qu'il poursuit, cet article renseigne également sur la vision sociopolitique qu'entendaient instaurer au Canada les rédacteurs de la Constitution à l'époque. Cette vision sociopolitique est cruciale dans l'évolution de l'application de l'article 23. Elle le sera également pour la poursuite de sa mise en œuvre vers le XXIe siècle.

La vision sociopolitique instaurée

En instituant une vision nationale de l'éducation des minorités de langue officielle, l'article 23 accorde à la minorité de langue française un levier juridique vers une prise en charge accrue de son éducation. Nous expliquerons cette vision en nous référant aux trois champs d'intervention visés par l'article 23 : la protection nationale, l'obligation provinciale et la prise en charge communautaire.

L'article 23 constitue d'abord, nous l'avons déjà signalé, une évolution logique de la vision politique et sociale d'un pays bilingue telle qu'elle est consacrée par la *Loi sur les langues officielles* de 1969 qui instaure notamment le bilinguisme de l'appareil fédéral[16]. L'implantation de la *Loi sur les langues officielles* a plusieurs conséquences

---

16. D'ailleurs, l'article 23 fait suite aux dispositions des articles 16 à 22 qui accordent un statut d'égalité aux deux groupes fondateurs du pays en matière de services auprès des organismes gouvernementaux et en matière de tribunaux.

dont bénéficie particulièrement la collectivité francophone[17] tant au plan social qu'au plan économique[18]. L'une de ces conséquences est de légitimer une nouvelle étape de planification linguistique : celle d'un système d'éducation conforme à l'objectif national et expressément conçu pour la minorité francophone. En effet, il est généralement admis en planification linguistique que, lorsque la fonction administrative d'un gouvernement fournit des services linguistiques à cette minorité, comme c'est le cas avec la *Loi sur les langues officielles*, la prochaine étape est d'assurer une éducation dans la langue minoritaire (Corrubias, 1987).

Toutefois, cette nouvelle étape, soit un système d'éducation conçu pour la minorité de langue française, s'insère dans un cadre juridictionnel déjà existant : celui où l'éducation est un champ de compétence provinciale. La protection nationale accordée par l'article 23 et la conséquente réorganisation du système d'éducation conféré à la minorité marquent la minorité comme une collectivité qui se dégage symboliquement du champ juridictionnel provincial. Elles lui consacrent ainsi une nouvelle importance, symbolique et réelle, face à son gouvernement majoritaire. Elles interposent un nouveau champ de protection en ce domaine : le plan national.

De plus, l'article 23 est extrêmement précis si on le compare à d'autres dispositions de la Charte qui, elles, régissent des droits et libertés fondamentaux[19] reconnus internationalement (Vandycke, 1989). Cette précision s'explique par la conjoncture politique dans laquelle il a été rédigé, notamment par une volonté particulière de contrer certaines dispositions de la *Charte de la langue française* du Québec. Or, cette

---

17. Nous ne comparons pas ici les profits différentiels qu'ont pu retirer les deux groupes minoritaires français et anglais.

18. Parmi ces conséquences, notons des avantages économiques. La création d'une nouvelle force de travail avantageait les francophones minoritaires, déjà bilingues : par exemple, postes au sein de la fonction publique fédérale, postes d'enseignement en immersion française. Parmi les avantages sociaux, notons que cette loi accordait un statut supérieur au français, en le plaçant officiellement sur un pied d'égalité avec la langue de la majorité du pays. Ce statut fournit une plus grande légitimité aux minorités francophones et à leurs revendications.

19. Parmi les droits fondamentaux, mentionnons notamment la liberté de conscience, d'association, d'expression et le droit à l'égalité.

conjoncture, ayant pour résultat la rédaction de l'article 23, provoque un discours de parité nationale entre la minorité anglophone et la minorité francophone. Ainsi, cette dernière peut subséquemment revendiquer les mêmes services que ceux qui sont offerts à la minorité anglophone du Québec. Cette position est avantageuse puisque la minorité de langue anglaise du Québec dispose déjà de ses institutions scolaires et du contrôle administratif de ces institutions.

En conséquence, l'article 23 institue un nouveau rapport de forces entre chaque minorité francophone et sa majorité respective. Il interpose sur le plan national une responsabilité de protection des minorités. Cette protection se traduit en obligation de la part des gouvernements provinciaux et territoriaux : la minorité obtient des droits éducatifs semblables à ceux de la majorité, soit les droits à l'instruction dans sa langue et à la gestion de cette instruction. L'implantation de ces droits pose toutefois un problème : les gouvernements des provinces à majorité anglophone acceptent difficilement qu'une minorité ait des droits aussi étendus et que, de plus, ces droits demandent une accommodation des systèmes existants. Malgré l'apposition de leur signature à cette disposition, la majorité des gouvernements anglophones se retrouvent donc coincés entre le gouvernement fédéral, qui surveille l'implantation de l'article 23, et les minorités, qui revendiquent la mise en application des droits conférés. Les tribunaux, pour leur part, sont les arbitres des différends, comme nous le verrons plus loin.

De l'article 23 se dégage également une vision sociale qui s'applique aux minorités. Cette vision facilite une prise en charge collective de ce groupe et lui rétablit une autonomie partielle. L'article 23 vise d'abord, individuellement[20], les citoyens et les citoyennes appartenant à la minorité de langue française qui désirent se prévaloir de leurs nouveaux droits. Toutefois, au-delà des choix individuels, cet article concerne également la collectivité francophone.

En effet, l'article 23 privilégie la reconnaissance et la croissance de la collectivité minoritaire. Il le fait de plusieurs façons. Tout d'abord, la clause « là où le nombre le justifie » exige le regroupement statistique

---

20. Cette vision individualiste émerge d'ailleurs de la Charte en général qui garantit les droits individuels des citoyens et citoyennes du Canada (Vandycke, 1989).

et administratif des francophones. Ensuite, cet article donne notamment droit à l'expression collective d'une minorité que sont ses institutions : l'école et son système de gestion.

De plus, la notion d'ayant droit qui émerge de l'article 23 joue un rôle déterminant pour la minorité de langue française. Puisqu'elle concerne les parents bénéficiaires des droits, elle consacre d'abord le lien familial. Ensuite, la notion d'ayant droit détermine la croissance potentielle d'une minorité, à l'inverse des transferts linguistiques vers l'anglais. En effet, elle permet la récupération des enfants qui n'ont pas encore appris le français mais dont un parent est bénéficiaire en vertu de cet article. Le tableau 2 fournit un aperçu du nombre d'ayants droit, par province et territoire[21]. Il indique également la croissance potentielle des minorités en montrant l'écart entre le nombre d'enfants qui apprennent le français comme langue maternelle (la réalité) et le nombre d'enfants qui pourraient l'apprendre à l'école : les ayants droit (la vision).

TABLEAU 2
POPULATION MINORITAIRE DE LANGUE MATERNELLE FRANÇAISE, PAR PROVINCE ET TERRITOIRE, PAR RAPPORT AU NOMBRE D'AYANTS DROIT EN VERTU DE L'ALINÉA 23(1)A), 1986

	Population minoritaire de langue maternelle française (PMLMF) de 6 à 17 ans	Ayants droit (AD) en vertu de l'alinéa 23(1)a)	Pourcentage PMLMF / AD
Colombie-Britannique	2 602	14 815	17,6 %
Alberta	5 318	21 093	25,2 %
Saskatchewan	1 762	10 722	16,4 %
Manitoba	6 681	17 754	37,6 %
Ontario	70 462	135 612	52,0 %
Nouveau-Brunswick	46 350	57 331	80,9 %
Île-du-Prince-Édouard	706	2 280	31,0 %
Nouvelle-Écosse	3 791	10 516	36,1 %
Terre-Neuve	267	1 117	23,9 %
T.N.-O. et Yukon	168	674	24,9 %
Total	**138 107**	**271 914**	**50,8 %**

Source : Martel, 1991a, p. 81.

---

21. Pour la méthodologie de calcul de ces données, voir Martel (1991a, chap. 2).

Pour l'essentiel, notons qu'en 1986 le nombre d'ayants droit
(271 914 enfants de 6 à 17 ans) est deux fois supérieur au nombre d'enfants de langue maternelle française (138 107 enfants). Le cas du
Nouveau-Brunswick éclaire quant au rôle que peut jouer un système
complet d'éducation[22]. En effet, dans cette province, 80,9 % des ayants
droit sont de langue maternelle française. Ainsi l'insertion d'une
proportion semblable d'ayants droit au sein de la collectivité francophone
est théoriquement possible dans toutes les provinces canadiennes.

L'article 23 alimente donc une perspective sociopolitique favorable
aux minorités de langue française. S'y retrouve, sur le plan national,
une continuité de la vision d'égalité de deux groupes du Canada, quelles
qu'en soient les conditions démographiques : minoritaires ou majoritaires. S'y retrouve également un nouveau rapport de force entre les
minorités de langue française et leur majorité respective, conjugué à
une occasion de croissance pour cette minorité. Ces facteurs tendent
vers une prise en charge accrue de la part de la minorité francophone
en ce qui concerne son éducation. Cette prise en charge est appuyée par
des obligations provinciales et une protection nationale. Nous verrons
maintenant la façon dont cette vision, combinée aux droits conférés et
aux objectifs visés, s'est concrétisée depuis 1982.

LES NOUVELLES TENDANCES À LA SUITE DE LA PROMULGATION DE L'ARTICLE 23

L'article 23 aura eu des conséquences imprévisibles tant pour les
majorités anglophones que pour les minorités elles-mêmes. Nous en
faisons état dans cette section. Nous y décrivons notamment : l'activisme
judiciaire intense faisant suite à la promulgation de la Charte, la distinction formelle établie entre l'instruction en français destinée à la minorité
et celle qui est destinée à la majorité par les programmes d'immersion,
la progression des effectifs scolaires de la minorité, l'augmentation du
nombre d'écoles homogènes et la création de systèmes de gestion scolaire pour accommoder les francophones.

---

22. Depuis 1981, les commissions scolaires du Nouveau-Brunswick sont organisées selon
une base linguistique ; les francophones étaient regroupés dans 150 écoles acadiennes
homogènes en 1986.

L'activisme judiciaire

En 1982, l'article 23 accorde donc de nouveaux droits. Une première évaluation par chacune des minorités de langue française permet de faire état de l'écart entre les conditions en vigueur et les droits conférés. De cette constatation émerge un nouveau militantisme : les revendications auprès des gouvernements provinciaux se font pressantes. La réponse des gouvernements provinciaux est plutôt négative et la parité entre la minorité anglophone du Québec et leur minorité francophone est remise en question. Devant l'inaction, voire le refus des autorités provinciales, les minorités ont désormais un recours : les tribunaux.

En effet, le gouvernement fédéral joue le rôle de protecteur des minorités de langue officielle. Il met ainsi en place un instrument financier qui déclenche l'activisme judiciaire[23]. Afin de favoriser l'implantation et l'interprétation de l'article 23, le gouvernement fédéral ratifie, en décembre 1982, le programme de Contestation judiciaire[24]. Ce programme subventionne[25] les causes types qui sont présentées devant les tribunaux. Par ce moyen, le gouvernement fédéral donne l'occasion aux minorités de langue officielle de se prévaloir des nouvelles dispositions constitutionnelles.

C'est ainsi que, depuis l'adoption de la Charte jusqu'en 1991, 18 procès ont mis en cause l'article 23 et en ont soulevé les problèmes d'interprétation. Quinze d'entre eux ont reçu des jugements qui constituent désormais des précédents importants[26].

---

23. Nous employons ici le terme *activisme judiciaire* pour décrire cette activité militante qu'est le recours aux tribunaux par la minorité de langue française. Ce terme désigne bien les relations conflictuelles qui s'installent entre la minorité et la majorité.

24. Historiquement, ce programme existait depuis février 1978, à la suite de la cause qui avait opposé M. Georges Forest au gouvernement du Manitoba. Le programme fut remis à jour après la promulgation de la Charte avec comme mission de favoriser l'interprétation et l'implantation de l'article 23 et de l'article 15 (après le 17 avril 1985).

25. Une somme de 928 190,37 $ a été versée entre 1985 et 1990 pour des causes portant sur l'article 23.

26. À cet égard, voir Martel (1991a).

En conformité avec l'objectif premier de l'article 23 et avec la conjoncture politique de 1982, la minorité anglophone du Québec est la première à porter l'interprétation de ses droits devant les tribunaux[27]. Elle obtient alors gain de cause auprès du plus haut tribunal du pays contre la clause-Québec de la *Charte de la langue française*.

Toutefois, les minorités de langue française de toutes les provinces et territoires se prévalent également et rapidement du système judiciaire. Elles l'utilisent à la fois comme stratégie de négociation et comme intermédiaire entre elles et les gouvernements provinciaux. Conséquemment, les jugements se sont multipliés : au Nouveau-Brunswick tout d'abord (1983), en Ontario ensuite (1984), puis en Alberta (1985) et à nouveau en Ontario (1986). En 1987, trois jugements sont rendus : en Colombie-Britannique, en Alberta et en Nouvelle-Écosse. En 1988, c'est au tour de la Saskatchewan et de l'Île-du-Prince-Édouard. À nouveau en Nouvelle-Écosse en 1989. En 1990, deux jugements : au Manitoba et en Cour suprême du Canada dans l'affaire *Mahé et al.* c. *La Reine* (Alberta). En 1991, en Saskatchewan. Ces jugements marquent la pointe de l'iceberg des nombreuses actions de la part des minorités de langue française : recherches, rencontres, négociations, concertations, animation sociale, campagnes d'information, etc. (pour une étude de cas, voir Martel, 1991b).

En ce qui concerne l'orientation générale donnée à l'interprétation de l'article 23 par les divers tribunaux, ces derniers pratiquent une approche conciliatrice entre les trois axes nommés précédemment : la protection nationale, les obligations provinciales et la prise en charge communautaire par les minorités francophones. En général, les jugements sont favorables aux minorités de langue française. Les juges acceptent les objectifs de cet article ; ils en reconnaissent l'importance et la légitimité pour l'épanouissement des minorités de langue française.

Toutefois, ils acceptent moins facilement la vision sociopolitique qui en émerge ; ils sont prudents à deux égards. Tout d'abord, ils refusent généralement de s'ingérer directement dans le processus législatif ;

---

27. Deux arrêts ont alors été rendus dans l'affaire *Quebec Association of Protestant School Boards* c. *P.G. Québec* ; en 1982, par la Cour supérieure du Québec et, en 1984, par la Cour suprême du Canada.

ils se contentent d'indiquer les voies à suivre, sans donner trop de précisions aux gouvernements provinciaux quant aux méthodes à utiliser pour répondre aux exigences des droits conférés[28]. Cela a pour conséquence d'enclencher un cercle vicieux. Les modes d'application de l'article 23 étant généralement flous, les gouvernements des provinces à majorité anglophone les implantent difficilement. Les minorités doivent donc continuer le processus judiciaire afin d'obtenir de nouvelles précisions qui ne leur sont pas nécessairement données, et ainsi de suite. Les tribunaux donc sont soucieux de conserver l'autonomie intégrale et le pouvoir décisionnel des provinces en matière d'éducation. La prise en charge de la minorité de langue française y est parfois subjuguée.

Les tribunaux s'avancent également avec prudence sur la question de l'égalité linguistique. Certains tribunaux rejettent ce principe[29]; d'autres l'acceptent mais n'en poussent pas la logique à sa conséquence. Prenons comme exemple l'arrêt de la Cour suprême de 1990 : il tranche en faveur de la minorité francophone de l'Alberta. En effet, il pose à plusieurs reprises le principe de l'égalité des deux groupes linguistiques. La réflexion qu'il amorce sur le nombre suffisant (p. 36-40) devrait logiquement conduire le tribunal à la conclusion que la minorité francophone d'Edmonton a le droit de gérer ses écoles par l'intermédiaire d'un conseil scolaire autonome, comme le fait la majorité anglophone comptant un nombre comparable d'élèves. Toutefois, le juge en chef effectue un retrait lorsque l'issue logique devient trop évidente. Il accorde donc un pouvoir de gestion inférieur à celui qui est alloué à la majorité ; il juge que la minorité a droit à une représentation proportionnelle auprès du conseil scolaire de la majorité et non à un conseil scolaire autonome. La prudence l'empêche donc de trancher logiquement la question de la gestion scolaire.

---

28. Voici un exemple provenant du jugement de la Cour du banc de la Reine de l'Alberta en 1985 : « The courts should not become involved with preparing or drafting methods of achieving the required objective. The courts have attempted to provide guidance by interpreting the Charter, but must not interfere by decreeing methods or becoming involved in ongoing supervision or administration. It should restrict its function to recognizing and declaring a denial of rights created or recognized by the Charter » (p. 50).

29. Le juge Kerans de l'Alberta le fait directement en 1987. Selon lui, une minorité et une majorité ne sont pas égales et ne peuvent l'être.

Une période d'activisme judiciaire suit donc la promulgation de l'article 23. Plusieurs résultats s'en dégagent mais tous convergent autour de la question de la prise en charge croissante de l'éducation par la minorité de langue française. À cet effet, la Charte redonne à la minorité de langue française une plus grande vitalité collective. Elle insuffle un nouvel optimisme et porte ses vives revendications auprès des gouvernements provinciaux et des tribunaux. Le processus de revendications, tout comme la nature des demandes elles-mêmes, traduit une vision de plus grande autonomie.

La distinction par les gouvernements provinciaux entre l'instruction en français destinée à la minorité et celle qui est destinée à la majorité

L'adoption, par l'article 23, du droit à l'instruction dans la langue de la minorité a suscité une première réaction de la part des gouvernements provinciaux et territoriaux ; ceux-ci ont effectué des changements quant à la nature des programmes en français et à la clientèle de ces programmes. Cette évolution intervient à la fois sur le plan réglementaire et sur le plan de l'implantation des programmes ; elle confirme l'acceptation graduelle par la majorité de langue anglaise des caractéristiques distinctes de la minorité francophone.

Tout d'abord, l'article 23 entraîne la séparation officielle de l'enseignement destiné à la minorité de langue française de celui qui est destiné à la majorité dans les programmes d'immersion en français. Le tableau 3 indique qu'en 1986 toutes les provinces et tous les territoires effectuent officiellement cette distinction en compilant les données spécifiques pour leur minorité de langue française.

Ensuite, et conjointement, les provinces et territoires instaurent formellement des programmes d'instruction qui s'adressent uniquement à la minorité. En 1980-1981, années de négociations intenses autour de la rédaction de la Charte, l'Île-du-Prince-Édouard, la Nouvelle-Écosse, la Colombie-Britannique et la Saskatchewan légifèrent pour la première fois sur l'éducation en français à la minorité. Depuis 1982, l'Alberta, les Territoires du Nord-Ouest, le Yukon et Terre-Neuve ont également instauré officiellement des programmes d'enseignement à leur minorité de langue française. En 1991, ces programmes sont offerts d'un bout à l'autre du pays, avec toutefois divers degrés d'accessibilité.

Tableau 3
ÉVOLUTION DES EFFECTIFS SCOLAIRES PROVINCIAUX ET
TERRITORIAUX* DANS LES PROGRAMMES D'ENSEIGNEMENT
À LA MINORITÉ DE LANGUE FRANÇAISE ENTRE 1982 ET 1988

Province et territoire	Effectifs 1986-1987	Changement 1981** / 1986	Effectifs 1988-1989	Changement 1986 / 1988
Colombie-Britannique	1 803	+ 129,7 %	1 916	+ 6,3 %
Alberta	1 595		2 312	+ 45,0 %
Saskatchewan	1 164	– 17,0 %	1 154	– 0,1 %
Manitoba	5 364	– 16,3 %	5 676	+ 5,8 %
Ontario	91 728	– 3,0 %	94 661	+ 3,2 %
Nouveau-Brunswick	44 962	– 7,5 %	45 396	+ 0,1 %
Nouvelle-Écosse	3 840	– 27,7 %	3 236	– 15,7 %
Île-du-Prince-Édouard	497	– 6,1 %	507	+ 2,0 %
Terre-Neuve	74	– 41,7 %	254	+ 243,2 %
T.N.-O.	0		49	
Yukon	36		55	+ 52,8 %
Total	**151 063**	**– 4,2 %**	**155 216**	**+ 2,7 %**

* Écoles et programmes subventionnés entièrement par les fonds publics et offerts au sein du réseau d'enseignement public.

** Se référer au tableau 1 pour les effectifs des minorités francophones en 1981.

Sources : Statistique Canada, 1989, *Langue de la minorité et langue seconde dans l'enseignement, niveaux élémentaire et secondaire*, p. 28-29, et rapports des ministères de l'Éducation des provinces et territoires.

En ce qui a trait à son implantation, l'article 23 de la Charte permet de mieux cerner la clientèle visée par les programmes destinés à la minorité francophone et ainsi de former des regroupements plus homogènes. En fournissant des critères précis d'admissibilité à l'éducation dans la langue de la minorité, cet article en décrit notamment la clientèle. Cette précision quant à la clientèle admissible à l'instruction en français nomme, sans équivoque, les personnes qui peuvent exiger des services en français et permet un regroupement plus homogène que celui qui était pratiqué antérieurement. C'est ainsi, nous le verrons plus loin, que les programmes d'instruction dans les écoles mixtes ou bilingues diminuent alors que ceux dans les écoles françaises augmentent.

Enfin, les gouvernements provinciaux lancent une vaste opération d'élaboration curriculaire leur permettant de produire des programmes d'instruction en français langue maternelle. Certains de ces programmes sont uniquement réservés à la minorité : programmes de langue française, de sciences sociales, d'histoire. D'autres sont des traductions des programmes de langue anglaise : mathématiques, physique, sciences naturelles, éducation physique, musique, etc.

Une constatation ressort du processus de distinction entre le programme d'enseignement destiné à la minorité de langue française et celui qui est destiné à la majorité : l'acceptation graduelle, par la majorité et son gouvernement provincial, du nécessaire isolement de la minorité en quête de son épanouissement ainsi qu'une certaine acceptation de leur obligation constitutionnelle à son égard. La séparation physique de la minorité, sa séparation idéologique également par un programme distinct, marque une évolution notoire vers l'acceptation d'une identité distincte de la minorité par rapport à la majorité. Cela rejoint notre constatation principale, à savoir que la minorité de langue française obtient, par l'article 23, une plus grande autodétermination en matière d'éducation.

La progression des effectifs scolaires

Une nouvelle tendance s'amorce à la suite de la promulgation de l'article 23 en 1982 en ce qui concerne les effectifs dans les programmes d'instruction aux minorités de langue française : ils sont en hausse ainsi que ceux dans les écoles homogènes[30] de langue française. La minorité réagit favorablement aux dispositions de l'article 23 et s'en prévaut par une augmentation des inscriptions. Afin de mesurer statistiquement les retombées de l'article 23, nous pouvons comparer les effectifs scolaires de 1981-1982 (tableau 1) avec ceux de 1988-1989 (tableau 3). Pour l'essentiel, leur déclin s'est arrêté.

Les effectifs dans les programmes d'enseignement aux minorités de langue française ont d'abord diminué en moyenne de 4,2 % entre 1981 et 1986. La période de 1986 à 1988 marque par contre une nouvelle

---

30. Les programmes d'instruction à la minorité sont offerts dans des écoles mixtes, bilingues ou homogènes. Les écoles homogènes, pour leur part, accueillent habituellement des enfants admissibles en vertu de l'article 23.

tendance : les effectifs minoritaires augmentent de 2,7 % alors que les effectifs provinciaux croissent de 2,4 %[31]. En ce qui concerne le nombre d'écoles dispensant l'instruction, il est passé de 630 à 646. Il a donc fallu quelques années avant que l'article 23 renverse la tendance des effectifs de la minorité de langue française.

L'augmentation du nombre d'écoles homogènes

Les statistiques relatives aux écoles de langue française (homogènes) permettent toutefois de mieux cerner les tendances.

Avant 1982, l'évolution de l'enseignement dans des écoles homogènes est surtout le fruit des regroupements démographiques des francophones et de leurs revendications. Depuis le rapport sur l'éducation de la Commission royale d'enquête sur le bilinguisme et le biculturalisme (1968) qui soulignait l'importance des écoles homogènes de la minorité française, ce type d'établissement est l'objet de requêtes actives de la part des minorités francophones et d'une reconnaissance officielle de la part des gouvernements provinciaux. Par exemple, l'école élémentaire française obtient, pour la première fois, un statut officiel en Ontario en 1968. Mais c'est depuis l'adoption de l'article 23 que les minorités de langue française peuvent revendiquer des écoles françaises en s'appuyant sur le droit formellement conféré par cet article. Dans plusieurs provinces et territoires, les écoles françaises ont vu le jour après 1982 : en Alberta (1983), en Colombie-Britannique (1984), au Yukon (1990) et à Terre-Neuve (1988). Aujourd'hui, toutes les provinces à majorité anglophone subventionnent ce type d'établissement.

L'augmentation des effectifs scolaires de la minorité de langue française notée au tableau 3 provient donc surtout des écoles homogènes réservées aux membres de cette minorité. En effet, en 1986, on comptait 499 écoles homogènes. On en compte 521 en 1988. Les effectifs de ces écoles, pour leur part, ont augmenté de 4,8 % pendant ces deux années (tableau 4).

---

31. En 1986-1987, il y a 3 624 158 élèves dans les écoles des provinces et territoires à majorité anglophone ; il y en a 3 711 056 en 1988-1989.

TABLEAU 4

ÉVOLUTION DES EFFECTIFS SCOLAIRES DE LA MINORITÉ DE LANGUE FRANÇAISE AU SEIN D'ÉCOLES HOMOGÈNES DES COMMISSIONS SCOLAIRES, 1986-1987 ET 1988-1989, DE LA PREMIÈRE À LA DOUZIÈME ANNÉE, PAR PROVINCE ET TERRITOIRE

Province et territoire	Effectifs 1986-1987	Effectifs 1988-1989	Changement 1986-1987 / 1988-1989
Colombie-Britannique	357	478	+ 33,9 %
Alberta	526	943	+ 79,3 %
Saskatchewan	166	266	+ 60,2 %
Manitoba	3 230	3 170	− 1,9 %
Ontario	72 555	76 182	+ 5,0 %
Nouveau-Brunswick	43 737	45 396	+ 3,8 %
Île-du-Prince-Édouard	497	507	+ 2,0 %
Nouvelle-Écosse	1 959	1 990	+ 1,6 %
Terre-Neuve	0	47	+ ——
T.N.-O. et Yukon	0	0	
Total	**123 027**	**128 919**	**+ 4,8 %**

Sources : Ministères de l'Éducation des provinces et territoires.

L'augmentation des effectifs dans les écoles de la minorité francophone indique une nouvelle tendance : un choix individuel et clair de la part des parents de la minorité en faveur d'une éducation dans leur langue. Ainsi, ils se prévalent de la disposition légale incluse à cet effet dans la Charte. La prochaine section démontrera que la minorité francophone a également fait valoir son droit à la gestion scolaire.

La création de systèmes de gestion scolaire

L'article 23 complète l'éventail des droits conférés à la minorité de langue française par un droit de contrôle de la gestion scolaire. Il crée ainsi une situation nouvelle qui encourage des changements dans la structure administrative de l'éducation des provinces. Ces changements tendent vers une décentralisation des pouvoirs décisionnels et leur prise en charge par la principale intéressée : la minorité.

Historiquement, les minorités de langue française ont perdu leur autonomie en matière de gestion scolaire lors de la consolidation des petites commissions scolaires en grandes unités administratives. Ces modifications aux frontières scolaires effectuées par les gouvernements provinciaux ont contribué à soutirer à la minorité francophone la gestion locale de ses écoles acquise dans la pratique. À l'exception du Nouveau-Brunswick, où les bassins démographiques de la minorité de langue française étaient assez vastes en 1966 pour que de plus grandes unités scolaires regroupent les populations francophones, les vagues successives de consolidation administrative ont intégré les minorités francophones au sein des majorités[32]. Au fur et à mesure que s'est agrandi le champ d'action des conseils scolaires, les francophones élus à ces conseils se sont trouvés de plus en plus éloignés de leur communauté et de leurs intérêts.

C'est surtout depuis 1982 que le contrôle de la gestion scolaire fait l'objet de revendications actives de la part des minorités francophones. Divers modèles sont proposés afin de fournir ce contrôle : comités consultatifs, contrats, représentation proportionnelle et garantie. Ce sont cependant les modèles de gestion dont la structure est parallèle à celle qui est conçue pour la majorité qui sont les plus revendiqués, parce que plus efficaces. Depuis 1982, de tels modèles ont été instaurés en Ontario ; les conseils scolaires homogènes francophones de Toronto et d'Ottawa-Carleton ont été fondés en 1988. À l'Île-du-Prince-Édouard, une commission scolaire provinciale veille à l'administration de l'instruction en français depuis 1990. En Saskatchewan, un modèle de commissions scolaires fransaskoises assorties d'un Conseil général provincial a été approuvé par le gouvernement et la minorité francophone. D'autres modèles similaires sont à l'état de propositions au Manitoba, en Alberta et en Colombie-Britannique.

L'évolution des services et des droits éducatifs de la minorité francophone du Canada suit ainsi un mouvement vers l'auto-administration. Au début des années 1990, le principe en est acquis et mis en vigueur au Nouveau-Brunswick, en Ontario et à l'Île-du-Prince-Édouard. De plus, il est en voie de réalisation dans quatre autres provinces : le

---

32. Par suite du rapport du Comité sur l'organisation et les frontières des districts scolaires du Nouveau-Brunswick de 1979, le contrôle de la gestion scolaire est remis à la minorité francophone alors qu'on instaure en 1981 des commissions scolaires linguistiques.

Manitoba, la Saskatchewan, l'Alberta et la Colombie-Britannique. Toutefois, ce projet d'auto-administration n'obtient pas toujours les bonnes grâces des gouvernements anglophones qui tergiversent et gardent un confortable écart entre les droits conférés et le système éducatif destiné à la minorité francophone de leur province. Cependant, qu'ils soient à l'état de projets ou mis en vigueur, les modèles d'auto-administration font tous preuve d'innovation et d'accommodation. Aucun système scolaire n'est donc immuable ; aucun système scolaire provincial n'est menacé de désintégration par l'article 23 de la Charte.

L'écart entre le judiciaire et les services offerts

Malgré l'influence du système judiciaire canadien, malgré l'adhésion des premiers ministres des provinces à majorité anglophone à la Charte, malgré aussi l'évolution acquise à cet égard, le système d'éducation de la minorité de langue française du Canada n'a pas encore gagné la parité, ni avec la minorité anglophone du Québec, ni avec la majorité anglophone du Canada. Trois champs demeurent incomplets : le législatif, l'accès aux services et leur qualité. Les obligations provinciales et territoriales ne sont donc pas encore remplies et les pressions provenant des axes national et communautaire vont certainement continuer.

À l'exception du Nouveau-Brunswick et de l'Île-du-Prince-Édouard, la législation scolaire des provinces à majorité anglophone n'a pas encore été modifiée pour se conformer à l'ensemble des droits conférés par l'article 23. Les législations scolaires de l'Ontario (1986) et de l'Alberta (1988) ont été modifiées mais demeurent incomplètes. Celles de la Colombie-Britannique, de l'Alberta, de la Saskatchewan, du Manitoba font l'objet de projets de lois.

Toutefois, la conjoncture incertaine en ce qui concerne l'avenir constitutionnel du Canada a pour effet de retarder ces législations. Ainsi, neuf années après sa promulgation, l'article 23 a encouragé de nombreux changements mais son implantation demeure incomplète en ce qui a trait aux législations scolaires des provinces et territoires.

Le nombre d'écoles françaises a augmenté depuis 1982, nous l'avons noté. Nous avons également constaté la hausse des effectifs de la minorité de langue française. Cependant, ces augmentations demeurent insuffisantes pour la desservir adéquatement. En effet, de nombreuses régions n'ont pas encore obtenu d'école française. À titre d'exemple, les parents de Saint-Jean, à Terre-Neuve, en font actuellement la requête devant les tribunaux. Seule l'Ontario adopte la vision québécoise de service à sa minorité de langue officielle en déterminant dans sa législation que chaque enfant de la minorité a droit à l'instruction dans sa langue. Il n'existe aucune école française secondaire publique en Saskatchewan, en Colombie-Britannique, à Terre-Neuve, en Nouvelle-Écosse. Enfin, un nombre limité d'écoles françaises offrent souvent l'instruction sur un vaste territoire ; ainsi, les enfants qui en sont éloignés ne peuvent la considérer comme étant un choix accessible. Donc, l'universalité de l'accès à l'instruction dans une école française n'est pas encore acquise, même là où un nombre important d'ayants droit s'en prévaudraient.

Lorsque les minorités de langue française auront acquis la gestion de leurs services éducatifs, la question de la qualité des services offerts devra être l'objet principal de leurs préoccupations. Pour l'instant, ce souci demeure en arrière-plan.

Depuis la promulgation de l'article 23, de nouvelles tendances se précisent : activisme judiciaire intense de la part de la minorité de langue française, reconnaissance et implantation de l'instruction destinée uniquement à la minorité, progression des effectifs scolaires de la minorité et création de nouveaux modèles de gestion permettant l'autodétermination. Ces changements concourent à une prise en charge accrue de la part de la minorité, laquelle est importante pour la consolidation de la langue et de la culture françaises.

Toutefois, les changements survenus depuis 1982 n'ont pas encore entièrement concrétisé, partout au Canada, les droits conférés. À l'heure actuelle, ces droits sont remis en question par la conjoncture politique des années 1990. Qu'adviendra-t-il des services éducatifs de la minorité francophone ? C'est la question que nous aborderons maintenant.

L'ARTICLE 23 VERS LE DÉBUT DU XXIᵉ SIÈCLE

Neuf années suffisent pour que soient évidents les changements suscités par l'article 23. D'une part, nous l'avons vu, les tendances sont incontestables : les services et les droits éducatifs de la minorité de

langue française s'améliorent. D'autre part, l'insuffisance de cette évolution par rapport aux droits conférés par l'article 23 demeure patente.
Qu'adviendra-t-il, alors que plusieurs groupes du Canada remettent en
question certains des fondements de la Charte, notamment l'égalité linguistique et le bilinguisme officiel ? Sans faire de prospective[33], et en
l'absence de vision directrice de la part des dirigeants du pays, nous
répondrons à cette question en indiquant que l'évolution de la minorité
de langue française au Canada s'inscrit notamment dans quatre axes :
le futur régime étatique canadien, la récession économique, la graduelle
décentralisation administrative du système scolaire, la reconnaissance
nationale et internationale des ethnies minoritaires.

Le futur régime étatique canadien

L'incertitude sur le plan constitutionnel qui caractérise le début
des années 1990 interpelle les majorités canadiennes en ce qui concerne
le bilinguisme national et l'avenir de la minorité francophone. Tout
d'abord, le bilinguisme continuera à trouver sa légitimité si le Québec
demeure partie intégrante de l'État canadien. Toutefois, advenant une
modification au régime constitutionnel actuel, le français perdra son
modus vivendi aux yeux de certains Canadiens et certaines Canadiennes
de la majorité anglophone. Cette incertitude, suscitée notamment par la
poussée nationaliste du Québec et par l'échec de l'Accord du lac Meech
(1987), a pour effet d'établir une distinction entre la minorité anglophone du Québec et la minorité francophone du Canada. L'alignement
des dix dernières années et la vision de parité entre ces minorités ne
font plus, aujourd'hui, partie du discours public.

En effet, la rhétorique publique signale deux positions. L'une est
incertaine comme la conjoncture actuelle ; elle vient du Canada anglais.
En somme, celui-ci souhaite attendre la suite des événements avant de
mettre en application les projets de lois ou d'auto-administration des
services éducatifs aux minorités francophones, conformément aux obligations provinciales apportées par l'article 23. De telles mesures, croit-

---

33. Cette partie de notre exposé n'échappe toutefois pas aux inconvénients de la prospective ;
    elle élabore des hypothèses qui paraîtront trop simples face à une question aussi com-
    plexe que celle de l'avenir du Canada et de sa minorité de langue française.

il, risquent d'être périmées si le bilinguisme officiel est désavoué au Canada. D'autre part, la rhétorique québécoise n'est guère plus rassurante. Les combats de statistiques se succèdent pour faire valoir la mort certaine, à plus ou moins courte échéance, de la minorité de langue française (voir notamment Lavoie et Saint-Germain, 1991; Bouvier, 1991). Ce discours sert d'ailleurs à conditionner la conscience québécoise pour qu'elle demeure sans remords en cas de sécession du Québec. La rhétorique publique des deux majorités, anglophone et francophone, laisse donc présager que la minorité de langue française servira à nouveau de zone tampon dans les échanges constitutionnels qui s'amorcent au début des années 1990.

La récession économique

De plus, les changements portant sur l'article 23 doivent être mis en œuvre dans une période de grave récession économique. Les modifications systémiques entraînent nécessairement quelques coûts supplémentaires que les gouvernements des provinces à majorité anglophone préfèrent placer après des préoccupations plus pressantes. La situation économique, tant qu'elle durera, agira donc comme un frein à la mise en œuvre complète des services éducatifs aux francophones.

La graduelle décentralisation administrative du système scolaire

Pourtant, la vision administrative de l'article 23 s'inscrit dans le grand mouvement idéologique de décentralisation du système scolaire canadien (Pelletier, 1987, p. 43). En effet, la tendance est à la gestion par les autorités locales. Un réaménagement des pouvoirs scolaires s'effectue généralement en faveur de l'école et de ses partenaires. Les budgets sont plus fréquemment gérés par l'école; les comités de parents acquièrent des pouvoirs décisionnels sur certains aspects du projet éducatif et l'école obtient un statut légal. À cet égard, la minorité de langue française fait plutôt figure de proue.

La reconnaissance nationale et internationale des ethnies minoritaires

Enfin, les minorités du monde entier font l'objet d'une reconnaissance grandissante de la part des majorités. Ici encore, il s'agit d'un grand mouvement idéologique qui marque une longue évolution. Une nouvelle étape s'amorce alors qu'un projet de Déclaration universelle des droits linguistiques sera soumis aux Nations Unies. Ce projet propose notamment le droit universel de recevoir une éducation dans la langue de sa famille, et ce dans le cadre d'un système d'éducation d'État. C'est un embryon de l'article 23, à l'exclusion de ses mesures d'auto-administration. La vision du monde des minorités gagne donc graduellement du terrain et s'oppose à celle, homogénéisante et monolithique, des groupes majoritaires.

Au Canada, pays constitué de multiples ethnies, la minorité franco-phone a toujours fait figure de proue en raison du statut officiel de sa langue, malgré la convoitise que lui vaut parfois ce statut. Si polarisation il y a sur la question de l'article 23 et de l'avenir de la francophonie minoritaire, les minorités ethniques devraient tendre vers un appui à la minorité de langue française et ainsi favoriser la continuation des ten-dances que nous avons observées.

Toutefois, les grands mouvements ne progressent jamais de façon uniforme, mais plutôt par voie d'avancements et de ressacs. Ainsi, l'opposition de deux grands mouvements (décentralisation et recon-naissance des minorités) à deux conjonctures plus immédiatement histo-riques (le régime étatique canadien et la récession économique) crée un équilibre. L'histoire devait s'écrire entre les deux pôles.

*

*   *

L'article 23 s'avère une disposition déterminante dans l'évolution des services éducatifs de la minorité de langue française. Il a radica-lement changé ces services. Il conduit la minorité de langue française du Canada vers une prise en charge collective accrue. Il apporte une vision d'auto-administration et de services adéquats qui encourage l'épanouissement de l'identité distincte de cette minorité.

Structurellement, l'article 23 consolide et accélère sur trois plans les tendances historiques que nous avons notées. Au plan national, il vise à l'uniforme reconnaissance et à la protection de la langue et de la culture des minorités de langue officielle. Il s'inscrit alors dans une vision d'égalité linguistique et propose au gouvernement fédéral un rôle de promoteur en cette matière. Au plan provincial, il crée des obligations particulières pour les gouvernements, obligations que les tribunaux sont appelés à interpréter. Enfin, au plan communautaire, l'article 23 accorde des droits d'auto-administration qui favorisent une prise en charge accrue par la collectivité de langue française.

En continuité avec cette évolution, les minorités de langue française du Canada retrouveront-elles, dans les années 1990, une bonne part de l'autonomie dont elles ont bénéficié au début de leur histoire au Canada ? C'est une question cruciale qui s'inscrit dans un large mouvement de décentralisation étatique. Nous croyons, pour notre part, que le courant historique ainsi amorcé ne peut être renversé.

Annexe

Liste des jugements portant sur l'article 23

Commission des écoles fransaskoises et al. c. *P.G. Saskatchewan*, 1988, Cour du banc de la Reine.

Commission des écoles fransaskoises et al. c. *P.G. Saskatchewan*, 1991, Cour d'appel.

Laurent Lavoie et al. c. *P.G. Nouvelle-Écosse et Cape Breton District School Board*, 1989, Cour d'appel.

Laurent Lavoie et al. c. *P.G. Nouvelle-Écosse et Cape Breton District School Board*, (84, N.S.R. (2e) 387), 29 août 1988.

Laurent Lavoie et al. c. *P.G. Nouvelle-Écosse et Cape Breton District School Board*, (84, N.S.R. (2e) 387), 11 mars 1988.

Laurent Lavoie et al. c. *P.G. Nouvelle-Écosse et Cape Breton District School Board*, (84, N.S.R. (2e) 387), 10 février 1988.

Mahé et al. c. *La Reine* (Alberta), 1990, Cour suprême du Canada.

Mahé et al. c. *La Reine* (Alberta), 1987, Cour d'appel.

Mahé et al. c. *La Reine* (Alberta), 1985, 64 Alberta Reports 35, Cour du banc de la Reine.

Marchand c. *Simcoe County Board of Education*, 1986, 55 O.R. 2d 638.

Quebec Association of Protestant School Boards c. *P.G. Québec*, 1982, Cour supérieure.

Quebec Association of Protestant School Boards c. *P.G. Québec*, 1984, 2 R.C.S. 66, Cour suprême du Canada.

Reference re Education Act of Ontario and Minority Language Education Rights, 1984, 10 D.L.R. 4th 491, Cour d'appel.

Renvoi sur les droits scolaires à l'Île-du-Prince-Édouard, 1989, Cour d'appel.

Société des Acadiens du Nouveau-Brunswick c. *Minority Language School Board No. 50 et al.*, 1983, 48 N.B.R. 2d 361.

Whittington c. *Board of School Trustees of School District No. 63 (Saanich)*, 1987, Cour supérieure.

Bibliographie

Bouvier, Luc (1991), « Les leurres du bilinguisme. La championne des services
dans les deux langues : le Québec », dans
Le Devoir, samedi 13 avril, p. B-3.

Carrignan, Pierre (1984), « De la notion de
droit collectif et de son application en
matière scolaire au Québec », dans
Revue juridique Thémis, 18, 1, p. 2-
103.

Commissaire aux langues officielles (1984),
Rapport annuel 1983, Ottawa, Ministre
des Approvisionnements et Services
Canada, 195 p.

Commission royale d'enquête sur le bilin-
guisme et le biculturalisme (1969),
Rapport, livre II : *L'éducation*, Ottawa,
Imprimeur de la Reine, 379 p.

Corrubias, Juan (1987), « Models of Language Planning for Minority Languages », dans *Bulletin de l'ACLA /
Bulletin of the CAAL*, 9, 2, p. 47-70.

Dufresne, Charles, *et al.* (1988), *Dictionnaire de l'Amérique française*, Ottawa,
Les Presses de l'Université d'Ottawa,
386 p.

Gouvernement du Canada, *Procès-verbaux
et témoignages du Comité mixte spécial
du Sénat et de la Chambre des communes sur la Constitution du Canada*,
1re session, 32e législature.

Gouvernement du Canada (1987), *Lois cons-
titutionnelles de 1867 à 1982*, Ottawa,
Ministère des Approvisionnements et
Services Canada, 84 p.

Gouvernement du Québec (1989), *Charte
de la langue française*, Québec, Éditeur
officiel du Québec, 43 p.

Lavoie, Marc, et Maurice Saint-Germain
(1991), « L'assimilation des francophones hors Québec : seules les régions
limitrophes du Québec semblent destinées à un avenir », dans *Le Devoir*,
vendredi 22 mars, p. B-1.

Martel, Angéline (1991a), *Les droits scolaires des minorités de langue officielle
au Canada : de l'instruction à la gestion*, Ottawa, Commissariat aux langues
officielles, 392 p.

Martel, Angéline (1991b), « Processus initié
par la promulgation de l'article 23 de la
*Charte canadienne des droits et li-
bertés* : les revendications scolaires de
la minorité de langue officielle française », dans David Schneiderman (dir.),
*Langage et identité culturelle : droit et
politique*, Edmonton, Centre d'études
constitutionnelles, p. 377-412.

Monnin, Alfred (1983), « L'égalité juridique
des langues et l'enseignement : les
écoles françaises hors-Québec », dans
Les Cahiers de droit, 24, 1, p. 157-167.

Pelletier, Guy (1987), « L'administration
scolaire québécoise et son milieu : bilan
et prospective », dans Clermont Barnabé
et Hermann Girard (dir.), *Administration scolaire : théorie et pratique*,
Chicoutimi, Gaëtan Morin, p. 31-44.

Proulx, Jean-Pierre (1989), « Le choc des
Chartes : histoire des régimes juridiques
québécois et canadien en matière de
langue d'enseignement », dans *Revue
juridique Thémis*, 23, 1, p. 67-172.

Vandycke, Robert (1989), « L'activisme
judiciaire et les droits de la personne :
émergence d'un nouveau savoir-
pouvoir ? », dans *Les Cahiers de droit*,
30, 4, p. 927-951.

Évolution récente
de l'assimilation linguistique au Canada

Charles Castonguay
Département de mathématiques
Université d'Ottawa

L'usage du français en public au Canada a connu une extension certaine depuis la Révolution tranquille, notamment dans les domaines du travail et du commerce au Québec, et dans ceux des services gouvernementaux et de l'éducation ailleurs au Canada. Cependant, les renseignements sur la langue maternelle et la langue d'usage à la maison, recueillis aux derniers recensements, montrent que l'anglais a conservé son pouvoir d'assimilation dans l'aire plus intime du foyer. En effet, de 1971 à 1986, l'anglicisation nette de la population francophone, mesurée au moyen de la langue principale à la maison, demeure à peu près au même niveau dans chacune des provinces, sinon augmente au Manitoba et en Saskatchewan. Cette anglicisation est d'une telle ampleur que, compte tenu de la baisse de la fécondité qui s'est étendue à l'ensemble des populations provinciales francophones, le renouvellement intergénérationnel des minorités de langue française à l'extérieur du Québec et du Nouveau-Brunswick paraît désormais définitivement compromis. Au Québec, par ailleurs, la force d'attraction relative du français, qui augmentait régulièrement parmi les cohortes successives d'immigrants allophones depuis le début de la Révolution tranquille, semble en régression chez ceux qui sont arrivés depuis le référendum de 1980.

*
* *

La Révolution tranquille, qui a peut-être pris naissance après la Seconde Guerre mondiale mais a vraiment fait sentir ses effets dans les années 1960, a entraîné l'estompement et, parfois, la disparition de plusieurs aspects fondamentaux de la société canadienne-française traditionnelle. La présente étude a pour but d'examiner sommairement dans quelle mesure certains de ces bouleversements ont modifié le cours de l'assimilation linguistique des francophones du Canada et l'incidence de celle-ci sur le processus de renouvellement démographique des populations francophones dans les différentes provinces canadiennes.

À la faveur du mouvement d'affirmation des années 1960, l'usage du français en public au Canada a connu un essor remarquable, notamment comme langue de travail et de commerce au Québec, et comme langue d'éducation et de services gouvernementaux dans le reste du Canada (voir, par exemple, Béland, 1991, et *Langue et société*, 1989). Conséquemment, la proportion de non-francophones qui déclarent aux recensements connaître « assez bien le français pour soutenir une conversation » a rapidement augmenté depuis 1961 dans toutes les régions canadiennes (Lachapelle, 1989, 1990, tableaux 7 et 8).

Cette augmentation des locuteurs du français en tant que langue seconde a, dans un certain sens, compensé une autre transformation associée à la Révolution tranquille, soit la réduction de la fécondité des francophones – jadis profondément catholiques en la matière – à un niveau comparable à celui de la plupart des pays occidentaux industrialisés. En effet, malgré la sous-fécondité qui semble désormais caractériser les populations francophones des différentes provinces, la proportion de locuteurs du français parmi la population totale est demeurée stable au Canada depuis le recensement de 1951 et a même augmenté dans les diverses régions linguistiques canadiennes (*Ibid.*).

Il faut cependant convenir que, tant en ce qui concerne l'étendue que la qualité de l'usage du français au Canada, cette compensation demeure illusoire, en ce que la hausse du nombre relatif de locuteurs occasionnels ou potentiels y dissimule une baisse équivalente du poids relatif de ses locuteurs habituels. En ce sens, la diffusion qu'a connue récemment le français au Canada va de pair avec une dilution de son usage.

Par surcroît, les données sur l'aptitude à converser en français sont elles-mêmes, pour dire le moins, plutôt fragiles. En vue du recensement de 1991, Statistique Canada a en fait testé une question qui, à la formulation habituelle : « Connaissez-vous assez bien l'anglais ou le français pour soutenir une conversation ? », ajoute la précision suivante : « assez longue sur divers sujets ». Sur la foi des résultats, le statisticien en chef a exprimé l'avis que cet ajout entraînerait une baisse « assez importante » de la proportion de bilingues au Canada. En particulier, on peut estimer qu'en regard de la formulation habituelle, la nouvelle question – somme toute assez peu exigeante elle aussi – aurait pour effet de réduire presque de moitié le nombre de non-francophones à l'extérieur du Québec qui se déclareraient capables de converser en français[1].

Sans vouloir le moindrement nier l'intérêt de la récente expansion du français comme langue seconde au Canada, notamment par le truchement de son enseignement au moyen de la méthode d'immersion, il nous a donc paru plus significatif de suivre ici l'évolution de sa pratique comme langue première.

À cette fin, nous considérerons qu'une personne a le français comme première langue si elle déclare le parler habituellement à la maison. Dans une Amérique du Nord plutôt anglicisante, il s'agit là d'une aire d'activité parmi les plus favorables à l'usage du français, particulièrement à l'extérieur du Québec[2]. De plus, cette réduction au contexte du foyer de la notion courante de francophone – une personne « qui parle habituellement le français », selon le *Petit Robert* – a l'avantage de figurer doublement au questionnaire des recensements canadiens depuis 1971, soit à titre de *langue maternelle* ou « première langue apprise et encore comprise », ce qui équivaut le plus souvent à la langue parlée habituellement par le répondant à la maison dans son enfance, et à titre de *langue d'usage* actuelle, c'est-à-dire la langue parlée habituellement par le répondant dans sa maison à l'époque du

---

1. Voir Fellegi (1989, p. 7) et le Test du recensement national du 4 novembre 1988 (résultats disponibles sur demande auprès de Statistique Canada).

2. Voir la section 4.2 dans les divers profils provinciaux à l'extérieur du Québec dans Dallaire et Lachapelle (1990). Voir également le texte de Bernard dans le présent recueil.

recensement. Les recensements plus récents permettent donc de calculer la population francophone de deux façons différentes, selon qu'on choisit de considérer la langue habituelle du répondant à la maison, dans son enfance ou au moment du recensement.

À partir des réponses fournies par une même personne à ces deux questions, on peut constater soit la *persistance linguistique individuelle*, lorsque la langue maternelle demeure la langue d'usage, ou l'*assimilation linguistique individuelle*, quand la langue d'usage diffère de la langue maternelle. Mais l'observation directe, sur le plan individuel, de ces deux phénomènes complémentaires n'est pas possible avant 1971, vu que seule la question sur la langue maternelle était posée aux recensements antérieurs. Auparavant, les chercheurs ont estimé la persistance linguistique par une autre méthode, celle de la *transmission intergénérationnelle* de la langue maternelle, des mères aux enfants. On parle alors d'*assimilation intergénérationnelle*, lorsque la mère transmet à ses enfants une autre langue que sa langue maternelle.

Bien sûr, cette forme d'assimilation se trouve normalement associée à l'assimilation individuelle de la mère, c'est-à-dire à l'adoption par celle-ci d'une langue d'usage au foyer différente de sa langue maternelle. Mais ce n'est pas toujours le cas : une mère peut faire d'abord apprendre à ses enfants sa langue maternelle, tout en utilisant plus souvent une autre langue, avec, par exemple, son conjoint. D'autre part, comme déterminant du renouvellement intergénérationnel d'un groupe linguistique, la transmission éventuelle de la langue de la mère à ses enfants se trouve intimement liée à la fécondité sous forme de *reproduction linguistique* du groupe, dont le complément a été appelé *aggregate assimilation* par Lieberson, terme que nous traduirons par *assimilation collective*. Les notions de reproduction linguistique et d'assimilation collective concernent donc la mesure dans laquelle le groupe renouvelle ses effectifs d'une génération à l'autre (Lieberson, 1965).

En suivant l'évolution de l'assimilation et de son incidence sur le nombre de locuteurs habituels du français, il sera utile de considérer l'assimilation sous ces trois formes : individuelle, intergénérationnelle et collective. Le schéma 1 résume les renseignements pertinents pour chacune. Nous verrons qu'une seule des trois évolue favorablement pour le français, en tant que langue première.

SCHÉMA 1
CONCEPTS COMPLÉMENTAIRES
ET MODES DE CALCUL ASSOCIÉS
AUX DIVERSES FORMES D'ASSIMILATION LINGUISTIQUE

Persistance linguistique **individuelle**	**Assimilation individuelle**

Base d'évaluation : l'individu
Mode de calcul : comparer langue d'usage et langue maternelle

Transmission linguistique **intergénérationnelle**	**Assimilation intergénérationnelle**

Base d'évaluation : la famille
Mode de calcul : comparer langue maternelle des enfants et langue maternelle de leur mère

Reproduction linguistique	**Assimilation collective**

Base d'évaluation : la génération
Mode de calcul : comparer le nombre d'enfants et le nombre de jeunes adultes d'une langue maternelle donnée

Note : Dans chaque cas, le taux d'assimilation égale le complément à l'unité du concept complémentaire.

ÉVOLUTION DES POPULATIONS FRANCOPHONES DEPUIS 1951

Afin d'avoir une perspective assez étendue sur notre sujet, remontons tout d'abord au recensement qui a suivi la Seconde Guerre mondiale. On ne peut pas alors observer directement l'assimilation individuelle, vu que la question sur la langue actuelle au foyer ne fut introduite qu'au recensement de 1971, à la suite d'une recommandation de la Commission royale d'enquête sur le bilinguisme et le biculturalisme (1967, p. 18), ou commission Laurendeau-Dunton. Par ailleurs, il paraît que les données de 1941 font problème quant à la mesure de l'assimilation intergénérationnelle (Maheu, 1970, p. 23), ce qui explique peut-être en partie pourquoi Lieberson (1970, p. 179, 222) a estimé à un niveau très faible, sinon inexistant, l'assimilation des populations francophones avant la guerre. Quoi qu'il en soit, les démographes s'accordent à reconnaître dans l'importante immigration internationale non francophone d'après-guerre et dans la réduction de la fécondité des francophones les principales causes de la baisse générale du nombre relatif des francophones, y inclus au Québec (voir les premières colonnes du tableau 1)

(Charbonneau et Maheu, 1973 ; Lachapelle et Henripin, 1980 ; Termote et Gauvreau, 1988).

TABLEAU 1

**POIDS RELATIF (EN %) DE LA POPULATION
DE LANGUE MATERNELLE FRANÇAISE, CANADA
ET PROVINCES, DE 1951 À 1986**

	1951	1961	1971	1981	1986
Canada	29,0	28,1	26,9	25,8	25,3
Québec	82,5	81,2	80,7	82,8	83,4
Reste du Canada	7,3	6,6	6,0	5,3	5,0
Terre-Neuve	0,6	0,7	0,7	0,5	0,5
Île-du-Prince-Édouard	8,6	7,6	6,6	5,0	4,7
Nouvelle-Écosse	6,1	5,3	5,0	4,2	4,1
Nouveau-Brunswick	35,9	35,2	34,0	33,7	33,6
Ontario	7,4	6,8	6,3	5,5	5,3
Manitoba	7,0	6,6	6,1	5,1	4,9
Saskatchewan	4,4	3,9	3,4	2,6	2,3
Alberta	3,6	3,1	2,9	2,8	2,4
Colombie-Britannique	1,7	1,6	1,8	1,7	1,6
Yukon et T.N.-O.	3,5	3,8	2,2	2,6	2,7

Note : Afin de rendre les données de 1981 et 1986 davantage comparables à celles des recensements antérieurs, nous avons compté comme étant de langue maternelle française une majorité des cas de langue maternelle double anglais-français, soit 65 % au Canada, 75 % au Québec et 55 % dans les autres provinces. De même, dans chaque région, nous avons estimé à 40 % et à 20 % respectivement la part du français parmi les déclarations doubles, français-tierce langue, et triples, anglais-français-tierce langue. Ces pondérations se fondent sur le fichier de contre-vérification du recensement de 1986.

Sources : Pour 1951, 1961 et 1971, Beaujot et McQuillan, 1982, tableau 7.1 ; pour 1981 et 1986, Statistique Canada, 1987, tableau 4, et Denis, 1988, tableaux 5.12 à 5.14.

Cependant, des estimations de l'assimilation intergénérationnelle et l'interprétation longitudinale des données de 1971 sur l'assimilation individuelle font voir qu'à l'extérieur du Québec, l'assimilation était déjà considérable en 1951 et en 1961 (Lieberson, 1970 ; Maheu, 1970, tableau 12 ; Castonguay, 1974, 1979). Par ailleurs, à partir des années 1950, la baisse de la fécondité francophone s'est poursuivie de façon très régulière dans toutes les provinces (Dallaire et Lachapelle, 1990, section 3.2 de chaque profil provincial). Assimilation et sous-fécondité comptent donc pour une part plus large dans la réduction plus récente du poids des francophones au Canada et à l'extérieur du Québec (voir les dernières colonnes de notre tableau).

L'immigration non francophone continue néanmoins à y jouer un rôle important. Quant à l'augmentation rapide des francophones dans la population québécoise depuis 1970, nous savons qu'elle s'explique par l'important déficit de la population anglophone du Québec dans les échanges migratoires avec les autres provinces, depuis la Révolution tranquille (Castonguay, 1988, tableau 1).

Pour apprécier adéquatement l'impact de l'assimilation indivi-duelle et collective sur l'évolution des populations francophones, on ne saurait cependant se limiter à considérer leur seul poids relatif. L'examen de l'effectif francophone en chiffres absolus est à cet égard d'autant plus instructif que l'apport migratoire francophone de l'étranger est relativement négligeable. Le tableau 2 montre bien que la baisse soutenue de la proportion des francophones a de plus en plus à voir avec une faiblesse grandissante du mécanisme de renouvellement des générations, c'est-à-dire avec la sous-fécondité et l'assimilation. En effet, si la crois-sance de l'effectif francophone au Canada a été de plus d'un million entre 1951 et 1961, elle se trouve réduite à un peu plus de 100 000 per-sonnes entre 1981 et 1986.

On notera aussi qu'entre les recensements plus récents, la part du Québec dans la croissance de la population francophone canadienne se trouve accrue – et ce, malgré les pertes nettes légères mais continues du Québec dans ses échanges migratoires francophones avec les autres provinces depuis la Révolution tranquille (Castonguay, 1988, tableau 1). N'était-ce de ce déficit qui, selon le tableau 3 ci-dessous, s'élève à environ 22 000 personnes de langue maternelle française entre 1971 et 1981 et à quelque 12 000 entre 1981 et 1986, la population de langue maternelle française à l'extérieur du Québec aurait manifestement amorcé, à partir de 1971, un déclin en chiffres absolus. Voyons cela de plus près.

TABLEAU 2

POPULATION DE LANGUE MATERNELLE FRANÇAISE, CANADA ET PROVINCES, DE 1951 À 1986 (EN MILLIERS)

	1951	1961	1971	1981	1986
Canada	4 069	5 123	5 794	6 275	6 395
Québec	3 347	4 270	4 867	5 332	5 445
Reste du Canada	722	853	926	942	947
Terre-Neuve	2	3	4	3	3
Île-du-Prince-Édouard	8	8	7	6	6
Nouvelle-Écosse	39	40	39	36	36
Nouveau-Brunswick	185	211	216	234	238
Ontario	342	425	482	476	485
Manitoba	54	61	61	53	52
Saskatchewan	37	36	32	26	24
Alberta	34	42	47	62	56
Colombie-Britannique	19	26	38	46	46
Yukon et T.N.-O.	0	1	1	2	2

Note : La pondération différente des réponses multiples selon la région peut causer un léger écart entre les effectifs de langue maternelle française du Canada et ceux de ses provinces ou territoires.

Sources : Voir celles du tableau 1.

INCIDENCE DES MIGRATIONS INTERPROVINCIALES SUR L'APPRÉCIATION DE L'ASSIMILATION

En recherchant une appréciation juste de l'importance de l'assimilation, il importe d'éliminer autant que possible l'effet des migrations. Malheureusement, on ne se donne pas toujours cette peine. Par exemple, en cherchant à vérifier si les Franco-Ontariens résistent mieux à l'assimilation, un démographe a souligné que la fraction des francophones (langue d'usage), dans l'ensemble de la population de l'Ontario, est restée presque stable de 1981 à 1986, alors qu'elle avait diminué de façon marquée entre 1971 et 1981 (Henripin, 1988, p. 8). On peut constater la même chose au tableau 1 quant à l'évolution du poids relatif de la population ontarienne de langue maternelle française au cours de la même période. En fait, au tableau 2, on voit que l'effectif de langue maternelle française en Ontario a baissé d'environ 6 000 entre 1971 et 1981, puis qu'il a augmenté de quelque 9 000 entre 1981 et 1986. On ne peut en conclure pour autant, comme l'a proposé encore tout récemment le commissaire aux langues officielles du Canada, que la vitalité de la minorité franco-ontarienne s'est accrue entre les deux périodes (Commissaire aux langues officielles, 1991, p. XV).

Le hic, c'est que tous ces mouvements, en nombres relatifs et absolus, s'expliquent en majeure partie, sinon en totalité, par la migration interprovinciale. Le tableau 3 montre que, dans ses échanges de migrants de langue maternelle française avec les autres provinces, l'Ontario a connu un déficit d'environ 7 000 personnes entre 1971 et 1981, suivi d'un gain net de quelque 13 000 entre 1981 et 1986.

TABLEAU 3

SOLDE MIGRATOIRE INTERPROVINCIAL DE LA POPULATION DE LANGUE MATERNELLE FRANÇAISE, QUÉBEC ET RESTE DU CANADA, DE 1971-1976 À 1981-1986

	1971-1976	**1976-1981**	**1981-1986**
Québec	− 3 888	− 18 065	− 12 947
Reste du Canada	3 888	18 065	12 947
Terre-Neuve	− 557	− 655	− 265
Île-du-Prince-Édouard	28	125	322
Nouvelle-Écosse	394	510	1 044
Nouveau-Brunswick	3 135	− 580	1 004
Ontario	− 4 649	− 2 030	12 581
Manitoba	− 807	− 840	865
Saskatchewan	− 393	935	39
Alberta	2 897	15 125	− 4 470
Colombie-Britannique	3 879	5 510	1 871
Yukon et T.N.-O.	− 39	− 35	− 44

Source : Dallaire et Lachapelle, 1990, profils provinciaux.

Ainsi, il faut clairement éviter, dans l'appréciation de l'évolution de la population franco-ontarienne, de confondre vitalité linguistique et bilan migratoire. À la lumière du tableau 3, il serait de même tout aussi inexact d'interpréter, par exemple, l'augmentation de la population de langue maternelle française en Alberta, dans les années 1970, suivie d'une régression sensible dans la première moitié des années 1980, mouvements bien visibles dans le tableau 2, comme s'il s'agissait d'un regain phénoménal suivi d'un recul de la «vitalité» des Franco-Albertains : c'est bien le boom pétrolier que cette province a connu au cours de la première période qui y a attiré un gain net interprovincial de 18 000 francophones (langue maternelle), et son essoufflement subséquent qui a conduit à un ressac de près de 4 500 francophones, par la suite. De même, on voit par le tableau 3 qu'en Colombie-Britannique le maintien d'un effectif de langue maternelle française important se réalise par le moyen d'apports migratoires interprovinciaux soutenus et non grâce à une viabilité de sa population francophone en elle-même.

Il faut donc recourir à des analyses plus fines que ce que permettent nos premiers tableaux pour évaluer en connaissance de cause l'ampleur, le mouvement et l'impact de l'assimilation. Mais avant de s'y engager, une mise au point s'impose quant à l'appréciation de la réalité linguistique actuelle.

LA POPULATION FRANCOPHONE ACTUELLE

La commission Laurendeau-Dunton a insisté sur le manque de pertinence des données sur la langue maternelle pour évaluer la situation contemporaine : elles sont «en retard d'une génération sur l'événement» (Commission royale d'enquête sur le bilinguisme et le biculturalisme, 1967, p. 18). En effet, la langue maternelle correspond à la langue d'usage de l'enfance. Ainsi, même les données les plus récentes des tableaux 1 et 2 témoignent plutôt d'une situation linguistique contemporaine de cette commission, il y a maintenant un quart de siècle.

Sans doute est-il de bonne guerre que des groupes de pression présentent encore des effectifs francophones qui sont comptés selon la langue maternelle[3]. Mais, à la limite, cela devient incohérent puisque, depuis leur enfance, un nombre non négligeable de «francophones» énumérés de la sorte, soit quelque 30 000, seraient, selon leurs déclarations au dernier recensement, devenus unilingues anglais (Statistique

---

3. Par exemple, la Fédération des francophones hors Québec (1990, p. 7) exagère l'importance de la population francophone à l'extérieur du Québec : « à l'heure actuelle (sic), la population francophone hors Québec, c'est un million de personnes ». Or, le recensement le plus récent donne 683 000 francophones, langue d'usage *actuelle*, à l'extérieur du Québec (tableau 4).

Canada, 1989, tableau 3). De même, le Commissaire aux langues officielles (1988, p. 12) manifeste peu de clairvoyance à ce sujet:

> S'il est certain que l'on peut évoluer, au cours d'une vie, sur le plan linguistique et culturel, il reste cependant que pour évaluer la vitalité des collectivités de langue officielle au Canada, le critère le plus fondamental est celui de la langue apprise au moment où l'on maîtrise le langage lui-même.

Reconnaissons donc plutôt le bon sens de la commission Laurendeau-Dunton – et la justesse du portrait qu'a tracé de la population francophone d'aujourd'hui la Commission sur l'avenir politique et constitutionnel du Québec, ou commission Bélanger-Campeau, dès les premiers paragraphes de son rapport (1991, p. 17) – et mettons nos observations relativement à jour en regardant, au tableau 4, les populations francophones du Canada, mesurées selon la langue d'usage au moment du recensement le plus récent.

TABLEAU 4

**POPULATION DE LANGUE D'USAGE FRANÇAISE,
CANADA ET PROVINCES, 1986**

	Poids relatif (en %)	Effectifs (en milliers)
Canada	24,0	6 079
Québec	82,7	5 399
Reste du Canada	3,6	683
Terre-Neuve	0,4	2
Île-du-Prince-Édouard	2,8	4
Nouvelle-Écosse	2,9	25
Nouveau-Brunswick	31,3	222
Ontario	3,8	346
Manitoba	2,8	30
Saskatchewan	1,0	10
Alberta	1,1	26
Colombie-Britannique	0,6	18
Yukon et T.N.-O.	1,4	1

Note : La langue d'usage d'une personne est celle qu'elle parle habituellement à la maison. Nous avons réparti les réponses multiples de façon égale parmi les langues déclarées. Un léger écart entre l'effectif de langue d'usage française d'une région et celui de ses parties peut provenir de l'ajustement, au niveau de la population totale, d'estimations fondées sur des données-échantillon.

Sources : Statistique Canada, 1987, tableau 1 ; 1989, tableau 1.

On y constate qu'en 1986 le poids et le nombre de francophones selon la langue d'usage sont partout sensiblement inférieurs à leurs poids et effectifs au même recensement, selon la langue maternelle, présentés aux tableaux précédents. Nous tenons là de façon directe l'effet net de l'assimilation individuelle.

Notons qu'en passant des données de 1986 sur la langue maternelle à celles sur la langue d'usage, l'anglicisation nette de la population francophone du Québec est la moins significative, en ce que l'ampleur du recul observé s'y trouve le plus étroitement liée au mode de simplification des réponses multiples que nous avons appliqué aux données de 1986. Nous y avons, cependant, employé les pondérations suggérées par la recherche la plus récente touchant cet épineux problème (Castonguay, 1992, tableau 1 ; Lachapelle, 1992, annexe). Et même si l'on répartit de façon égale les langues maternelles multiples parmi les langues déclarées, comme nous l'avons fait pour les langues d'usage multiples, la population québécoise de langue d'usage française qui en découle demeure légèrement inférieure à celle de langue maternelle française (Dallaire et Lachapelle, 1990, tableau 9b).

Toutefois, une appréciation adéquate d'une assimilation qui soit contemporaine d'un recensement donné exige qu'on observe le phénomène auprès d'un groupe d'âge susceptible de témoigner le plus précisément et le plus actuellement possible de son ampleur.

LE TAUX ACTUEL D'ASSIMILATION INDIVIDUELLE

Comme mesure de l'ampleur de l'assimilation individuelle, d'aucuns utilisent le complément à l'unité du rapport entre la population totale de langue d'usage française et celle de langue maternelle française. Mais au même titre que d'autres phénomènes de population, telle la fécondité, l'assimilation se rapporte essentiellement à une période particulière de la vie, soit celle du passage de l'univers linguistique de l'enfance à celui de l'adulte d'âge mûr.

Par conséquent, dans le but de déterminer l'importance de l'assimilation au cours de la période qui a précédé immédiatement un recensement donné, les chercheurs ont généralement convenu d'employer le taux d'assimilation des personnes âgées de 35 à 44 ans à ce recensement (voir par exemple Castonguay, 1974, p. 127, et Lachapelle, 1986, tableau 1). Ce groupe d'âge sert ainsi de *groupe repère* pour l'appréciation de l'assimilation, approximativement contemporaine du recensement visé, en ce qu'il forme la cohorte qui a le plus récemment complété le passage de cette période de la vie où un changement de langue principale à la maison risque le plus souvent de s'accomplir. Par rapport à la mesure de l'assimilation au moyen de la population totale, tous âges confondus, ce choix répond à la même logique suivant laquelle on attend qu'une génération de femmes ait passé l'âge de procréer avant de déterminer sa descendance finale. De plus, l'emploi du groupe repère élimine pratiquement l'effet non pertinent de la variation éventuelle de la composition de la population selon l'âge sur celle du taux d'assimilation.

Regardons donc, au tableau 5, le taux net actuel d'anglicisation des francophones, langue maternelle, en 1971 et en 1986, soit respectivement au premier et au dernier recensement à nous fournir les données utiles pour sa mesure directe.

Il en ressort que, de façon générale, l'ampleur de l'assimilation individuelle des francophones est demeurée à peu près stable au Canada et dans ses diverses provinces, la seule variation significative étant sa nette croissance au Manitoba et en Saskatchewan.

En effet, compte tenu de ce que nous savons sur la validité des données concernées, en particulier celles sur la langue maternelle, et de l'impact des changements apportés par Statistique Canada à la formulation des questions et au traitement des réponses, notamment au procédé de simplification des réponses multiples sur le calcul de l'assimilation (voir Castonguay, 1990, 1992), il nous semble préférable, pour le moment, de ne pas considérer comme significatives les variations du taux d'anglicisation des francophones du tableau 4 ailleurs que dans ces deux dernières provinces. Sur le plan strictement quantitatif aussi, plusieurs de ces fluctuations demeurent sans signification statistique du fait que les données en jeu sont fondées sur des échantillons d'un cinquième d'une population francophone déjà numériquement faible.

TABLEAU 5

**TAUX NET D'ANGLICISATION INDIVIDUELLE (EN %),
POPULATION DE LANGUE MATERNELLE FRANÇAISE
DE 35 À 44 ANS, CANADA ET PROVINCES, 1971 ET 1986**

	1971	1986
Canada	6,4	6,0
Québec	(0,2)	0,4
Reste du Canada	38,7	36,7
Terre-Neuve	34,6	34,9
Île-du-Prince-Édouard	50,3	50,8
Nouvelle-Écosse	42,0	40,2
Nouveau-Brunswick	11,8	10,7
Ontario	38,1	37,2
Manitoba	44,7	54,2
Saskatchewan	59,9	76,9
Alberta	64,1	64,4
Colombie-Britannique	76,8	69,0
Yukon et T.N.-O.	68,8	60,0

Note : Le taux net d'anglicisation individuelle égale la différence entre la population de langue maternelle française et celle de langue d'usage française, divisée par la population de langue maternelle française. Pour 1986, nous avons simplifié les déclarations multiples de langue maternelle et de langue d'usage à la façon du tableau 1 et du tableau 4, respectivement. Le taux d'anglicisation de (0,2) % au Québec en 1971 indique un léger excédent, à ce recensement, de l'effectif de langue d'usage française de 35 à 44 ans, en regard de celui de langue maternelle française.

Sources : Statistique Canada, 1974, tableaux 10 et 11 ; 1989, tableau 2.

Contrairement, donc, à ce que laissait entrevoir l'interprétation longitudinale des données de 1971 sur l'assimilation individuelle et les mariages mixtes (Castonguay, 1979), les minorités provinciales francophones, à l'exception de celles du Manitoba et de la Saskatchewan, ne paraissent pas accuser une anglicisation sensiblement accrue au cours des dernières années.

Les lois linguistiques et autres efforts de promotion du français auraient-ils réussi, alors, à arrêter la progression, du moins apparente, de l'anglicisation individuelle dans la plupart des provinces ? Dans l'état actuel de nos connaissances, on ne peut le conclure, tant la comparaison des données de 1971 et 1986 soulève des problèmes aigus, sinon insolubles. Et comment expliquer qu'au Québec, où les lois et les efforts en ce sens ont été les plus importants, la position du français sur le plan de l'assimilation semble plus faible en 1986 qu'en 1971 ? En définitive, il vaut mieux maintenir une grande prudence dans l'appréciation du mouvement de l'assimilation individuelle entre les deux recensements en cause.

CHUTE GÉNÉRALE DE LA FÉCONDITÉ

L'évolution du second facteur d'importance pour le renouvellement des populations francophones, soit la fécondité, est autrement plus claire. Le tableau 6 fait voir toute l'ampleur qu'a prise la baisse régulière de la fécondité des femmes de langue maternelle française depuis l'époque de la commission Laurendeau-Dunton.

TABLEAU 6

INDICE SYNTHÉTIQUE DE FÉCONDITÉ DES FEMMES DE LANGUE MATERNELLE FRANÇAISE, CANADA ET PROVINCES, 1956-1961, 1966-1971 ET 1981-1986 (ENFANTS PAR FEMME)

	1956-1961	**1966-1971**	**1981-1986**
Canada	4,31	2,36	1,49
Québec	4,22	2,27	1,47
Reste du Canada	4,95	2,87	1,60
Terre-Neuve	6,20	3,62	1,77
Île-du-Prince-Édouard	6,86	4,25	1,91
Nouvelle-Écosse	4,63	3,00	1,60
Nouveau-Brunswick	5,91	3,26	1,61
Ontario	4,60	2,64	1,54
Manitoba	5,01	3,05	1,87
Saskatchewan	5,43	3,43	2,14
Alberta	5,04	3,19	1,81
Colombie-Britannique	4,99	2,85	1,47

Note : Un niveau de fécondité de 2,1 enfants par femme assure le remplacement des générations, si l'on fait abstraction de la dimension linguistique. La population francophone du Yukon et des Territoires du Nord-Ouest est trop faible et volatile pour permettre une appréciation significative de sa fécondité.

Source : Dallaire et Lachapelle, 1990.

Ce tableau montre, fait relativement moins connu, que la fécondité des minorités francophones dans le reste du Canada a suivi, avec en moyenne seulement cinq années de retard, la chute de celle de la majo-rité francophone du Québec, si bien qu'au dernier recensement seules les femmes francophones de la Saskatchewan assuraient le remplacement de leur génération, leur indice synthétique se situant encore en 1986 juste au-dessus du seuil de 2,1 enfants par femme.

De concert avec l'assimilation individuelle qui s'est maintenue, disons, à un niveau constant mais généralement élevé à l'extérieur du Québec, l'effondrement de la fécondité francophone au cours du dernier quart de siècle porte à conclure que le remplacement intergénérationnel de la plupart des minorités provinciales se trouve définitivement com-promis. Mais avant d'examiner cela de plus près, voyons l'unique aspect positif du tableau général de l'assimilation.

AMÉLIORATION DE LA TRANSMISSION INTERGÉNÉRATIONNELLE DU FRANÇAIS

En raison de certains doutes touchant l'emploi des données des recensements pour mesurer l'assimilation individuelle des francophones au Québec, Statistique Canada a proposé de revenir à la mesure intergé-nérationnelle de l'assimilation, soit à la comparaison de la langue mater-nelle des enfants à celle de leur mère. Curieusement, sur sa lancée, l'organisme fédéral ne s'est pas préoccupé outre mesure de la validité des données sur la langue maternelle, qui semblent présenter plus de problèmes en cette matière que celles sur la langue d'usage, particuliè-rement en ce qui concerne les jeunes enfants (Castonguay, 1992 ; Lacha-pelle, 1992).

Quoi qu'il en soit, il ressort de cette méthode que, de la fin des années 1960 au début des années 1980, la transmission du français, langue maternelle, des mères aux enfants est demeurée stable dans la plupart des régions, mais a nettement augmenté au Québec et au Nouveau-Brunswick, si bien qu'elle a augmenté très sensiblement aussi dans l'ensemble du Canada (Fellegi, 1989, p. 6 ; Lachapelle, 1992, p. 10). Corrélativement, cela signifie que l'assimilation intergénérationnelle des francophones a connu une baisse équivalente dans ces trois dernières unités géographiques.

En particulier, dans l'ensemble du Canada, le taux net d'assimi-lation intergénérationnelle aurait diminué de moitié au cours des années

1970, passant d'environ 6 % en ce qui regarde les enfants nés avant le recensement de 1971, à 3 % pour ceux qui sont nés entre 1976 et 1986. Au Québec, on constate même, pour les enfants nés pendant cette dernière période, une francisation nette intergénérationnelle de l'ordre de 1 %, soit un léger surplus d'enfants de langue maternelle française par rapport au nombre d'enfants dont la mère est de langue maternelle française (Lachapelle, 1990, p. 10).

Nous avons vu au tableau 5 que l'assimilation individuelle des francophones est demeurée généralement stable entre 1971 et 1986 : dans l'ensemble du Canada, par exemple, le taux net actuel est resté à environ 6 %. Il semble donc que l'assimilation intergénérationnelle des francophones, qui se situait en 1971 à peu près au même niveau que leur assimilation individuelle, se trouve sensiblement inférieure à celle-ci aux derniers recensements, du moins – toujours selon le tableau 5 – dans la partie la plus francophone du Canada et au Canada dans son ensemble.

Ainsi, il existe désormais un paradoxe certain en ce qui concerne les données censitaires sur l'assimilation. Alors que la quasi-totalité des chercheurs ont soutenu jusqu'ici que l'adoption de l'anglais comme langue d'usage au foyer par une mère de langue maternelle française devrait conduire à peu près automatiquement à la transmission de l'anglais comme langue maternelle à ses enfants éventuels[4], selon les données censitaires plus récentes, nombre de mères francophones anglicisées, du moins dans la partie la plus francophone du Canada, transmettraient à leurs enfants une autre langue, en l'occurrence le français, que leur langue principale à la maison. S'il s'agit réellement d'un comportement linguistique différencié à la maison de la part de ces mères, cette divergence nous apporte un renseignement supplémentaire utile, tant sur la profondeur relative de leur anglicisation individuelle que sur celle de leur transmission du français à leurs enfants.

Toujours est-il que, par souci de clarté, on ne devrait plus désormais affirmer que l'anglicisation des francophones se maintient à un niveau constant au Canada, ni conclure à « la réduction de l'anglicisation des

---

4. Voir par exemple Joy (1972, p. 37), Maheu (1970, p. 20), Lieberson (1970, p. 200), Lachapelle et Henripin (1980, p. 134-136). Pour un jugement et des observations plus nuancés portant sur cette hypothèse, voir Castonguay (1981, sections 7.5 et 10.4).

francophones» (Lachapelle, 1990, p. 11) sans préciser de quelle sorte d'anglicisation il s'agit, de l'individuelle ou de l'intergénérationnelle. Depuis 1971, ces deux types d'assimilation semblent suivre un cours divergent.

Quant à leur signification, l'assimilation individuelle concerne de manière on ne peut plus directe l'évaluation du poids et de l'effectif de la population francophone actuelle, selon la langue principale parlée au foyer au moment de l'observation. En revanche, l'assimilation intergénérationnelle se rapporte à la description de la population saisie selon la langue maternelle. De plus, l'appréciation de son incidence sur la population francophone demeure incomplète si l'on ne tient pas compte en même temps de l'autre composante du renouvellement intergénérationnel, la fécondité.

En effet, malgré que le renseignement sur la langue maternelle accuse généralement un retard certain sur l'actualité, son caractère relativement permanent lui confère, sous ce dernier rapport, une utilité démographique particulière. De concert avec la fécondité, la transmission linguistique intergénérationnelle, partant des seules données sur la langue maternelle, sert à déterminer le taux de reproduction des populations de langue maternelle française – dont Lieberson a appelé *assimilation collective* le complément.

Examinons donc maintenant l'impact éventuel de la récente amélioration de la transmission intergénérationnelle du français, d'une part, sur le poids et, d'autre part, sur l'effectif des populations francophones, énumérées selon la langue maternelle. Nous verrons que, si la transmission linguistique intergénérationnelle des francophones a peu varié et a même progressé dans quelques provinces, l'inverse est vrai en général de leur taux de reproduction, en termes tant relatifs qu'absolus.

IMPACT DE LA TRANSMISSION AMÉLIORÉE DU FRANÇAIS SUR LE RENOUVELLEMENT INTERGÉNÉRATIONNEL DU POIDS DES FRANCOPHONES

On peut facilement obtenir une bonne estimation du *taux de reproduction linguistique relative* de la population francophone en divisant le nombre relatif des enfants de langue maternelle française au sein de la population totale âgée de 0 à 9 ans par celui des adultes de langue maternelle française parmi la population des 25 à 34 ans. C'est ainsi que les démographes ont pour habitude d'évaluer approximativement à quel point le groupe francophone réussit à maintenir son importance relative au sein de la population totale (voir par exemple Beaujot et McQuillan, 1982, tableau 7.1, ou encore Lachapelle et Grenier, 1988, tableaux 1.7, 2.15 et 2.16). Suivons donc, au tableau 7, l'évolution du taux de reproduction relative des diverses populations francophones lors des recensements de 1961, 1971 et 1986.

TABLEAU 7

TAUX APPROXIMATIF DE REPRODUCTION LINGUISTIQUE RELATIVE DE LA POPULATION DE LANGUE MATERNELLE FRANÇAISE, CANADA ET PROVINCES, 1961, 1971 ET 1986

	1961	1971	1986
Canada	1,03	0,92	0,92
Québec	1,06	1,01	1,01
Reste du Canada	0,87	0,82	0,73
Terre-Neuve	0,49	0,44	0,53
Île-du-Prince-Édouard	0,78	0,80	0,55
Nouvelle-Écosse	0,61	0,64	0,56
Nouveau-Brunswick	1,13	1,03	0,94
Ontario	0,85	0,82	0,75
Manitoba	0,81	0,76	0,65
Saskatchewan	0,61	0,57	0,38
Alberta	0,59	0,58	0,44
Colombie-Britannique	0,25	0,39	0,32
Yukon et T.N.-O.	0,30	0,34	0,30

Note : Le taux de reproduction relative indique dans quelle mesure un groupe linguistique réussit, au fil des générations, à renouveler sa part de la population totale. Le renouvellement intergénérationnel de l'importance relative du groupe se trouve assuré si ce taux est supérieur à l'unité et, dans le cas contraire, plus ou moins compromis. Pour le calcul du taux, nous avons utilisé le rapport entre le poids relatif des enfants de langue maternelle française au sein de la population de 0 à 9 ans, et celui des adultes de langue maternelle française parmi les 25 à 34 ans. Nous avons simplifié les réponses multiples de 1986 de la même façon que pour le tableau 1.

Sources : Pour 1961 et 1971, Beaujot et McQuillan, 1982, tableau 7.1. Pour 1986, Statistique Canada, 1987, tableau 4, et Denis, 1988, tableaux 5.12 à 5.14.

Il en ressort qu'en 1961 la fécondité des francophones et la transmission intergénérationnelle du français étaient assez élevées pour assurer à la population de langue maternelle française du Québec et du Nouveau-Brunswick et, conséquemment, de l'ensemble du Canada, un rythme de reproduction supérieur à celui de la population totale. Rappelons cependant que d'autres facteurs, dont l'immigration internationale non francophone, ont à cette époque joué de façon plus déterminante que cet avantage intergénérationnel et conduit, comme nous l'avons vu au tableau 1, à une réduction générale du poids des francophones, y inclus au Québec.

On voit également qu'en 1971, soit seulement dix ans plus tard, la fécondité francophone, tout en demeurant partout au-dessus du seuil de remplacement des générations de 2,1 enfants par femme (tableau 6), s'est déjà suffisamment rapprochée de celle du reste de la population pour que le renouvellement des générations ne favorise plus le poids relatif des francophones qu'au Québec et au Nouveau-Brunswick et ce, à un degré minime.

Enfin, l'évolution du taux de reproduction relative depuis 1971 est plus intéressante. Malgré la baisse soutenue de la fécondité francophone qui, en 1986, se trouve partout sous le seuil de 2,1 – à l'exception près de la Saskatchewan –, une poursuite semblable de la baisse de la fécondité non francophone, conjuguée avec le regain de la transmission intergénérationnelle du français, réussit, au Québec, à maintenir le taux de reproduction relative de la population de langue maternelle française à un niveau tout juste avantageux.

Les mêmes mécanismes ne suffisent pas, cependant, à conserver à la minorité francophone du Nouveau-Brunswick l'avantage relatif qu'elle détenait encore en 1971. De même, la reproduction relative continue à se détériorer parmi toutes les autres minorités francophones de quelque importance. Quant à la population francophone de l'ensemble du Canada, la stabilisation de la situation au Québec entraîne le maintien du taux au niveau de 0,92.

Bien sûr, pendant cette période, le facteur migratoire a continué de jouer. Avec la poursuite d'une immigration internationale peu francophone, le taux de reproduction relative désormais défavorable de la population de langue maternelle française au Canada a conduit à une baisse soutenue de son poids relatif (tableau 1). Inversement, au Québec, l'important déficit migratoire interprovincial anglophone a contribué à une augmentation rapide de l'importance relative des francophones bien au-delà de ce qu'aurait pu produire l'avantage reproductif minime de ces derniers.

Mais, pour revenir aux phénomènes qui nous intéressent, l'amélioration de la transmission intergénérationnelle du français au cours des années 1970 ne se traduit donc pas par un rétablissement du renouvellement intergénérationnel du poids relatif des francophones. Tout au plus observe-t-on, au Québec, une stabilisation du taux de reproduction relative à son niveau tout juste favorable de 1971. Dans l'ensemble du Canada, le taux se stabilise aussi, mais à un niveau défavorable, tandis qu'il continue de chuter dans les différentes provinces à l'extérieur du Québec, y inclus au Nouveau-Brunswick.

Si la transmission améliorée du français au Québec et au Nouveau-Brunswick n'a qu'un impact mitigé sur le maintien du poids relatif des francophones, en vertu de la baisse continue de leur fécondité, cette amélioration en chiffres absolus n'a pu, toujours à cause de ce dernier facteur, empêcher un affaiblissement dramatique du renouvellement intergénérationnel de leur effectif. Si donc l'assimilation intergénérationnelle des francophones régresse ou se stabilise dans les diverses provinces, il n'en va pas ainsi, et de très loin, de leur assimilation collective.

L'EFFONDREMENT DU NOMBRE D'ENFANTS FRANCOPHONES

Puisque, sous certains aspects, notamment en ce qui concerne le droit de gérer leurs propres écoles, reconnu par la Constitution canadienne aux minorités de langue maternelle française « là où le nombre le justifie », le nombre peut contribuer de façon plus importante que son poids relatif à la vitalité d'un groupe linguistique, il faut regretter que les démographes se limitent le plus souvent à la seule analyse des indices de reproduction linguistique *relative* des populations francophones. Cependant, la Fédération des jeunes Canadiens français vient de poser un regard courageux sur l'évolution en nombres absolus de la jeunesse de langue maternelle française en comparant notamment ses effectifs aux recensements de 1971 et de 1986 (Bernard, 1990).

Dans cette optique, avant de considérer le taux de reproduction linguistique des francophones, estimé en termes de nombres absolus, comparons au tableau 8 les effectifs de langue maternelle française qui ont servi aux estimations pour 1961 et 1986 du tableau précédent. On peut tirer quantité d'informations de ces données que nous avons arrondies à la centaine près pour en faciliter la comparaison.

TABLEAU 8
ADULTES DE 25 À 34 ANS ET ENFANTS DE 0 À 9 ANS
DE LANGUE MATERNELLE FRANÇAISE, CANADA
ET PROVINCES, 1961 ET 1986 (À LA CENTAINE PRÈS)

	1961		1986	
	Adultes de 25 à 34 ans	Enfants de 0 à 9 ans	Adultes de 25 à 34 ans	Enfants de 0 à 9 ans
Canada	710 800	1 281 600	1 199 900	882 600
Québec	586 400	1 092 700	1 017 300	776 700
Reste du Canada	124 400	188 900	177 800	104 900
Terre-Neuve	800	400	600	300
Île-du-Prince-Édouard	900	1 600	1 000	500
Nouvelle-Écosse	5 100	6 300	6 300	2 800
Nouveau-Brunswick	22 800	59 200	44 100	34 900
Ontario	67 900	92 600	89 600	52 600
Manitoba	8 700	12 700	9 100	5 100
Saskatchewan	5 300	6 300	4 000	1 500
Alberta	7 300	7 600	13 300	4 700
Colombie-Britannique	5 300	2 200	9 200	2 300
Yukon et T.N.-O.	300	200	600	200

Note : Les réponses multiples de 1986 ont été simplifiées comme pour le tableau 1. Voir aussi la note au tableau 2.

Sources : Pour 1961, Beaujot et McQuillan, 1982, tableau 7.1, ainsi que Statistique Canada, 1964, tableaux 95 et 96 ; pour 1986, Statistique Canada, 1987, tableau 4, et Denis, 1988, tableaux 5.12 à 5.14.

Remarquons d'abord qu'à cause d'une migration internationale francophone relativement faible, les adultes de langue maternelle française de 25 à 34 ans, présents au Canada au recensement de 1986, sont pratiquement les mêmes personnes que les enfants de 0 à 9 ans énumérés 25 ans plus tôt, en 1961 : la mortalité précoce expliquerait une bonne partie des absences. Les échanges migratoires francophones entre le

Québec et le reste du Canada ayant été, au cours de la période, également assez faibles, en termes relatifs, la même chose est vraie pour les populations de langue maternelle française de ces deux grandes unités géographiques.

Par ailleurs, compte tenu du léger déficit migratoire interprovincial francophone pour le Québec depuis 1961 (Castonguay, 1988, tableau 1, ainsi que le tableau 3 ci-dessus), il n'est pas surprenant que la baisse relative de l'effectif obtenue en « faisant vieillir » les 0 à 9 ans de 1961 aux 25 à 34 ans de 1986 soit un peu plus sensible au Québec que dans le reste du Canada. Dans les autres provinces, on voit une incidence plus importante de la migration interprovinciale, par exemple dans la réduction plus abrupte, en « vieillissant », des populations des provinces à fort taux de chômage comme le Nouveau-Brunswick, ou dans le maintien amélioré de l'effectif, voire son augmentation marquée, dans des provinces à solde migratoire habituellement positif, telles l'Ontario, l'Alberta ou la Colombie-Britannique.

Toutefois, le nombre d'enfants de 0 à 9 ans en 1986 est partout très inférieur à celui qui est obtenu, une génération plus tôt, en 1961. Sous ce rapport, la seule exception significative est la Colombie-Britannique, grâce à ses gains migratoires aussi réguliers que substantiels (tableau 3).

Enfin, l'appréciation des seuls effectifs dans la dernière colonne du tableau 8 fait voir que, de l'ensemble des enfants de langue maternelle française de 0 à 9 ans au Canada en 1986, virtuellement la totalité, soit 98 %, se trouvent au Québec (88 %), au Nouveau-Brunswick (4 %) ou en Ontario (6 %).

Examinons maintenant l'évolution des taux de reproduction linguistique et d'assimilation collective des différentes populations, calculés approximativement au moyen de nombres absolus, comme ceux du tableau 8.

ÉVOLUTION DES TAUX DE REPRODUCTION ET D'ASSIMILATION COLLECTIVE

Au regard de son renouvellement en nombres absolus, le *taux de reproduction linguistique* d'une population francophone se laisse estimer *grosso modo* en divisant l'effectif de langue maternelle française de 0 à 9 ans par celui de 25 à 34 ans majoré de 2% pour tenir compte de la mortalité entre l'âge moyen de 5 ans et celui de 30 ans. Quoique ce taux soit moins souvent envisagé par les démographes que le taux de reproduction relative, son interprétation est toutefois également plus directe : il indique à quel point un groupe linguistique renouvelle ses effectifs d'une génération à l'autre.

Soulignons que notre calcul est fort approximatif. De façon exacte, le taux de reproduction linguistique serait égal au produit du nombre moyen d'enfants par femme divisé par deux (pour compter seulement les filles), du taux de survie jusqu'à l'âge de fécondité et du taux de transmission linguistique intergénérationnelle. Or les publications de Statistique Canada ne contiennent généralement pas toutes ces informations. À la place du taux de transmission intergénérationnelle du français, par exemple, on a pensé substituer le taux de persistance linguistique individuelle des francophones (voir par exemple Lachapelle, 1986, p. 136). Mais celui-ci étant d'ordinaire inférieur au taux de transmission du français, cela donne lieu à une erreur systématique, celle de sous-estimer la reproduction linguistique des francophones et de surestimer leur assimilation collective.

Notons aussi qu'une évaluation du taux de reproduction semblable à la nôtre peut se fonder sur d'autres groupes d'âge ou employer un facteur de correction différent pour la mortalité précoce. D'ailleurs, notre évaluation des effectifs francophones, en 1986, repose sur une répartition des réponses multiples par provinces et par groupes d'âge identique à celle du tableau 1, qui ne vaut – et encore qu'approximativement – que pour la population (tous âges confondus) du Canada, du Québec et de l'ensemble des autres provinces.

Ces réserves faites, notre calcul a l'avantage d'être aussi accessible que transparent. Un autre mode d'évaluation ne conduirait sans doute pas à une conclusion différente de celle qui se dégage des résultats pour 1961, 1971 et 1986, présentés au tableau 9.

Il en ressort d'emblée, en effet, une tendance extrêmement forte de la reproduction linguistique vers la baisse, si bien qu'au dernier recensement toutes les populations en jeu manifestent une incapacité très nette de renouveler leurs effectifs par leurs propres moyens. Dans les termes de Lieberson, toutes, sans exception, témoignent en 1986 d'un *taux d'assimilation collective* élevé, celui-ci étant le complément à l'unité du taux de reproduction.

TABLEAU 9

TAUX DE REPRODUCTION LINGUISTIQUE APPROXIMATIF DE LA POPULATION DE LANGUE MATERNELLE FRANÇAISE, CANADA ET PROVINCES, 1961, 1971 ET 1986

	1961	1971	1986
Canada	1,77	1,28	0,72
Québec	1,82	1,30	0,75
Reste du Canada	1,49	1,15	0,58
Terre-Neuve	0,47	0,91	0,49
Île-du-Prince-Édouard	1,76	1,45	0,51
Nouvelle-Écosse	1,19	1,01	0,44
Nouveau-Brunswick	2,54	1,75	0,77
Ontario	1,34	1,08	0,58
Manitoba	1,42	1,13	0,55
Saskatchewan	1,17	0,97	0,37
Alberta	1,02	0,84	0,34
Colombie-Britannique	0,41	0,49	0,25
Yukon et T.N.-O	0,46	0,56	0,30

Note : Le taux de reproduction linguistique indique dans quelle mesure un groupe renouvelle ses effectifs d'une génération à l'autre. Le renouvellement intergénérationnel est assuré lorsque le taux est supérieur à l'unité et il est plus ou moins compromis dans le cas contraire. Le taux se trouve établi ici par le rapport entre l'effectif de langue maternelle française de 0 à 9 ans, et celui de 25 à 34 ans, ce dernier étant haussé de 2 % pour compenser l'effet de la mortalité précoce. Les réponses multiples de 1986 ont été réparties comme au tableau 1.

Sources : Voir celles du tableau 8.

Remarquons que de prime abord il peut paraître étrange de trouver, en 1986, la population francophone du Québec en situation d'assimilation collective, comme les autres populations francophones du Canada, alors qu'aux derniers recensements elle profitait légèrement de l'assimilation intergénérationnelle, les jeunes enfants de langue maternelle française y étant, nous l'avons vu, un peu plus nombreux que ceux dont la mère était de langue maternelle française. Mais en ce qui concerne la reproduction linguistique, ce léger avantage se trouve balayé par la très forte sous-fécondité des Québécoises francophones. Et, à la réflexion, il ne paraît pas inexact de considérer ce dernier facteur comme témoignant aussi d'une sorte d'assimilation proprement collective, au même titre que, par le passé, on tenait pour une caractéristique culturelle fondamentale de la société canadienne-française sa surfécondité d'avant la Révolution tranquille.

Certes, cette dernière observation rapproche, jusqu'à un certain point, assimilation linguistique et assimilation – ou acculturation – tout court. Cependant, aussitôt qu'on aborde l'assimilation linguistique par son côté intergénérationnel, on pénètre d'emblée dans le champ du processus global de reproduction d'un groupe linguistique ou culturel. Il paraît dès lors illusoire de présenter assimilation ou transmission linguistique intergénérationnelle et fécondité comme indépendantes l'une de l'autre, comme d'aucuns semblent le suggérer (voir par exemple Lachapelle et Grenier, 1988, ou Lachapelle, 1990). En effet, il est plausible que l'impératif de survie du groupe inspire une certaine compensation liant ces deux facteurs – la reproduction naturelle et la transmission linguistique intergénérationnelle – et faisant en sorte qu'un affaiblissement de la fécondité puisse s'accompagner d'une transmission linguistique ou culturelle améliorée entre les générations.

D'ailleurs, dans le domaine de l'action politique, connexe à celui de la langue, on a déjà invoqué l'efficacité d'un semblable mécanisme compensatoire en signalant, dans le cas du Québec francophone, l'existence d'une relation inverse entre la faiblesse numérique et la volonté d'affirmation, c'est-à-dire de survie: «Les nouvelles générations [...] moins nombreuses, et peut-être par là plus conscientes de la fragilité de ce qui fait leur identité propre [...] ne seront-elles pas amenées à prendre le relais des générations de la Révolution tranquille pour mener celle-ci à son véritable terme?» (Martin, 1987, p. 112).

Pour clore cette digression, relevons qu'un tel jeu de compensation, dans sa forme plus sociolinguistique, semble s'être donné une expression concrète dans l'amélioration de la transmission du français des mères aux enfants, au Québec et au Nouveau-Brunswick, soit justement au sein des deux populations francophones qui partagent encore, au Canada, un sentiment collectif assez élevé pour s'envisager, à l'occasion, comme formant des peuples distincts.

Pour revenir au tableau 9, il est remarquable qu'au Nouveau-Brunswick, malgré une transmission intergénérationnelle du français moins élevée qu'au Québec, la fécondité régulièrement plus élevée des francophones (tableau 6) résulte en un taux de reproduction linguistique très nettement supérieur à celui qui est observé au Québec, du moins en 1961 et 1971. Mais cet avantage n'existe pratiquement plus au dernier recensement – on y relève en 1986 des taux de reproduction respectifs de 0,77 et 0,75 –, la fécondité acadienne s'étant rapprochée d'assez près de la sous-fécondité québécoise.

Ensemble, ces derniers taux font néanmoins en sorte que le taux de reproduction des francophones s'élève en 1986 à 0,72 pour l'ensemble du Canada, ce qui équivaut à un taux d'assimilation collective de 0,28 ou 28 %. En d'autres mots, au dernier recensement, la sous-fécondité et l'assimilation intergénérationnelle des francophones du Canada entraînent ensemble une réduction de près de 30 % dans l'effectif des jeunes enfants de langue maternelle française, en regard de celui de la génération précédente.

Le tableau 9 nous apprend aussi qu'en 1961 – c'est-à-dire vers l'époque de la commission Laurendeau-Dunton – la surfécondité francophone assurait partout, malgré une assimilation linguistique certaine, le remplacement intergénérationnel des populations, à l'exception des minorités les plus éloignées. Mais, en l'espace d'une génération, cette compensation s'est partout éteinte. Tant par sa rapidité que par son ampleur, ce renversement est proprement vertigineux.

En particulier, la relève francophone en Ontario est réduite, en 1986, à moins de 60 % de la génération précédente et la situation est encore plus grave à mesure qu'on s'éloigne davantage du Québec et du Nouveau-Brunswick. Si bien qu'en dépit du taux de reproduction relativement élevé des francophones de cette dernière province, dans l'ensemble du Canada à l'extérieur du Québec, les enfants francophones de 0 à 9 ans ne se trouvent, comme en Ontario, guère plus nombreux que la moitié de la génération précédente. Autrement dit, en 1991, l'assimilation collective des francophones à l'extérieur du Québec approche sans doute de 50 %, taux qui en 1986 était déjà dépassé dans plusieurs provinces.

Ce n'est qu'en combinant fécondité et assimilation linguistique intergénérationnelle au moyen du taux de reproduction linguistique qu'on arrive à jauger clairement l'impact du second facteur sur le poids relatif et, surtout, l'effectif des populations francophones. De toute évidence, il faut en conclure que même si, au Québec, les mères transmettent plus souvent qu'auparavant le français à leurs enfants, ceux-ci sont par contre trop peu nombreux, de sorte qu'actuellement toutes les populations francophones du Canada se trouvent bien en deçà de pouvoir renouveler leurs effectifs. On prévoit généralement, pour l'an 2020 environ, le début du déclin de l'effectif francophone au Québec. En d'autres termes : « La question n'est plus de savoir si le Québec parlera encore le français dans quelques générations, mais aussi combien il restera de Québécoises et de Québécois pour le parler » (Termote, 1991, p. 270 et 276).

Au Nouveau-Brunswick, la question se pose avec la même acuité toujours, pour l'essentiel, à cause de la chute de la fécondité. À la différence près qu'à moins d'un miracle économique acadien, la population francophone n'y peut guère compter, à l'encontre de celle du Québec, sur une certaine immigration internationale pour retarder le début du déclin.

Par contre, dans les autres provinces, l'assimilation individuelle et sa conséquence intergénérationnelle contribuent fortement à la chute du taux de reproduction linguistique. À partir des tableaux 6 et 9, on peut en fait déduire que sous-fécondité et assimilation contribuent à peu près également au taux d'assimilation collective, ou de non-renouvellement, de la population francophone de l'Ontario au dernier recensement, de même que de celle de l'ensemble de la population francophone à l'extérieur du Québec. De façon semblable, on peut conclure que, dans toutes les autres provinces, la transmission de l'anglais comme langue maternelle aux enfants joue un rôle prépondérant dans le degré catastrophique de non-renouvellement des générations francophones, en 1986.

Il se peut que la prise de conscience graduelle par les francophones de leur situation progressivement plus fragile ait conduit à des lois ou à des comportements qui ont fait en sorte que, depuis une quinzaine d'années, l'assimilation individuelle se soit stabilisée – sauf dans les

Prairies – ou que la transmission du français des mères aux enfants ait progressé, du moins au Québec et au Nouveau-Brunswick. Mais une autre forme d'acculturation, aussi redoutable sinon encore plus irrémédiable que l'assimilation linguistique, pèse de plus en plus lourd sur la survie des populations francophones du Canada. Il n'y a qu'au Québec qu'il semble y avoir quelque espoir, en tentant d'agir à la fois sur l'immigration et la natalité, de conjurer de façon durable le déclin des effectifs francophones qu'entraînerait plus ou moins rapidement la conjugaison de l'assimilation linguistique et de la sous-fécondité.

ÉVOLUTION DE LA FRANCISATION DES IMMIGRANTS AU QUÉBEC

Le recensement de 1981 a révélé une évolution favorable de la fréquence relative de l'adoption du français comme langue d'usage, par rapport à celle de l'anglais, parmi les immigrants de langue maternelle ni française, ni anglaise du Québec. En effet, alors que, par le passé, la grande majorité de ces derniers, dits *allophones*, adoptaient l'anglais plutôt que le français, on a observé un renversement de cette situation dès la cohorte d'immigrants arrivés en 1971-1975. Parmi ceux-ci, le pouvoir relatif d'assimilation du français, c'est-à-dire la part qui a choisi le français parmi l'ensemble de ceux qui ont adopté soit l'anglais, soit le français comme langue d'usage, était supérieur à celui de l'anglais, et cet avantage se trouvait encore plus marqué parmi la cohorte de 1976-1980 (Termote et Gauvreau, 1988, p. 149).

Cependant, le tableau 10 montre que le pouvoir relatif d'assimilation de l'anglais a connu, selon le recensement de 1986, un regain auprès des arrivants les plus récents, soit *grosso modo* ceux qui sont arrivés depuis le référendum de 1980. Non seulement l'avantage du français parmi ces derniers est-il fort mince, mais l'avantage que détenait le français sur l'anglais, selon le recensement de 1981, parmi les cohortes de 1971-1975 et 1976-1980 en matière d'adoption hâtive d'une nouvelle langue d'usage paraît s'être émoussé selon les données de 1986, ce qui indique que le pouvoir relatif d'assimilation de l'anglais augmenterait à mesure que s'allonge la durée de séjour au Québec (Termote, 1991, p. 252).

TABLEAU 10

POUVOIR RELATIF D'ASSIMILATION DE L'ANGLAIS
ET DU FRANÇAIS AUPRÈS DES IMMIGRANTS
DE LANGUE MATERNELLE TIERCE,
SELON LA PÉRIODE D'IMMIGRATION, QUÉBEC, 1986

Période d'immigration	Langue d'usage		
	Anglais ou français	Anglais	Français
Total	66 100 (100%)	43 810 (66%)	22 290 (34%)
Avant 1960	31 460 (100%)	24 775 (79%)	6 685 (21%)
1960-1970	16 975 (100%)	10 850 (64%)	6 125 (36%)
1971-1975	7 000 (100%)	3 685 (53%)	3 320 (47%)
1976-1980	5 645 (100%)	2 205 (39%)	3 445 (61%)
1981-1986	5 020 (100%)	2 295 (46%)	2 725 (54%)

Note : Les données présentées ne comptent que des réponses simples et ne touchent que les immigrants de langue maternelle ni anglaise ni française qui ont déclaré soit l'anglais, soit le français comme langue d'usage. Le pouvoir relatif d'assimilation du français, par exemple, égale la part de ces immigrants qui ont adopté le français comme langue d'usage.

Source : Baillargeon et Benjamin, 1990, tableau A.8.

Par surcroît, en chiffres absolus, les gains récents du français au Québec auprès des immigrants allophones demeurent très faibles, soit moins de 10 000 personnes au total parmi les cohortes de 1971 à 1986 (tableau 10). De toutes les minorités provinciales allophones, celle du Québec fait preuve, en effet, du taux de persistance linguistique le plus élevé, et de loin (*Ibid.*, tableau 20). À tel point que la position majoritaire du français au Québec peut paraître moins une occasion de francisation des immigrants allophones qu'un facteur qui inhibe leur assimilation linguistique, c'est-à-dire leur anglicisation.

En somme, la population francophone du Québec est en train de perdre son unique source de croissance, soit une structure selon l'âge relativement jeune héritée de sa fécondité passée, sans réussir à y suppléer de manière substantielle par l'intermédiaire d'un changement significatif dans le comportement linguistique des immigrants au foyer. Il est vrai que la proportion des écoliers allophones qui reçoivent leur scolarisation en français a augmenté jusqu'à atteindre les deux tiers pour l'année scolaire 1987-1988 (Paillé, 1989, p. 70), mais « entre la

langue scolaire et la langue d'usage, il y a encore tout un saut à faire »
(Termote, 1991, p. 252).

*

*   *

Des trois sortes d'assimilation étudiées : individuelle, intergénérationnelle et collective, seule la deuxième a évolué de manière favorable
à la population francophone, ces dernières années, et ce, uniquement au
Québec et au Nouveau-Brunswick. En effet, pendant la même période,
la baisse de la fécondité francophone a été partout si rapide qu'elle a
entraîné, même dans ces deux provinces, un taux très inquiétant de
non-renouvellement des générations ou d'assimilation collective.

Par ailleurs, la tentative d'infléchir, au Québec, les choix linguistiques intimes des immigrants allophones par la francisation de certains
comportements publics n'a encore porté que des fruits assez maigres,
voire hésitants. Un réaménagement linguistique plus complet de la société québécoise, de concert avec des mesures de redressement efficaces de la fécondité au Québec, paraissent nécessaires si l'on tient à
mieux assurer au français une permanence dans cette partie de l'Amérique du Nord.

Quant aux populations francophones des autres provinces, le contrôle de plusieurs déterminants de leur destin leur fait évidemment
défaut. Sans un apport constant de nouveaux migrants francophones
comme celui dont semble bénéficier jusqu'à nouvel ordre la Colombie-
Britannique, leur effectif paraît inéluctablement appelé à décroître. Cette
décroissance sera certes plus lente dans des régions comme la partie
acadienne du Nouveau-Brunswick, ou le sud-est et le nord-est de l'Ontario où les taux d'assimilation individuelle et intergénérationnelle n'accé-
lèrent pas trop l'assimilation collective.

À la lumière de l'évolution plus récente de la fécondité francophone, il y a donc lieu d'effectuer une révision globale de l'évaluation
de la situation démographique, selon laquelle le maintien des minorités
francophones semblait encore possible dans plusieurs provinces, moyen-
nant des apports migratoires nouveaux du Québec ou de l'étranger
(Lachapelle, 1986). Si l'assimilation collective demeure à son niveau
actuel ou poursuit encore son ascension – ce qui ne paraît pas du tout

invraisemblable –, il est difficile, en effet, d'imaginer des mouvements migratoires assez importants et soutenus pour assurer la stabilité des populations de langue maternelle française dans la très grande majorité, sinon l'ensemble, des provinces autres que le Québec.

Enfin, il convient de garder fermement à l'esprit que les effectifs de population selon la langue maternelle font largement illusion quant au nombre réel de « francophones » dont le français est la langue première actuelle au foyer. Les tableaux 2 et 4 ont été éloquents à cet égard. L'intérêt principal des renseignements sur la langue maternelle est peut-être de nous fournir, précisément à cause de son caractère permanent, un moyen de suivre le renouvellement relatif des générations. Mais dans beaucoup de provinces dont, en particulier, la Colombie-Britannique qui est la seule, à part le Québec et le Nouveau-Brunswick, à avoir connu un accroissement de sa population francophone à chaque recensement depuis la Seconde Guerre mondiale, la majorité des « francophones », classés selon la langue maternelle, n'ont plus en fait le français que comme langue seconde.

Bibliographie

Baillargeon, Mireille, et Claire Benjamin (1990), *Caractéristiques linguistiques de la population immigrée recensée au Québec en 1986*, Québec, Ministère des Communautés culturelles et de l'Immigration, XI + 85 p.

Beaujot, Roderic P., et Kevin McQuillan (1982), *Growth and Dualism : The Demographic Development of Canadian Society*, Toronto, Gage, XII + 249 p.

Béland, Paul (1991), *L'usage du français au travail : situation et tendances*, Québec, Conseil de la langue française, XII + 205 p.

Bernard, Roger (1990), *Le choc des nombres. Dossier statistique sur la francophonie canadienne, 1951-1986*, Ottawa, Fédération des jeunes Canadiens français, 311 p.

Castonguay, Charles (1974), « Dimensions des transferts linguistiques entre groupes anglophone, francophone et autre d'après le recensement canadien de 1971 », dans *Annales de l'Association canadienne-française pour l'avancement des sciences*, 41, 2, p. 125-131.

Castonguay, Charles (1979), « Exogamie et anglicisation chez les minorités canadiennes-françaises », dans *Revue canadienne de sociologie et d'anthropologie*, 16, 1, p. 21-31.

Castonguay, Charles (1981), *Exogamie et anglicisation dans les régions de Montréal, Hull, Ottawa et Sudbury*, Québec, Centre international de recherche sur le bilinguisme, 101 + XI p.

Castonguay, Charles (1988), « Virage démographique et Québec français », dans *Cahiers québécois de démographie*, 17, 1, p. 49-61.

Castonguay, Charles (1990), « Note de lecture : *Profils démolinguistiques des communautés minoritaires de langue officielle* par Louise M. Dallaire et Réjean Lachapelle », dans *Cahiers québécois de démographie*, 19, 2, p. 399-401.

Castonguay, Charles (1992), « Sur la détermination de la composition linguistique de la population au moyen des données des recensements », dans *Actes du colloque sur les critères de reconnaissance des organismes municipaux et scolaires et des établissements de santé et de services sociaux*, Québec, Office de la langue française, p. 49-69.

Charbonneau, Hubert, et Robert Maheu (1973), *Les aspects démographiques de la question linguistique*, Synthèse S3, Commission d'enquête sur la situation de la langue française et sur les droits linguistiques au Québec, Québec, Éditeur officiel, 438 p.

Commissaire aux langues officielles (1988), *Rapport annuel 1987*, Ottawa, Ministre des Approvisionnements et Services Canada, III + 256 p.

Commissaire aux langues officielles (1991), *Rapport annuel 1990*, Ottawa, Ministre des Approvisionnements et Services Canada, XXXII + 370 p.

Commission royale d'enquête sur le bilinguisme et le biculturalisme (1967), *Rapport*, livre premier : *Les langues officielles*, Ottawa, Imprimeur de la Reine, 231 p.

Commission sur l'avenir politique et constitutionnel du Québec (1991), *Rapport*, Québec, III + 171 p.

Dallaire, Louise M., et Réjean Lachapelle (1990), *Profils démolinguistiques des communautés minoritaires de langue officielle*, nos S42-10 / 1 à 10 / 12, Ottawa, Secrétariat d'État du Canada.

Denis, Johanne (1988), *Étude du contenu de la contre-vérification des dossiers*, Ottawa, Statistique Canada, Division des méthodes d'enquêtes sociales.

Fédération des francophones hors Québec (1990), *Un nouveau départ, en partenariat*, mémoire présenté à la Commission sur l'avenir politique et constitutionnel du Québec, Ottawa.

Fellegi, Ivan P. (1989), « Témoignage », dans *Procès-verbaux et témoignages du Comité mixte permanent du Sénat et de la Chambre des communes des langues officielles*, 3 (octobre), 40 p.

Henripin, Jacques (1988), « Le recensement de 1986 : certaines tendances séculaires s'atténuent », dans *Langue et société*, 24 (automne), p. 6-9.

Joy, Richard J. (1972), *Languages in Conflict : The Canadian Experience*, Toronto, McClelland and Stewart, XIII + 149 p. ; d'abord publié à compte d'auteur à Montréal en 1967.

Lachapelle, Réjean (1986), « La démolinguistique et le destin des minorités françaises vivant à l'extérieur du Québec », dans *Mémoires de la Société royale du Canada*, 1, p. 123-141.

Lachapelle, Réjean (1989), « Évolution des groupes linguistiques et situation des langues officielles au Canada », dans *Tendances démolinguistiques et évolution des institutions canadiennes*, Montréal, Association d'études canadiennes (coll. Thèmes canadiens), p. 7-34.

Lachapelle, Réjean (1990), « La position du français s'améliore, la proportion de francophones décroît », dans *Langue et société*, 32 (automne), p. 9-11.

Lachapelle, Réjean (1992), « Utilisation des données de recensement dans la mise en œuvre des lois linguistiques », dans *Actes du colloque sur les critères de reconnaissance des organismes municipaux et scolaires et des établissements de santé et de services sociaux*, Québec, Office de la langue française, p. 5-48.

Lachapelle, Réjean, et Gilles Grenier (1988), *Aspects linguistiques de l'évolution démographique*, rapport au Secrétariat pour l'étude de l'évolution démographique et son incidence sur la politique économique et sociale, Ottawa, Santé et Bien-être Canada, document non publié.

Lachapelle, Réjean, et Jacques Henripin (1980), *La situation démolinguistique au Canada : évolution passée et prospective*, Montréal, Institut de recherches politiques, XXXII + 391 p.

Langue et société (1989), *Dossier spécial à l'occasion du 25e anniversaire de la Commission B.-B. et du 20e anniversaire de la Loi sur les langues officielles. Le français et l'anglais au Canada*, Ottawa, Commissaire aux langues officielles, 44 p.

Lieberson, Stanley (1965), « Bilingualism in Montreal : A Demographic Analysis », dans *American Journal of Sociology*, 71, p. 10-25.

Lieberson, Stanley (1970), *Language and Ethnic Relations in Canada*, New York, Wiley, XII + 264 p.

Maheu, Robert (1970), *Les francophones du Canada, 1941-1991*, Montréal, Parti pris.

Martin, Yves (1987), « Le référendum, ses lendemains et l'avenir », dans *Le Québec 1967-1987 : le Québec du général de Gaulle au Lac Meech*, Montréal, Guérin, p. 109-112.

Paillé, Michel (1989), *Nouvelles tendances démolinguistiques dans l'île de Montréal, 1981-1996*, Québec, Conseil de la langue française, XVI + 173 p.

Statistique Canada (1964), *Recensement du Canada, 1961. Langue par groupe d'âge*, bulletin 1.3-5, Ottawa.

Statistique Canada (1974), *Recensement du Canada, 1971. Langue par groupe d'âge*, nᵒ de catalogue 92-733, Ottawa.

Statistique Canada (1987), *Recensement du Canada, 1986. Langue : partie 1*, nᵒ de catalogue 93-102, Ottawa.

Statistique Canada (1988), Test du recensement national du 4 novembre 1988.

Statistique Canada (1989), *Recensement du Canada, 1986. Rétention et transfert linguistiques*, nᵒ de catalogue 93-153, Ottawa.

Termote, Marc (1991), « L'évolution démolinguistique du Québec et du Canada », dans *Éléments d'analyse institutionnelle, juridique et démolinguistique pertinents à la révision du statut politique et constitutionnel du Québec*, Québec, Commission sur l'avenir politique et constitutionnel du Québec, document de travail nᵒ 2, p. 239-329.

Termote, Marc, et Danielle Gauvreau (1988), *La situation démolinguistique du Québec*, Québec, Conseil de la langue française, XXI + 292 p.

À la croisée des chemins

Christian Dufour[1]
Institut de recherches politiques

Dans le sens le plus fort du mot, le débat sur l'Accord du lac Meech a servi de révélateur au mal canadien. Il s'agit de quelque chose de fondamentalement positif, étant donné qu'il est plus facile de régler un problème lorsqu'on en est conscient. Par ailleurs, en politique, on consacre souvent beaucoup d'énergie à essayer de résoudre des problèmes qui n'en sont pas vraiment. Or le mal canadien est maintenant éclatant pour quiconque est capable de voir, catastrophe ou défi incontournable.

Parce qu'elle touche au cœur de l'identité québécoise et de l'identité canadienne, qu'elle comporte des aspects émotifs et psychologiques majeurs, l'affaire est plus profonde qu'une crise constitutionnelle, plus complexe qu'une crise d'identité nationale. Le système politique canadien sert de cadre à la confrontation systématique de deux identités « quasi nationales » en crise, se pénétrant profondément l'une et l'autre. Un problème de cette envergure ne saurait être résolu par de seules solutions techniques, fussent-elles de nature constitutionnelle. Une réforme constitutionnelle réussie sera autant le résultat d'un changement plus profond qu'un moyen parmi d'autres de résoudre le problème.

---

1. L'auteur, responsable d'un projet de recherche sur la « société distincte » à l'Institut de recherches politiques, a publié, en 1989, *Le défi québécois* (Montréal, L'Hexagone, 176 p.) et, en 1992, *La rupture tranquille* (Montréal, Boréal, 170 p.).

Si les solutions restent à venir, le problème est en tout cas clair. Le débat sur l'Accord du lac Meech a révélé que le Canada restait structurellement bâti sur la Conquête de la Nouvelle-France par l'Angleterre, au XVIIIe siècle. Le pays est profondément dépendant de la confiscation de certains effets politiques qui découlent spontanément du fait que les Québécois sont collectivement différents. Il était révélateur que, le plus souvent, même les Canadiens anglais favorables à la reconnaissance du Québec comme société distincte ne l'étaient qu'à la condition implicite que cette reconnaissance ne soit pas porteuse de pouvoir politique.

Les Québécois sont collectivement différents des autres Canadiens et cela a des conséquences politiques dont ils ont le droit de profiter. Le pays s'est avéré jusqu'à présent incapable de reconnaître cette réalité – même dans une version minimale comme l'est la société distincte – parce que, depuis la Conquête, le Canada anglais se nourrit structurellement des effets politiques de la différence québécoise. Que l'on pense à la façon dont des Québécois comme Laurier et Trudeau ont renouvelé l'identité « Canadian » de leur temps, à partir d'éléments tirés de l'identité canadienne-française et québécoise.

Dans le système canadien, le Québec doit être une province comme les autres ; ce qui s'applique spécifiquement à la province francophone est toujours perçu comme un privilège qu'il faut accorder aux autres provinces. C'est ainsi que, dans l'Accord du lac Meech, quatre des cinq conditions du Québec ont été immédiatement appliquées à toutes les provinces. Pourtant, la plupart de ces dernières n'en avaient pas besoin. Cela introduisait une dangereuse rigidité dans la formule d'amendement constitutionnel et affaiblissait inutilement Ottawa, le gouvernement national des Canadiens anglais.

Comble de l'absurde, à la fin de l'exercice, la condition que l'on croyait par définition québécoise – la clause sur la société distincte – fut revendiquée par le premier ministre de la Colombie-Britannique pour toutes les provinces.

Le nouveau Canada issu des réformes constitutionnelles de 1982 est imbu de déclarations, de principes et de chartes ; il est disposé à reconnaître à peu près tout le monde : des autochtones aux femmes, en passant par les groupes multiculturels, le Nord, les sociétés provinciales, les environnementalistes, les handicapés, les citoyens, en attendant le reste. Il est significatif qu'il bute sur la seule différence fondamentale et irréductible en ce pays, la différence québécoise. Sous les belles chartes et les beaux sentiments, le Canada de 1982 est plus dépendant de la Conquête que ne l'était le Canada de 1867.

Le problème du Québec est devenu *le* problème canadien, un cancer qui pourrit tout. L'incapacité du système à reconnaître l'incontournable différence québécoise est en train de détruire lentement et systématiquement le pays. Moins on les reconnaît, plus les effets politiques de la différence québécoise affectent de façon perverse l'ensemble du système. Le multiculturalisme et le provincialisme sont poussés à des niveaux absurdes; le problème autochtone est exacerbé; le Canada anglais devient de plus en plus américanisé, de plus en plus faible. Et l'antagonisme grandit entre l'identité québécoise et l'identité canadienne.

Manifestement, le cercle vicieux continue. À la fin des années 1960, on s'était servi des groupes ethniques pour neutraliser la dualité culturelle du pays et accoucher du multiculturalisme, dont on voit aujourd'hui les lacunes. Dans le même esprit, le système est tenté maintenant de mettre sur le même pied les revendications autochtones et les aspirations québécoises. On espère que les premières neutraliseront les secondes, beaucoup plus menaçantes pour l'intégrité de l'État canadien. À terme, le passé est garant que l'aliénation des autochtones et des Québécois au sein du Canada en ressortira pire que jamais.

Depuis l'échec de l'Accord du lac Meech, il n'est pas réaliste pour le Québec de compter sur le maintien du *statu quo* alors qu'un nouveau Canada prend son envol. On oublie souvent que, convenu à un moment où le nationalisme québécois était à un niveau très bas, l'Accord du lac Meech était entre autres pour le Québec un moyen de maintenir le *statu quo* face aux effets à long terme des réformes structurantes de 1982.

Cela explique que, dans la foulée de l'échec de l'Accord, des Québécois âgés en soient venus à remettre en cause leur allégeance au Canada. Moins que le désir d'un éventuel Québec souverain, leur changement exprime le rejet d'un nouveau Canada qu'ils ne reconnaissent plus, menaçant pour un Québec qu'ils ont bien connu.

Le minimum vital pour l'identité québécoise post-Lac Meech, le plus petit commun dénominateur entre les différents éléments de la société québécoise, semble trop haut pour le reste du Canada. L'identité québécoise et l'identité canadienne sont en compétition. Cette dynamique antagoniste est d'autant plus dangereuse que les deux identités sont parfois très enchevêtrées, en particulier dans la région de Montréal.

On doit donc s'attendre à une crise, après la période de latence qui a suivi l'échec de l'Accord du lac Meech. Cette crise constituera vraisemblablement la dernière occasion pour restructurer de façon constructive la relation entre l'identité québécoise et l'identité canadienne. À moins que le système politique canadien s'avère capable de reconnaître franchement les conséquences politiques de la différence québécoise, le Québec n'aura pas d'autre choix que la difficile accession à un statut d'État souverain. L'autre option serait, non le maintien d'un impossible *statu quo*, mais bien l'enlisement dans une situation de plus en plus inextricable qui menacerait l'intégrité même de la société québécoise.

Un certain pessimisme n'est que réalisme quand on est en plein cœur d'un difficile processus, dont l'issue est cruciale et profondément incertaine. Cependant, certains éléments permettent d'espérer qu'il y a de la lumière au bout du tunnel. Le premier, on l'a dit, est l'émergence de plus en plus claire, pour un nombre de plus en plus grand de personnes, du véritable problème.

Par ailleurs, il existe une conscience plus grande de l'ambivalence qui caractérise l'identité québécoise au regard de la relation avec le reste du Canada. Même si elle est vécue quelquefois de façon douloureuse ou honteuse, même si on sent venir le moment où la situation devra être clarifiée, cette prise de conscience renforce le Québec, en le mettant en face de ce qu'il est réellement, avec ses forces et faiblesses.

Cette ambivalence rend par ailleurs difficile pour quiconque de prévoir comment les Québécois réagiront aux événements à venir, et c'est heureux : un Québec qui donnerait à son vis-à-vis canadien-anglais toute l'information sur ses intentions, en lui laissant prendre la décision finale, renoncerait à exercer son pouvoir.

Un autre facteur positif – majeur – est le consensus de la commission Bélanger-Campeau sur la démarche générale à adopter par le

Québec dans la redéfinition de sa relation avec le Canada. Notons que cela est bon, non seulement pour le Québec mais aussi pour le Canada. Après l'échec de l'Accord du lac Meech, il était vital pour tout le monde que les Québécois – qui sont les Canadiens les plus à même de dégager des consensus – conviennent d'une approche générale.

Collectivement, institutionnellement, les Québécois se sont entendus sur une démarche, sur un cadre ; ils ont convenu qu'à un moment donné il faudrait prendre une décision. Quoi qu'il arrive, ce cadre demeurera en arrière-plan dans l'inconscient collectif, fort de l'émotion investie dans la commission Bélanger-Campeau. Les Québécois sanctionneront ceux qui voudront se soustraire à ce cadre sans raison.

Enfin, une autre prise de conscience importante au sein de la majorité francophone a trait au coût à payer, pour ce qui est du pouvoir québécois, pour la mauvaise relation avec la minorité anglo-québécoise. La difficulté de l'identité québécoise à reconnaître la partie anglaise constitutive d'elle-même – sans passer au bilinguisme institutionnel et à la mise des deux langues sur un pied d'égalité – constitue *de facto* l'un des obstacles à une relation Québec-Canada qui ne serait plus bâtie sur la Conquête, à une éventuelle accession du Québec à la souveraineté.

Dans la définition du Québec de demain, les trois concepts-thèmes du présent ouvrage – langue, espace, société – paraissent importants. Un quatrième élément, le territoire, est également majeur.

Tout d'abord, il est clair que, sur le continent nord-américain, le Québec a intérêt à ne pas affronter seul le géant américain, qu'il a tout à gagner de l'existence d'un Canada politiquement opérationnel. Cela restera vrai si le Québec accède à l'indépendance. Il importera donc de gérer la crise à venir avec fermeté, mais aussi en ménageant l'avenir, c'est-à-dire en tenant compte de la sensibilité du futur partenaire canadien. Si les Québécois sont traditionnellement capables de s'imaginer en dehors du Canada, l'identité canadienne a toujours inclus le Québec. Le départ, ou même le simple éloignement de celui-ci, causera un traumatisme temporaire que les Québécois ont tendance à sous-estimer.

À partir du moment où la relation Canada-Québec ne sera plus basée sur la Conquête, il redeviendra avantageux pour les Québécois de privilégier dans le contexte nord-américain cet *espace canadien* que leurs ancêtres ont développé et où continueront d'habiter un million de francophones, en particulier les Acadiens. Entre les Québécois et les francophones hors Québec, on aura intérêt à renouer certains des liens politiques et émotifs qui ont été rompus dans les années 1960.

En deuxième lieu, les concepts de société et de territoire seront également cruciaux. Sur le *territoire du Québec*, les Québécois ont avantage à se voir comme une *société nationale distincte*, qui ne se définit pas exclusivement en fonction de la langue française. Dans cette société, sur ce territoire où les francophones constituent 80 % de la population, il est possible de reconnaître la composante historique anglaise de la société québécoise sans passer au bilinguisme institutionnel. Cette notion de territoire pose évidemment le problème de la relation avec les autochtones.

Le concept d'une société québécoise exclusivement française poussera inexorablement hors du Québec, sur le plan psychologique sinon sur le plan physique, un grand nombre de Québécois anglophones inassimilables qui s'identifieront de plus en plus comme Canadiens avant tout. Le Québec français devra alors se mesurer à un fait anglais extérieur à lui, là où il est le plus puissant : au Canada, en Amérique du Nord.

Enfin, le troisième concept, celui de la *langue*, est depuis toujours au cœur de la problématique québécoise, tout particulièrement depuis le début des années 1960. Dans le contexte nord-américain et canadien, la marque la plus distinctive du Québec moderne est le fait qu'il s'agisse de la seule société qui soit majoritairement de langue française.

On l'a dit, la reconnaissance de l'anglais comme langue historiquement québécoise ne doit pas mener au bilinguisme institutionnel et faire oublier que la langue de communication entre les différentes communautés au Québec est le français. Cela soulève deux questions. Comment s'assurer de cette prédominance du français dans une situation de concurrence avec l'anglais, à la fois langue québécoise, langue omniprésente sur le continent nord-américain et première langue de communication au monde ? Quelle reconnaissance donner à la variété particulière de français parlée au Québec, par rapport aux autres formes de français dans le monde ?

Comportements linguistiques et conscience culturelle des jeunes Canadiens français[1]

Roger Bernard
Faculté d'éducation
Université d'Ottawa

Construire sa communauté, former sa culture, défendre sa langue, découvrir ses racines et s'ouvrir au monde, voilà le défi des jeunes Canadiens français des années 1990. Compte tenu de l'ampleur des transferts linguistiques et de la profondeur de l'assimilation culturelle, ce programme de vie sera colossal.

*

*   *

La population du Canada, comme celle de la plupart des pays occidentaux, vieillit. Dans le cas de la francophonie hors Québec, ces tendances s'accentuent : les pyramides d'âges s'inversent ; le renouvellement des communautés est compromis. Le problème ne relève pas seulement de la dénatalité, mais s'explique aussi par l'assimilation. En effet, une partie seulement des parents francophones réussissent à transmettre à leurs enfants leur langue maternelle. Le rétrécissement de la base de la population devient dans ce contexte un phénomène qui s'amplifie d'une génération à l'autre.

---

1. Ce texte est tiré de Bernard (1991).

Les données des derniers recensements permettent de comparer les effectifs de jeunes francophones en 1986 par rapport à ceux de 1971 et de connaître les taux de mobilité linguistique vers l'anglais.

Points saillants

a) Dans toutes les provinces, le nombre de jeunes francophones (24 ans et moins) a diminué entre 1971 et 1986. Pour l'ensemble du Canada, en 1986, il y avait 624 010 jeunes francophones de moins qu'en 1971, soit une baisse de 21,7 %.

b) Dans toutes les provinces, sauf au Québec, la proportion de jeunes francophones en regard de la population totale du même groupe d'âge a diminué sensiblement entre 1971 et 1986.

c) Dans toutes les provinces, à l'exception du Québec et du Nouveau-Brunswick, le nombre de jeunes francophones a diminué d'au moins le tiers entre 1971 et 1986. Lorsque nous considérons les jeunes francophones hors Québec, la perte est de 156 355, soit une baisse de 36,8 %.

d) De façon générale, c'est dans les régions au nombre total de francophones le plus faible que le recul des jeunes est le plus marqué.

e) Les groupes plus jeunes, ceux de moins de 15 ans, connaissent un recul encore plus accentué que les groupes plus âgés.

f) Les taux de mobilité linguistique vers l'anglais des jeunes (de 15 à 19 ans) de langue maternelle française varient sensiblement d'une province à l'autre : 60,5 % en Saskatchewan, 26,8 % à l'Île-du-Prince-Édouard et 17,7 % en Ontario.

g) Lorsque nous considérons l'ensemble de la population francophone de ces mêmes provinces, la situation empire : les taux de mobilité vers l'anglais sont de 59,2 % en Saskatchewan, de 38,8 % à l'Île-du-Prince-Édouard et de 27,5 % en Ontario.

LA VITALITÉ LINGUISTIQUE ET CULTURELLE :
LA PROBLÉMATIQUE GÉNÉRALE

Si le français, enté sur la culture, s'inscrit dans une communauté et émane d'elle, la culture, à l'ère de la mondialisation et de la résurgence des régionalismes, « ne peut être conçue que comme condition et conséquence de l'action sociale et des interactions avec la société globale » (Schnapper, 1986, p. 151). Elle est en processus de création continue, rattachée à une communauté minoritaire qui doit continuellement négocier sa place dans l'univers de la majorité.

Les résultats de ces négociations ne relèvent pas seulement d'une croyance subjective à la survivance ou d'une volonté de la minorité de s'affirmer, mais reposent sur des rapports de force communautaires. L'élément fondamental du maintien ou de la reconstruction d'une communauté linguistique est la concentration de son peuplement qui détermine le niveau de complétude institutionnelle ainsi que la qualité et la quantité des contacts en langue maternelle.

La vitalité de la communauté canadienne-française s'explique en grande partie par la conjoncture démographique, ethnolinguistique et institutionnelle. L'analyse des facteurs objectifs d'évolution de la population canadienne amène les démographes à conclure que la migration internationale, la fécondité et la mobilité linguistique vers l'anglais ont un effet négatif sur le développement de la communauté canadienne-française, notamment en ce qui a trait au renouvellement des générations et au poids démographique du groupe français.

De ce côté, la vitalité ethnolinguistique est étroitement liée aux effectifs de la communauté et à la force numérique des locuteurs de langue maternelle française qui pourront augmenter le nombre de fonctions et la fréquence d'utilisation de cette langue. Ils doivent réussir à imposer le français aux plus hauts niveaux de la vie courante (commerce, travail, communications, loisirs, sciences…). Pour de nombreuses communautés francophones minoritaires, ce n'est pas le cas : le français est réservé à la sphère privée, alors que l'anglais s'impose dans la sphère publique.

Deux autres éléments influencent fortement la vitalité ethnolinguistique : le statut social de la langue, étroitement associé à celui de la communauté, et le soutien institutionnel. En milieu minoritaire, la famille et l'école constituent les balanciers les plus efficaces pour le maintien de la langue maternelle dans un processus de bilinguisme additif. Par ailleurs, la continuité intergénérationnelle exige un support institutionnel plus complet pour imposer le français aux plus hauts niveaux de la vie quotidienne, c'est-à-dire dans la sphère publique. Les analystes de la sphère québécoise expliquent ainsi la francisation du Québec :

- la survivance et le développement de la langue et de la culture françaises passent nécessairement par la maîtrise de l'économie ;

- pour survivre en français, il faut travailler en français : l'avenir du français se joue dans les milieux de travail.

En situation minoritaire, le défi des francophones du Canada est titanesque. Dans plusieurs régions, il est impossible d'imposer le français dans les milieux de travail et encore moins d'en arriver à la maîtrise de l'économie. Est-il alors pensable de créer des micro-milieux assurant la qualité et la quantité des contacts en langue maternelle afin de pallier les pratiques et les pressions sociales pour l'apprentissage et l'usage de l'anglais, comme langue première, en reléguant le français langue maternelle au statut de langue seconde ? Est-ce que la croyance subjective à la vitalité de la langue et de la culture françaises peut compenser un manque de vitalité objective ?

LES PRINCIPAUX FACTEURS EXPLICATIFS

L'effet du milieu

Dans un contexte bilingue, le choix de l'anglais ou du français se fait en fonction du milieu ambiant ; connaître la situation familiale, l'endogamie ou l'exogamie, ou la langue maternelle de l'interlocuteur, sans connaître le milieu sociolinguistique (le poids démographique des francophones), ne permet pas de prévoir quelle sera la langue d'usage de l'échange. Les jeunes francophones vont naturellement utiliser l'anglais ou le français selon les circonstances et les pressions sociales : le comportement linguistique est un comportement social sensible régi par des normes subtiles, mais rigides.

La décision de parler anglais ou français n'est pas une simple question de préférence, de volonté ou de conviction, comme nous le prétendons trop souvent ; elle relève plutôt d'un ensemble de facteurs du contexte global qui entoure l'échange. Il faut reprendre cette idée capitale de Guindon (1977, p. 353) selon laquelle « les douaniers des frontières linguistiques ne sont ni les policiers, ni les bureaucrates, mais les unilingues ».

Un des facteurs déterminant le comportement linguistique est sans contredit la concentration du peuplement francophone dans une région ou une province. Dans les milieux où les francophones sont minoritaires, toute la vie française devient difficile à organiser et à maintenir. De fait, plus les francophones sont minoritaires, plus ils sont bilingues et plus les interlocuteurs ont de chances d'être unilingues ; conséquemment, l'espace réservé au français se rétrécit et sera habituellement restreint aux échanges avec les francophones (peu nombreux) ; l'espace accaparé par l'anglais s'élargit. Devant une minorisation de plus en plus poussée et une bilinguisation intégrale des francophones minoritaires, il n'est pas surprenant de voir apparaître des comportements linguistiques diglossiques qui ne s'expliquent pas par une volonté de s'affirmer ni par un sentiment d'appartenance.

Les comportements linguistiques et la conscience culturelle ne sont pas nécessairement fixés par la province de résidence, mais plutôt par une situation sociale particulière qui est présente dans la province ou dans la région en question. Les différents contextes sociaux et culturels d'un milieu à l'autre à l'intérieur de certaines provinces, notamment l'Ontario et le Nouveau-Brunswick, sont probablement plus marqués que d'une province à l'autre. Ce n'est pas le fait de vivre au Nouveau-Brunswick ou en Ontario qui conditionne le comportement, mais plutôt le fait de se retrouver dans une communauté plus ou moins minoritaire ou majoritaire qui offre des services et des possibilités de vie française très différents.

Nous avons alors décidé d'introduire l'indice de contact régional, c'est-à-dire le poids démographique des francophones (langue maternelle) dans la division de recensement du répondant, pour essayer d'expliquer les comportements et les attitudes selon les situations minoritaire, paritaire ou majoritaire. De façon sommaire, nous pourrions présenter des milieux de vie française très différents associés à ces trois situations : dans une situation très minoritaire, le français est souvent restreint à la sphère privée des relations avec des francophones et à la sphère publique dans les organismes à vocation linguistique et culturelle ; moins le milieu est minoritaire, plus l'usage du français s'étend à la vie courante et à la sphère publique, de telle sorte que, dans les milieux majoritaires, l'usage du français pénètre presque tous les aspects de la vie de la communauté.

Lorsque nous analysons la répartition de la population francophone en regard de l'indice de contact régional, nous arrivons aux constatations suivantes :

– le tiers de la population francophone hors Québec habite des régions très minoritaires où les francophones représentent moins de 5 % de la population globale ;

– plus de la moitié de la population francophone du Nouveau-Brunswick (56,1 %) habite des régions majoritaires où les francophones forment plus de 60 % de la population globale ; en Ontario, seulement 9,6 % de la population se retrouve dans cette situation ;

– en Colombie-Britannique, en Alberta, en Saskatchewan, au Manitoba, à l'Île-du-Prince-Édouard et à Terre-Neuve, tous les francophones vivent dans des régions minoritaires où ils forment moins de 20 % de la population globale ; au Nouveau-Brunswick, seulement 5,8 % des francophones se retrouvent dans cette situation, alors qu'en Ontario cette proportion se situe à 57,4 %.

La situation familiale

L'exogamie, entendue dans le sens du mariage d'un francophone avec une personne d'une autre communauté linguistique, est d'autant plus fréquente que les francophones sont minoritaires :

– le nombre restreint de partenaires potentiels et la proximité sociale et culturelle de l'autre communauté la rendent pratiquement inévitable ;

– les recensements tendent à démontrer que le taux des mariages mixtes est en progression depuis 1971 et que ce taux est particulièrement élevé dans les provinces où les francophones sont peu nombreux et disséminés sur un vaste territoire, tandis qu'il est relativement faible au Québec et au Nouveau-Brunswick (Bernard, 1990a, p. 217);

– les possibilités de trouver un conjoint de langue maternelle française sont très limitées en Colombie-Britannique, en Alberta, en Saskatchewan, à Terre-Neuve, dans les Territoires du Nord-Ouest et au Yukon, et dans plusieurs régions des autres provinces.

Malgré les réticences et les débats à savoir si les mariages mixtes sont la cause ou la conséquence de l'assimilation, il ne fait pas de doute qu'ils sont un facteur important du processus. Les données des recensements révèlent nettement que la très grande majorité des enfants issus de mariages dont les deux parents sont de langue maternelle française ont le français comme langue maternelle. Par contre, les parents francophones mariés à un conjoint anglophone éprouvent des difficultés à transmettre leur langue à la nouvelle génération. Par exemple, la mère de langue maternelle française dont l'époux est un anglophone qui parle anglais à la maison n'aura que 20 % de ses enfants qui seront de langue maternelle française et 20 % qui seront bilingues (langue maternelle) (Bernard, 1990a, p. 219).

Un contexte de minorisation avancée détermine un taux élevé de mariages mixtes; non seulement les enfants nés de ces mariages seront majoritairement de langue maternelle anglaise, mais l'érosion du groupe oblige les francophones à contracter d'autres alliances hétérolinguistiques. Le taux d'anglicisation des enfants de mère ayant le français et l'anglais comme langues maternelles est d'autant plus élevé que l'on se trouve dans une région plus ou moins minoritaire (Bernard, 1990a, p. 219). Le processus de transferts linguistiques ne peut donc que s'accélérer dans les provinces où le poids démographique des francophones est faible.

L'exogamie est un phénomène social, idéologique et démographique complexe. Dans notre société, le mariage est fondé sur l'amour romantique qui s'accommode très mal de restrictions ethniques ou culturelles. D'ailleurs, plus de la moitié des jeunes considèrent qu'il n'est pas important que le conjoint ou la conjointe soit de langue française. De plus, la valorisation du bilinguisme fait que la création d'un milieu familial bilingue encourage et justifie l'exogamie: les enfants seront de véritables bilingues. Le raisonnement se présente comme suit: « les autres parents francophones n'ont pas réussi à garder le français, mais quand viendra mon tour, ce sera différent; je suis convaincu que je surmonterai les difficultés ».

Résumé de la problématique exogamie / anglicisation

a) L'exogamie conduit à une anglicisation des comportements linguistiques dans la famille.

b) Plus le milieu est minoritaire, plus les taux d'exogamie sont élevés et plus l'anglicisation est prononcée à l'intérieur des familles exogames.

c) Les facteurs démographiques (fécondité, migration et transferts linguistiques) conduisent à une minorisation de plus en plus poussée des francophones à l'extérieur du Québec.

d) Les facteurs sociaux, culturels et idéologiques favorisent et justifient l'exogamie.

e) Conséquemment, les taux d'exogamie augmentent, l'anglicisation liée à l'exogamie s'amplifie, et l'image persiste selon laquelle l'exogamie est le cheval de Troie de l'assimilation.

LES RÉSULTATS DE L'ENQUÊTE

L'échantillon de *Vision d'avenir* (projet de la Fédération des jeunes Canadiens français) est représentatif des jeunes qui fréquentaient des établissements scolaires de langue française en 1990 et aussi représentatif des différents milieux linguistiques que l'on trouve au Canada. Cependant, il n'est pas représentatif de l'ensemble des jeunes francophones.

L'enquête a été réalisée auprès de 3 801 jeunes francophones hors Québec, âgés de 15 à 24 ans, pour brosser un portrait relativement complet des comportements linguistiques et de la conscience culturelle.

Plus de 75 établissements secondaires, collégiaux et universitaires à travers le Canada ont accepté de participer à ce projet.

Constatations générales

Si le passé est garant de l'avenir, les présages sont tristes et lourds de conséquences. Au Canada, en situation minoritaire, ce n'est pas l'assimilation des francophones qui surprend, mais la survivance. Tous les facteurs démographiques (fécondité, transferts linguistiques, migrations internationales et internes) attestent amplement que le renouvellement des générations de francophones est compromis dans presque toutes les régions du Canada français, ce qui entraîne à chaque décennie une minorisation plus poussée. Les données de l'enquête auprès des jeunes démontrent, sans l'ombre d'un doute, un rétrécissement des expériences langagières en français dans les milieux minoritaires, rétrécissement qui dévoile des phénomènes de bilinguisation et d'anglicisation des comportements linguistiques. Ces changements sociolinguistiques risquent de reléguer le français au statut de langue seconde, objet du patrimoine.

Les jeunes francophones, la plupart bilingues, vont naturellement utiliser l'anglais ou le français selon les circonstances et les pressions sociales. La décision de parler anglais ou français n'est pas une simple question de préférence ; elle relève d'un ensemble de facteurs du contexte global qui entoure l'échange.

La famille

La famille représente encore aujourd'hui le premier lieu d'apprentissage de la langue et d'acquisition de la culture. Elle est considérée, avec l'école, comme un balancier de l'effet du milieu, le pivot de la survivance. Pour assumer ce rôle, la famille et l'école doivent devenir des lieux de communalisation, en favorisant le développement de sentiments d'appartenance culturelle et de solidarité communautaire.

L'endogamie en milieux majoritaires conduit à une francisation presque complète des comportements linguistiques à l'intérieur de la famille : les jeunes ont alors le français comme langue maternelle et langue d'usage à la maison ; le français prédomine nettement dans les échanges avec les parents et avec les frères et sœurs, alors que l'anglais en est à peu près absent. En milieux minoritaires, les comportements linguistiques glissent vers une bilinguisation, et plus le milieu est minoritaire, moins les jeunes résistent à l'assimilation ; en outre, en vieillissant, les enfants utilisent de plus en plus l'anglais avec les parents et avec les frères et sœurs.

De son côté, l'exogamie en milieux minoritaires entraîne une anglicisation marquée des comportements linguistiques à l'intérieur de la famille : la majorité des jeunes ont l'anglais et le français comme langues maternelles et l'anglais comme langue d'usage à la maison ; avec les parents francophones, les échanges sont partagés entre l'anglais et le français, alors qu'avec les parents anglophones, c'est l'anglais qui prédomine nettement. Avec les frères et sœurs, l'anglais est habituellement la langue d'usage, et plus le milieu est minoritaire, plus la prédominance de l'anglais est évidente ; dans les milieux majoritaires, l'environnement français réduit les transferts vers l'anglais.

De façon générale, les jeunes nés dans une famille bilingue parlent plus le français avec leur mère qu'avec leur père. Malgré la tendance générale vers la bilinguisation et l'anglicisation des comportements linguistiques, la mère francophone maintient un peu plus l'utilisation du français dans les familles exogames que le père francophone, mais lorsque les enfants vieillissent, ces différences se fondent dans un abandon progressif du français comme langue d'usage.

En vieillissant, les enfants deviennent de plus en plus bilingues et l'anglais s'impose davantage comme langue de communication entre les parents et les enfants. Qu'il s'agisse de l'endogamie ou de l'exogamie, qu'il s'agisse du comportement linguistique avec le père ou avec la mère, les proportions des répondants qui utilisent habituellement le français diminuent légèrement lorsque nous comparons les données des 13 ans à celles des 6 ans ; les proportions de ceux qui utilisent également le français et l'anglais augmentent, et il en va de même de ceux qui utilisent habituellement l'anglais. En 1990, même glissement vers l'anglais qu'à 13 ans : les moyennes continuent d'augmenter, aussi bien en situation exogame qu'en situation endogame ; si la minorisation et la dispersion des francophones se maintiennent ou progressent, il faut prévoir que les taux d'exogamie augmenteront et que l'anglicisation liée à l'exogamie s'amplifiera.

Les amis

Le réseau d'amis, qui constitue un prolongement du milieu familial, joue un rôle de socialisation prépondérant durant l'adolescence. Dans les milieux majoritaires, la plupart des jeunes ont un meilleur ami de langue maternelle française, alors que dans les milieux minoritaires cette proportion baisse à un peu plus de la moitié. La langue maternelle des amis indique assez clairement la langue des échanges : habituellement le français avec des amis de langue maternelle française, presque toujours l'anglais avec des amis de langue maternelle anglaise. L'effet du milieu se fait sentir surtout avec les amis francophones : plus le milieu est minoritaire, plus l'anglais prend de place dans les échanges. Dans les milieux minoritaires, les jeunes auront un comportement typiquement bilingue avec un ami francophone, alors que dans les milieux majoritaires, ils auront le même genre de comportement avec un ami anglophone.

Le milieu scolaire

À l'école, les comportements linguistiques varient selon le niveau, les interlocuteurs et le milieu. À l'élémentaire, les échanges entre les enseignants et les écoliers ainsi qu'entre les écoliers se déroulent habituellement en français ; au secondaire, les échanges entre les enseignants et les élèves se font habituellement en français, mais les échanges entre les élèves se caractérisent par un comportement bilingue. Dans les échanges entre les élèves ou les écoliers, les variations sont grandes d'un milieu à l'autre : le français s'impose largement dans les milieux majoritaires, alors que l'anglais est à peu près absent ; dans les milieux minoritaires, une faible proportion utilise habituellement le français, alors que l'anglais s'impose.

Le travail et les activités commerciales

Au travail et dans les activités commerciales, les tendances se maintiennent : l'anglais est clairement la langue de travail des jeunes des milieux minoritaires, alors que c'est le français pour les jeunes des milieux majoritaires. Même scénario en ce qui a trait à la langue d'usage dans les activités commerciales. Si les analystes ont raison de dire que, pour survivre en français, il faut travailler en français, et que l'avenir du français se joue dans les milieux de travail, le défi des francophones des milieux minoritaires est titanesque, sinon impossible à relever, et celui des francophones des milieux paritaires est énorme.

Les médias et les activités culturelles

En cette fin du XXe siècle, les mass-médias traversent l'univers culturel des jeunes. Leurs expériences de vie, leur perception du réel et leur vision du monde passent de plus en plus par l'intermédiaire des médias-images qui forment un élément central de la nouvelle culture médiatique. Les jeunes n'y échappent pas. Les médias sont omniprésents ; ils deviennent des agents de socialisation et de culturation au même titre que la famille et l'école. L'image de soi et celle des autres ne se développent plus seulement dans les relations interpersonnelles ; elles sont maintenant médiatisées.

À l'heure de la culture médiatique, il faut noter la grande force d'attraction des médias de langue anglaise qui s'exerce dans tous les milieux : à quelques exceptions près, le français est un grand absent. Dans toutes les activités mesurées et en considérant les moyennes globales, le comportement linguistique n'est jamais à prédominance française. Plus le milieu est minoritaire, plus l'absence du français est manifeste.

Qu'il s'agisse de la télévision, de la radio, des jeux vidéo, des films sur vidéocassettes, du cinéma ou des spectacles, dans tous les milieux les jeunes francophones sont plus souvent à l'écoute des médias de langue anglaise. Dans les milieux majoritaires, les jeunes lisent les journaux, les livres, les revues et les bandes dessinées un peu plus souvent en français qu'en anglais ; dans les milieux minoritaires et paritaires, ils lisent plus souvent en anglais qu'en français. Pour le théâtre et l'écriture, les jeunes des milieux majoritaires et paritaires ont une légère préférence pour le français ; ceux des milieux minoritaires, une légère préférence pour l'anglais.

Un autre constat : en milieu minoritaire, le problème de la représentation symbolique surgit ; l'espace médiatique est occupé par la culture de la majorité. Les jeunes francophones ne se voient pas ; la communauté, son histoire et sa mémoire sont absentes ; médiatiquement, ils n'existent pas. De fait, quand ils sont l'objet des médias, c'est habituellement à l'occasion d'un événement spécial, qui devient rapidement, dans le contexte global, un facteur de marginalisation. Ils sont alors à la fois médiatisés et marginalisés.

Les attitudes

En dépit du fait que, dans les milieux minoritaires, l'usage du français soit limité à quelques types de relations de la vie privée et que nous assistions alors à l'anglicisation d'une multitude de comportements linguistiques liés à la vie courante, il n'en demeure pas moins que les jeunes francophones, indépendamment du milieu, considèrent qu'il faut à tout prix garder la langue et la culture françaises vivantes et qu'elles forment des éléments essentiels à l'actualisation de soi et à la réussite de la carrière, éléments qu'ils doivent absolument transmettre à leur progéniture, même si le conjoint n'est pas francophone.

À moins qu'il ne s'agisse d'un discours sur la langue française, ces attitudes dévoilent des contradictions et des paradoxes en regard de la place du français dans l'univers culturel des jeunes en situation minoritaire. Le français est important, primordial, mais ils vivent habituellement en anglais ; ils prévoient qu'ils auront un comportement typiquement bilingue en l'an 2000 ; ils veulent travailler et étudier dans un milieu bilingue ; ils considèrent que le français se trouve dans une mauvaise situation au Canada et dans leur province ; ils ne voient pas d'avenir pour la langue et la culture françaises.

Les jeunes francophones intègrent très bien ces contradictions : les véritables représentations symboliques du rôle et de la place de la langue et de la culture françaises dans la vie se tissent dans la pratique quotidienne et émanent de celle-ci.

Les jeunes vivent une réalité qui transforme la langue maternelle en langue seconde et ils développent un discours sur la langue. Une image réapparaît, pénétrante, celle d'une répondante francophone, en salle de classe (de français), qui, en remplissant le questionnaire en français (sur la langue et la culture françaises), demande à son amie francophone : « When we're together, we speak French, don't we ? »

Malgré le discours, le français n'est pas une valeur en soi ; il se rattache à un univers qui le marginalise en prétendant lui donner une place de choix.

*

*   *

L'effet du milieu est incontestable : dans une situation majoritaire (seulement 20 % des Canadiens français se retrouvent dans cette situation et la très grande majorité d'entre eux demeurent au Nouveau-Brunswick), les jeunes utilisent presque toujours le français dans une gamme très large d'activités de la vie privée et de la vie courante, alors que l'anglais est à peu près absent ; dans une situation très minoritaire (un tiers des Canadiens français se retrouvent dans cette situation), les expériences langagières en français se limitent très souvent aux relations personnelles avec des francophones dans le milieu familial et le réseau d'amis, et à l'école pour ceux qui fréquentent des établissements de langue française. Et encore, il faut nuancer : dans ces situations, l'anglais occupe une place indéniable.

Les données démontrent sans l'ombre d'un doute que, dans les milieux minoritaires qui regroupent la majorité des Canadiens français, le nombre de fonctions et la fréquence d'utilisation de la langue française diminuent dramatiquement : plus ils sont minoritaires, moins ils utilisent le français. Ces phénomènes sont tout à fait naturels ; ils suivent le cours normal des relations sociales. L'espace dévolu au français est trop restreint. Conséquences : c'est l'étiolement de la langue maternelle et l'assimilation en passant par le français langue seconde.

Les problèmes de survivance des communautés canadiennes-françaises se conjuguent : les facteurs démographiques d'évolution de la population montrent que le renouvellement des générations est compromis et que la minorisation est de plus en plus extrême ; la minorisation et la dispersion entraînent l'effritement de la base des communautés et menacent la vitalité de la langue et de la culture françaises au Canada.

Les changements sont profonds : il y a correspondance entre les structures sociales et les structures mentales, entre la culture collective et la culture individuelle, entre la culture matérielle et la culture intellectuelle. Le discours sur la langue ne remplace pas la pratique quotidienne pour établir et fixer le point d'ancrage de la langue française au centre du projet d'actualisation de soi. Les jeunes vivent une autre réalité, celle où le français langue maternelle devient inconsciemment dans la vie courante une langue seconde, et où l'anglais, au fil des ans, se transforme en langue première, celle qui exprime les réalités fondamentales de la vie, celle dont les mots portent une charge émotive, celle qui est rattachée à une culture, à une histoire et à une communauté.

Bibliographie

Bernard, Roger (1990a), *Le choc des nombres. Dossier statistique sur la francophonie canadienne, 1951-1986*, Ottawa, Fédération des jeunes Canadiens français inc., 311 p.

Bernard, Roger (1990b), *Le déclin d'une culture. Recherche, analyse et bibliographie. Francophonie hors Québec. 1980-1989*, Ottawa, Fédération des jeunes Canadiens français inc., 198 p.

Bernard, Roger (1991), *Un avenir incertain. Comportements linguistiques et conscience culturelle des jeunes Canadiens français*, Ottawa, Fédération des jeunes Canadiens français inc., 280 p.

Carisse, Colette (1969), « Orientations culturelles dans les mariages entre Canadiens français et Canadiens anglais », dans *Sociologie et sociétés*, 1, 1, p. 39-52.

Castonguay, Charles (1979), « Exogamie et anglicisation chez les minorités canadiennes-françaises », dans *Revue canadienne de sociologie et d'anthropologie*, 16, 1, p. 21-31.

Castonguay, Charles (1989), *La situation linguistique des jeunes francophones hors Québec*, Ottawa, Fédération des jeunes Canadiens français inc., 36 p.

Dallaire, Louise M., et Réjean Lachapelle (1990), *Profils démolinguistiques des communautés minoritaires de langue officielle (provinces, Yukon, Territoires et Canada)*, Ottawa, Secrétariat d'État du Canada, 13 vol.

FFHQ (Fédération des francophones hors Québec) (1977), *Les héritiers de lord Durham*, 1, Ottawa, 125 p.

Guindon, Hubert (1977), « La modernisation du Québec et la légitimité de l'État canadien », dans *Recherches sociographiques*, 18, 3, p. 337-366.

Lachapelle, Réjean (1989), « Évolution des groupes linguistiques et situation des langues officielles au Canada », dans *Tendances démolinguistiques et évolution des institutions canadiennes*, Ottawa, Secrétariat d'État du Canada, Commissariat aux langues officielles et Association d'études canadiennes, p. 7-34.

Schnapper, Dominique (1986), « Modernité et acculturation », dans *Communications. Le croisement des cultures*, Paris, Seuil, 43, p. 141-168.

Pour s'insérer
dans une nouvelle démographie

Les francophones de l'extérieur du Québec et le pluralisme

Philippe Falardeau
Fédération des francophones hors Québec[1]

En juin 1988, plusieurs représentants de la francophonie canadienne se sont réunis dans le cadre de la 13e Assemblée générale annuelle de la Fédération des francophones hors Québec (FFHQ), qui avait pour thème : « Convergence : francophonie, multiculturalisme, francophilie ». Alors que le Parlement canadien adoptait deux lois importantes, l'une sur les langues officielles et l'autre sur la visibilité des efforts de promotion dans le domaine du multiculturalisme, on voyait se pointer la possibilité d'un vieil affrontement entre les partisans de l'idéologie de la dualité linguistique et ceux du multiculturalisme. Amenés à réfléchir à nouveau sur ces questions, les leaders francophones plongèrent donc au cœur d'un débat houleux.

Cette rencontre aura eu le mérite de permettre au réseau francophone de constater, d'une part, que le multiculturalisme demeurait une notion obscure et un phénomène dont on saisissait mal l'ampleur et, d'autre part, qu'on était mal outillé pour y faire face.

---

1. En juin 1991, le nom de Fédération des francophones hors Québec (FFHQ) a été remplacé par celui de Fédération des communautés francophones et acadienne du Canada (FCFA). Nous avons conservé ici le nom que portait l'organisme au moment où la communication a été présentée.

Depuis l'été 1988, la FFHQ a cheminé lentement mais sûrement. Elle s'apprête à publier une étude intitulée *Les francophones hors Québec face au pluralisme*[2]. Essentiellement, cette étude cherche à examiner la perception qu'ont les divers groupes ethno-culturels de la question des langues officielles, à clarifier les liens déjà existants et à venir entre ces groupes et les francophones hors Québec, et à explorer la question de l'accueil et de l'intégration des néo-francophones. Par ailleurs, la FFHQ s'est dotée d'une politique officielle à l'égard du pluralisme, fruit d'une réflexion en profondeur au sein de son réseau. Elle privilégie maintenant une définition rajeunie de la francophonie canadienne. Elle a considérablement modifié sa philosophie d'intervention politique en tant que groupe d'intérêt.

Cet exposé se veut donc le reflet des démarches de la FFHQ dans le domaine du pluralisme. Ceux et celles qui s'attendaient à un exercice de prospective démographique seront déçus. Je me pencherai plutôt sur les difficultés et les possibilités d'intégrer ce qu'il convient d'appeler une nouvelle démographie. En effet, une nouvelle dynamique sociopolitique importante commence à se manifester. Les forces qu'elle représente ont vraisemblablement la capacité de faire éclater l'idéologie de la dualité linguistique. Mais elles ont aussi le pouvoir de la consolider. Il ne faut pas les laisser se marginaliser.

ÉLÉMENTS D'UNE NOUVELLE DÉMOGRAPHIE

Les épithètes qu'on utilise pour décrire les bouleversements démographiques traduisent souvent le sentiment d'impuissance qui nous habite face à ces changements. Le mot *bouleversement* en est justement un exemple. Il y a là l'idée d'un phénomène potentiellement déstabilisateur et sur lequel nous avons peu d'emprise. Dans la même veine, on parle de « l'afflux des immigrants » pour décrire la situation dans les écoles francophones à Montréal, alors que les « données démontrent sans équivoque que ce sont les caractéristiques des élèves qui changent plutôt que leur nombre absolu » (Fédération canadienne des enseignantes

---

2. Cette étude a été publiée depuis (voir Churchill et Kaprielian-Churchill, 1991, dans la bibliographie). Le texte qui sera cité ici est celui du manuscrit dont certaines formulations ont pu être modifiées avant sa publication.

et enseignants, 1990, p. 2). Quoique généralement perçues comme problématiques, l'immigration ou l'accentuation des diversités raciales ne sont pas des phénomènes totalement négatifs. Elles peuvent, au contraire, offrir d'intéressantes perspectives d'avenir.

Pour développer une approche plus positive, il faudrait, en premier lieu, considérer les caractéristiques mouvantes de la démographie canadienne afin d'élaborer des stratégies d'intégration avantageuses, non aliénantes. Sans dresser un tableau exhaustif de cette nouvelle démographie, j'en présenterai ici les éléments les plus importants[3].

Chute du poids démographique des « deux peuples fondateurs »

En 1871, les personnes d'origine française comptaient pour 31,1 % de la population et les personnes de souche britannique, pour 60,5 %. En 1981, ces chiffres étaient respectivement de 26,7 % et de 40,2 %, tandis que les gens d'une autre origine ethnique comptaient pour 33,1 % de la population. Si les tendances se maintiennent, ce dernier groupe sera, dans quelques années, plus important en nombre que ceux qui appartiennent à ce qu'il est convenu d'appeler « les deux peuples fondateurs ». Inutile de dire que cette appellation est pour le moins périmée, sans compter qu'elle ne tient pas compte des peuples autochtones.

Multiplicité des pays d'origine

Pendant le siècle qui a suivi la Confédération, le Canada a accueilli des immigrants venant principalement d'Europe, des États-Unis, de Nouvelle-Zélande et d'Australie. Ainsi, en 1957, 95 % des arrivants venaient de ces pays. Trente ans plus tard, en 1988, ce taux n'atteignait plus que 21 %. Actuellement, l'Asie, l'Afrique et l'Amérique latine sont les principaux continents d'origine des immigrants au Canada. Cela implique que l'immigration est non seulement de plus en plus multiethnique, mais aussi de plus en plus multiraciale. C'est donc dire que les nouveaux groupes constituent une population extrêmement diversifiée du point de vue culturel, ce qu'on a trop souvent tendance

---

3. La plupart de ces éléments sont tirés de l'étude de Churchill et Kaprielian-Churchill.

à oublier. On les considère plutôt comme une masse de gens qui partagent des préoccupations en tout point semblables. Il s'ensuit une normalisation du bassin de population d'origine ethnique autre que française ou anglaise qui est symptomatique de l'incompréhension et, parfois, du peu de respect que l'on entretient à l'égard des différences culturelles.

Pourtant, quelles valeurs communes partagent un Vietnamien et un Somalien ? Qu'est-ce qu'une Égyptienne chrétienne a en commun avec une Iranienne ? Ou encore, un Pakistanais musulman avec un Indien hindou ? Trop souvent, ces gens n'ont en commun qu'une seule chose : le fait d'avoir été marginalisés par les groupes majoritaires. Comment expliquer l'émergence d'organismes et d'associations multiculturels regroupant des gens d'origine ethnique, de culture et de religion différente autrement que par notre incapacité à les intégrer ? Quelque part, des portes sont restées closes et ces groupes ont senti le besoin de se rassembler pour lutter contre l'intolérance et le racisme et pour revendiquer leur droit à l'égalité. Une attitude qui, il faut bien le dire, n'est pas étrangère aux communautés francophones hors Québec.

Hausse de l'immigration

À la suite de diverses consultations auprès du public et des experts, le gouvernement fédéral a déposé un plan quinquennal qui prévoit une croissance modérée de l'immigration : ainsi, le nombre d'immigrants passerait de 200 000 en 1990 à 220 000 en 1991, puis à 250 000 de 1992 à 1995 (Immigration Canada, 1990, p. 3).

Ce genre de planification à long terme constitue, toutefois, une nouvelle approche pour le gouvernement canadien. Confrontés à un taux de natalité inférieur au seuil de remplacement[4], les gouvernements, fédéral et provinciaux, lorgnaient, depuis quelques années, des quotas d'immigration plus élevés, quoique la principale raison d'une immigration accrue demeurât une raison économique. Plusieurs études récentes ont contribué à étouffer les nombreux mythes entourant les effets négatifs de l'immigration sur l'économie ; contrairement à ce

---

4. Le taux de natalité est de 1,67 pour l'ensemble du Canada et de 1,4 pour le Québec.

qu'on a tendance à croire, l'immigration semble avoir des retombées économiques intéressantes :

- les immigrants apportent avec eux des capitaux importants (six milliards de dollars en 1988) ;

- ils contribuent à créer des emplois en tant que consommateurs et en tant qu'investisseurs ;

- leur taux d'activité est comparable à celui des Canadiens de naissance et leur taux de chômage inférieur ;

- ils ont des revenus moyens plus élevés et paient davantage d'impôts que les Canadiens de naissance ;

- ils ont tendance à recevoir moins d'aide sociale que les Canadiens de naissance (Immigration Canada, 1989a, p. II-IV).

Tout semble indiquer, d'ailleurs, qu'on doit s'attendre à une hausse de l'immigration dans les prochaines années. Il faut se rappeler que les mouvements migratoires constituent un système ouvert. Nos gouvernements n'ont pas de contrôle sur le nombre des émigrés, pas plus que sur les facteurs qui les poussent hors de leur pays pour venir s'établir au Canada.

Tendances démolinguistiques

S'appuyant sur les données du dernier recensement de 1986, plusieurs études ont confirmé les tendances déjà observées dans les années 1970. Je ne m'attarderai pas ici à dresser le profil démolinguistique du pays ; je rappellerai seulement quelles sont ces grandes tendances.

La polarisation linguistique

Au Canada, la proportion des individus dont le français est la langue maternelle n'a cessé de décroître depuis 1951, pour atteindre 25,1 % de la population canadienne en 1986. Au Québec, cependant, la proportion des francophones augmente d'année en année, tandis que la minorité anglophone diminue en importance relative et absolue. C'est donc dire que le Canada est caractérisé par un phénomène de polarisation linguistique fondée sur une base territoriale : le Québec devient de plus en plus francophone et le reste du Canada, de plus en plus anglophone.

Le maintien des taux d'assimilation

Les analyses récentes de Réjean Lachapelle et Gilles Grenier ont démontré que la diminution du nombre des francophones, au cours des 30 dernières années, était surtout attribuable aux courants migratoires ainsi qu'au faible taux de fécondité, plutôt qu'à la mobilité linguistique. Certains ont vu ou cru voir un ralentissement des taux de transferts linguistiques du français vers l'anglais. Le commissaire aux langues officielles parlait en 1991 de renversement des tendances, particulièrement en Ontario où le taux d'assimilation a reculé de quelques dixièmes de point. Il serait plus juste de parler d'une stagnation de l'assimilation que d'un véritable recul.

Cette question demeure largement controversée, notamment en raison des diverses méthodes de calcul utilisées. Cependant, un fait demeure : la plupart des analyses démontrent clairement que seule la langue anglaise jouit d'un pouvoir d'attraction important et ce, même au Québec[5].

La progression du bilinguisme

Le taux de bilinguisme est passé de 12,3 % en 1951 à 16,2 % en 1986. Cette augmentation n'est pas étrangère à l'entrée en vigueur de la politique officielle du bilinguisme en 1969, alors que 13,4 % des Canadiens déclaraient pouvoir soutenir une conversation dans les deux langues officielles. De 1981 à 1986, toutes les provinces ont enregistré une légère augmentation, sauf la Saskatchewan où le taux de bilinguisme a chuté d'un dixième de point.

De façon générale cependant, le bilinguisme ne touche qu'une fraction limitée de la population, puisque 80 % des Canadiens ne connaissent que l'anglais ou le français. Ce sont les francophones qui sont

---

5. Il y a plus de Québécois de langue maternelle française qui adoptent l'anglais comme langue d'usage que l'inverse, même si, globalement, le français attire autant de locuteurs qu'il n'en perd et que la proportion de la population de langue maternelle française ne cesse de s'accroître.

les plus bilingues avec un taux de 36,6 %, alors que seulement 7,7 % des anglophones parlent le français.

Les néo-francophones

En 1988, environ 53 % des immigrants ont dit connaître une des deux langues officielles ou les deux. Seulement 3 % ont déclaré connaître uniquement le français et 4 %, le français et l'anglais (Immigration Canada, 1989b, p. 20). La même année, on évalue à un peu moins de 4 000 le nombre des immigrants qui se sont installés à l'extérieur du Québec et qui connaissaient le français. Évidemment, 4 000 néo-francophones par année ne suffiront pas à renflouer de façon importante les communautés francophones à l'extérieur du Québec. Mais si peu nombreux qu'ils soient, on ne saurait se permettre de leur tourner le dos. Dans certains cas, leur présence pourrait même contribuer à l'obtention de services en français ou d'écoles françaises.

Malheureusement, ces néo-francophones ont actuellement très peu de chances d'intégrer nos communautés. En l'absence de structures d'accueil, ils sont contraints de choisir l'anglais comme langue d'usage. D'autres problèmes d'intégration seront examinés plus loin.

Diminution du poids relatif des peuples fondateurs, immigration multiraciale, polarisation linguistique, taux d'assimilation élevés, faiblesse du nombre absolu de néo-francophones, voilà donc quelques éléments de cette nouvelle démographie. À cela, nous pourrions ajouter une visibilité accrue des communautés autochtones (490 000 Indiens, sans compter les Métis et les Inuits) qui n'auront jamais été aussi présents dans l'arène politique. Face à tout cela, comment doit-on envisager l'avenir du concept de la dualité linguistique au Canada ?

PLURALISME ET DUALITÉ LINGUISTIQUE

Les caractéristiques démographiques présentées ci-dessus ne sont pas appelées à changer ; au contraire, elles vont probablement s'accentuer. Si l'on s'adonne à un exercice purement mathématique, il est facile d'en arriver à des scénarios apocalyptiques pour l'avenir de la francophonie. Cependant, il faut comprendre qu'à cette nouvelle démographie correspond une nouvelle dynamique sociopolitique, dont il faut chercher à tirer parti. Si on peut difficilement changer le cours des tendances démographiques, les forces sociales qui en découlent sont, quant à elles, très mouvantes et peuvent être utilisées à bon escient. Tout projet de société devra donc s'effectuer en tenant compte de cette nouvelle dynamique.

Pour les francophones à l'extérieur du Québec, ce nouveau projet de société doit nécessairement favoriser le développement d'un espace propre à l'épanouissement de la francophonie. La question que nous nous posons est donc la suivante : comment pouvons-nous, comme communauté francophone, assurer la pérennité de la dualité linguistique dans une société de plus en plus pluraliste ? Est-ce là toujours un idéal défendable ?

Avant de parler de concertation en vue d'en arriver à un contrat social respectueux de toutes les différences, il importe de bien connaître nos interlocuteurs et de bien se connaître soi-même. Quelle perception de la dualité linguistique et du français les groupes ethniques entretiennent-ils ? En revanche, comment les francophones réagissent-ils face au pluralisme ?

Le symbole du multiculturalisme : la perception des francophones

Je n'ai pas l'intention de faire ici la genèse de la politique canadienne du multiculturalisme. Je voudrais seulement livrer quelques réflexions au sujet des tensions que soulève ce concept. D'abord, il faut dire d'emblée que les francophones éprouvent un certain malaise devant le concept de multiculturalisme. Dans leur étude, Churchill et Kaprielian-Churchill emploient le mot *pluralisme* au lieu de *multiculturalisme* parce que,

> parler du multiculturalisme aux francophones dans certaines provinces, c'est répéter un terme souvent utilisé par leurs adversaires en mal d'armes pour les agresser : la phrase a le même contenu émotif pour certains francophones que le mot « bilinguisme » pour certains non-francophones.

Plusieurs arguments fallacieux des adversaires de la dualité linguistique ont contribué à alimenter cette perception. D'abord, certains francophones ont longtemps pensé que les ressources financières allouées aux programmes de multiculturalisme étaient des fonds en moins pour le développement des communautés linguistiques. Accepter cette idée, c'est soutenir la théorie de « la somme égale à zéro », c'est-à-dire que, si un groupe obtient un gain, il y en a nécessairement un autre qui subit une perte. Les leaders francophones qui ont su s'insérer dans le processus politique savent très bien que l'administration des programmes du multiculturalisme ne sape pas celle des programmes des langues officielles.

Malgré la *Loi sur le multiculturalisme* et les programmes qui en découlent, le multiculturalisme est fréquemment invoqué pour justifier le refus d'offrir des services en français et encourager la normalisation de l'anglais comme langue d'usage. Il s'agit là d'un autre épouvantail qui, d'une part, contribue à nourrir la résistance des francophones au concept de multiculturalisme (et éventuellement au phénomène lui-même) et qui, d'autre part, élargit sans cesse le fossé entre la reconnaissance officielle du pluralisme et celle de la dualité linguistique.

L'argument du plus grand nombre revient fréquemment et n'est pas dépourvu d'un certain poids. Dans l'Ouest par exemple, les francophones ne constituent pas la minorité la plus importante. Les Allemands et les Ukrainiens sont supérieurs en nombre. Dans certaines régions, ils revendiquent eux aussi et à juste titre l'attribut de « peuples fondateurs ». Si les groupes ethniques se comptent par dizaines, pourquoi alors reconnaître des droits à la seule minorité francophone ? J'aimerais insister sur ce dernier point car il constitue, à mon avis, la source principale de confusion en ce qui a trait à la cohabitation de la dualité linguistique officielle et du pluralisme ethnique.

Prenons un exemple concret. Lorsque la municipalité de Sault-Sainte-Marie s'est déclarée unilingue anglophone, le maire de la ville s'est justifié en utilisant l'argument du multiculturalisme, comme s'il y avait une incompatibilité naturelle entre les intérêts des francophones et ceux de l'ensemble des groupes ethniques. (D'abord, s'il est vrai que les intérêts respectifs peuvent être parfois divergents, ils se rejoignent sur plusieurs points. J'y reviendrai plus loin.) Ce qu'il y a de plus incongru dans l'argumentation du maire, ce sont les prémisses sur lesquelles elle repose. Dire qu'on accorde un traitement de faveur aux francophones par rapport aux autres groupes ethniques, *c'est dire que la communauté francophone constitue une ethnie homogène, en l'occurrence, l'ethnie canadienne-française*. En d'autres mots, on refuse de voir la communauté francophone comme une *communauté linguistique pluraliste ou multiethnique*. Par contre, on accepte et on reconnaît la communauté anglophone comme une communauté linguistique qui déborde la simple ethnie anglo-saxonne ; ce faisant, on justifie l'assimilation linguistique des groupes ethniques par l'anglais. On reconnaîtra, ensuite, à l'intérieur de la communauté linguistique anglophone, l'existence légitime de plusieurs groupes ethniques.

Il est vrai que plusieurs communautés francophones hors Québec forment des groupes relativement homogènes. On pense, par exemple, au peuple acadien qui n'a pas encore subi d'importantes transformations ethniques. Mais cette homogénéité est de plus en plus précaire. En Ontario et, dans une moindre mesure, en Alberta et en Colombie-Britannique, elle est en plein bouleversement. La communauté francophone ontarienne, la plus importante à l'extérieur du Québec, est de plus en plus multiethnique. À Toronto et à Ottawa, où l'on retrouve des groupes francophones importants, le caractère pluriethnique de ces communautés est indéniable. Une visite dans quelques écoles secondaires d'Ottawa-Carleton nous oblige à réfléchir sur la définition de la francophonie canadienne, traditionnellement basée sur l'ethnie ou la langue maternelle.

À l'échelle nationale, parler d'équivalence entre communauté linguistique et communauté ethnique est une aberration. Personne n'oserait prétendre que les Québécois francophones forment une communauté ethnique homogène. Tout comme son pendant anglophone, la communauté francophone du Québec est multiethnique et multiraciale. Elle est composée d'hommes et de femmes qui, pour toutes sortes de raisons, s'identifient à la francophonie et à ses institutions, et il en va de même pour les francophones hors Québec.

On ne saurait donc accepter l'argument du traitement de faveur fait aux francophones en postulant que ceux-ci sont un groupe ethnique parmi tant d'autres. Plus important encore, on ne saurait parler d'une incompatibilité naturelle entre la dualité linguistique et la reconnaissance d'une société pluraliste. Malheureusement, cette confrontation symbolique continue d'être véhiculée et alimente le doute, la confusion et la méfiance, de part et d'autre. Les francophones dit « de souche » voient d'un œil inquiet la promotion du multiculturalisme et s'intègrent mal dans ce nouveau découpage démographique, pourtant inéluctable. Quant aux néo-Canadiens, ils sont perplexes devant la dualité linguistique canadienne, mais on ne saurait parler d'opposition farouche.

Perception de la dualité linguistique

Si l'on espère voir la francophonie s'épanouir dans le cadre de la dualité linguistique, celle-ci devra jouir d'un appui inconditionnel de la population. Il est donc important que les immigrants adhèrent à l'idéologie des deux langues officielles, sans aliéner leur propre identité et peu importe la langue officielle d'usage qu'ils adoptent. Présentement, il est assez difficile d'évaluer la perception des immigrants, anciens et nouveaux, sur cette question. Peu d'études ont été réalisées sur ce sujet. On peut cependant faire l'hypothèse que les néo-Canadiens constituent une force sociopolitique qui peut favoriser la pérennité de la dualité linguistique. L'étude de la FFHQ, que nous avons mentionnée plus haut, avait pour objectif de sonder l'opinion des membres des communautés ethniques à ce sujet. À la lumière de nombreuses interviews menées par Churchill et Kaprielian-Churchill à travers tout le Canada, il semble qu'il y aurait une nette distinction entre la perception des « ethno-culturels *établis* [...] c'est-à-dire d'ascendance immigrante qui remonte à la période d'avant 1965 » et celle des « ethno-culturels *nouveaux* ».

Les ethno-culturels établis

Pour la plupart intégrés à l'anglais, les ethno-culturels établis sont ceux qui ont favorisé l'émergence de la politique officielle du multiculturalisme. Parmi ceux-ci, certains conservent à l'intérieur de leur famille les traditions culturelles et linguistiques de leur pays d'origine. D'autres ont cessé de parler leur langue et ont volontairement choisi de s'identifier à la culture majoritaire. À bien des égards, la manifestation du multiculturalisme relève de la nostalgie folklorique, « sauf peut-être dans le cadre des activités religieuses ». Selon Churchill et Kaprielian-Churchill, les élites de ce groupe sont de moins en moins hostiles à l'égard du concept de la dualité linguistique. « L'intransigeance [...] pour le fait français est en train de se muer en ambiguïté car ils partagent avec les francophones certains soucis», comme l'assimilation des jeunes, la peur de la discrimination et de la marginalisation, etc. Il est vrai que, dans certaines régions, des groupes ethniques revendiquent une reconnaissance officielle, des services dans leur langue et des écoles. Cependant, la majorité des divers groupes ethniques accordent une importance surtout symbolique au multiculturalisme (reconnaissance de leur apport historique et de leur contribution actuelle, promotion de la tolérance et de la diversité, etc.).

Les ethno-culturels nouveaux

Venant de pays distincts de ceux de l'immigration traditionnelle, les immigrants récents augmentent le bassin de population qualifié de «minorité visible». Beaucoup sont originaires du Tiers-Monde et n'ont jamais entendu parler des tensions linguistiques au Canada; dans bien des cas, ils ignorent que le Canada est un pays bilingue. Au départ, ils n'ont donc pas de prédispositions défavorables envers la francophonie ou la dualité linguistique. Au contraire, la dualité linguistique semble faire partie des caractéristiques de leur nouvelle citoyenneté. Peu importe la langue d'usage qu'ils choisissent, cette dualité linguistique fait partie du patrimoine national au même titre que le drapeau, l'immensité du pays et la démocratie[6].

Cette neutralité à l'égard des querelles historiques entre anglophones et francophones et cette nouvelle fierté canadienne à laquelle se greffe la dualité linguistique sont des atouts importants pour les francophones. Toutefois, les néo-Canadiens sont choqués par les mesures coercitives qui visent à garantir la protection d'une langue. Il faut se

---

6. Malgré les nombreuses controverses entourant le bilinguisme et en dépit de la crise actuelle, on aurait tort de sous-estimer l'enracinement de la dualité linguistique comme idéologie nationale. En plus des nombreuses dispositions législatives au niveau fédéral et des garanties constitutionnelles enchâssées dans les articles 16 à 23 de la *Charte canadienne des droits et libertés*, la cohabitation de l'anglais et du français fait partie de notre environnement quotidien. Qui aurait cru, il y a 30 ans, qu'un Terre-Neuvien verrait, un jour, affichée sur un autobus de ville une publicité bilingue sur la prévention des MTS? Qui aurait cru que des guichets automatiques offriraient des transactions dans les deux langues en Colombie-Britannique? Qui aurait pu deviner que 250 000 anglophones fréquenteraient l'école d'immersion en 1990? Qui aurait imaginé la *Loi sur les services en français* en Ontario?

souvenir que plusieurs d'entre eux ont connu les sévices de gouvernements autoritaires.

> Il suffit qu'un conseil scolaire québécois discute, sans passer aux actes,
> d'interdire l'usage des langues autres que le français dans l'enceinte sco-
> laire pour qu'un frisson passe à travers toute notre population d'ascen-
> dance immigrante (Churchill et Kaprielian-Churchill).

L'ambiguïté perpétuée par l'administration publique constitue un
autre frein à la promotion de la dualité linguistique. Les agents du ministère de l'Immigration en poste dans les pays étrangers ne semblent pas
insister auprès des candidats immigrants sur la nécessité d'intégrer
l'une ou l'autre des communautés de langues officielles. Au mieux, on
parle d'un Québec français et du reste du Canada, anglophone.

En résumé, l'étude de Churchill et Kaprielian-Churchill montre
que, de façon générale, les nouveaux arrivants n'offrent pas *a priori* de
résistances à la promotion de la dualité linguistique. Au contraire, ils
manifestent

> [u]ne ouverture d'esprit envers la défense des droits des francophones
> vivant en situation minoritaire pourvu que cette défense fasse partie
> d'un ensemble plus large de raffermissement des droits individuels de
> tout citoyen.

Si l'on tient pour acceptables les conclusions du rapport, on voit
immédiatement les avantages que représente une alliance entre francophones hors Québec et groupes ethno-culturels. Les bouleversements
démographiques mentionnés ci-dessus deviennent tout à coup moins
inquiétants. En connaissant mieux nos interlocuteurs et leurs inquiétudes
et en jetant un peu de lumière sur ce qu'est le pluralisme ethnique, nous
sommes en mesure d'imaginer un projet de société où le français conti-
nuerait d'avoir sa place.

VERS UNE NOUVELLE APPROCHE

La FFHQ a déjà ouvert un débat important au sein de ses communautés. Certaines actions novatrices ont été prises, mais le gros du
travail reste à venir.

Trois conditions permettront aux francophones hors Québec de
s'épanouir dans la nouvelle démographie. D'abord, les organismes

francophones doivent conclure des alliances stratégiques avec les représentants des divers groupes ethniques et autochtones afin d'augmenter leur poids politique. Deuxièmement, les francophones hors Québec doivent véhiculer un discours qui puisse effectuer la difficile osmose entre la dualité linguistique et le pluralisme ethnique, sans s'aliéner et sans diviser les communautés en cause. Finalement, les communautés francophones doivent s'adapter à la nouvelle réalité démographique et faire preuve d'une plus grande ouverture face au pluralisme. Cette troisième condition constitue sans doute le plus grand défi.

Briser les vieux réflexes historiques

Quand on parle d'intégrer les immigrants, on s'entend généralement pour dire qu'il s'agit là d'un processus à deux volets. D'une part, les immigrants doivent s'habituer à un nouvel environnement, à de nouvelles coutumes, à un nouveau rythme de vie… En revanche, les Canadiens doivent, de leur côté, s'adapter à un tissu social plus hétérogène, potentiellement explosif. Pour dire les choses clairement, les francophones « de souche » vivant à l'extérieur du Québec éprouvent beaucoup de difficultés à s'ouvrir au phénomène du pluralisme. Doit-on penser qu'ils sont plus intolérants que les autres ? Ils ne le sont sans doute pas plus, mais pas moins non plus. Si on ne saurait excuser un tel comportement collectif, on peut toutefois tenter de l'expliquer par tout un ensemble de réflexes ancestraux ou récents.

Pendant longtemps, en effet, il était facile pour les francophones d'identifier qui étaient les « autres ». Les « autres », c'étaient les « Anglais ». C'est par rapport à eux qu'on devait chaque jour se définir. Aujourd'hui, la distinction majorité-minorité est moins claire. Les « autres », qui autrefois étaient en grande partie des Britanniques, sont maintenant des Italiens, des Indiens, des Chinois.

À toutes les étapes de la naissance et de la création de l'État canadien, les francophones ont dû réagir et s'adapter à un projet de société qui n'était pas le leur mais celui de la majorité anglaise. Durant la période précédant la Confédération, on a tenté de minimiser l'impact de la pénétration anglophone. L'isolement était vu comme un moyen de résister à cette pénétration. En Acadie, ce fut par le biais de la neutralité dans la tempête coloniale opposant la France et l'Angleterre. Après la Déportation, le peuple acadien a opté pour l'isolement géographique, développant une forme d'autonomie qui frôlera parfois l'autarcie. En Ontario et dans l'Ouest, les francophones ont bénéficié d'assises établies par leurs ancêtres explorateurs et missionnaires. Ils se sont organisés autour de la paroisse en développant une économie essentiellement rurale. L'organisation communautaire ne s'est intégrée que marginalement à l'économie capitaliste naissante ; sa continuité reposait principalement sur la famille et l'Église catholique. Les leaders de la communauté ont perçu alors l'État comme une entité étrangère et, conséquemment, ont orienté leurs efforts vers la création d'institutions parallèles.

C'est précisément par ce mode de vie parallèle que les francophones ont réussi à minimiser l'assimilation et à traverser les périodes de bouleversement. Par exemple, les communautés se sont vu enlever leurs écoles dans toutes les provinces. Les francophones ont dû puiser des ressources à même leur communauté pour maintenir un embryon d'éducation en français, clandestinement parfois. Puis, quand les phénomènes modernes de l'urbanisation, de l'économie de marché, de l'industrialisation, de l'exode rural, etc., ont eu raison de l'isolement traditionnel, les francophones se sont tournés vers d'autres modèles de développement bien à eux, le modèle coopératif par exemple. La famille et le voisinage sont demeurés les foyers par excellence de la continuité du français.

Bref, l'isolement géographique ainsi que l'isolement culturel et social ont permis une forte rétention du français à l'extérieur du Québec. Bien que cet isolement soit impensable aujourd'hui, le réflexe perdure. Cela a pour effet non seulement de ralentir le processus de sensibilisation au pluralisme (on alimente encore le « nous les Français, vous les Anglais »), mais aussi de décourager les francophones d'accueillir d'autres ethnies.

Un jeune Somalien, étudiant à l'école secondaire Charlebois à Ottawa, m'expliquait dans un français impeccable combien il était difficile pour lui d'être accepté par ses camarades comme Franco-Ontarien. S'étant sauvé de chez lui en pleine nuit sous une pluie de bombes, il est miraculeusement arrivé ici au Canada, seul, à l'âge de 14 ans. Me parlant de la guerre civile qui sévit chez lui et de ses parents qu'il n'a

jamais revus, il s'expliquait mal les querelles linguistiques et constitutionnelles des Canadiens. Connaissant la situation minoritaire de la communauté franco-ontarienne, il comprenait encore moins la résistance de
celle-ci à l'accueillir. Mal à l'aise, je ne pus lui offrir que l'explication
insatisfaisante du vieux réflexe de minoritaire, réflexe dont les francophones devront absolument se départir.

Tant et aussi longtemps que les francophones cultiveront ce réflexe
de minoritaire, l'intégration des néo-francophones restera laborieuse.
Ces derniers ne sont guère séduits par nos discours alarmistes sur
l'assimilation. Pour eux, qui ont abandonné l'essentiel de leurs racines
et qui connaissent des taux d'assimilation linguistique effarants, la francophonie hors Québec ne se porte pas trop mal. Des néo-francophones
m'ont avoué qu'ils éprouvent une certaine réticence à s'associer à une
communauté qui entretient trop souvent un discours alarmiste et
hargneux et qui se borne à ne définir la francophonie que par la langue
maternelle.

Si l'on ajoute à cet ensemble de comportements la peur naturelle
d'un bouleversement social important et la lutte idéologique que se
livrent les partisans de la dualité linguistique et ceux du pluralisme culturel, on comprend plus facilement le manque d'ouverture des communautés francophones face au pluralisme. Il est donc impératif pour les
leaders francophones qu'ils comprennent les dangers d'une telle attitude
et qu'ils voient à changer les perceptions et les attitudes réfractaires
s'ils espèrent des lendemains meilleurs pour la francophonie canadienne.

Les démarches de la FFHQ

Dans l'espoir d'en arriver à une plus grande ouverture à l'égard
du pluralisme et, en retour, d'obtenir certaines garanties quant à l'avenir
du français à l'extérieur du Québec, la FFHQ a systématiquement intégré la question du pluralisme dans son discours et dans ses démarches.

Obsèques du réflexe de minoritaire

À la Fédération, nous nous sommes d'abord interrogés sur la perception que les francophones hors Québec avaient de leurs communautés.
Nos dirigeants ont cerné avec vigilance les dangers qui nous guettaient,

mais ils ont sans doute trop insisté sur les scénarios apocalyptiques. Comme nous le mentionnions dans *L'Action nationale* :

> Les images d'un avenir incertain, véritables épées de Damoclès, pèsent lourdement sur notre confiance et [ternissent] l'image que nous projetons aux yeux de la société et surtout aux yeux du Québec. [...] D'où l'importance de rajeunir notre discours et de l'épurer des notions péjoratives qui sont devenues de véritables anti-symboles de notre communauté (Thériault et Falardeau, 1990, p. 1453-1454).

Bien que les francophones qui vivent à l'extérieur du Québec soient numériquement minoritaires, le concept de minorité constitue une bien mauvaise façon de promouvoir le fait français. C'est pourquoi nous évitons maintenant de nous décrire négativement, c'est-à-dire par rapport à la majorité. Nous évitons également de parler de la nécessité pour un pays de protéger ses minorités uniquement pour des raisons de tolérance, puisqu'il en découle nécessairement l'idée d'un rapport à sens unique, d'un fardeau pour la société. Or, en développant la notion d'une francophonie nationale, la communauté statistiquement minoritaire devient un atout pour la société, un moteur de développement, puisqu'elle en est une composante naturelle :

> Bien entendu, une minorité linguistique ou culturelle peut très bien enrichir le tissu social. Mais ce n'est pas le fait qu'on soit une minorité qui contribue au développement. C'est la culture d'une minorité, sa diversité ou, dans notre cas, la langue française (*Ibid.*, p. 1454-1455).

Concertation et alliances

Nous avons ensuite longuement réfléchi sur la nature de nos démarches en tant que groupe d'intérêt. À ce sujet, les débats entourant l'Accord du lac Meech ont été assez révélateurs. On a traité des revendications du Québec comme si elles n'avaient pas trop d'incidences sur les intérêts des autres groupes de francophones. Inversement, chaque groupe d'intérêt est intervenu dans le débat pour demander des modifications sans prendre en compte les préoccupations des autres groupes. C'est là un processus normal, me dira-t-on ; mais c'est également une raison qui explique les échecs successifs des tentatives de renouvellement constitutionnel.

Peut-être avons-nous trop longtemps tenté de défendre les intérêts de la francophonie en pensant que cette question pouvait être traitée indépendamment des autres grandes préoccupations canadiennes, comme l'intégration des immigrants, les droits individuels et les droits collectifs, les formes de représentations institutionnelles, l'égalité des sexes, le pluralisme et les revendications des autochtones. En tant qu'intervenants sur la scène nationale, nous constatons que nos revendications ne peuvent se faire en faisant fi des préoccupations légitimes des autres groupes. Il est vrai que, le plus souvent, nos intérêts diffèrent substantiellement et sont parfois même opposés.

La FFHQ s'est donc donné comme objectif d'élargir ses démarches de concertation pour y inclure, entre autres, les groupes ethno-culturels et les groupes autochtones. D'abord, pour s'enquérir de leurs revendications, puis pour trouver des terrains d'entente ou, du moins, pour éviter la confrontation sur la place publique.

L'idée de créer des alliances avec d'autres groupes n'est pas restée lettre morte. Certaines de nos associations membres ont déjà entrepris des démarches de rapprochement. C'est le cas par exemple de l'Association canadienne-française de l'Alberta (ACFA) dont les dirigeants ont rencontré les porte-parole de groupes comme le Native Council of Canada, l'Indian Association of Alberta et la Metis Association of Alberta. Ces rencontres ont amené les francophones à appuyer les revendications des autochtones. Par ailleurs, ce genre de concertation a abouti à la création, en 1989, de la Coalition contre le racisme qui regroupe différentes communautés ethniques et dont l'ACFA assure le secrétariat.

Ce genre d'exercice n'est pas toujours facile. La première réaction des groupes abordés est souvent la méfiance. C'est particulièrement le cas avec les peuples autochtones qui, ayant connu plusieurs siècles de tromperies, sont un peu incrédules lorsque la FFHQ appuie publiquement le principe de l'autonomie gouvernementale pour leurs communautés. Toutefois, nos modestes démarches n'ont pas été sans résultats. Après avoir rencontré le chef de l'Assemblée des Premières Nations pour discuter de réforme constitutionnelle, nous avons noté une certaine ouverture de sa part quant à notre proposition d'une assemblée constituante. Interrogé publiquement sur la question, Georges Erasmus a déclaré qu'il trouvait l'idée intéressante.

Ces exemples ont pour but de montrer que la concertation est effectivement possible entre groupes qui, *a priori*, ne partagent pas les mêmes préoccupations. Les francophones peuvent ainsi espérer des appuis directs ou tacites à la promotion de la francophonie. En revanche, ils doivent se familiariser avec les préoccupations et les demandes des groupes ethniques et les appuyer publiquement, lorsque cela est possible.

Intégration du pluralisme social et de la dualité linguistique : l'idée des trois communautés nationales

En plus des démarches de sensibilisation qu'elle a faites auprès des francophones et de ses efforts de concertation avec d'autres groupes, la FFHQ s'est dotée d'une politique officielle sur le pluralisme. Cette politique contient un énoncé de principe qui tente de réconcilier l'idéologie de la dualité linguistique avec la réalité du pluralisme :

> La FFHQ reconnaît l'existence de trois communautés nationales : les autochtones, les francophones et les anglophones. Chacune de ces communautés est de nature pluraliste et est composée de Canadiennes et de Canadiens de race et d'origine ethnique différentes. Ces trois grandes communautés sont responsables du bien-être de l'une et l'autre et doivent composer ensemble dans les transformations sociales à venir.

Rappelons qu'il s'agit ici de promouvoir une forme de contrat social permettant une meilleure intégration mutuelle des groupes ethniques, y compris les francophones et les anglophones dits « de souche ». Cette formule devrait en même temps permettre la pérennité de la dualité linguistique, sans annuler les différences ethniques et raciales.

Peut-être que la meilleure façon d'y arriver, c'est tout simplement de reconnaître la transformation historique et la composition actuelle des communautés francophones et anglophones (qu'on a longtemps désignées comme peuples fondateurs). En effet, ces communautés sont devenues multiethniques et multiraciales. Il existe bel et bien une communauté ethnique francophone de souche ou «canadienne-française», mais celle-ci ne correspond pas à la communauté linguistique francophone. Il en va de même pour la communauté anglo-saxonne. Nous sommes donc en présence de deux communautés linguistiques qui sont de nature pluraliste. Ces communautés sont formées de gens qui ont en commun l'usage d'une langue et le désir de bénéficier d'institutions sociales, politiques, économiques et culturelles à la fois gardiennes et véhicules de cette langue. En même temps, ces gens désirent que la société élimine toute forme de discrimination basée sur leur origine ethnique respective ou sur leur race. Finalement, à côté de ces deux grandes communautés linguistiques, il y a la communauté autochtone. Elle aussi est extrêmement hétérogène. Elle aussi revendique le droit à ses propres institutions et à sa propre autonomie.

Les groupes ethniques ont réservé un accueil prudent à notre proposition. Peut-être y voient-ils une tentative d'assimilation. Mais considérons l'autre option qui s'offre à eux. La politique de multiculturalisme du gouvernement fédéral n'a jamais su faire le lien avec la politique de bilinguisme. Au contraire, les deux concepts se sont toujours opposés. La politique de multiculturalisme a involontairement engendré la fragmentation du tissu social et a accentué la marginalisation des minorités ethniques.

L'idée des trois communautés nationales fait présentement son chemin. Il est normal que les groupes ethniques autres que français et anglais hésitent à accepter cette suggestion, puisque l'ethnie anglo-saxonne et l'ethnie française sont encore dominantes. Mais pas pour longtemps. Entre-temps, la proposition de la FFHQ est vue comme un moyen légitime d'«opérationnaliser» sa politique d'ouverture face au pluralisme, d'autant plus que ce concept s'applique également au Québec où la communauté francophone ne correspond pas à une seule ethnie.

Malheureusement, les dirigeants québécois ne l'entendent pas de cette façon. La commission Bélanger-Campeau a relégué la francophonie à l'extérieur du Québec au même statut que les nombreuses composantes du multiculturalisme canadien. Ce faisant, la Commission fait une erreur ou joue à l'autruche. L'erreur serait de dire que la francophonie correspond à une ethnie. Ce qu'elle n'est pas, encore moins au Québec. Faire l'autruche serait, par contre, reconnaître que la francophonie québécoise est pluriethnique, mais pas la francophonie hors Québec ; ce serait là un moyen facile d'écarter la question de la francophonie à l'extérieur de son territoire, tout en gardant la conscience tranquille. Les dirigeants québécois ont beau répéter *ad nauseam* que le Québec doit assumer un rôle de leader de la francophonie en Amérique du Nord, ils devraient d'abord croire en elle.

C'est, pour une bonne part, en sachant qu'il existe des millions de francophones au Québec que les francophones du reste du Canada peuvent sentir qu'ils parlent une langue utile et viable. Mais il semble que le Québec n'apprécie guère la valeur de ces avant-postes à l'extérieur de son territoire que représentent les quelque deux millions de parlants français.

*
*   *

L'avenir de la francophonie en Amérique du Nord passe bien sûr par le Québec. Mais il passe aussi par la capacité pour le français de déborder les frontières québécoises. C'est la thèse que nous soutenons depuis longtemps et que les politiciens du Québec refusent d'entendre.

L'avenir du français dépend également de notre capacité à nous insérer dans une nouvelle démographie. D'abord, nous devons lever les barrières qui empêchent les néo-francophones de se joindre à nos communautés et qui découragent les immigrants d'adopter le français, au Québec comme dans le reste du Canada. Cela exige une meilleure promotion de la dualité linguistique par le ministère de l'Immigration, de meilleures structures d'accueil pour les néo-francophones, un changement d'attitude des francophones à l'égard du pluralisme et de la perception qu'ils ont d'eux-mêmes, une ouverture des frontières linguistiques, particulièrement au Québec où la tendance est au repli.

Il faut aussi élaborer un projet de société qui encouragera les néo-Canadiens à appuyer la dualité linguistique, peu importe la communauté linguistique à laquelle ils adhèrent. Pour ce faire, les francophones devront se familiariser avec les « tendances lourdes » dont parlent Churchill et Kaprielian-Churchill. Premièrement, nous possédons déjà un bon nombre d'acquis juridiques et constitutionnels qui, peu importe les orientations politiques du Québec, ne s'évanouiront pas du jour au lendemain. Ensuite, on ne saurait sous-estimer l'enracinement de l'idéologie de la dualité linguistique[7]. Finalement, les chambardements

---

7. Un récent sondage de la firme Environics démontre que la majorité des Canadiens approuvent les politiques de services dans les deux langues et que c'est au Québec que la proportion d'appuis est la plus importante (Présentation de M. Adams de la firme Environics, le vendredi 5 avril 1991, au Château Laurier à Ottawa).

démographiques se présentent non seulement comme des défis, mais aussi comme des occasions de créer de nouvelles alliances. La prédisposition des immigrants et des groupes ethniques à accepter le concept de la dualité linguistique (ou à ne pas s'y opposer) est réelle, mais elle est bien souvent non apparente. Il faut agir promptement et avec discernement.

Bibliographie

Churchill, Stacy, et Isabel Kaprielian-Churchill (1991), *Les communautés francophones et acadiennes du Canada face au pluralisme*, Ottawa, Fédération des communautés francophones et acadienne du Canada, VII + 136 p.

Fédération canadienne des enseignantes et enseignants (1990), *Pour répondre aux besoins des enfants immigrants et réfugiés*, janvier.

Immigration Canada (1989a), *L'immigration au Canada. Effets économiques*, Ottawa.

Immigration Canada (1989b), *L'immigration au Canada. Statistiques*, Ottawa.

Immigration Canada (1990), *Rapport annuel déposé au Parlement. Plan d'immigration pour 1991-1995*, octobre, 18 p.

Thériault, Aurèle, avec la collaboration de Philippe Falardeau (1990), «Pour un espace francophone: obsèques du réflexe minoritaire», dans *L'Action nationale*, 80, 10 (décembre), p. 1451-1459.

Les recherches en cours
et la concertation

L'apport des français d'Amérique à l'étude de la langue française

Pierre Rézeau
Centre national de la recherche scientifique
Institut national de la langue française, Nancy

Les études sur les français d'Amérique peuvent alimenter la plume d'un romancier célèbre et l'aider à obtenir le prix Goncourt (Jean Vautrin, *Un grand pas vers le Bon Dieu*, Paris, Grasset, 1989). Plus sérieusement, elles apportent une note originale et précieuse dans le concert des études sur la langue française. Sans préjuger d'autres domaines dans lesquels cet apport peut se manifester, comme ceux de la phonétique ou de l'histoire de la prononciation, on envisagera ici celui qui intéresse l'histoire du lexique et l'étymologie[1].

Il est bien ambitieux de prétendre faire même rapidement le tour de ce sujet : l'essor des recherches sur le français en Amérique du Nord, et particulièrement au Québec, met à la disposition de la communauté scientifique internationale une documentation chaque jour plus considérable et plus sûre, ainsi que des éléments de synthèse irremplaçables. Ainsi, en 1950, le *Französisches etymologisches Wörterbuch* (FEW),

---

1. Je remercie Claude Poirier et l'équipe du Trésor de la langue française au Québec qui m'ont permis de consulter sur épreuves quelques articles du *Dictionnaire du français québécois* et ont aimablement répondu à mes demandes de consultation de leur fichier ; mes vifs remerciements s'adressent aussi à Jean-Pierre Chambon, Jean-Paul Chauveau et André Thibault qui ont bien voulu me faire part d'utiles suggestions sur un premier état de ce texte.

ce four où cuit le pain de l'histoire et de l'étymologie galloromanes, utilisait pour le Québec le *Dictionnaire canadien-français* de S. Clapin (1894) et surtout le *Glossaire du parler français au Canada* (1930) et, pour la Louisiane, les travaux de W.A. Read, *Louisiana-French* (1931), et de J.K. Ditchy, *Les Acadiens louisianais et leur parler* (1932)[2].

Depuis, une trentaine de titres sont venus s'ajouter, particulièrement ces dernières années, à ces quatre ouvrages ; outre l'ALEC, *Atlas linguistique de l'est du Canada* (1980), souvent cité, et pour s'en tenir à quelques-uns des plus récents, on mentionnera les *Mots de Louisiane* de P. Griolet (1986), le *Dictionnaire du français plus à l'usage des francophones d'Amérique* (1988), le *Dictionnaire des canadianismes* de G. Dulong (1989), *Le parler acadien du sud-est du Nouveau-Brunswick* de L. Péronnet (1989) et le *Dictionnaire des régionalismes de Saint-Pierre et Miquelon* de P. Brasseur et J.-P. Chauveau (1990).

Les rédacteurs du FEW sont évidemment les premiers à reconnaître que ces ouvrages, si excellents et représentatifs qu'ils peuvent être, ne sont qu'une partie des travaux (de linguistes mais aussi d'historiens, de géographes, de botanistes, d'ethnologues, etc.) qu'ils souhaiteraient intégrer à leur documentation ! On mesure en même temps l'envers de la médaille : un travail supplémentaire, pratiquement impossible à une très petite équipe, de dépouillement et d'analyse critique des données ; le Centre du FEW pallie au mieux cette lacune grâce aux prestations obligeantes du TLFQ (Trésor de la langue française au Québec) qui lui fournit des attestations inédites tirées de son fonds documentaire et il a aussi la chance très appréciable de bénéficier en son sein de la compétence et des relations d'un collaborateur québécois[3]. Mais on

---

2. Le Supplément du *Beiheft* du FEW (1957) renvoie aussi comme source pour le Canada au *Glossaire des patois et des parlers de l'Aunis et de la Saintonge* de Georges Musset (1929-1948) ; ce curieux détour est dû au fait que cet ouvrage cite régulièrement le *Parler populaire des Canadiens français*, de N.-E. Dionne (1909).

3. Il s'agit d'André Thibault, qui a eu l'amabilité de me communiquer le relevé exhaustif des sources utilisées à ce jour par le FEW pour les français d'Amérique (voir le paragraphe précédent) et que je remercie chaleureusement. On appréciera par ailleurs la plus grande ouverture manifestée depuis quelques années par le FEW en direction du franco-québécois ; même s'il est impossible à l'équipe bâloise de rendre compte de façon détaillée d'un aussi vaste sous-ensemble, comme le reconnaissait W. von Wartburg, on voit qu'elle ouvre chaque année davantage une porte jusque-là entrebâillée

comprend combien des travaux de synthèse comme ceux que conduit l'équipe du DFQ *(Dictionnaire du français québécois)* sont suivis avec une impatience grandissante et seront accueillis avec la plus vive gratitude !

Je n'étonnerai personne en effet en soulignant la part prépondérante prise par les chercheurs de diverses universités canadiennes et québécoises dans ce domaine, et notamment à l'Université Laval, leur savoir-faire dans la collecte et la mise en œuvre des richesses documentaires qui constituent le Trésor de la langue française au Québec et servent de soubassement à son dictionnaire. Il revenait en effet aux Québécois d'éclairer eux-mêmes leur propre usage du français : le projet souhaité par Mgr Pierre Gardette, mûri notamment par Marcel Juneau et animé aujourd'hui par Claude Poirier, est une entreprise originale dont les prémices ont été appréciées de manière extrêmement positive par la communauté scientifique internationale. Je retiendrai simplement telle appréciation récente d'un orfèvre en la matière qui parle du « très remarquable *Dictionnaire du français québécois* (= DFQ), publié par l'équipe du « Trésor de la langue française au Québec » (Université Laval), en cours de rédaction et dont un volume de présentation est paru en 1985. [...] cet ouvrage pourrait être, s'il tient ses promesses, un modèle philologique et socio-culturel de description différentielle pour un usage spécifique d'une langue » (Rey, 1990, p. 1837).

Les sources documentaires actuellement à la disposition des chercheurs sont riches et à cet égard le TLFQ n'usurpe pas son nom. Un travail considérable de dépouillement d'archives anciennes a été fait dont on peut recueillir le bénéfice, depuis bientôt deux décennies, dans divers travaux, notamment ceux de la collection « Langue française au Québec », le DFQPrés, le DFPlus, et prochainement dans une contribution aux DDL. À l'occasion de ce colloque, je me suis permis d'explorer en outre quelques documents qui à ma connaissance n'avaient

---

(et qui était même naguère fermée aux anglicismes : « Besonders wurden [die] anglizismen ganz beiseite gelassen », *Beiheft*, 1950, 29b). On en prendra un aperçu dans les fascicules les plus récents, en parcourant par exemple les articles *arrosare, as, ascalonia, asperges me hyssopo, aspersio, aspersorium, asphaltus, aspis, asparagus, *assecurare, assicare, assimulare, assistere, *assulare* (et pour des anglicismes sous *arena, *assaltus, assessor*), des sources louisianaises étant par ailleurs citées sous *ascalonia* et *assimulare*.

pas été jusque-là exploités et dont j'ai ici tiré quelques exemples utiles (voir Bégon 1, Bégon 2 et Bost)[4].

En se fondant sur les travaux publiés (sources lexicographiques et dictionnairiques), prolongés ici par ces quelques dépouillements (sources documentaires), voici des exemples, par cercles concentriques, de l'apport des français d'Amérique aux études sur la langue française : d'abord, bien sûr, ce que ces travaux apportent à une meilleure connaissance des français d'Amérique eux-mêmes, ensuite aux façons de parler le français dans divers pays ou régions de la francophonie (notamment dans l'ouest de la France) et enfin au français standard tel que le définit l'introduction du DFQPrés. On verra chemin faisant combien la mise en perspective de ces apports est enrichissante et aussi leur caractère interactif.

1. APPORT AUX ÉTUDES SUR LES FRANÇAIS D'AMÉRIQUE

1.1. Sources lexicographiques et dictionnairiques

On a rangé ici d'abord des mots ou des sens renvoyant à des réalités typiquement américaines et dont un bon nombre sont bien connus et usités en dehors de la terre où ils sont nés. Les grands dictionnaires du français n'ont pas toujours été attentifs à utiliser des sources, pourtant éditées en France la plupart du temps, qui auraient pu

---

4. Michel Bégon, né à Blois en 1637, fut intendant aux îles d'Amérique (1682), intendant des galères à Marseille (1685), avant d'obtenir l'intendance de Rochefort (1689) puis de La Rochelle, ville où il mourut en 1710. Esprit «curieux», grand collectionneur d'estampes, il était le frère de Claude-Michel Bégon, gouverneur de Trois-Rivières (1743), dont la veuve laissa une correspondance très utile pour la connaissance de la société canadienne au XVIIIe s. Théodore Bost, issu d'une famille de pasteurs protestants, né à Carouge, faubourg de Genève, en 1834, émigra en Amérique en 1851 où Sophie Bonjour, née en 1835 à Neuchâtel, le rejoignit en 1858 pour être son épouse ; leur correspondance est un précieux témoignage de la vie des pionniers de cette époque au Minnesota. Signalons au passage deux documents qui devraient permettre d'intéressantes moissons sur l'histoire des français d'Amérique : la *Correspondance de Sévère Hérault, colon nantais en Guyane (1805-1827)*, édition en préparation par Patrice Brasseur, d'après un manuscrit de Nantes, Archives départementales de Loire-Atlantique ; le *Journal (1878-1883)* d'Armand Massé, prêtre vendéen qui s'embarqua à Nantes le 7 septembre 1878 (en chantant *La Vendéenne* !) pour la Trinité, édition en préparation par Dominique et Pierre Rézeau d'après un manuscrit conservé à Port d'Espagne (Trinité-et-Tobago), Archives de l'évêché.

leur apporter beaucoup d'attestations anciennes ou d'éclairages étymologiques ; ils se sont souvent contentés de s'appuyer sur quelques travaux de chercheurs qui, malgré leur qualité, ne pallient cette lacune que partiellement[5]. Mais heureusement, les dépouillements du TLFQ permettent des avancées importantes dans l'histoire du vocabulaire québécois et acadien et l'on peut en voir les premières percées : *aréna* [absent de ROB et TLF ; 1980, FEW 24, 174a sous ARENA ; 1898, DFQPrés] ; *atoca* [1823, TLF ; 1632, ROB (mais il s'agit de la forme *toca*) ; 1656, DFQ sur épreuves] ; *coureur de bois* [sans date dans ROB ; exemple de 1946 (Cendrars), TLF ; 1672, DFPlus] ; *frasil* [absent du TLF ; 1810, ROB ; 1810 *frasil* et 1754 *frasille*, DFQPrés, avec une intéressante synthèse étymologique] ; *mitasse* [absent de ROB et TLF ; relevé dans FEW 6/3, 178a sous MIT- (par erreur ; il s'agit d'un mot d'origine amérindienne) comme mot de la Louisiane et du Canada et daté de 1874 ; 1669, M. Juneau dans TraLiQ 1, 158] ; *portage* [1694, ROB ; 1635, TLF et DFPlus] ; *suisse* [1632, ROB et TLF d'après DFQPrés].

Alors que ROB et le TLF ne datent *Canadien* qu'en 1732 d'après Trévoux, DFPlus offre à la fois des dates plus anciennes et des sens bien différents du mot qui, avant d'avoir son sens actuel, a successivement désigné : aux XVIe et XVIIe s. les Amérindiens des rives du Saint-Laurent, à partir de la seconde moitié du XVIIe s. les Français établis à demeure dans la portion laurentienne de la Nouvelle-France et, enfin, au début du XVIIIe s. les descendants des Français nés au pays (c'est ce sens qu'atteste Trévoux 1732 et pour lequel DFPlus donne un exemple de La Hontan de 1703)[6].

---

5. On pense notamment aux travaux de König (1939), de Friederici (1960), de Massignon (1962) et d'Arveiller (1963).

6. C'est aussi le sens que l'on trouve sous la plume du père Charlevoix (*Histoire et description generale de la Nouvelle France*, t. 3, p. 79) : « Les Canadiens, c'est-à-dire, les Créoles du Canada, respirent en naissant un air de liberté, qui les rend fort agréables dans le commerce de la vie, & nulle part ailleurs on ne parle plus purement notre Langue. On ne remarque même ici aucun Accent » [octobre 1720]. Ce témoignage du savant jésuite, professeur de grammaire au collège de Québec et que Voltaire, son ancien élève en France, considérait comme un « homme très véridique », n'est sans doute pas à prendre cependant pour argent comptant (voir Poirier, 1980, p. 45-46). On hésite par ailleurs sur le sens à donner à ce passage de Bégon, en date de 1699 : « Nous avons icy [à La Rochelle] cinquante Canadiens, qui seroient très propres à cette expédition » (1, 272).

On obtient évidemment les mêmes résultats si l'on s'attache aux aspects différentiels du vocabulaire : *ambitionner sur le pain bénit* [l'étymologie proposée par le DFQ sur épreuves offre les meilleures garanties, comparée à l'affirmation gratuite de J. Cellard, *Ça mange pas de pain !*, p. 16-17] ; *amiantose* « maladie professionnelle due à la poussière d'amiante » [1960, FEW 24, 437a sous AMIANTUS ; absent de ROB et TLF ; 1948, DFQ sur épreuves, qui note que les Français préfèrent l'anglicisme *asbestose*] ; *bombe* « bouilloire » [absent en ce sens de ROB, TLF et FEW ; 1766, *bombe à thé* DFQPrés] ; *habitant* « cultivateur » [exemple de 1802, TLF ; 1675, ROB (?) ; 1684, DFPlus 1988] ; *pitonner* « zapper » [absent en ce sens de ROB et TLF ; 1980, DFPlus].

Nombreux sont aussi les exemples qu'on pourrait tirer de SPM, qui apportent des éclairages étymologiques (ainsi sous *chôle*, *daleter*, *reparant*, *romequin* ou *tiaude*) ou des datations intéressantes (sous *go*, *gode*).

1.2. Sources documentaires

Voici quelques compléments provenant des textes cités plus haut :

bois d'amourette « bois d'un acacia d'origine exotique, utilisé en marqueterie » (ROB) : « [...] une espéce de Fresne, qu'on appelle *Bois d'amourette*, & dont l'écorce, qui est pleine de picquants, passe pour être un reméde souverain, & très-prompt contre le mal de dents » [1744, Charlevoix, *Histoire et description generale de la Nouvelle France*, 3, 454 [1722] ; ROB (1808 ; orig. inconnue) ; TLF, sans date ; absent de FEW sous AMALOCHIA et sous *BOSK-] ;

calumet « pipe des Indiens d'Amérique » : « Mémoire des curiosités qui me sont venues de Canada. [...] Un grand calumè rouge et bien garny » [1689, Bégon 1, 41] – « [...] quelques curiositez que j'ai de ce pays là [la Guadeloupe] comme coliers, calumets, etc. » [1702, Bégon 2, 137 ; 1732, ROB et TLF ; 1751, FEW 2, 52a sous CALAMELLUS ; Massignon n° 1883 cite La Hontan 1703 ; attesté déjà en 1609 et 1636 dans le fichier TLFQ] ;

sécessionniste « partisan de la Sécession » : « Les Américains républicains me conseillent de me faire exempter pour laisser partir les sécessionnistes et les démocrates jeunes gens des environs, ce qui a l'air raisonnable mais un peu lâche» [1862, Bost 255; 1866, ROB et 1862, TLF];

   sucre d'érable «sucre doré obtenu par l'évaporation de la «sève» de l'érable à sucre»: «Je vous remercie du sucre d'érable que vous m'envoiés, et de l'explication que vous m'en avés donnée» [1693, Bégon 1, 177] – «La découverte du sucre d'érable ne me paroit pas d'une grande utilité, mais s'il estoit vrai qu'il y eût en Canada une montagne de cuivre, ce seroit un trésor immense pour toutes les nations du monde [...]» [1702, Bégon 2, 104; ROB, 1765; TLF et Massignon n° 361, sans date; absent de FEW sous SUKKAR et ACERABULUS; selon Massicotte 469, le mot «apparaît sous la plume des voyageurs français depuis La Hontan 1704» et il est relevé en 1706 dans les fichiers du TLFQ].

2. APPORT AUX PARLERS FRANÇAIS DE CERTAINES RÉGIONS (D'EUROPE NOTAMMENT)

2.1. Sources lexicographiques et dictionnairiques

   On sait combien les *Façons de parler* relevées au Canada de 1743 à 1752 par le père Potier, jésuite belge, sont un très utile document pour les lexicographes québécois; mais on y trouve aussi parfois la plus ancienne attestation de mots, de sens ou de formes du français parlé aujourd'hui dans l'ouest de la France (voir par exemple RézOuest[1], sous *baler, garrocher, main, mouillasser, ripe*). Voici quelques autres exemples tirés de publications récentes, intéressant surtout l'étymologie:

   cince «serpillière». Ce mot, ancien dans la langue, est typique en ce sens du sud-ouest du domaine d'oïl et il se retrouve en Acadie et à Saint-Pierre et Miquelon; pour l'étymologie, voir désormais SPM (du bas-latin *cinctium*);

   cotriade «ragoût de poisson; part en nature que reçoit chaque marin pêcheur au retour de la pêche». Pour l'étymologie de ce mot des côtes de l'ouest de la France et de Saint-Pierre et Miquelon, voir désormais SPM (du breton *kaoteriad* s. f. «chaudiérée, marmitée»);

mogue «tasse en terre cuite». [Bonne synthèse étymologique dans Juneau 199-201 sur ce mot attesté en Poitou depuis 1536 et au Québec à partir de 1776];

tourtière «tourte à base de viande» [1836, RézOuest[1] d'après PRobert 1978; rectifié dans RézOuest[2]: 1646, d'après DFPlus 1988].

2.2. Sources documentaires

2.2.1. *Exemples intéressant simultanément les français d'Amérique et d'autres régions francophones:*

accroire (en faire ~) «se donner de l'importance»: «Je gardai mes beaux habits pour en faire accroire, comme disent les Canadiens [...]» [1855, Bost 54; ROB, TLF et FEW 2, 1305b sous CREDERE; Griolet. Ce tour n'est pas limité aux parlers du Canada, de la Louisiane et de l'ouest de la France (à propos desquels il est régulièrement relevé), mais il y connaît peut-être une fréquence d'emploi supérieure];

bord (virer de ~) «changer d'avis, de conduite»: «Je puis bien virer de bord une fois comme disent les Canadiens mais revenir après avoir viré, ne me sourit pas» [1856, Bost 118; Clas; Griolet; attesté en France depuis Académie 1798 dans FEW 14, 398b sous VIBRARE];

bûcheur «bûcheron»: «[...] nous avons deux camps: celui des bûcheurs et des arracheurs, et celui des laboureurs, égaliseurs et faiseurs de ponts» [1855, Bost 65; absent de ROB et TLF (mais ce n'est pas un hasard si *bûcher*, dont *bûcheur* est dérivé, est illustré dans le TLF par un exemple de Hémon); FEW 15/1, 195b sous *BOSK- (à déplacer en fait 15/2, 27a sous *BUSK-); mot de l'Ouest, du Nord-Ouest et du Centre, attesté depuis le moyen français et au Québec depuis 1697, cf. Juneau dans TraLiQ 1, 46];

chambre à manger «salle à manger»: «[...] je suis si fatiguée d'avoir peint le plancher de la chambre à manger que je m'accorde une heure de répit avant le goûter» [1871, Bost 372; absent de ROB, TLF et FEW; GPSR «fr. région.» notamment dans le canton de Genève (où le *Glossaire génevois* le relève en 1820) et Massignon n° 1142];

mouilleux «humide» : «Le temps est mouilleux depuis quelques jours [...]» [1855, Bost 93 ; absent de ROB, indiqué avec deux exemples tirés d'ouvrages techniques de 1955 et 1963 dans le TLF (le mot appartient en effet aussi à la terminologie de la sylviculture, selon laquelle il qualifie un terrain humide et détrempé, et c'est dans cet emploi qu'il est relevé en 1873 dans Littré Suppl) ; FEW 6/3, 46b sous *MOLLIARE, qui indique aussi *mouilloux* en Saintonge ; Massignon n° 8 et Massicotte 55-56].

2.2.2. Exemples intéressant le français de Suisse et éventuellement certaines régions de France :

attendre à qqch. «attendre qqch.» : «[...] je ne puis pas secouer la tristesse qui me pèse sur le cœur pour vous écrire une lettre bien gaie [...]. Mais attendez seulement à la prochaine [...]. Ma tête ira mieux [...] et je tâcherai d'égayer votre solitude...» [1870, Bost 367 ; absente des dictionnaires consultés, cette construction a été relevée aussi en Belgique et en Alsace (Wolf 37)] ;

beau (faire ~ voir) «être beau à voir, faire joli» : «J'ai eu tant de plaisir ce printemps de pouvoir faire beaucoup de petites dépenses «pour faire beau voir !» [il s'agit dans le contexte d'embellissements intérieurs de la maison]» [1871, Bost 372 ; absent des dictionnaires consultés ; GPSR offre cependant des points de comparaison qui permettent de voir là un helvétisme dont ce serait la première attestation] ;

blanche gelée «gelée blanche» : «[...] il y a eu ce matin la 1e blanche gelée» [1861, Bost 235 ; absent de ROB et TLF ; Pierreh. ; FEW 4, 87a sous GELARE a relevé ce tour dans quelques régions : la Normandie (où il est attesté depuis le XIVe s.), la Lorraine et la Suisse romande] ;

bouchoyer «dépecer» : «À Noël passé, deux Américains sans aucune raison y furent bouchoyés [à New Ulm], pendus puis jetés dans la rivière [...]» [1867, Bost 335 ; ROB le mentionne comme régionalisme de Franche-Comté et de Suisse ; absent de TLF ; FEW 1, 588a sous *BUCCO- ; GPSR indique que «le type *bouchoyer* est caractéristique pour la Suisse romande, G[enève] excepté [...]. D'un usage général dans le français régional romand sauf dans G[enève]» et donne 1561 comme première attestation du mot (au sens de « exercer le métier de boucher »). L'emploi analogique qu'on lit dans l'exemple ci-dessus ne figure pas dans GPSR] ;

capote (miel de ~) : « calotte amovible qui coiffe une ruche en paille et où les abeilles déposent leur miel supplémentaire, hausse. [...]. *Mi d kapot*, miel de la hausse, de la meilleure qualité. [...]. Par ext. Ruche à miel » (GPSR sous *capote[1]*) : « Nous vendons presque tout notre miel en rayons (bien beaux) et n'avons pas touché à notre miel de capote pour notre usage [...] » [1867, Bost 334, première attestation ; absent de ROB, TLF et FEW] ;

chambre à manger, voir supra 2.2.1. ;

chéneau « gouttière » : « [...] nous venons de faire mettre des chéneaux autour de la maison [...] » [1866, Bost 333 ; ROB indique « Région. Suisse », pas de mention particulière dans le TLF, mais celui-ci donne un exemple d'A. Theuriet et relève ce sens en 1462 à Neuchâtel (comme GPSR, lequel ne mentionne pas le caractère régional du mot, qui figure dans des définitions sous *chenal*). L'extension du mot *chéneau* est assez large, puisqu'en dehors de la Suisse (GPSR) le mot couvre une large partie de l'est de la France, notamment la Lorraine et la Franche-Comté] ;

compote « choucroute » : « [...] les choux dont je vais bientôt faire de la compote [...] » [1859, Bost 185 ; absent de ROB et de TLF, ce sens est bien attesté pour la Suisse dans GPSR (qui l'atteste sous cette forme depuis 1748) et FEW 2, 985a sous COMPONERE, qui le relève aussi dans le nord et l'est de la France] ;

dépressé (être ~) « avoir du répit dans son travail, être moins surchargé » : « Vous savez, chère mère, qu'avec un enfant, il y a toujours à laver et tripoter de sorte que je suis très occupée [...]. Bientôt nous serons tous dépressés [...] » [1859, Bost 188, première attestation ; absent de ROB et TLF ; GPSR, sans date ; FEW 9, 364b ; RézVend] ;

esparcette « sainfoin » : « [...] quelques livres (1 ou 2) de luzerne et d'esparcette pour semer, on n'en a point ici » [1856, Bost 117 ; relevé par ROB, TLF (qui l'indique sous cette forme depuis 1775), GPSR et FEW comme un régionalisme particulièrement bien attesté en Dauphiné et Suisse romande] ;

fouettée «correction à coups de fouet»: «[...] j'eus à le punir fortement [...] : je le fouettai donc [...]. Mais ce cher garçon après cette fouettée n'osait plus venir vers moi [...]» [1865, Bost 324; absent de ROB et TLF; FEW 3, 372 sous FAGUS donne le mot comme particulièrement bien attesté en Suisse];

grondée «fait de gronder quelqu'un ou d'être grondé»: «Tu mérites une fameuse grondée [...]» [1856, Bost 126; absent de ROB et TLF; FEW 4, 290b sous GRUNDIRE donne comme première attestation 1877 (Littré Suppl), précise que le mot a un caractère provincial et ajoute qu'il est attesté en Saône-et-Loire et en Suisse; à ces deux régions on peut ajouter la Lorraine, puisque Littré Suppl donne un exemple tiré de *L'assassin*, d'Edmond About (auteur d'origine lorraine); attesté en 1820 dans le *Glossaire génevois*];

raisinet «groseille rouge»: «[...] ces mêmes chaleurs ont fait fleurir les pruniers et raisinets [...] et brûlent presque toutes les fleurs» [1867, Bost 338] – «[...] les raisinets à ramasser (32 seaux) et à vendre [...]» [1869, Bost 352; absent de ROB et TLF; régionalisme caractéristique de la Suisse romande; FEW 10, 13a sous RACEMUS; Pierreh. atteste le mot depuis 1852 dans le syntagme *raisinet doux ou sauvage* «fruit du groseillier des Alpes»];

repousse «rejet d'un arbre»: «Arbre après arbre tombent sous sa hache [...]; puis il faut couper les repousses; tout ramasser, branches, racines et repousses, empiler encore, brûler avec soin [...]» [1860, Bost 195-196] – «[...] des pruniers dont des propagateurs d'arbres me demandent des repousses [...]» [1869, Bost 350, première attestation; attesté dans ROB et TLF en 1873 «seconde pousse d'un végétal» (vers 1790 en ce sens dans FEW 9, 557a sous PULSARE, qui donne par ailleurs le sens de «rejeton» comme caractéristique de la Suisse romande)];

seulement, voir supra sous *attendre*. [Après un verbe à l'impératif, avec une valeur atténuative: relevé comme vx ou région. par ROB (Belgique, Suisse...) et comme région. par TLF (sur épreuves) qui donne deux exemples (Töpfer et Giono) et date cette valeur de 1560; FEW 12, 79a sous SOLUS; Wolf 163-164 l'indique aussi en Alsace où il correspond à l'allemand *nur*].

3. APPORT AU FRANÇAIS STANDARD

3.1. Sources lexicographiques et dictionnairiques

C'est encore le père Potier qui donne pour le Canada des attestations plus anciennes que celles que l'on peut trouver en France ; on trouve ainsi chez lui, en 1743 : *baccara, clapotage, frimousse, gueuleton, rayon (d'une bibliothèque), savon* « réprimande », *tannant* « ennuyeux » (cette dernière date a été retenue par ROB et TLF)[7]. Voici par ailleurs un exemple récent qui mérite d'attirer l'attention :

blonde « petite amie » [1831, ROB et TLF ; 1810, DFQPrés ; on peut améliorer sensiblement cette date si l'on songe que la chanson *Auprès de ma blonde* apparaît, telle que nous la connaissons, en 1704, si l'on en croit M. David et A.-M. Delrieu, *Aux sources des chansons populaires*, Paris, 1984, p. 220].

3.2. Sources documentaires

3.2.1. *Il peut s'agir de mots ou de sens qui, à tort ou à raison, n'ont pas été pris en compte par les dictionnaires français :*

cochonnier (dans un emploi d'auteur) : « Les bœufs sont [au Minnesota] les principales bêtes de labour et de travail. [...] Les vaches sont infiniment inférieures à nos belles bêtes de Suisse et coûtent en proportion bien plus cher. Leurs majestés cochonnières sont tout aussi gracieuses et propres qu'en Suisse [...] » [1856, Bost 124 ; cet emploi est absent des dictionnaires consultés] ;

égaliseur « celui qui égalise, qui aplanit (un terrain) », voir exemple supra 2.2.1., sous *bûcheur*, première attestation du mot et de ce sens [cf. ROB, TLF et FEW 24, 214a sous AEQUALIS] ;

enclôturé « entouré d'une enclôture » : « [...] une maisonnette avec près d'un demi-hectare [...], le tout bien enclôturé et planté en vigne et vergers » [1874, Bost 396 ; absent des dictionnaires consultés] ;

---

7. D'après Juneau 19-20, passage dépouillé partiellement pour les DDL 22 (1983).

nordois «nordiste (lors de la guerre de Sécession)»: «[...] les Sudois n'ont pas comme les Nordois le courage de dire qu'ils se sont conduits en lâches [...]» [1862, Bost 247-248; absent des dictionnaires consultés; *nordiste* et *sudiste* sont datés par ROB vers 1861-1865 et par TLF de 1866];

réveil «assemblée religieuse destinée à raviver la foi des fidèles; mouvement de conversion ou d'approfondissement de la foi»: «Nous avons un Réveil tout autour de nous, presque tous nos voisins inconvertis se joindront à notre église dans quelques semaines, on pense» [1861, Bost 218; absent de ROB et TLF; RG, sous *revival*, donne un exemple de 1883 («ce qu'en Suisse on appelle des «Réveils»», A. Daudet); on notera qu'Anni Bost, le père de Th. Bost, avait publié à Paris en 1854-1855 trois volumes de *Mémoires pouvant servir à l'histoire du réveil religieux des églises protestantes de la Suisse et de la France*];

rompage «préparation à la mise en culture d'une terre nouvellement défrichée»: «[...] je pense me mettre à faucher mon blé qui promet une assez belle récolte considérant surtout que ce n'est que le premier labour après le rompage [...]» [1860, Bost 199; absent des dictionnaires consultés];

routeur «celui qui construit une route»: «Plus de 20 claims ont été faits depuis quelques jours près de notre route et des centaines se feront le printemps prochain: ceci est la récompense des routeurs» [1855, Bost 69; absent de ROB, de TLF et (en ce sens) de FEW 9, 571a sous RUMPERE];

sudois «sudiste», voir supra *nordois*.

3.2.2. Pour d'autres faits, très attestés et bien représentés dans les dictionnaires, les sources dépouillées fournissent une meilleure datation:

asphalté «recouvert d'asphalte»: «[...] nous sommes 4 et si les habits sont simples, les buissons les usent aussi un peu plus vite que vos belles routes asphaltées» [1860, Bost 191-192; ROB et TLF, 1898; FEW 25, 489a sous ASPHALTUS, 1866. À noter que le mot est plus usuel au Québec qu'en France où l'on préfère *bitumé*, *macadamisé* et surtout *goudronné*];

assurance-vie « assurance versée aux ayants droit en cas de décès du souscripteur » : « [...] je fis assez d'argent pour payer l'assurance de ma vie pour $ 1000 » [1866, Bost 333 ; sans date dans ROB et TLF ; absent de FEW 25, 516a sous *ASSECURARE. On notera que cet exemple n'illustre pas exactement *assurance-vie*, mais il semble un jalon intéressant ; il n'est pas exclu toutefois, étant donné le contexte, qu'il s'agisse d'un calque de l'anglais *life insurance*] ;

couleurs (en faire voir de toutes les ~) « faire subir toutes sortes d'épreuves à qqn » : « Ils nous ont battus 60 contre 12, mais dans huit jours nous pensons les battre et en tout cas en faire voir de toutes les couleurs à quelques-uns d'entre eux » [1866, Bost 330 ; RCh, sans date ; ROB, exemple de 1874 ; fin XIXe s., *en voir de toutes les couleurs* Duneton ; TLF, exemple de 1948 ; FEW, 1869] ;

courteur « brièveté » : « Tout va bien pour le moment. Pardonnez la courteur de cette lettre, je ne suis pas bien et ai bien besoin de repos » [1859, Bost 182 ; absent de ROB et TLF ; FEW 2, 1587a sous CURTUS ne donne qu'une seule attestation de 1530] ;

école du dimanche « enseignement religieux donné le dimanche aux jeunes protestants » : « Il faut aller prendre notre « lunch » du dimanche, puis préparer les enfants pour l'école du dimanche et l'église » [1867, Bost 342 ; ROB « probablement de l'angl. *sunday school* » (attesté depuis 1783, OED) ; TLF exemple d'A. Daudet, 1883 ; absent de FEW sous SCHOLA ; GPSR l'indique, sans date, comme usuel en Suisse romande à propos des cantons réformés] ;

faire « convenir, faire l'affaire » : « [...] celui-ci [un bœuf] n'est ni si beau, ni si fort, je crois, mais il fera et nous sommes bien aises de l'avoir » [1860, Bost 191 ; absent de TLF et FEW] ;

générale (battre la ~) « trembler » : « [...] quoique ma voix fût parfaitement calme, mes jambes tremblaient et battaient la générale [...] » [1855, Bost 81 ; sens figuré absent de ROB et FEW ; sans exemple dans TLF] ;

isme « théorie, doctrine dont le nom est en -*isme* » : « [...] le rationalisme, unitarisme, spiritualisme et tous les autres ismes qui tous s'unissent à rejeter la Bible [...] » [1869, Bost 350 ; ROB, 1930 d'après DDL ; absent de TLF] ;

machine à coudre: «C'est magnifique comme la civilisation fait des progrès : pour moi j'ai la tête pleine de ces jolies machines à coudre qui s'introduisent dans tant de familles et jouent un rôle si charmant ! » [1861, Bost 242; ROB et TLF, sans date; 1869, dans FEW 2, 1090a sous CONSUERE];

machine à laver (le linge): «Et puis on a des machines à laver, à tordre le linge – à pétrir le pain même ! Bientôt on pourra se passer de servantes» [1861, Bost 243] – «À propos, chère mère, j'oubliais votre question : avons-nous des machines à coudre ? Oh oui, et des machines à laver, et à tordre le linge; plusieurs de nos voisins [...] ont acheté des machines à laver ou tordre [...]» [1864, Bost 295-296; ROB et TLF, sans date; absent de FEW (le terme *laveuse*, utilisé en France au XIXe s., est usuel au Québec)];

marier (n'être pas marié à / avec) «être libre envers, ne rien devoir à » : «Mais patience, tout peut changer, et nous ne sommes pas non plus mariés au Minnesota, comme vous me le disiez autrefois, chère belle-maman» [1859, Bost 186; ROB, sans date; absent de TLF, Duneton et FEW];

mélodium «harmonium» : «Dès que nous en aurons le moyen nous aurons un mélodium [...]» [1865, Bost 325; ROB, XIXe s.; absent du TLF; FEW 6/1, 686b sous MELODIA : 1867 *mélodium*, 1811 *melodion*. Dans le contexte cité, il peut s'agir d'un anglicisme : *melodium* est attesté dans OED depuis 1857];

piazza «petite place» : «Le soir nous restons sur la piazza jusque vers 8 heures [...]» [1870, Bost 360; ROB, 1977; TLF, 1750 «place publique en Italie»];

pieds (faire des ~ et des mains) «faire tous ses efforts» : «[...] Pierce le président et Douglas, un sénateur aspirant à la présidence [...] ont tant fait des pieds et des mains qu'ils sont parvenus à faire passer dans le Sénat et la Chambre un bill [...]» [1854, Bost 35; ROB, sans date; TLF, exemple de 1966 sous *main*; Duneton, sans date; RCh, XXe s.; absent de FEW sous MANUS et sous PES];

plan (rester en ~) «rester en suspens» : «Quant à cette affaire [...] tout reste en plan [...]» [1862, Bost 251; attesté en 1882 dans TLF, avec un sujet nom de personne; XXe s., Duneton];

pouponner «dorloter, cajoler (un bébé)» : «[...] Dodo s'est bien vite fatigué de me voir toujours dans la maison et toujours occupée de l'enfant ; il me força en me faisant sortir à la laisser crier un peu et à la faire dormir quand elle voulait être pouponnée, et cela va bien mieux depuis» [1859, Bost 184 ; ROB, 1906 (?) ; TLF n'indique cet emploi qu'en 1914, mais déjà indirectement en 1810 d'après Mollard «traiter comme un poupon, choyer, dorloter», ce dernier emploi étant relevé notamment en Suisse romande par FEW 9, 602b sous *PUPPA] ;

tourner «avoir assez d'argent, équilibrer son budget (surtout négativement)» (Lacher dans FEW 13/2, 48a sous TORNARE qui l'indique comme français moderne) : «[...] depuis trois ans nos récoltes ne nous suffisaient qu'à peine pour tourner [...]» [1865, Bost 314] – «[...] grâce à Dieu, nous nous tirerons bien d'affaire cette année. Mais il faut beaucoup d'argent pour tourner et nouer les deux bouts [...]» [1867, Bost 343 ; ROB sans date ; le premier exemple sera retenu dans le TLF] ;

traçage «fait de tracer (une route)» : «Je suis toujours avec les bûcheurs, ayant à tracer la route. À présent, le traçage se fait différemment, le traçage du gouvernement faisant des bêtises à tout moment» [1855, Bost 65 ; le mot n'est attesté dans ROB et TLF qu'en 1873].

4. LES ANGLICISMES ET LES AMÉRICANISMES

On a rangé à part cette catégorie, qui a fait couler tant d'encre au Québec et aussi en France : si, au cours de son histoire, le français n'a pas manqué d'emprunter à l'anglais (et réciproquement), ce phénomène offre évidemment en Amérique du Nord des caractéristiques particulières qu'il ne s'agit ni de majorer ni de minorer (voir par exemple Poirier, 1978). Alors que les rédacteurs du FEW s'interdisaient naguère de relever les anglicismes du québécois, on a vu qu'ils les relèvent aujourd'hui, en les mentionnant comme tels, et cette initiative est bienvenue dans la mesure où elle assure une plus exacte description du fonctionnement de la langue.

4.1. Sources lexicographiques et dictionnairiques

Le DFQPrés a offert un échantillon d'anglicismes et d'américanismes (emprunts ou calques) bien attestés en québécois comme *aréna*, *attaboy*, *bombe puante*, *boulé / bully*, *cave*², *thépot* (dénonçant aussi chemin faisant quelques prétendus anglicismes, comme *appartement*, ou élucidant l'étymologie de *bazou*, en recourant à l'américain); on remarquera que certains mots, comme *pep*, ont été attestés d'abord en français d'Amérique avant de l'être en Europe (sans qu'il faille nécessairement établir de filiation entre les deux).

4.2. Sources documentaires

4.2.1. *Mots qui ne semblent pas aujourd'hui lexicalisés (s'ils l'ont jamais été) dans les français d'Amérique :*

agressive (prendre l'~) « prendre l'offensive » : « [...] faire une attaque et prendre l'agressive » [1861, Bost 233 ; absent des dictionnaires consultés, y compris de FEW 24, 262a sous AGGRESSOR ; l'emploi substantif semble rare en anglais : l'OED n'en donne qu'un exemple de 1845] ;

bénéfit « bénéfice » : « 3 vaches ! [...] Ce ne sera donc guère que le printemps prochain que j'en aurai tout le bénéfit, mais alors, que de beurre ! » [1859, Bost 185 ; de l'angl. *benefit*] ;

enlister « enrôler » : « [...] ils ont enlisté 600 000 volontaires [...] » [1862, Bost 247] – Emploi pron. : « Un de nos voisins [...] s'enlista [...] » [1865, Bost 311 ; de l'angl. *to enlist*] ;

notice (donner ~ à qqn) « aviser qqn » : « J'ai de nouveau donné notice au charpentier de venir bâtir et cette semaine je pense me mettre à faire la maison » [1863, Bost 279 ; de l'angl. *to give notice*] ;

propagateur d'arbres « pépiniériste » : « [...] des pruniers dont des propagateurs d'arbres me demandent des repousses [...] » [1869, Bost 350 ; de l'angl. *propagator*] ;

sprinkler : « [...] nous eûmes un bon sermon, on sprinkla (baptisa par aspersion) les deux petites filles [...] » [1855, Bost 97 ; de l'angl. *to sprinkle*] ;

stationnaire « (par opposition à *ambulant*) fixe, sédentaire » : « Voici donc le portrait de notre jolie maison, nous n'avons pas voulu manquer l'occasion de la faire prendre au tiers du prix de ce que ça nous aurait coûté par des artistes stationnaires [...] » [1866, Bost 333 ; emploi absent des dictionnaires français consultés, probablement influencé par l'anglais *stationary*] ;

tenteur « celui qui prépare un campement, qui dresse une tente » : « Toutes les semaines, nous changeons de camp, faisant à peu près 2 miles et demi à chaque fois. Les tenteurs vont en avant, nettoient une place pour sept tentes [...] » [1855, Bost 67 ; de l'anglais *tenter*, attesté en 1864 selon OED (l'origine et en tout cas l'influence anglo-américaine du mot semblent bien probables)] ;

vilifier « avilir » : « [...] mes créanciers, qui n'ont ici ni le pouvoir ni l'atroce idée d'écraser et de vilifier un homme s'il fait faillite » [1865, Bost 320 ; FEW 14, 448b sous VILIS indique bien : « Mfr *vilifié* « rendu vil » (1564, Rab) », mais il s'agit ici d'un emprunt à l'angl. *to vilify*].

4.2.2. *Mots attestés en Louisiane ou en Acadie :*

dépendre sur « dépendre de » : « [...] les mille etc. d'un ménage où l'on ne dépend ni sur boulanger ni sur qui que ce soit [...] » [1861, Bost 229 ; de l'angl. *to depend upon*] ;

log « bûche », voir le suivant. [Recueilli en Louisiane par H. Phillips, *Étude du parler de la paroisse Évangéline*, 1936] ;

tamarack « mélèze d'Amérique, *Laris laricina* Du Roi » : « Il s'est bâti une bonne maison de logs de tamarack [...] » [1855, Bost 99] – « Le salon a 23 pieds sur 13 pieds de large, les murs formés de logs de tamarack, vilaine espèce de sapins tout nuds en hiver, qui croît dans beaucoup de marais » [1856, Bost 121 ; Massignon n° 151 ; OED 1805 *tamerack* et 1810 *tamarack* ; mot d'origine amérindienne que le fichier du TLFQ atteste en 1850 sous la forme *tamarac*].

4.2.3. *Mots passés en français du Canada ou de Louisiane (et parfois de France) :*

agriculturiste «qui concerne les agriculteurs » : «Les papiers agriculturistes recommandent toujours plus de bien travailler quand il y a de la presse et de se visiter quand on peut» [1867, Bost 344 ; absent de ROB, TLF, RG et Höfler ; de l'angl. *agriculturist* «agriculteur» ; recueilli comme subst. en Louisiane dans Griolet et, dans un sens particulier, comme subst. et adj. par Dulong] ;

boss «patron » : «Je dors par-dessous [une moustiquaire], avec deux des bosses [*sic*] (bossman, chef d'ouvriers)» [1855, Bost 67 ; 1869, RG, ROB, TLF, Höfler et FEW 18, 31b sous BOSS ; Griolet] ;

claim «terrain concédé» : «Il y a eu et il y a encore ce que j'appelle une «claim fever» dans le camp. Je vous ai déjà dit je crois, que là où la terre n'est pas mesurée, elle n'est pas encore à vendre. Chacun peut prendre 160 acres et les cultiver sans rien payer ; et chaque ouvrier peut prendre un de ces lots (ou claims) ce qui est très avantageux […]» [1855, Bost 67-68 ; Höfler, 1860 «terrain renfermant un minerai précieux ou rare» ; absent de ROB et TLF ; 1860, FEW 18, 42b sous CLAIM] – Dérivé *claimant* «propriétaire d'un claim» : «[…] arrivai à Chaska à nuit tombante, continuai mon chemin pour arriver à ce claim, le même soir […] pour avertir le claimant de ne pas partir lundi matin comme il voulait le faire […]» [1855, Bost 97 ; absent des dictionnaires consultés] ;

interlude «épisode, époque intermédiaire» : «Vraiment nous avons sauté de l'hiver à l'été avec un petit interlude de 4 ou 5 vilains jours» [1870, Bost 360 ; sens non daté dans ROB ni TLF ni RG ; absent de FEW et Höfler] ;

mile «mesure anglo-saxonne de longueur correspondant à 1609 mètres» : «[…] vivre dans les Etats de l'Est est vivre un peu mieux que chez nous ; mais un jeune homme qui vient en Amérique comme on se le figure chez nous, doit aller à mille miles dans les terres» [1854, Bost 30] – «Le territoire du Minnesota, place où je désire aller, contient 166 000 miles carrés ou 106 000 000 d'acres […]» [1855, Bost 42] – «[…] les chars sont à un demi-mile […]» [1855, Bost 50 ; ROB, 1866 ;

TLF, 1868 d'après Höfler; absent du FEW; attesté en 1764 d'après le fichier du TLFQ];

payer «être rentable, rapporter du profit»: «Le pays était tellement peu connu qu'on a souvent fait des dépenses inutiles et dépensé un temps énorme à des cultures qui à ce qu'on voit à présent ne payaient pas» [1860, Bost 200] – En emploi impersonnel: «[...] défricher, ça paie» [1861, Bost 218; RG, ROB et TLF, 1875 d'après Littré Suppl; cf. FEW 7, 456a sous PACARE];

unioniste, adj.: «Le dimanche on va au temple unioniste [...]» [1855, Bost 104; sens absent de ROB et FEW; 1864, dans RG et TLF comme n. m. «membre d'une église protestante anglo-américaine regroupant plusieurs sectes»].

5. CONCLUSION

Il y aurait beaucoup à dire aussi sur ce que les études sur les français d'Amérique peuvent apporter d'une façon plus générale à la lexicologie et à la lexicographie françaises, en invitant par exemple les dictionnaires français à se montrer moins franco-français. Mais en les invitant aussi

5.1. à faire preuve de plus de cohérence

beau (n'être pas ~ à voir) «offrir un spectacle lamentable...» [expression absente des dictionnaires français, alors qu'elle est usuelle en France et au Québec, ainsi que par antiphrase avec le même sens dans *être beau à voir, à regarder* (cf. DFQ *beau*[1] sur épreuves)];

belle-maman «pour un conjoint, mère de l'autre conjoint», voir exemple supra 3.2.2., sous *marier* [1859, Bost 186; ROB, TLF et FEW ne donnent que 1673 comme première attestation, mais il s'agit d'un passage de Molière où le mot désigne «la femme du père par rapport aux enfants qu'il a eus d'un premier mariage»];

pouponne «bébé de sexe féminin» [1861, Bost 218; absent de ROB qui ne donne que le masculin; TLF donne un exemple de George Sand de 1853];

5.2. ou encore à élargir leur nomenclature dans des directions vers lesquelles ils sont trop peu enclins

Minnesotais, Minnesotien «personne originaire du Minnesota ou qui y habite»: «Les affaires commerciales ont encore un air bien sombre pour nous autres Minnesotiens» [1859, Bost 165] – «[...] les Minnesotais qui jusqu'ici n'ont eu que des déboires com[m]enceront à voir de meilleurs jours [...]» [1860, Bost 200];

nicht ferschté [surnom du Suisse allemand; délocutif, équivalent de «pas comprendre»]: «[...] elle me conduisit chez une vieille «nicht ferschté» [...]; compris ou essayai de comprendre ce qu'elle me disait en allemand [...]» [1855, Bost 97; cf. allemand *nicht verstehen* «ne pas comprendre» et FEW 16, 300a, art. KAN NIET VERSTAAN];

Rothschild [symbole de la richesse]: «[...] l'aubergiste qui, à mon air indifférent et à mes beaux habits, mis pour l'occasion, crut que Rothschild n'était pas plus riche que moi» [1855, Bost 53; sans être directement exploitable, cet exemple fournit néanmoins un jalon utile pour la lexicalisation de dérivés du mot, comme *rothschildien* (1892, dans L. Bloy, *Le salut par les Juifs*; France 1907)].

Les travaux sur les français d'Amérique mettent chaque jour en valeur des aspects mal connus de la langue française qui ont leur histoire et leurs lettres de noblesse; ils apportent des témoignages ou des éclairages nouveaux au reste de la francophonie, en même temps que les recherches faites ailleurs, et pas seulement en France, peuvent leur apporter beaucoup (voir par exemple Poirier, 1979). Il faut espérer que ces recherches auront les moyens de se développer et que tous ceux qui travaillent sur le français en tireront un parti accru, en s'efforçant d'envisager notre langue de façon moins monolithique et d'y regarder à deux fois avant de l'identifier aux frontières de l'Hexagone! On sera aussi particulièrement attentif au fait que le québécois et l'acadien, sans oublier les créoles, constituent une part des archives du français de l'ouest de la France dans lesquelles il nous est donné de lire à livre ouvert et qui sont riches d'enseignements[8].

Ces réalités intéressent en tout cas, et on ne saurait trop s'en réjouir, beaucoup de lecteurs qui vibrent aux romans de Gabrielle Roy ou de Réjean Ducharme sur le Québec, d'Antonine Maillet sur l'Acadie, de Maurice Denuzière sur la Louisiane, de Patrice Chamoiseau sur la Martinique, de Simone Schwartz-Bart sur la Guadeloupe, sans oublier cette autre île où vacille encore la flamme du français et qu'illustrent avec talent René Depestre, Jean Métellus et naguère Jacques Roumain avec son admirable *Gouverneurs de la rosée*.

---

8. Comme me l'indiquait J.-P. Chauveau dans un courrier du 22 avril 1991, « l'identité d'un mot du québécois moderne et d'un mot de l'Ouest d'oïl (sauf cas d'évolution sémantique parallèle) suffit pour avoir la certitude de l'existence de ce mot au XVIIe s. dans l'ouest de la France. L'attestation québécoise, de par sa seule existence séparée, permet d'antédater le mot, même sans datations anciennes ; quand celles-ci existent, elles confirment un raisonnement qui a valeur de soi. Le français d'Amérique peut en effet permettre de reconstituer en partie le français parlé de l'époque classique par simple comparaison rigoureusement conduite. Voici par exemple un cas où la comparaison est éloquente, en l'absence d'attestations anciennes : le québécois *pas achalé* (depuis 1954 seulement) et l'angevin *pas achalé* ainsi que le haut-manceau *point achalé* (tous deux depuis le XIXe s.) prouvent une identité originelle au XVIIe s. (cf. DFQPrés 7b). Le québécois et l'acadien (sans oublier les créoles) constituent une partie des archives de l'Ouest. »

Index

Bibliographie

ALEC = Dulong, Gaston, et Gaston Bergeron (1980), *Le parler populaire du Québec et de ses régions voisines. Atlas linguistique de l'est du Canada*, Gouvernement du Québec, Ministère des Communications en coproduction avec l'Office de la langue française, 10 vol.

Arveiller, Raymond (1963), *Contribution à l'étude des termes de voyage en français (1505-1722)*, Paris.

Bégon 1 = « Lettres de Michel Bégon à Esprit Gabart de Villermont (1684-1705) », dans *Archives historiques de la Saintonge et de l'Aunis*, 47 (1925). Bégon 2 = *Ibid.*, 48 (1930).

Bost = Bost, Charles Marc (dir.) (1977), *Les derniers puritains pionniers d'Amérique. 1851-1920. Lettres de Théodore Bost et Sophie Bonjour*, Paris, Hachette, 439 p.

Clas = Clas, André, et Émile Seutin (1985), *Dictionnaire de locutions et d'expressions figurées du Québec*, Université de Montréal.

DDL = Quemada, Bernard (dir.) (dep. 1970), *Datations et documents lexicographiques*, Paris, CNRS et Klincksieck, 41 vol. parus.

DFPlus = *Dictionnaire du français plus à l'usage des francophones d'Amérique* (1988), Montréal, Centre éducatif et culturel inc., XXIV + 1 856 p.

DFQPrés = Poirier, Claude (dir.) (1985), *Dictionnaire du français québécois. Volume de présentation*, Québec, PUL, XLI + 169 p.

Dulong = Dulong, Gaston (1989), *Dictionnaire des canadianismes*, [Boucherville, Québec], Larousse, XVI + 461 p.

Duneton = Duneton, Claude, en collaboration avec Sylvie Claval (1990), *Le bouquet des expressions imagées*, Paris, Le Seuil, XIII + 1 380 p.

FEW = Wartburg, Walter von (dep. 1922), *Französisches etymologisches Wörterbuch*, Bâle, en cours de publication, 151 fascicules parus.

France 1907 = France, Hector (1907), *Dictionnaire de la langue verte : archaïsmes, néologismes, locutions étrangères, patois*, Paris, Librairie du Progrès, 495 p.

Friederici, Georg (1960), *Amerikanistisches Wörterbuch und Hilfswörterbuch für den Amerikanisten*, 2ᵉ éd., Hambourg.

GPSR = *Glossaire des patois de la Suisse romande*, Neuchâtel, en cours de publication dep. 1924.

Griolet = Griolet, Patrick (1986), *Mots de Louisiane. Étude lexicale d'une francophonie*, Paris, L'Harmattan, 198 p.

Höfler = Höfler, Manfred (1982), *Dictionnaire des anglicismes*, Paris, Larousse, XXV + 308 p.

Juneau = Juneau, Marcel (1977), *Problèmes de lexicologie québécoise. Prolégomènes à un Trésor de la langue française au Québec*, Québec, PUL, 278 p.

König, Karl (1939), *Überseeische Wörter im Französischen (16.-18. Jahrhundert)*, Halle.

Littré Suppl = Littré, Émile (1877), *Dictionnaire de la langue française. Supplément*, Paris, Hachette, IV + 375 p.

Massicotte = Massicotte, Micheline (1978), *Le parler rural de l'Île-aux-Grues (Québec). Documents lexicaux*, Québec, PUL, 554 p. + 29 pl.

Massignon = Massignon, Geneviève (1962), *Les parlers français d'Acadie. Enquête linguistique*, Paris, Klincksieck, 2 vol.

OED = *The Oxford English Dictionary* (éd. 1989), 20 vol.

Pierreh. = Pierrehumbert, W. (1926), *Dictionnaire historique du parler neuchâtelois et suisse romand*, Neuchâtel, V. Attinger, 764 p.

Poirier, Claude (1978), « L'anglicisme au Québec et l'héritage français », dans Lionel Boisvert *et al.* (dir.), *Travaux de linguistique québécoise*, 2, Québec, PUL, p. 43-106.

Poirier, Claude (1979), « Créoles à base française, français régionaux et français québécois : éclairages réciproques », dans *Revue de linguistique romane*, 43, p. 400-425.

Poirier, Claude (1980), « Le lexique québécois : son évolution, ses composantes », dans *Stanford French Review*, printemps-automne, p. 43-80.

RCh = Rey, Alain, et Sophie Chantreau (1987), *Dictionnaire des expressions et locutions*, nouv. éd., Paris, Le Robert, XV + 946 p..

Rey, Alain (1990), « La lexicographie française depuis Littré », dans Fr. J. Hausmann *et al.* (dir.), *Wörterbuch. Dictionaries. Dictionnaires. Encyclopédie internationale de lexicographie*, t. 2, p. 1818-1843.

RézOuest[1] = Rézeau, Pierre (1984), *Dictionnaire des régionalismes de l'Ouest entre Loire et Gironde*, Les Sables d'Olonne, Le Cercle d'or, 302 p.

RézOuest[2] = Rézeau, Pierre (1990), *Dictionnaire du français régional de Poitou-Charentes et Vendée*, Paris, Bonneton, 160 p.

RézVend = Rézeau, Pierre (1976), *Un patois de Vendée. Le parler rural de Vouvant*, Paris, Klincksieck, 352 p.

RG = Rey-Debove, Josette, et Gilberte Gagnon (1980), *Dictionnaire des anglicismes*, Paris, Le Robert, XIX + 1152 p.

ROB = Robert, Paul (1985), *Le Grand Robert de la langue française. Dictionnaire alphabétique et analogique de la langue française*, 2e éd. par Alain Rey, Paris, Le Robert, 9 vol.

SPM = Brasseur, Patrice, et Jean-Paul Chauveau (1990), *Dictionnaire des régionalismes de Saint-Pierre et Miquelon*, Tübingen, Max Niemeyer, V + 748 p.

TLF = Imbs, Paul, puis Bernard Quemada (dir.), *Trésor de la langue française. Dictionnaire de la langue du XIXe et du XXe siècle*, Paris, en cours de publication, 14 vol. parus (les vol. 15-16 ont pu être consultés sur épreuves).

TraLiQ 1 = Juneau, Marcel, et Georges Straka (dir.) (1975), *Travaux de linguistique québécoise*, 1, Québec, PUL, 355 p.

Wolf = Wolf, Lothar (1983), *Le français régional d'Alsace*, Paris, Klincksieck, 201 p.

Recherches sur le phonétisme du franco-ontarien et sa mouvance

Pierre R.A. Léon
Département de français
Université de Toronto

TRAVAUX PHONÉTIQUES ET SOCIOPHONÉTIQUES

Depuis 1968, on a poursuivi des recherches sur le phonétisme de plusieurs types de français, au Laboratoire de phonétique expérimentale de l'Université de Toronto. Un premier bilan (Léon, 1979a) a montré les aspects très diversifiés des travaux effectués, particulièrement sur le français de l'Ontario et sur celui de la Saskatchewan (*Ibid.*, p. 79-97). Un second bilan présente de nouvelles investigations d'orientation socio-phonétique (Léon et Cichocki, 1989).

Les travaux de Jean-Denis Gendron (1966) et de tous les disciples de Straka qui ont publié leurs thèses pendant les années qui ont suivi ont été les premiers modèles auxquels on a confronté les recherches sur les variétés non québécoises du français canadien. Par la suite, les nombreux travaux québécois en sociolinguistique ont été une nouvelle source stimulante d'inspiration.

Les principaux travaux torontois comprennent tout d'abord une étude générale, centrée sur les aspects phonématiques et prosodiques d'un corpus franco-ontarien (Léon, 1968); puis une série de thèses de doctorat réalisées sous la direction de Pierre Léon et portant sur divers aspects prosodiques, phonématiques et morphonologiques : l'incise

(Nemni, 1973); la phrase énonciative (Wrenn, 1974); l'interrogation totale (Szmidt, 1976); la phrase interrogative (Ginsberg, 1976); la variation sociophonétique à Sudbury (Thomas, 1982); la variabilité phonématique (Cichocki, 1986); la norme (Lavertu, en cours); la variation morphonologique à North Bay (Tennant, en cours); des articles de Renée Baligand, Eric James, Nicole Maury et Phyllis Wrenn, réunis dans le volume 8 de la collection «Studia Phonetica» (Grundstrom et Léon, 1973) portant sur l'interrogation; d'autres articles sur divers problèmes de phonétique expérimentale ou fonctionnelle (Chidaine, 1967; Léon, 1967, 1968, 1983a, 1983b; Léon et Jackson, 1971) ou de sociophonétique (Léon, 1974, 1980, 1983a, 1983b; Léon et Cichocki, 1989; Thomas, 1986, 1990).

On voudrait, ici, rappeler sommairement le sens de l'ensemble de ces recherches et tenter d'en dégager la dynamique évolutive.

LE PHONÉTISME FRANCO-ONTARIEN

Lorsque l'on fait l'inventaire phonématique du franco-ontarien, sans tenir compte de facteurs sociologiques ou stylistiques, il est évident qu'on y trouve tous les traits du québécois et de l'acadien. On peut même aisément remonter aux parlers de l'ouest de la France avec lesquels il n'existe que de faibles divergences (Debrie-Maury, 1968; Maury, 1976; Léon, 1967). Ainsi le normand ne connaît pas la syncope vocalique du type *député* devenant [deptse] malgré une accentuation extrêmement forte. Il ne réalise pas non plus l'assibilation. La spirantisation de [ʃ] et [ʒ] (venue de la région Charentes-Poitou et non de Normandie) se retrouve en franco-ontarien mais avec une fréquence beaucoup plus basse qu'en acadien. On ne relève jamais en franco-ontarien le phénomène normand d'assimilation de [h] à [ʀ] du type *hareng* devenant [hahẽ]* ou [ʀaʀẽ]* (Léon, 1967).

Autre témoignage d'un français canadien général, celui de la Saskatchewan, est étudié dans le système vocalique du parler de Gravelbourg par Jackson (1968).

ACCENTUATION ET DURÉE

Comme le québécois, le franco-ontarien est doté d'un système où dominent les proéminences acoustiques d'intensité et de durée. La syllabe finale semble toujours plus brève qu'en français standard (Robinson, 1968). Comme en normand, le rythme vient ici de la conservation des durées étymologiques. Les voyelles postérieures, fermées, diphtonguées ou nasales sont longues et tendent alors à être perçues comme accentuées, comme dans tous les parlers de l'Ouest français. Notons au passage que si le normand connaît peu ou pas de diphtongues dans certains sous-groupes contemporains, comme le remarquent René Lepelley (1974) et Louise Dagenais (1986), d'autres dialectes de l'Ouest, comme les parlers ruraux du Maine et du Perche, en comportent encore beaucoup. Ces mêmes traits se retrouvent aussi en Saskatchewan (Léon et Jackson, 1971).

INTONATION

Comme il n'existe actuellement, à ma connaissance, aucune étude intonative d'un parler québécois spontané, il est difficile de dire si le franco-ontarien possède une quelconque originalité de ce point de vue[1]. Les études torontoises sur le sujet ne montrent pas de caractères très nettement divergents par rapport au français standard, probablement parce que les corpus étudiés reflétaient la langue des classes sociales moyennes plutôt favorisées.

Holder (1968), supposant après Gendron (1966) un registre de parole plus étroit qu'en français standard, n'arrive à aucune conclusion définitive, sans doute en raison d'un corpus assez limité. Son étude fait cependant ressortir des schémas intonatifs de continuité montante et descendante et des schémas de finalité descendante et montante, reflétant le naturel de la parole spontanée, pour les deux parlers franco-ontarien et français standard. Yvette Szmidt (1968) observe en franco-ontarien une préférence marquée pour l'interrogation syntaxique du type « Aimez-vous Toronto ? », opposée à celle plus fréquente du français standard

---

1. On attend actuellement les résultats des recherches en cours à l'Université du Québec à Montréal et à l'Université Laval.

« Vous aimez Toronto ? ». La réalisation intonative de la phrase inter—
rogative à inversion révèle qu'en français standard le type intonatif le
plus courant consiste à élever le ton à l'inversion et à la finale alors
qu'en franco-ontarien, dans la plupart des cas, l'accroissement de hauteur
ne se réalise qu'à la finale.

Nicole Maury (1973a) arrive à des résultats quelque peu différents
tout en faisant ressortir le rôle des multiples facteurs qui entrent en
ligne de compte dans les processus interrogatifs : outils syntaxiques,
éléments postposés et rôle important du contexte. Dans une autre étude,
Maury (1973b) compare le *hein ?* en franco-ontarien avec le *eh ?* décrit
par Avis (1973) pour l'anglais canadien. Elle en déduit le caractère dis-
joint de *hein* et *eh*, qui ne sont pas toujours porteurs de mélodie interrogative et qui présentent certaines similitudes dues, peut-être, au
contact des deux langues. Un corpus lu et un corpus spontané important,
concernant des informateurs du sud de l'Ontario, d'origines sociales
moyenne et défavorisée, ont donné lieu à d'autres études intonatives au
Laboratoire de phonétique expérimentale de Toronto. Parmi celles qui
ont été publiées, on peut citer Maury et Wrenn (1973) et Baligand et
James (1973). Ces études tentent d'établir respectivement les patrons
intonatifs des deux styles examinés pour l'interrogation totale et l'interrogation syntaxique. De son côté, Nemni (1973) examine le fonctionnement de l'incise en franco-ontarien et en français standard. Elle
conclut, à partir de deux corpus d'interviews radiophoniques, que les
différences attribuables au style utilisé dépassent largement celles qui
séparent les variantes proprement linguistiques. D'autres travaux, en
cours, devraient permettre de préciser nos connaissances sur l'intonation
franco-ontarienne.

PROBLÉMATIQUE PHONÉTIQUE

À propos du phonétisme franco-ontarien, les questions qui se
posent sont les mêmes que pour le français québécois. On vient de voir
qu'on a tenté de répondre à celles qui concernent la description
des paramètres phoniques *communs* aux français de l'ouest de la France
et à ceux du Canada. Il reste encore à trouver bien des réponses aux phénomènes d'*évolution proprement interne*. Les facteurs en cause sont
d'ordre phonétique, phonologique ou social. C'est dans ces trois

directions que l'on peut vraisemblablement découvrir la dynamique des changements en cours.

DYNAMIQUE PHONÉTIQUE

Par rapport aux français de l'ouest de la France, deux traitements phonétiques originaux apparaissent en franco-ontarien comme en québécois: l'assibilation et la chute des voyelles désonorisées. Les exemples que l'on trouve en France ne sont pas normands. Conrad Ouellon, de l'Université Laval, a relevé récemment des exemples d'assibilation chez des enfants en Anjou et en Île-de-France. Est-ce un développement moderne ?

En ce qui concerne l'assibilation de [t] et [d] en [tˢ] et [dᶻ], Gendron (1966, p. 121-125) suppose que le phénomène résulte d'une consonne légèrement palatalisée plutôt que d'une palatale. Sa thèse est alors que, d'une part, les phénomènes de palatalisation et, d'autre part, les phénomènes d'affrication des occlusives ne sont pas imputables à un affaiblissement mais au contraire à un renforcement articulatoire. On sait que c'est la théorie de Georges Straka (1965) que les palatalisations sont le résultat d'un accroissement de l'énergie musculaire. Gendron essaie d'appliquer cette théorie au français canadien; mais il semble difficile de faire admettre à la fois un renforcement pour la palatalisation et pour l'affrication. Gendron y réussit quelque peu à propos du cas de [t] et [d] suivis de yod en supposant que l'ouverture de [t] en [tˢ] et de [d] en [dᶻ] peut provenir «non pas d'une faiblesse des mouvements organiques, mais de ce que l'effort qu'on développe pour imiter au mieux l'articulation modèle avec yod, fait réapparaître ce yod sous forme d'une explosion prolongée désonorisée ou sonore, chuintante ou sifflante». On voit difficilement cette explication s'appliquer au parler populaire où l'influence de la norme française a été longtemps nulle.

Ayant postulé que les palatales sont liées à une grande énergie articulatoire, Gendron (1966, p. 132-133) en tire la conclusion suivante: «Aussi le fait qu'elles subsistent toujours dans le parler populaire et que même le parler des milieux cultivés n'arrive pas à s'en défaire prouve-t-il amplement que le Canadien français ne souffre pas de léthargie articulatoire et que ses organes de la parole produisent des mouvements articulatoires avec suffisamment d'énergie musculaire.»

En tout cas, nous voilà en présence d'un système où les occlusives palatales s'ouvrent en mi-occlusives, où [ʃ] et [ʒ] peuvent s'ouvrir en [h] sourd ou sonore, où – Gendron l'observe bien – toutes les fricatives sont relâchées, où les occlusives non palatales, bien que fortement explosives, sont courtes et manquent de netteté (p. 137), où [r] et [l] peuvent disparaître complètement: *sur la* prononcé [sya], *trois* prononcé [twɑ] et *ployer* prononcé [pwɑje] (p. 138). Il s'agit bien dans ces derniers cas, comme l'accorde Gendron, d'un affaiblissement général de l'articulation consonantique. Mais alors comment exclure de cette tendance phonétique générale le passage des occlusives aux mi-occlusives et les phénomènes de palatalisation?

On pourrait ajouter au dossier de la palatalisation les résultats de Rochette (1972), montrant éloquemment l'affaiblissement général des consonnes, leur disparition même, à l'intervocalique. Parmi les consonnes les plus touchées, Rochette relève [t] et [d] devant [i] et [y], faits qui semblent contredire alors la thèse de Charbonneau et Jacques (1972) tentant d'étayer celle de Gendron.

Pour lever toutes ces contradictions, on pourrait supposer, pour tous les phénomènes liés à la palatalisation, y compris l'assibilation, non pas une palatalisation récente en français canadien, mais une palatalisation ancienne, et admettre un affaiblissement général du système comme un phénomène plus tardif. La forte palatalisation ancienne du normand invite à aller dans ce sens.

Le second développement original du franco-ontarien, comme du québécois, est *la syncope des voyelles désonorisées*. Il s'agit en fait de l'extension d'une tendance ancienne des parlers galloromans (où ʽ*tabula* va donner *table*). On trouve, dans les parlers de l'Ouest français, de nombreuses formes syncopées du type «c'est ʽben c'mmode» pour «commode». Les chutes vocaliques des voyelles désonorisées paraissent résulter de leur affaiblissement par suite d'une articulation forte de la syllabe précédente.

À côté de ces deux développements originaux, les parlers franco-ontariens, comme ceux de la Saskatchewan, du Manitoba et de tous les îlots francophones du Canada livrés à eux-mêmes, ont connu d'autres évolutions qui peuvent paraître des extensions de phénomènes déjà existants dans les substrats dialectaux. On note particulièrement les variantes vocaliques des *diphtongues* et des *voyelles nasales* (Jackson, 1968 ; Léon, 1983a, 1983b). Dans les corpus de ces études (Gravelbourg en Saskatchewan et Lafontaine en Ontario), on relève des nasalisations de voyelles orales progressives et régressives et l'on compte, à Lafontaine par exemple, jusqu'à dix réalisations de voyelles nasales. En réalité, lorsque l'on examine le vocalisme actuel du normand (Lepelley, 1974 ; Maury, 1976), mais aussi celui d'autres parlers plus diphtonguants de l'ouest de la France, on peut se demander si l'on n'en retrouve pas là tous les traits.

DYNAMIQUE DU SYSTÈME PHONOLOGIQUE

La plupart des auteurs admettent, pour le français québécois, un système phonologique identique à celui du français standard. Il n'en est pas de même en franco-ontarien, comme l'ont montré des tests de reconnaissance auditive (Léon et Nemni, 1968). On a observé ainsi que des sujets ontariens de classes sociales ou de régions différentes avaient eux-mêmes de sérieuses difficultés de décodage. Les tests basés sur *les oppositions* /a/ ~ /ɛ/ ; /e/ ~ /ø/ ~ /o/ ; /ɛ/ ~ /ɛ̃/ ; /ɑ̃/ ~ /õ/ montrent qu'il y a, à l'intérieur d'une même opposition et pour le même individu, de grandes variations d'intelligibilité. En position inaccentuée, où les relâchements sont le plus net, les erreurs sont grandes. Le /ɑ̃/ se rapproche ou disparaît au profit de /ɛ̃/, /õ/ au profit de /ɑ̃/. Pour les voyelles orales, on observe le même phénomène pour les paires /e/ > /œ/ ; /a/ > /ɔ/ ; /ɑ/ > /ɔ/ ; /ɛ/ > /a/. Le *foisonnement des variantes* vocaliques, nasales ou autres, est très certainement une source de *bruit* dans la communication, dès qu'on passe d'un sous-système social ou régional à un autre.

Les réductions allant dans le même sens que celles du français standard sont /ɑ/ tendant à /a/ et /œ̃/ à /ɛ̃/ (Ibbotson, 1968). De même, le système complexe des voyelles nasales tend à s'alléger (Léon, 1983a).

Pour Schogt (1968), le franco-ontarien semble présenter un système d'oppositions virtuelles que seule l'influence du français standard (FS) l'empêcherait de réaliser. Lorsque cette influence ne se manifeste pas, comme dans certaines régions rurales de l'Ontario, on peut constater, comme le montrent Léon, James et Sévigny (1968), la naissance de nouvelles oppositions. Ainsi, dans le groupe «*être après* + infinitif»

(FS «être en train de»), le présent de l'indicatif en est venu à se distinguer de l'imparfait par une opposition de durée vocalique: présent /jetaprafajr/ ~ imparfait /jeta:prafajr/ («il est après faire» ~ «il était après faire»). Cette opposition, qui s'est développée dans l'un des diasystèmes du franco-ontarien, pourrait s'y conserver parce qu'elle est intégrée dans un paradigme de formes verbales à rendement élevé.

Quant au *système consonantique* du franco-ontarien, il aurait sans doute pu, théoriquement, se conformer au modèle de Hull (1966), schématisé par Vinay (1973, p. 353) (voir figure 1). Quoi qu'il en soit, aucune des *variantes* notées par Hull dans son cadre phonologique n'a acquis le statut de phonème et leur existence ne met pas en cause la compréhension intersystémique.

FIGURE 1

SCHÉMA COMPARATIF DES SYSTÈMES CONSONANTIQUES DU FRANÇAIS STANDARD (FS) ET DU FRANÇAIS CANADIEN (FC)

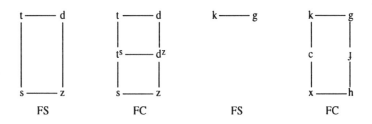

DYNAMIQUE SOCIALE ET VARIATION PHONIQUE: PREMIÈRES ENQUÊTES

Toutes les études sur le franco-ontarien que l'on vient d'évoquer reposent sur des corpus homogènes, mais le manque d'échantillonnage social rend la plupart d'entre elles difficiles à interpréter du point de vue de la sociolinguistique moderne.

On a cependant pu montrer l'influence de variables *dialectales* et *rurales* (Jackson, 1968; Léon et Nemni, 1968; Léon, James et Sévigny, 1968) et l'évolution du système des voyelles *nasales* vers la réduction du nombre des variantes (Léon, 1983b) lorsque l'on va d'un système *ruralisant* à un système *urbanisant*. On a noté également le trait d'antériorité du [ɑ̃] devenant [æ̃] comme *index de ruralité*.

Parmi les études de cette première période de recherches, on relève également une enquête sur *l'attitude* d'un groupe d'étudiants franco-ontariens par rapport au français standard et à l'anglais (Léon, 1974). On constatait alors *l'utilisation décroissante du français, passant du noyau familial* (78 %) *à celui des enfants entre eux* (50 %) *et à celui avec les camarades de récréation* (25 %) ; un haut degré d'acculturation des groupes défavorisés accompagnait un complexe d'infériorité linguistique élevé.

Comme dans les enquêtes effectuées en France (Léon, 1979b; P. Léon et M. Léon, 1983), les moins favorisés rejetaient les modèles prestigieux venus de l'extérieur tout en condamnant la langue de leur propre groupe, celle des paysans ou des ouvriers. Cependant la situation franco-ontarienne semble en voie *d'évolution*, puisque, à la question: « Quand un Canadien parle avec l'accent de France, cela vous semble-t-il prétentieux ? », les étudiants de la même école torontoise répondaient par l'affirmative dans *64 % des cas en 1974* et dans seulement *44 % des cas en 1980.*

On constate aussi que le français de l'Ontario, qui occupait l'avant-dernière place au palmarès du prestige en 1974, arrive en seconde place, immédiatement après le français de France et avant celui de Montréal et celui de Québec en 1980 (Léon et Cichocki, 1989).

DYNAMIQUE SOCIALE: ENQUÊTES RÉCENTES

Les enquêtes sociolinguistiques sur le français ontarien sont celles de Thomas (1982, 1986) sur le parler de Sudbury et de Cichocki (1986) sur celui de Welland. On trouve également quelques autres études fragmentaires (Baligand et Cichocki, 1985; Cichocki et Lepetit, 1981, 1986; Léon et Cichocki, 1989).

Thomas (1986) montre que le parler de Sudbury est peu influencé par *l'anglais*, langue majoritaire. L'hésitation du sujet devant les variantes libres indique « la décrépitude » où se trouve le vernaculaire (p. 155). Selon Thomas, la causalité interne entraîne alors un jeu d'économie qui va dans le sens que nous avons déjà observé ici: réduction des variantes, passage de [r] apical à [ʀ] dorso-uvulaire. Thomas a sûrement raison de voir là un principe d'économie systémique. Mais ces phénomènes doivent aussi s'expliquer par la pression sociale, que l'on peut résumer ainsi d'après Thomas lui-même (p. 157):

- *Dynamique urbaine*: «Les sujets de la campagne se signalent par l'emploi plus élevé de certaines formes vocaliques non standard. Toutefois, l'intensité de leurs efforts de correction en parole surveillée – résultat probable de contacts avec la ville – porte à croire que cette situation ne saurait durer.»

- *Dynamique de classe sociale*: «Les sujets de condition ouvrière font un plus grand usage des formes stigmatisées, mais ils se corrigent plus vigoureusement que les classes «bourgeoises» en style surveillé. Cette découverte contredit apparemment le principe général sociolinguistique selon lequel le deuxième groupe hiérarchique est le plus susceptible d'hypercorrection. Elle le confirme, cependant, si l'on considère qu'à toutes fins utiles, et comme le suggère McLeod-Arnopoulos (1982), la communauté franco-sudburoise se divise en deux grandes catégories: la classe ouvrière, surtout composée de mineurs, et les autres. On peut voir ici, une fois de plus, que la variation linguistique reflète fidèlement la stratification sociale.»

- *Dynamique du sexe*: «Les filles sont généralement plus conservatrices que les garçons, mais elles mènent le mouvement vers la standardisation dès qu'elles ressentent la valeur d'une forme nouvelle.»

- *Dynamique linguistique*: La langue des parents ne paraît pas avoir influencé sensiblement les résultats de Thomas. «Tout au plus peut-on parler d'un léger conservatisme à dominance anglaise sauf pour les variables stigmatisées par la communauté.»

- *Dynamique de l'âge*: Les jeunes, de dominance linguistique anglaise, standardisent plus leur parler que les autres.

L'EXEMPLE DU R

Une enquête effectuée sur un corpus de parler franco-ontarien urbain de Welland (Ontario) – que l'on doit à Raymond Mougeon et qui est rapportée dans Léon (1983b, p. 25) – illustrera, par l'exemple des variantes du R, la dynamique d'un système en pleine évolution (voir tableaux 1 et 2).

TABLEAU 1

DISTRIBUTION DES DIFFÉRENTS TYPES DE R À WELLAND (ONTARIO)

	/ʁ/ sur 2 461 occurrences				
	Pourcentages globaux provisoires	**Sexe**		**Âge**	
		féminin	**masculin**	**17**	**10**
[r]	12 %	2 %	31 %	18 %	2 %
[ʀ]	58	76	44	60	64
[ʀ] (voc.)	10	8	11	8	12
Ø	15	12	11	12	16
[ɹ]	5	2	3	2	6

r = apical ; ʀ = dorso-uvulaire ; ʀ vocalique ; Ø phonique ; ɹ anglais.

TABLEAU 2

DISTRIBUTION SOCIALE DES VARIANTES DU /R/ À WELLAND (ONTARIO)

	Classes sociales			**Dominance linguistique**		
	F	**M**	**D**	**1**	**2-3**	**4**
[r]	35	25	3	42	4	4
[ʀ]	44	52	70	31	74	72
[ʀ] (voc.)	10	9	11	14	6	11
Ø	9	12	15	10	15	9
[ɹ]	2	2	1	3	1	4

F = favorisée ; M = moyenne ; D = défavorisée.

1 = dominance linguistique francophone pour les deux parents ; 2-3 = un des deux parents est francophone ; 4 = les deux parents sont anglophones.

On voit que le R dorso-uvulaire, encore inconnu à Welland il y a une trentaine d'années, représente près de 60% de toutes les occurrences du phonème ; que les filles des classes défavorisées sont les plus novatrices et les garçons des classes sociales favorisées les plus conservateurs.

La dominance linguistique la plus conservatrice est celle où les deux parents sont francophones. L'influence anglaise est presque nulle.

L'étude de Cichocki (1986) dégage à l'aide *d'une analyse statistique des correspondances* les rapports ténus, phonématiques et prosodiques, qui existent entre plusieurs types de variphones et les facteurs sociaux en cause. L'un des résultats intéressants concerne l'emploi d'une intonation descendante de type anglais. Ce sont les membres du groupe à dominance linguistique *français-anglais* qui utilisent le taux le plus élevé de *pente descendante*, alors qu'on aurait attendu ce résultat soit dans le groupe francophone fortement anglicisé, soit dans le groupe des anglophones de naissance. Cichocki (p. 48) interprète le phénomène comme une alternance de code: «les membres du groupe *français-anglais* étant plus bilingues que des membres des deux autres groupes *symboliseraient* ce bilinguisme en utilisant l'intonation «anglaise»».

Il s'agirait là d'un effet *sémio-sociologique.* La nouvelle façon de parler serait ici encore une projection fantasmatique au même titre que celle qui fait passer le [r] jugé rural, viril, vulgaire, etc., au [ʀ] urbain, distingué, etc. (Fónagy, 1983; Léon, 1983b).

LE CAS DE LA DIPHTONGAISON

On pourrait ici faire une remarque à propos du statut de la diphtongaison sur ce que Jakobson (1970, p. 353) appelle un phénomène *d'affinités linguistiques* ou de développement parallèle.

Ainsi, la diphtongaison des parlers normands s'est maintenue, d'une part, dans l'anglo-normand et, d'autre part, dans les parlers de la France de l'Ouest. Par la suite, ces phénomènes de diphtongaison ont pu se conserver parallèlement dans les parlers anglophones et francophones du Canada sans qu'il y ait, au départ tout au moins, influence de l'anglais sur le français.

Il est curieux de constater, plus tard, le renversement parallèle de cette tendance à la diphtongaison dans l'évolution contemporaine de ces deux mêmes parlers au Canada. Alors que l'anglais d'Angleterre continue à diphtonguer la voyelle de mots comme *boat, day, hello,* l'anglais canadien a presque cessé de le faire. De même, *le français canadien est en train de réduire ou de perdre totalement ses diphtongues.*

Cependant, s'il s'agit là d'une évolution attribuable à des affinités linguistiques, les facteurs sémiotiques jouent aussi un grand rôle. L'anglais canadien, qui a perdu ou fortement atténué ses diphtongues non fonctionnelles, les récupère dans un contexte où elles sont perçues comme la marque britannique d'un parler *recherché*, voire snob, selon le degré de diphtongaison.

Ce qui montre bien le caractère conventionnel de ce marqueur, c'est le fait que ce n'est pas n'importe quel type de diphtongaison qui est perçu comme valorisant mais celui de la *received pronunciation* anglaise. La diphtongaison *cockney*, qui s'est propagée en Australie et en Nouvelle-Zélande, est généralement perçue, au Canada et en Grande-Bretagne, comme dévalorisante.

En français de France, «parler à grandes goulaées», comme disent les Normands qui se moquent des diphtongues des patoisants, est stigmatisé depuis longtemps par les grammairiens. Ainsi, au XVIᵉ siècle, Duval (cité par Thurot, 1966, p. 315) dit qu'il faut prononcer *ai* «comme notre *é* masculin en première syllabe de *ayder*» et non comme «plusieurs du vulgaire la prononcent en diphtongue propre».

Les diphtongues ont donc fini par disparaître du français, très vraisemblablement sous la pression des gens «distingués». Et c'est sous une pression peut-être analogue qu'elles sont en train de disparaître du français en Ontario comme au Québec.

DYNAMIQUE SOCIALE ET VARIATION MORPHONOLOGIQUE

Parmi les variations morphonologiques étudiées pour le français parlé au Québec, on relève des enquêtes sur la chute du [l] par Ostiguy (1979), Poplack et Walker (1984), Sankoff et Cedergren (1976); le même phénomène est étudié pour le français de France par Ashby (1988), Léon et Tennant (1988), Thomas (1990). La chute du *ne* de négation a fait aussi l'objet de recherches, pour le québécois par Sankoff et Vincent (1977), pour le franco-ontarien par Thomas (1990) et pour le français par Pohl (1975).

Léon et Tennant (1988) se sont également intéressés à ces problèmes ainsi qu'aux altérations morphonologiques telles que *il y a* devenant *ya, bien > ben, puis > pi*, de même qu'aux variations du E caduc et de la liaison. Cette dernière étude montre que l'occurrence de tels phénomènes est, plus qu'un *index social*, un *marqueur du style* familier que l'on trouve aussi bien chez les intellectuels d'*Apostrophes* que dans le parler d'un routier (voir également Léon, 1988). Thomas (1990) arrive à une conclusion voisine, en comparant le parler d'académiciens français et celui de diverses classes sociales franco-ontariennes.

LE JEU DE VARIABLES MORPHONOLOGIQUES ET PHONÉTIQUES

On s'est demandé à ce point comment pouvait fonctionner le jeu linguistique des variables morphonologiques par rapport à celui des variables phonétiques. Pour cela, on a repris le corpus de la *communauté rurale* de Lafontaine (Ontario) sur lequel nous avions travaillé il y a une vingtaine d'années. Ce corpus, homogène du point de vue de l'âge (entre 40 et 50 ans), pouvait être divisé en *trois niveaux d'instruction* (paramètres que nous n'avions pas retenus pour les études de l'intonation). On a regroupé les résultats concernant le sexe, les différences relevées entre hommes et femmes ne nous ayant pas paru importantes.

Ce regroupement a permis une meilleure validité des chiffres eu égard au petit nombre de sujets (six pour le niveau 1, université; quatre pour le niveau 2, collège; et trois pour le niveau 3, primaire). Les résultats obtenus pour le parler *spontané* de la *conversation* sont consignés dans le tableau 3.

On voit que, dans cette communauté rurale, le niveau 1 se distinguait nettement des deux autres par un plus grand conservatisme *morphonologique* dans presque tous les cas. Par rapport au français standard, les groupes 2 et 3 auraient donc été novateurs – encore qu'on puisse arguer que *y a* est la forme normale de l'ancien français! Il faut noter toutefois, lorsque l'on considère non plus les pourcentages mais les moyennes (μ) et les écarts types (σ), que ces derniers indiquent de grandes variations individuelles, indices d'un flottement linguistique.

TABLEAU 3

VARIATION MORPHONOLOGIQUE SELON LE NIVEAU
D'INSTRUCTION, À LAFONTAINE (ONTARIO)

Niveau d'instruction / Variation morphonologique	Niveau 1 (université)			Niveau 2 (collège)			Niveau 3 (primaire)		
	%	μ	σ	%	μ	σ	%	μ	σ
il y a > [ja]	48,0	2,4	1,14	83,3	5	6,24	76,2	2,33	1,21
suppression du NE	22,6	2,8	2,93	66,7	9,5	6,9	67,2	5,37	3,11
suppression du [l] final post-cons. table > [tab]	50,0	2	2,16	44,4	1,33	1,15	78,9	2,14	1,77
suppression du [ʀ] final post-cons. arbre > [arb]	41,1	3,67	1,5	52,2	3	4,69	88,6	7,75	4,23
suppression du [l] dans il(s) / elle(s), pronoms sujets + consonne	22,8	2,17	2,32	70,0	5,25	5,38	76,5	5,57	5,53
liaisons facultatives effectuées	57,5	26,83	12,91	75,5	20	9,27	73,7	23,13	9,90

Il est intéressant de constater alors comment se manifestait *sur le plan phonétique* le caractère de *ruralité* que l'on avait dégagé par rapport à un parler comme celui de Welland. On a pris pour cela, chez les mêmes sujets, trois variables: le [r] apical, la diphtongaison et l'antériorisation de la nasale [ɑ̃] en [æ̃] ou [ɛ̃], qui avaient été jugés *index de ruralité*.

Comme il s'agissait ici d'un sondage, on a simplifié les calculs en notant les pourcentages, pour un même temps de parole chez tous les locuteurs. On a relevé alors pour chaque catégorie le pourcentage des traits par rapport au total de toutes les catégories; ces calculs devraient être raffinés en tenant compte des occurrences pour chaque locuteur, des moyennes et des écarts types. On trouvera dans le tableau 4 les résultats bruts relevés.

Tableau 4

VARIATION PHONÉTIQUE DE TROIS INDEX PHONIQUES SELON LE NIVEAU D'INSTRUCTION, À LAFONTAINE (ONTARIO)

Niveau d'instruction / Réalisations phonétiques	Niveau 1 (université)	Niveau 2 (collège)	Niveau 3 (primaire)
[r] apical	50,0%	52,0%	62,5%
diphtongues	11,5	10,3	78,2
[ɑ̃] > [æ̃]	22,4	17,8	59,8

On constate que, dans cette communauté rurale, le processus du passage de [r] à [ʀ] était déjà bien avancé. Le groupe 3 est, sur ce plan, un peu plus conservateur. Et il apparaît très *rural* quant aux deux autres traits, *diphtongaison* et *antériorisation* de [ɑ̃], selon les critères de phonéticiens québécois tels que Gendron (1966).

Il serait intéressant d'effectuer de nouvelles enquêtes à Lafontaine pour voir comment la langue a pu évoluer depuis l'époque où ce corpus a été recueilli (1968).

Si on tente maintenant de comparer les deux types de variations observées, on constate que, dans cette communauté rurale, *le groupe le plus instruit est le plus conservateur sur le plan morphonologique et le plus novateur par rapport au phonétisme du français standardisé.* (Il faut remarquer que le niveau 2 semble également assez novateur sur le plan phonétique.)

Il y a là une contradiction sur laquelle on pourrait s'interroger longuement. En fait, le style du niveau 1 est *plus « soigné »* dans tous les cas. Et s'il y a opposition apparente, elle vient non pas d'un manque de cohérence interne du système franco-canadien, mais de ce qu'on le compare ici à celui du français standardisé. Dans ce dernier, les altérations morphonologiques fonctionnent en réalité comme la *marque sémiotique* d'un parler démocratisé, libéré des contraintes formelles, lorsqu'on est en situation de conversation familière. Il y a d'ailleurs certaines limites au fonctionnement de ces variations morphonologiques (Léon, 1988).

L'INFLUENCE DE L'ANGLAIS

En situation minoritaire, le français résiste assez bien dans les milieux *favorisés* et selon le degré de motivation parentale. Dans les études que nous avons effectuées sur le milieu urbain de Welland, comme dans celle de Thomas sur Sudbury, l'influence de l'anglais est faible[2].

Par contre, elle semble importante dans les milieux *défavorisés urbains*, comme on a pu le constater dans plusieurs enquêtes sur des élèves d'écoles françaises. Les premiers changements vers l'anglais s'opèrent d'abord par l'aspiration des occlusives sourdes, puis par la diphtongaison qui commence par être mélodique. Elle prend la forme de *ton creusé* anglais pour attaquer ensuite les timbres vocaliques eux-mêmes.

PERCEPTION SOCIALE

Louise Tremblay (1990) tente de dresser une liste des variantes phonétiques du québécois en fonction de leur perception par la communauté. La variante [ɔ] de /o/, la diphtongaison, la variante [wɛ] de /wa/ et certaines syncopes syllabiques seraient stigmatisées, d'autres passeraient inaperçues, telles l'ouverture des voyelles hautes, l'assibilation et l'antériorisation de [ɑ̃]. Une thèse en cours d'Hélène Lavertu (Toronto) sur la perception des mêmes traits par des auditeurs québécois et européens arrive à des conclusions voisines. Toutefois, cette dernière recherche montre nettement que l'antériorisation de [ɑ̃] va généralement de pair avec la diphtongaison et, à un moindre degré, avec le [r] apical dans la perception d'une parlure dialectalement marquée et stigmatisée par les groupes favorisés, de niveau d'instruction élevé. Il semble bien que l'existence d'une norme de «bon parler» se soit aussi installée dans la conscience linguistique des Franco-Ontariens. Il s'agit probablement d'un concept encore assez flou, comme l'indiquent Santerre *et al.* (1985) à propos de la diphtongaison, chacun des traits stigmatisants étant perçu de manière différente selon son contexte linguistique, son occurrence, la situation de parole.

---

2. On peut le voir dans les chiffres des tableaux 1 et 2, concernant la prononciation de /R/.

Les médias (radio et télévision) semblent avoir une influence considérable sur les évolutions en cours qui tendent à rapprocher le franco-ontarien du français standardisé du Québec ou même de France.

Il reste que, dans la situation minoritaire où se trouve le français hors du Québec, la langue est soumise à de nombreuses forces d'attraction sociales, comme l'ont bien mis en lumière Mougeon et Beniak (1989).

C'est probablement en milieu rural à forte cohésion que le phonétisme français se maintient le mieux, tout en gardant de nombreux traits archaïques. En milieu urbain, lorsque l'alternance de code joue constamment en situation de «bilinguisme» fortement anglicisé, il est étonnant de trouver encore des îlots où le phonétisme est peu atteint et parfois même novateur – comme dans le cas des filles, jeunes, de Welland. Mais il se pourrait aussi que l'on soit souvent à un point de rupture où s'opère le passage du tout au rien. Le français pourrait bien alors devenir un luxe de classe sociale favorisée.

On pourrait résumer la dynamique des évolutions en cours, là où elles se produisent, par quatre facteurs principaux :

– *Phonologique* : Le système se simplifie pour des raisons d'économie linguistique ; c'est le cas, par exemple, des réductions de diphtongues, en particulier pour les nasales.

– *Typologique* : La pression causée par les affinités linguistiques semble faire évoluer le franco-ontarien dans le même sens que le français standard.

– *Sociologique* : Les connotations *rurale* et *défavorisée* sont associées à des traits archaïques et dévalorisés par rapport aux langues standard du français québécois, ou hexagonal, modèles valorisés par les médias.

– *Sémiotique* : L'inconscient collectif associe au parler raffiné les sèmes du R dorsal et de voyelles non exagérément ouvertes, par exemple.

On voit ainsi que les forces évolutives, loin d'être toujours systémiques, sont largement tributaires de la causalité externe.

Bibliographie

Ashby, William (1988), «Français du Canada / français de France: divergences et convergences», dans *French Review*, 61, 5, p. 693-702.

Avis, Walter S. (1973), «So *eh*? is Canadian, eh?», dans *La Revue canadienne de linguistique*, 17, 2-3, p. 89-104.

Baligand, Renée, et Eric James (1973a), «Les structures mélodiques de la phrase interogative lexicale en franco-ontarien», dans Grundstrom et Léon (dir.), p. 123-167.

Baligand, Renée, et Eric James (1973b), «The Intonation of *WH* – Questions in Franco-Ontarian», dans *La Revue canadienne de linguistique*, 18, 2, p. 89-101.

Beauchemin, Normand (1977), «La diphtongaison en Estrie, socio- ou géolinguistique», dans H. Walter (dir.), *Phonologie et société,* Montréal, Paris et Bruxelles, Didier (coll. Studia Phonetica, 13), p. 9-24.

Bream, Carol (1968), «La nasalisation des voyelles orales suivies de consonnes nasales dans le français et l'anglais parlés au Canada», dans Léon (dir.), p. 100-118.

Charbonneau, René, et Benoît Jacques (1972), «[t^s] et [d^z] en français canadien», dans Albert Valdman (dir.), *Papers in Linguistics and Phonetics to the Memory of Pierre Delattre*, La Haye et Paris, Mouton, p. 77-90.

Chidaine, Jean G. (1967), «CH et J en saintongeais et en français canadien», dans Gendron et Straka (dir.), p. 143-151.

Cichocki, Wladyslaw (1986), «Linguistic Application of Dual Scaling in Variation Studies», thèse de doctorat, Université de Toronto, 221 p.

Cichocki, Wladyslaw, et Daniel Lepetit (1981), «La variable [h] en français ontarien: quelques aspects sociophonétiques», dans *Toronto Working Papers in Linguistics*, 2, p. 45-63.

Cichocki, Wladyslaw, et Daniel Lepetit (1986), «Intonational Variability in Language Contact: F$_o$: Declination in Ontario French», dans David Sankoff (dir.), *Diversity and Diachrony*, Amsterdam et Philadelphie, John Benjamins, p. 239-247.

Dagenais, Louise (1986), «Les sources historiques des diphtongues dans des dialectes d'oïl: de la parenté linguistique», dans *Revue québécoise de linguistique théorique et appliquée*, 5, 4, p. 63-128.

Debrie-Maury, Nicole G. (1968), «Les archiphonèmes I Y U en français canadien et dans le parler normand», dans Léon (dir.), p. 210-233.

Fónagy, Ivan (1983), *La vive voix*, Paris, Payot, 346 p.

Gendron, Jean-Denis (1966), *Tendances phonétiques du français parlé au Canada*, Paris et Québec, Klincksieck et PUL (coll. Langue et Littérature françaises au Canada, 2), XX + 254 p.

Gendron, Jean-Denis, et Georges Straka (dir.) (1967), *Études de linguistique franco-canadienne*, Paris et Québec, Klincksieck et PUL (coll. Langue et Littérature françaises au Canada, 3), 175 p.

Ginsberg, Raymon (1968), « La détente consonantique en français canadien et en français standard », dans Léon (dir.), p. 131-144.

Ginsberg, Raymon (1976), « Study of the Lexical Interrogative Sentence in the French of Welland (Ontario) », thèse de doctorat, Université de Toronto.

Grundstrom, Allan, et Pierre R. Léon (dir.) (1973), *Interrogation et intonation*, Montréal, Paris et Bruxelles, Didier (coll. Studia Phonetica, 8), 167 p.

Holder, Maurice (1968), « Étude sur l'intonation comparée de la phrase énonciative en français canadien et en français standard », dans Léon (dir.), p. 175-191.

Hull, Alexander (1966), « The Structure of the Canadian French Consonant System », dans *La Linguistique*, 1, p. 103-110.

Ibbotson, Anthony (1968), « Les oppositions phonologiques dans les archiphonèmes A, E, O, EU en position accentuée, chez un groupe de jeunes Torontoniens francophones : étude auditive et instrumentale », dans Léon (dir.), p. 42-60.

Jackson, Michael (1968), « Étude du système vocalique du parler de Gravelbourg (Saskatchewan) », dans Léon (dir.), p. 61-78.

Jackson, Michael (1974), « Aperçu de tendances phonétiques du parler français en Saskatchewan », dans *La Revue canadienne de linguistique*, 19, 2, p. 121-133.

Jakobson, Roman (1970) [1939], « Sur la théorie des affinités phonologiques entre les langues », dans N. Troubetzkoy, *Principes de phonologie*, Paris, Klincksieck, p. 351-365.

Léon, Pierre R. (1967), « H et R en patois normand et en français canadien », dans Gendron et Straka (dir.), p. 125-142.

Léon, Pierre R. (dir.) (1968), *Recherches sur la structure phonique du français canadien*, Montréal, Paris et Bruxelles, Didier (coll. Studia Phonetica, 1), XII + 233 p.

Léon, Pierre R., et Monique Nemni (1968), « Franco-canadien et français standard : problèmes de perception des oppositions vocaliques », dans Léon (dir.), p. 18-35.

Léon, Pierre R., Eric F. James et Georges Sévigny (1968), « Observation sur une forme progressive en français canadien », dans Léon (dir.), p. 36-41.

Léon, Pierre R., et Michael Jackson (1971), « La durée vocalique en français canadien du sud de la Saskatchewan », dans *La Revue canadienne de linguistique*, 16, 2, p. 92-109.

Léon, Pierre R. (1974), « Attitudes et comportement linguistiques », dans *Études de linguistique appliquée*, 15, p. 87-102 ; repris dans *Cahiers de linguistique*, 6 (1976), p. 199-221.

Léon, Pierre R. (1979a), « Contribution aux études de phonétique au Canada », dans P.R. Léon (dir.), *Linguistique expérimentale et appliquée*, Montréal, Didier, p. 58-132.

Léon, Pierre R. (1979b), « Standardisation vs diversification dans la prononciation du français contemporain », dans *Amsterdam Studies in the Theory and History of Linguistic Science*, IV, 9, p. 543-549.

Léon, Pierre R. (1980), « Notes sur les études de phonétique au Canada et le discours francophone », dans Alain Baudot *et al.* (dir.), *Identité culturelle et francophonie dans les Amériques (III)*, Québec, Centre international de recherche sur le bilinguisme, p. 7-13.

Léon, Pierre R. (1983a), « Les voyelles nasales et leurs réalisations dans les parlers français du Canada », dans *Langue française*, 60, p. 48-64.

Léon, Pierre R. (1983b), « Dynamique des changements phonétiques dans le français de France et du Canada », dans *La Linguistique*, 19, 1, p. 13-28.

Léon, Pierre R., et Monique Léon (1983), « Observation sur l'accentuation des français régionaux », dans P. Léon et I. Fónagy (dir.), *L'accent en français contemporain*, Montréal, Didier (coll. Studia Phonetica, 15), p. 93-121.

Léon, Pierre, et J. Tennant (1988), « Observations sur la variation morphonologique et phonématique dans « Apostrophes » », dans *Information / Communication*, 9, p. 20-47.

Léon, Pierre (1988), « Variation situationnelle et indexation sociale : rôle des syncopes phonématiques et de l'accent », dans C. Slater *et al.* (dir.), *Occasional Papers of the University of Essex. French Sound Patterns Changing Perspectives*, 32, p. 223-240.

Léon, Pierre R., et Wladislaw Cichocki (1989), « Bilan et problématique des études sociophonétiques franco-ontariennes », dans Mougeon et Beniak (dir.), p. 37-51.

Lepelley, René (1974), *Le parler normand du Val de Saire (Manche). Phonétique, morphologie, syntaxe, vocabulaire de la vie rurale*, Caen, Musée de Normandie, XL + 442 p.

Maury, Nicole (1973a), « Observation sur les formes syntaxiques et mélodiques de l'interrogation dite totale », dans *French Review*, 47, 2, p. 302-311.

Maury, Nicole (1973b), « Forme et fonction de -hein ? D'après un corpus de français ontarien », dans *La Revue canadienne de linguistique*, 18, 2, p. 146-156.

Maury, Nicole (1976), *Système vocalique d'un parler normand*, Montréal, Paris et Bruxelles, Didier (coll. Studia Phonetica, 11), 235 p.

Maury, Nicole, et Phyllis Wrenn (1973), « L'interrogation mélodique en français de l'Ontario », dans Grundstrom et Léon (dir.), p. 99-122.

McLeod-Arnopoulos, Sheila (1982), *Voices from French Ontario*, Kingston et Montréal, Queen's University Press et McGill University Press, 201 p.

Mougeon, Raymond, et Édouard Beniak (dir.) (1989), *Le français canadien parlé hors Québec : aperçu sociolinguistique*, Québec, PUL, IX + 262 p.

Nemni, Monique (1973), « Vers une définition syntaxique et phonologique de l'incise en français canadien et en français standard », thèse de doctorat, Université de Toronto.

Opitz, Helgard (1968), « Le « A » inaccentué dans le parler français du sud de l'Ontario », dans Léon (dir.), p. 79-87.

Ostiguy, Luc (1979), « La chute de la consonne l dans les articles définis et les pronoms clitiques en français montréalais », thèse de maîtrise, Université de Montréal.

Pohl, Jacques (1975), « L'omission de *ne* dans le français parlé contemporain », dans *Le Français dans le monde*, 111, p. 17-23.

Poplack, Shana, et D. Walker (1984), *Going through /l/ in Canadian French*, Université d'Ottawa, polycopié.

Ricciuti, Anthony J. (1968), « Les occlusives sourdes /p/, /t/, /k/, à l'initiale en français canadien et en français standard », dans Léon (dir.), p. 119-130.

Robinson, Lynda (1968), « Étude du rythme syllabique en français canadien et en français standard », dans Léon (dir.), p. 161-174.

Rochette, Claude (1972), « Le traitement des consonnes intervocaliques en français québécois : étude de phonétique expérimentale », dans *Actes du 7ᵉ Congrès international des sciences phonétiques* (Montréal, 1971), La Haye, Mouton, p. 778-781.

Sankoff, Gillian, et Henrietta Cedergren (1976), « Les contraintes linguistiques et sociales de l'élision du L chez les Montréalais », dans Marcel Boudreault et Frankwalt Möhren (dir.), *Actes du XIIIᵉ Congrès international de linguistique et philologie romanes*, Québec, PUL, vol. 2, p. 1101-1117.

Sankoff, Gillian, et Diane Vincent (1977), « L'emploi productif du « ne » dans le français parlé à Montréal », dans *Le Français moderne*, 45, p. 243-256.

Santerre, Laurent, Simon-Pierre Dufour et Stéphane McDuff (1985), « La perception de la diphtongaison : son importance dans les grands corpus », dans *Revue de l'Association québécoise de linguistique*, 4, 4, p. 35-53.

Schogt, Henry (1968), « Une case vide : la phonologie diachronique du français canadien », dans Léon (dir.), p. 1-8.

Séguinot, André (1968), « Étude sur le degré de nasalité des voyelles nasales en français canadien et en français standard », dans Léon (dir.), p. 88-99.

Straka, Georges (1965), « Naissance et disparition des consonnes palatales dans l'évolution du latin au français », dans *Travaux de linguistique et de littérature*, 3, 1, p. 117-167.

Szmidt, Yvette (1968), « Étude de la phrase interrogative en français canadien et en français standard », dans Léon (dir.), p. 192-209.

Szmidt, Yvette (1976), « L'interrogation totale dans le parler franco-canadien de Lafontaine, Ontario ; ses formes et ses modalités intonatives », thèse de doctorat, Université de Toronto, 274 p.

Thomas, Alain (1982), « Variations sociophonétiques du français parlé à Sudbury (Ont.) », thèse de doctorat, Université de Toronto, 455 p.

Thomas, Alain (1986), *La variation phonétique : le cas de Sudbury*, Montréal, Paris et Bruxelles, Didier (coll. Studia Phonetica, 21), 174 p.

Thomas, Alain (1990), « Normes et usages phonétiques de l'élite francophone en France et en Ontario », dans *Information / Communication*, 11, p. 8-22.

Thurot, Charles (1966), *De la prononciation française depuis le commencement du XVIᵉ siècle d'après les témoignages des grammairiens*, Genève, Slatkine Reprints (réimpression de l'édition de Paris, 1881-1883), 2 vol.

Tremblay, Louise (1990), « Attitudes linguistiques et perception sociale de variables phonétiques », dans *Revue québécoise de linguistique théorique et appliquée*, 9, 13, p. 197-221.

Vinay, Jean-Paul (1955), « Aperçu des études de phonétique canadienne », dans Société du parler français au Canada, *Études sur le parler français au Canada*, Québec, PUL, p. 61-82.

Vinay, Jean-Paul (1973), « Le français en Amérique du nord : problèmes et réalisations », dans T.A. Sebeok (dir.), *Current Trends in Linguistics*, 10, La Haye, Mouton, p. 323-406.

Wrenn, Phyllis (1974), « Declarative Melodic Structures of Canadian French, as Spoken in Lafontaine, Ontario », thèse de doctorat, Université de Toronto, 294 p.

L'éclairage réciproque de la sociolinguistique et de la dialectologie

Karin Flikeid
Département de langues modernes et classiques
Université Saint Mary's

La dialectologie et la sociolinguistique sont toutes les deux des disciplines dont le domaine d'étude est celui des dialectes ; alors que la première est héritière d'une longue tradition, la seconde a connu un essor plus récent. Progressivement, il y a eu rapprochement entre les deux. L'étude quantitative de la stratification des dialectes sociaux urbains, bien que parfois située exclusivement dans le champ limité de l'observation synchronique, s'est bientôt enrichie d'une perspective diachronique à travers l'étude de la dynamique du changement linguistique. Pour établir l'histoire des variantes synchroniques urbaines et les situer par rapport à leur distribution géographique dans les régions avoisinantes, les sources d'information privilégiées ont été les observations dialectologiques existantes. Les limitations inhérentes à la dialectologie, qui exclut délibérément les sources de variation autres que géographiques, en se cantonnant dans une couche sociale ou une tranche d'âge unique, souvent à travers une seule observation par endroit, ont fait naître le besoin de voir cette discipline se doter d'une dimension sociale. Par ailleurs, l'étude de la diffusion spatiale et historique, aspect central de la dialectologie traditionnelle, se révèle trop schématique, ce qui explique que des chercheurs contemporains commencent à montrer comment on peut mieux saisir les processus de diffusion en tenant compte également de la distribution sociale. En même temps, ces chercheurs reprochent aux sociolinguistes de travailler souvent dans le vide, en ignorant l'apport pertinent de la dialectologie, notamment pour ce qui est de la variabilité des dialectes souches dans le cas des variétés coloniales du Nouveau Monde.

Le présent texte sera nécessairement axé autant sur la réflexion méthodologique que sur les résultats précis de nos travaux de recherche sur la variation sociale et spatiale dans l'acadien de la Nouvelle-Écosse ; ces résultats serviront essentiellement d'illustration à cette méthodologie. La première étape consistera à situer les deux disciplines en question, la dialectologie et la sociolinguistique, l'une par rapport à l'autre, du point de vue de leur domaine d'intérêt et du terrain qui leur est commun. Ensuite, il sera utile de passer en revue quelques-unes des critiques émises par les sociolinguistes à propos des travaux antérieurs en dialectologie. Nous verrons que certaines critiques s'avèrent non justifiées et reposent en réalité sur une méconnaissance des objectifs spécifiques à l'une et à l'autre discipline. C'est notamment en raison de cette différence d'objectifs qu'il est illusoire de préconiser qu'on transfère en bloc les méthodes de la sociolinguistique à la dialectologie. Par contre, d'autres objections à la méthodologie traditionnelle, soulevées à la fois par les sociolinguistes et par les praticiens contemporains de la dialectologie, paraissent justifiées et fondamentales et doivent être prises en compte si on veut élaborer une théorie et une méthodologie de l'étude de la variation spatiale.

Parmi les questions clés qui doivent guider cette élaboration théorique et méthodologique, il y en a deux qui seront examinées de plus près, d'autant plus qu'elles se posent de façon concrète dans le cadre de nos propres recherches sur l'acadien, à savoir, premièrement, dans quelle mesure un seul informateur peut représenter une variété ou un dialecte, et, deuxièmement, si une dimension sociale est réellement nécessaire dans toute démarche dialectologique.

DIALECTOLOGIE ET SOCIOLINGUISTIQUE : OBJECTIFS CONTRASTÉS

Avant de tenter une définition contrastive, il faut d'abord noter qu'il est possible de considérer que chacune des deux disciplines englobe le domaine de l'autre. D'un côté, l'examen d'ouvrages généraux récents sur la dialectologie montre que la sociolinguistique y est vue comme faisant partie de la dialectologie, celle-ci étant définie comme l'étude des dialectes, y compris les dialectes sociaux. D'un autre côté, si on envisage la sociolinguistique comme l'étude de la variation linguistique, cette variation sera conçue dans toutes ses dimensions : sociale, stylistique, diachronique, structurale, et aussi spatiale. Mais, pour la plupart d'entre nous, les termes *sociolinguistique* et *dialectologie* évoquent chacun un ensemble d'orientations qu'on tend à situer chronologiquement, l'un ayant pris la relève de l'autre, avec un déplacement des préoccupations allant du rural vers l'urbain, du spatial vers le social, de la diachronie vers la synchronie et, de façon concrète, des cartes vers les graphiques.

C'est dans ce contexte chronologique qu'il faut examiner les critiques émises par la sociolinguistique à propos de la pratique antérieure en dialectologie. Mais il faut aller au-delà de cette perspective temporelle étroite ; pour comparer les deux orientations en connaissance de cause, il faut revenir aux objectifs, aux questions à élucider et aux méthodologies contemporaines possibles et réalistes.

Pour bien saisir les reproches adressés à la dialectologie traditionnelle par les sociolinguistes, il est important de comprendre dans quels buts ceux-ci pouvaient avoir recours aux données dialectologiques. Cela pouvait être, par exemple, pour ajouter une dimension de temps réel aux études en temps apparent, confirmer la direction d'un changement, l'« ancrer » dans des observations antérieures réelles. Un autre but pouvait être de mieux connaître les origines d'un changement dû au contact avec un dialecte extérieur. Consultées dans cette optique, les données des atlas linguistiques paraissaient tout de suite inadéquates. On leur reprochait un manque de représentativité, du fait qu'elles se limitaient à une seule couche sociale, celle des communautés rurales, et qu'elles laissaient de côté les variétés urbaines. On aurait voulu connaître la fréquence et la densité d'utilisation de chaque phénomène linguistique ainsi que sa distribution sociale. La dimension dynamique aurait dû être représentée sur les cartes à travers les groupes d'âge.

En fait, c'était imposer des objectifs qui n'étaient pas ceux qui avaient inspiré les travaux antérieurs en dialectologie. L'examen direct des objectifs contrastés des deux disciplines fait clairement ressortir la justification de certains choix de la dialectologie. Celle-ci avait un objectif essentiellement diachronique, la reconstruction des étapes antérieures : « reconstituer l'histoire des mots, de la morphologie et des structures syntaxiques à partir de la distribution des formes actuelles » (Dauzat, 1922, p. 27). Les cartes linguistiques constituaient un outil de recherche pour cette entreprise. De ce point de vue, la critique sur la représentativité devient sans pertinence. Le but n'était pas de connaître la distribution contemporaine en soi, mais de répondre à des questions sur l'histoire linguistique. La dialectologie visait à retrouver le « basilecte », la variété la plus proche des étapes antérieures, peu importe le nombre de gens qui la parlaient. La sociolinguistique avait un tout autre programme : elle cherchait, dans une communauté linguistique donnée, à déterminer l'ensemble des variétés actuelles, leur importance respective et leurs relations les unes par rapport aux autres.

Les dialectologues avaient conscience de la différenciation sociale, mais leur choix était de la contrôler en choisissant des informateurs représentatifs de la variété la plus ancienne, et ce en rapport avec l'objectif diachronique. Un autre but était de préserver cette variété, comme point de référence pour des études subséquentes. Au fur et à mesure que s'accumulaient les observations sur cette variété sociale particulière, un souci de comparabilité assurait la continuation de ce choix. Il y avait également des limitations réelles à ce qu'on pouvait faire : comme l'admettait Jaberg (1936, p. 20), « il aurait fallu interroger des personnes d'âges différents et appartenant à différentes classes sociales. Si nous y avons renoncé, c'est qu'il fallait tenir compte des possibilités pratiques de l'enquête. » Peu après, lorsque les travaux d'élaboration d'atlas linguistiques commencèrent aux États-Unis sous la direction de Kurath, avec la participation directe de Jaberg et de son collaborateur Jud, une dimension sociale fut introduite. Néanmoins, compte tenu du nombre de points à couvrir, celle-ci ne pouvait être que rudimentaire ; l'exploitation à des fins sociolinguistiques doit à tout moment tenir compte de l'importance que revêt la variation individuelle dans un cas où l'échantillonnage est aussi modeste (Johnston, 1985).

Alors que la dialectologie cherchait à contrôler la dimension sociale, la sociolinguistique avait tendance à contrôler la dimension géographique en se penchant sur une communauté unique. Elle avait en cela des précurseurs dans la tradition de la dialectologie, qui n'était pas exclusivement orientée vers la distribution spatiale. Les travaux de Gauchat (1905) sur la communauté de Charmey en Suisse et ceux de Sommerfelt (1930) au pays de Galles constituent des exemples précoces. Dans les études sociolinguistiques, c'est le fait de contrôler la dimension géographique qui permet l'examen en profondeur, avec un nombre adéquat d'informateurs pour accéder à la représentativité. Il est cependant évident que la transposition directe de cette approche à la représentation spatiale aboutirait à une impasse. Le cumul des deux objectifs de représentativité se heurte à une impossibilité pratique, l'impossibilité d'une profondeur sociale à chaque point du réseau géographique, comparable à celle d'une enquête sociolinguistique.

D'autres impossibilités de transfert méthodologique deviennent apparentes lorsqu'on essaie de mettre en pratique la suggestion souvent entendue selon laquelle « la dialectologie devrait adopter les objectifs et la méthodologie de la sociolinguistique ». Premièrement, puisque la sociolinguistique tend à neutraliser la dimension géographique, comment peut-on la prendre comme modèle pour l'étude de la distribution spatiale ? De plus, la tendance analytique de la sociolinguistique va vers le choix de quelques variables « diagnostiques » examinées en profondeur. Dans ce sens, les grands corpus sociolinguistiques urbains peuvent souvent paraître sous-exploités. Cette approche va à l'encontre de l'optique de la dialectologie à orientation spatiale qui consiste à tenir compte de multiples aspects linguistiques sur un réseau étendu de points ; l'option de se limiter à une ou deux variables, étudiées certes avec toute la finesse voulue, ne correspond pas à ces visées.

Une limitation parfois soulevée au sujet des travaux en dialectologie concerne l'absence de préoccupations théoriques ou de vue d'ensemble. Malkiel (1984, p. 71) caractérise, ironiquement certes, le « pointillisme » de certains praticiens de cette discipline :

> This kind of infatuation with the inexhaustible stock of local idiosyn-
> crasies makes it difficult for them to recognize the forest, since they are
> enthralled by the trees; in fact by the leaves, the branches, the twigs, the
> roots and rootlets, the petals, and the pollens.

Il s'agit plutôt là d'une approche associée à une époque révolue ; l'attribuer à la dialectologie dans son ensemble serait méconnaître l'évolution indéniable de la discipline et la vision très large qu'on retrouve tout au long chez les plus grands. D'ailleurs, le sacrifice nécessaire du détail dans le but de dégager les grandes lignes faisait en fait l'objet de critiques de la part d'autres dialectologues pour qui une fidélité plus exhaustive à la réalité linguistique locale semblait indispensable. À propos des travaux de Gilliéron, von Wartburg (1933, cité par Bottiglioni, 1954, p. 17) disait, empruntant lui aussi une métaphore tirée de la nature :

> L'image qu'il donne du trésor linguistique ressemble à un paysage de
> collines dans une mer de nuages : seuls les sommets émergent ; quant
> aux dépressions sur lesquelles s'élèvent ces hauteurs et forment le lien
> organique entre elles, elles restent dissimulées sous le voile opaque des
> nuages.

Il faut cependant reconnaître que le fait de viser large dans l'exploration de l'étendue géographique ne menait pas toujours pour autant à des vues d'ensemble sur les configurations spatiales dégagées. Pour Chambers et Trudgill (1980, p. 126), la discipline a traditionnellement été caractérisée par « an atheoretical particularism, in which each isogloss for each linguistic feature received its own treatment, as if it were an isolated fact rather than merely one aspect of a linguistic system ».

La dimension sociale, si elle était généralement absente de l'échantillonnage, ne l'était pas dans l'interprétation, qui faisait régulièrement appel à des éléments historiques, culturels et sociaux pour éclairer la distribution spatiale. À ce propos, Hagen (1988) soulève, non sans raison, l'aspect critiquable de la sélection *post hoc* de ces éléments. Lorsque des différences linguistiques sont constatées, on cherche des facteurs socioculturels pour les expliquer. S'il n'y a pas de différences, on ne se demande généralement pas pourquoi les mêmes facteurs n'ont pas joué. Cette difficulté est prise en compte directement dans certains travaux contemporains sur la diffusion linguistique, où des modèles sont explicités au départ et vérifiés plus rigoureusement ; nous y reviendrons dans la dernière partie. Cette approche ne peut cependant pas s'appliquer à toute démarche dialectologique.

Au-delà des choix méthodologiques et pratiques, il faut être conscient que des préoccupations théoriques indéniablement différentes opposaient les deux disciplines. La sociolinguistique cherche depuis ses débuts à comprendre l'interaction complexe entre les mécanismes du changement linguistique, la nature de la variabilité linguistique et la structure des systèmes linguistiques. Alors que la dialectologie traditionnelle étudie les changements dans le passé à travers leurs résultats observables à l'époque contemporaine, la sociolinguistique se penche plus particulièrement sur les changements en cours, pour cerner la nature du processus de changement. Cette optique synchronique s'impose du fait qu'une fois qu'un changement a accompli son cours dans une communauté donnée, il n'y a plus de traces des mécanismes de diffusion sociale ayant agi dans le passé : l'hétérogénéité disparaît lorsque le changement arrive à son terme. Un lien direct entre ces préoccupations et la linguistique diachronique s'établit progressivement ; il est de plus en plus admis que les mécanismes dégagés par une étude synchronique minutieuse éclairent les processus diachroniques : le rôle de la variabilité et de l'interaction sociale dans le changement linguistique est désormais une dimension importante des explications historiques (Bynon, 1977 ; Hock, 1986).

Un bon nombre des critiques qu'on a pu formuler à l'encontre des monuments de la dialectologie, tels que l'*Atlas linguistique de la France* de Gilliéron, celui de l'Angleterre sous la direction d'Orton, ou les travaux engagés par Kurath pour les États-Unis, ont été débattues par les dialectologues eux-mêmes tout au long de l'évolution de la discipline et prises en compte dans des travaux entrepris par la suite. La méthodologie n'a cessé de s'améliorer, avec l'ajout d'enregistrements à l'aide du magnétophone, l'utilisation du discours libre complétant l'approche par questionnaire, l'amélioration des procédés d'enquête pour obtenir l'information des témoins, l'élargissement de l'échantillonnage pour représenter les milieux urbains, les différents groupes d'âge et les deux sexes, les améliorations cartographiques, le recours aux méthodes informatiques et statistiques. Certains problèmes fondamentaux n'ont pas encore été examinés ni résolus, en partie à cause des limitations techniques inhérentes à l'envergure de la démarche, limitations qu'il faut examiner et peut-être finalement accepter en connaissance de cause.

L'un de ces problèmes est lié à la nature des données recueillies. Lorsqu'on se base sur un individu par endroit, sur une seule occurrence de chaque item, sur un seul item pour représenter un phénomène linguistique, il faut être très prudent dans l'interprétation et ne jamais perdre de vue la nature des données. Sinon, les conclusions tirées dépassent rapidement les prémisses. Les créateurs des atlas avaient eux-mêmes clairement conscience de cela ; les utilisateurs subséquents s'en sont moins souciés. Ainsi, Bottiglioni (1954) met en garde contre l'illusion que les données obtenues en réponse aux questionnaires représentent la réalité objective ; selon lui, on peut tout au plus dire qu'il s'agit des effets qu'un stimulus uniforme provoque sur des sujets différents. C'est aussi une des préoccupations de Chaurand (1972, p. 172) qui critique la méthode « photographique », qui « suscite les réflexes mais écarte la réflexion chez le témoin ». L'utilisateur de l'atlas, de son côté, s'imagine souvent que les réponses constituent l'image de la réalité linguistique et adopte parfois des raccourcis dans son interprétation. Walters (1988) met en garde entre autres contre l'interprétation de l'absence d'une forme à tel point d'enquête : il ne faut pas dire que la forme n'existe pas, seulement qu'elle n'a pas surgi dans le courant de l'enquête particulière ayant mené à l'élaboration de l'atlas en question.

Cette problématique relève en fait de la question plus vaste de la variabilité au sein de la communauté et dans la production de l'individu même. Un des apports de la sociolinguistique a été de dégager les paramètres de cette variabilité en faisant la démonstration de la régularité qui se dégage, les effets de « *orderly heterogeneity* », selon le terme de Labov. Jusqu'ici, la dialectologie n'a pas eu accès à des moyens efficaces pour en tenir compte. Faut-il en tenir compte ? Deux questions distinctes découlent de cette problématique de la variabilité.

Dans quelle mesure un seul informateur peut-il représenter le dialecte ou la variété ?

La réponse de la sociolinguistique est nécessairement prudente. Cela tient à la relation intime entre variation et changement linguistique.

Quand une innovation se répand dans une communauté, dans le contexte d'un changement en cours, il y a une diffusion lexicale, sociale, spatiale : les variantes anciennes et nouvelles coexistent; il y a variabilité d'une personne à l'autre. Comme le dit Bailey (1972), tout le monde parle toujours un dialecte de transition. En se plaçant du point de vue du modèle statistique régissant le choix des variantes, on prend conscience que la probabilité générale peut être connue, mais on ne peut pas prévoir le choix du locuteur pour une occurrence donnée. Le corollaire est qu'il faut un échantillon suffisamment grand de chaque groupe d'âge, de chaque couche sociale, etc., pour permettre des généralisations valides. La probabilité, de son côté, se dégage à l'échelle de la communauté et des sous-groupes dont elle se compose. Chaque individu ne met en pratique qu'une partie des ressources linguistiques de l'ensemble du groupe.

La méthodologie consacrée de la dialectologie avait pour effet de masquer l'étendue de la variation : le procédé consistant à recueillir un mot, une fois, auprès d'une personne aboutit à minimiser la variabilité. En réalité, d'autres réponses auraient pu être suscitées chez le voisin ou, le lendemain, chez le même locuteur. La sociolinguistique souligne l'importance de la dimension stylistique, qui régit également la variabilité. On croyait autrefois sonder une couche de la société où les informateurs modifiaient au minimum leur niveau de langue, même avec un enquêteur de l'extérieur, du fait qu'ils avaient été moins exposés aux influences modernes. Les sociolinguistes sont plus sceptiques quant à l'existence de locuteurs monostylistiques. Par ailleurs, on souligne le statut ambigu, voire artificiel, du niveau stylistique des formes de citation obtenues à travers le questionnaire : alors que la situation d'entrevue ferait appel à une certaine formalité et à un éloignement de la variété locale, les instructions explicites de rester « authentique » ou l'accord tacite qui s'établit entre informateur et enquêteur, où le premier cherche à respecter les « règles du jeu » (Johnston, 1985), permettent de susciter les formes voulues en dehors d'un contexte de communication appropriée.

Certaines stratégies tacites peuvent être décelées face à la variabilité qui apparaît malgré l'approche adoptée. Une stratégie relativement générale est de mettre cette variabilité de côté : certaines formes ne font pas partie du dialecte « pur », donc on les écarte. Le procédé devient facilement circulaire, puisqu'il faut connaître le dialecte pour savoir ce qui n'y appartient pas. L'approche de la linguistique générative pour l'étude des dialectes se base sur un procédé apparenté : puisque les individus entremêlent plusieurs systèmes linguistiques, « l'étude scientifique de ces systèmes est impossible sans recourir à une idéalisation ». L'analyse doit se faire dans « un système idéalisé qui correspond à une variété dialectale régionale ou sociale » (Roberge et Vinet, 1989).

Les praticiens contemporains de la dialectologie ont conscience de la relativité des données recueillies auprès d'un individu, quelle que soit la prudence exercée dans le choix. Comme le souligne Chaurand (1972, p. 214) :

> Un état de langue est toujours difficile à cerner. Le discours n'appartient pas à l'un de ces états comme un terrain bien délimité à son propriétaire. Il n'y a pas de frontières exclusivement spatiales (« parler de tel village ») mais il y en a plusieurs qui interfèrent suivant l'âge du témoin, ou le milieu auquel il appartient. L'individu à son tour n'a pas une, mais plusieurs façons de communiquer.

La dimension sociale est-elle nécessaire en dialectologie ?

Si la question est de retracer ce qui s'est produit dans le passé, à travers les formes les plus anciennes à tout moment, la distribution sociale actuelle de ces formes est sans pertinence directe. Qu'elles soient utilisées par toute la communauté ou par quelques vieillards seulement, peu importe, du moment où l'on y a accès. Indirectement, la dimension sociale peut néanmoins avoir une importance clé dans cette optique : pour identifier les formes recherchées parmi les données contemporaines recueillies, il faut connaître la matrice sociale dans laquelle elles s'inscrivent.

Si l'objectif est de cerner le mécanisme d'un processus de diffusion spatiale actuellement en cours, la dimension sociale intervient nécessairement. Les modèles de diffusion comprennent comme facteurs, par exemple, les attitudes sociales des groupes vis-à-vis de leurs propres normes et celles des autres, les réseaux de communication, la transmission entre générations, etc. La diffusion spatiale met en jeu tous les types de diffusion dégagés par la sociolinguistique : sociale (d'un groupe à l'autre), lexicale (d'un mot à l'autre), linguistique (d'un contexte à un autre), etc. Dire « de l'un à l'autre » présuppose une transmission par l'intermédiaire d'individus ayant une identité sociale.

Quand on regarde les processus qui se sont rendus à terme, qu'il s'agisse d'un cas de diffusion géographique ou d'un changement localisé, le rôle de la transmission sociale est beaucoup moins évident ; c'est pourquoi il peut parfois sembler que la démarche dialectologique adopte un modèle de stratification géologique, où les traces des étapes antérieures sont déposées comme des minéraux dont on va prendre des échantillons.

EXAMEN DE CETTE PROBLÉMATIQUE POUR LE DOMAINE ACADIEN

Dans le cadre de la recherche que nous menons sur les variétés linguistiques acadiennes, les considérations précédentes ont été importantes à toutes les étapes : dans la structuration de l'échantillon, dans la collecte des données et dans l'analyse. L'optique adoptée dès le départ visait à ce que le corpus représente l'ensemble des dimensions pertinentes pour l'analyse : sociale, stylistique, géographique et dynamique. Mais les postulats de recherche que nous posions n'étaient pas tous de même nature et exigeaient différents types d'échantillonnage et différentes méthodes de collecte.

Un objectif majeur était de connaître la distribution actuelle des variantes en coexistence, leurs corrélations avec les facteurs sociaux, les changements dans lesquels elles s'inscrivent. À cette fin, un échantillon stratifié s'imposait, avec un maximum d'informateurs par localité, où seraient représentés les divers groupes d'âge, les deux sexes, les différents statuts sociaux, etc. Le type de données privilégié était le discours suivi, recueilli par des enquêteurs de la même communauté que les informateurs. À partir d'un tel échantillon, une démarche statistique devenait possible, avec des généralisations basées sur une représentativité quantitative.

En parallèle, il fallait se donner les moyens de répondre à des questions sur la formation des parlers actuels, sur leur filiation, sur la reconstruction de leur évolution et des étapes antérieures. La distribution spatiale détaillée devenait alors primordiale. Dans cette optique, il est moins important de connaître l'ensemble des relations entre les forces sociales qui déterminent la structure contemporaine de la variabilité, puisque cela ne permet pas, de toute façon, d'extrapoler à propos d'une période antérieure où les forces en jeu étaient tout autres. Mais la connaissance de ces structures contemporaines permet de situer l'informateur, le niveau de langue, les formes recueillies dans leur contexte social et de comparer des variantes spatiales en meilleure connaissance de cause.

En fait, c'est la connaissance générale de la distribution sociolinguistique contemporaine qui permet de réaliser l'économie nécessaire dans la collecte des données pour l'étude comparative des variantes spatiales. Car la diversité géographique est trop grande pour faire une enquête sociolinguistique en profondeur à chaque point d'enquête.

Constitution du corpus : aspect méthodologique

Les Acadiens de la Nouvelle-Écosse se distribuent entre cinq régions principales, isolées géographiquement les unes des autres. Pour les besoins de notre enquête, chaque région devait faire l'objet d'un échantillonnage sociolinguistique. Nous avons dans chaque cas déterminé la localité où le français faisait preuve de la plus grande vitalité, de façon à pouvoir accéder à des locuteurs francophones de tout âge. Vingt-quatre entrevues y ont été effectuées, donnant un total de 120 informateurs pour les cinq localités choisies : Chéticamp, Pomquet, Pubnico-Ouest, Meteghan (baie Sainte-Marie) et Petit-de-Grat (île Madame). Ces entrevues ont été transcrites et informatisées pour rendre possible l'analyse sociolinguistique quantitative (voir Flikeid, 1991). Cette analyse a permis de dégager les structures sociales et stylistiques de la variabilité. Dans chaque localité, elle a permis également de connaître les axes de variabilité et de situer les formes recueillies par rapport à ces axes.

Pour l'examen spatial basé sur le sondage d'un maximum de points d'enquête, force a été d'accepter les limitations imposées par les possibilités réelles du projet : il faut vivre avec des données moins fournies, de deux à quatre informateurs par localité, mais en connaissance de cause, en sachant ce qu'on a dégagé et dans quelle optique les données peuvent être exploitées. Il ne faut pas conclure hâtivement à la représentativité ni à l'absence d'un trait dans une localité. La familiarité avec le modèle probabiliste de la variation est très importante pour évaluer la représentativité des occurrences individuelles et celle des informateurs. En outre, l'interprétation est à tout moment facilitée par l'existence en parallèle d'un échantillon sociolinguistique représentatif pour une localité de la même région.

Il faut dire aussi qu'en Nouvelle-Écosse, à cause des effets du transfert linguistique massif vers l'anglais dans les régions particulièrement exposées, il y un certain nombre de localités où l'on est réduit à chercher les quelques derniers locuteurs francophones âgés ; dans d'autres, il n'y a plus de francophones de moins de 40 ans. Dans ces cas, il est impossible d'obtenir une représentation de l'ensemble des groupes d'âge ; on se retrouve dans la situation classique du dialectologue cherchant à préserver les dernières traces d'une variété géographique qui pourrait être le chaînon vital dans une reconstruction d'ensemble.

Exploitation des données selon les types d'analyse

L'analyse sociolinguistique, avec sa démarche quantitative et statistique, est évidemment au centre de notre programme de recherche. Un premier aspect examiné à l'aide de cette méthodologie a été l'influence de la situation de communication sur la production linguistique individuelle. La structuration des entrevues faisait intervenir deux enquêteurs à tour de rôle : il était ainsi possible d'examiner, pour chaque informateur, l'écart entre la situation d'entrevue où intervenait un enquêteur de l'intérieur de la communauté et celle où l'enquêteur venait de l'extérieur. De cette façon, on pouvait sonder l'étendue des répertoires stylistiques et la capacité d'adaptation individuelle. Cette démarche a également permis de connaître les proportions de variantes standardisées auxquelles il faut s'attendre dans différentes régions et dans différents groupes.

Dans cette optique, une dimension importante à explorer était la distribution selon l'âge : à travers toutes les régions, on a pu constater que les formes vernaculaires étaient largement partagées par les jeunes et qu'il y avait même davantage de variation stylistique chez les plus âgés. Ainsi, les locuteurs «standardisants» ne se trouvaient pas nécessairement dans les groupes d'âge les plus jeunes; ces derniers ne seraient nullement à écarter pour l'observation de la variété vernaculaire. Prenons le cas du *je* «collectif» (*je chantons* au sens de «nous chantons» ou «on chante»): le groupe d'âge allant de 15 à 34 ans utilise cette forme dans 80% des cas (moyenne pour les cinq régions), en contraste avec le groupe de 55 ans et plus où le chiffre correspondant est de 54%. En parallèle, la réalisation affriquée de [k] dans des mots comme *quai, aucune* ([tʃɛ], [otʃyn]) est relevée dans 81% des cas dans le premier groupe contre 60% dans le second. Paradoxalement, si on devait se limiter à un seul informateur, les chances de relever des formes de ce type, qui sont pourtant les formes les plus anciennes, auraient été statistiquement plus grandes en s'adressant à un jeune. Comme l'ont déjà fait observer plusieurs sociolinguistes et dialectologues, il n'est nécessaire de se cantonner dans la couche la plus âgée que si la variété visée n'est pas partagée par le reste de la communauté. Sinon, et c'est le cas des communautés acadiennes de la Nouvelle-Écosse comme c'est le cas, par exemple, dans certaines régions de l'Angleterre et des Pays-Bas, de jeunes locuteurs peuvent être aussi représentatifs que les plus âgés de la variété la plus «authentique». L'exception à cela a trait aux phénomènes linguistiques impliqués dans des changements en cours: même si la plupart des traits acadiens ne sont pas en voie de standardisation, certains le sont. Par ailleurs, il peut s'agir de changements non pas vers une norme extérieure mais motivés par d'autres forces. Nous reviendrons à des cas de ce type et à l'importance d'un échantillonnage stratifié pour les capter et pour en cerner le fonctionnement social.

L'étude comparative de diverses variétés régionales, dans un but de description et de reconstitution diachronique, a porté en premier lieu sur les cinq localités ayant fait l'objet d'un sondage sociolinguistique en profondeur. Il va de soi que la richesse des données recueillies à chaque endroit dépasse souvent de loin les besoins de la description, notamment pour les formes stables et fréquentes. Dans le cas de la morphologie verbale, par exemple, l'extraction de milliers d'occurrences des désinences acadiennes *-ont (ils disont, ils faisont)* n'apporte guère plus d'information pour la reconstruction comparative que ne l'aurait fait une attestation unique par localité.

Il existe cependant des phénomènes pour lesquels il n'y a jamais trop de données. Ainsi, pour cerner la dimension lexicale d'un phénomène phonétique, un vaste corpus informatisé est indispensable. Ou encore, pour trouver des attestations d'un phénomène à une étape avancée de déplacement par une autre forme, le même besoin se fait sentir : il faut parfois passer en revue tous les informateurs âgés d'une localité pour trouver quelques exemples spontanés. De même, pour dégager la dynamique entre variantes en concurrence, l'échantillonnage stratifié s'impose comme outil indispensable. S'agit-il d'un changement en cours ou d'une alternance stable avec des formes standard ? Quelle est la forme la plus ancienne ? Autant de questions où l'étude en temps apparent peut être précieuse. Pour illustrer ces considérations, voici quelques cas où il a fallu avoir recours à l'ensemble de l'échantillon. Notre démarche fondamentale, il faut le dire, est basée sur l'examen du discours spontané. L'exploitation d'un questionnaire n'a été qu'une technique secondaire, souvent rendue possible par la première démarche.

Les oppositions de longueur vocalique. Maintenu dans la plupart des variétés acadiennes de la Nouvelle-Écosse, le système d'oppositions va au-delà des « deux /A/ » ou des « deux /E/ », impliquant également les voyelles hautes. De plus, les oppositions de longueur sont possibles devant les consonnes dites allongeantes. Les membres longs de chaque paire sont relativement peu fréquents et l'ensemble lexical où ils apparaissent n'est pas connu d'avance. Pour détecter ce phénomène et en cerner l'incidence, l'examen d'un vaste corpus a été indispensable. Ce n'est qu'après cette étape qu'un questionnaire a pu être mis au point pour continuer à sonder d'autres points d'enquête sur cet aspect.

Le passé simple. Par rapport à d'autres régions acadiennes, notamment le Nouveau-Brunswick, le passé simple *(il / elle disit, ils partirent)* jouit d'une vitalité certaine en Nouvelle-Écosse, ce que nous avons voulu vérifier dans l'ensemble des régions de cette province. Dans plusieurs des localités principales, l'examen du discours d'un informateur quelconque en livrait immédiatement des exemples. Dans d'autres cas, l'usage se révélait fréquent surtout chez les locuteurs âgés. Dans le village de Pubnico-Ouest, où le passé simple a le moins de vitalité actuellement, il a fallu passer en revue l'ensemble des informateurs âgés pour glaner quelques attestations spontanées. Le recours au questionnaire aurait pu dans ce cas être plus économique, n'eut été des difficultés inhérentes à l'obtention d'informations syntaxiques par ce moyen.

Les voyelles nasales diphtonguées. La comparaison interrégionale a, dans un premier temps, permis d'établir la distribution spatiale entre les variantes diphtonguées proprement dites, par exemple [græ̃ʷ] comme réalisation de [grã] *grand*, et celles qui comprennent un élément consonantique nasal, par exemple [græŋ], cela essentiellement en position accentuée. La question de la relation diachronique entre ces variantes se pose évidemment de façon générale, mais, dans le cas des régions du Sud-Ouest, elle se pose également à l'intérieur de certaines localités. L'examen de l'ensemble des locuteurs de Meteghan, à la baie Sainte-Marie, révèle un comportement mixte dans la génération la plus âgée, avec des individus utilisant systématiquement la réalisation [æŋ] pour /ã/ et [æ̃ʷ] pour /ɔ̃/, alors que chez d'autres les deux voyelles nasales fusionnent dans le contexte accentuel en question, avec la réalisation [æ̃ʷ]. Ce comportement est partagé par les plus jeunes. Le choix d'un informateur unique n'aurait permis de repérer qu'une des possibilités coexistant dans cette communauté et la direction du changement en cours n'aurait pas pu être extrapolée en se basant, par exemple, sur l'hypothèse de l'influence d'une norme extérieure. En ce qui concerne les possibilités d'obtention de ces formes par questionnaire, on a ici un cas où les formes de citation constituent un contexte excellent pour voir surgir les variantes recherchées, du fait de leur sensibilité à l'accentuation. Par contre, l'élément de stigmatisation relative intervient nécessairement pour en limiter le «succès».

Examinons maintenant quelle a pu être l'exploitation des entrevues réalisées aux points d'enquête où la représentativité sociale n'a pu être assurée, soit en raison de la nature même de la vitalité linguistique du français, soit par souci d'économiser les moyens. Au départ, ces points étaient inclus dans le but de permettre une reconstruction d'ensemble de l'évolution des différentes branches acadiennes après leur éparpillement à la suite de la Déportation, au milieu du XVIIIe siècle. De ce point de vue, l'information que livrent ces entrevues peut être aussi cruciale que celle des localités sondées en profondeur. Un exemple peut être celui de voyelles nasales; alors que les cinq localités principales offrent toutes une neutralisation de l'une ou l'autre des paires de voyelles nasales: /ɔ̃/ et /ã/, comme on l'a vu, dans le cas de Meteghan, /ã/ et

/ɛ̃/ dans le cas de Petit-de-Grat, des localités avoisinantes dans les mêmes régions livrent des systèmes de différenciation plus grande. À Samsonville, par exemple, non loin de l'île Madame, /ɑ̃/, /ɔ̃/ et /ɛ̃/ sont systématiquement distingués, même sous l'accent: on trouve les réalisations [ɑ̃ɲ], [ɔ̃ŋ] et [an] respectivement.

Dégager un sous-système phonologique de ce type chez un informateur unique dans une de ces localités apporte une information non négligeable sur la présence du phénomène en question, comme le fait également une attestation «positive» suscitée par le questionnaire, par exemple en ce qui concerne l'existence d'oppositions de longueur vocalique. Plus difficile à vérifier est l'absence de tel ou tel trait sans avoir recours à une approche de nature quantitative. C'est le cas là où une forme locale coexiste avec la variante standard, par exemple la négation avec *pas* plutôt qu'avec *point* qui est un trait régional et non social ou stylistique. Indirectement, la connaissance préalable de la structuration sociolinguistique des autres communautés acadiennes permet, dans une certaine mesure, de situer les données recueillies: on connaît le niveau probable de standardisation auquel on peut s'attendre dans la situation de communication représentée par l'entretien entre deux membres d'une même communauté. La covariation entre traits de même nature, connue avec exactitude pour les localités étudiées en profondeur, permet également une extrapolation: si un locuteur fait ample usage de traits qui, ailleurs, sont associés avec celui qui fait l'objet de l'étude, il est plus probable que l'absence de ce dernier soit caractéristique de la variété locale et non un effet de standardisation chez l'individu.

Une méthodologie de traitement statistique direct a été explorée pour ce type de données (Flikeid et Cichocki, 1989). Par définition, celles-ci sont ambiguës parce que la part de variation attribuable à l'informateur (ou plutôt à son identité sociale) ne peut pas être dissociée de la variation proprement géographique au niveau des formes individuelles. L'analyse simultanée et multidimensionnelle d'un nombre considérable de points linguistiques permet de quantifier et d'isoler la dimension de la standardisation des dimensions relevant des différences géographiques, en exploitant justement les phénomènes de covariation. Cette tentative, de surcroît basée sur des données de questionnaire, a montré que des résultats sur la distribution spatiale peuvent être tirés même d'un matériel très mixte sur le plan des variantes recueillies, représentatives tour à tour du vernaculaire et des normes extérieures.

Pour l'explication des différences régionales et intrarégionales et la reconstruction des étapes antérieures de l'évolution des parlers acadiens, nous pouvons évidemment tirer parti de l'éclairage apporté par l'étude des mécanismes de changement linguistique et de diffusion géographique dégagés dans d'autres situations linguistiques par des sociolinguistes et des dialectologues. Une théorie générale émergente, basée sur l'étude des processus en cours dans de nombreuses communautés, relie variation et évolution linguistiques par l'intermédiaire de toute une gamme de facteurs sociaux et psychologiques. La dernière partie de cet article examinera quelques-unes des directions actuelles qui paraissent les plus pertinentes pour les études comme la nôtre qui combinent les considérations spatiales, sociales et diachroniques.

DIRECTIONS ACTUELLES DANS L'ÉTUDE SOCIOSPATIALE DES DIALECTES

Une première voie prometteuse est celle qui explore les possibilités d'extrapolation du présent observable vers le passé. C'est un procédé commun à l'étude des mécanismes de changement linguistique et de diffusion spatiale. Dans le cas d'un changement linguistique en cours, l'étude en temps apparent se fait par l'observation de différents groupes d'âge à l'intérieur d'une même communauté. Si l'on y ajoute l'étude de sa diffusion spatiale, on peut également considérer l'observation de sa pénétration progressive le long d'un axe géographique comme une étude en temps apparent, chaque lieu représentant une étape successive de la chronologie réelle. C'est la direction de recherches préconisée par Chambers et Trudgill (1980), où la transposition des méthodes d'échantillonnage représentatif et de vérification rigoureuse de modèles spécifiés au préalable peut s'effectuer avec avantage.

L'étude de cas de diffusion actuellement en cours devrait permettre une meilleure compréhension des mécanismes ayant agi dans le passé ; il y a donc une application possible à l'étude de cas de diffusion ancienne. On rejoint là les préoccupations de la dialectologie historique, où l'on se penche sur les configurations spatiales contemporaines pour déceler des développements antérieurs. Les travaux contemporains menés dans cette perspective constituent la continuation de l'école de Bertoli, mais l'approche est moins mécanique, davantage axée sur les facteurs sociaux. Une étude de ce type est celle d'Andersen (1988), qui reprend les notions de périphérie et de centre en incorporant l'apport de la linguistique moderne, notamment en ce qui a trait à la nature de la transmission entre générations. Cette étude apporte également des nuances à l'explication trop simple qui attribuerait l'adoption d'une forme d'un dialecte par un autre uniquement aux relations de prestige social ; Andersen fait plutôt appel à un jeu complexe de facteurs linguistiques, psychologiques et sociaux.

On peut donc reconnaître l'importance théorique des travaux allant dans cette direction pour l'élaboration de modèles d'explication des cas plus anciens de changement et de diffusion. Qu'en est-il de la collecte même de formes dialectales d'une région linguistique dans le but direct de fournir des éléments à l'étude des développements antérieurs ? Si la première démarche éclaire les processus qu'on pourra postuler, la deuxième ne doit-elle pas continuer à fournir les matériaux de base des raisonnements ? À une époque de conditions changeantes et de déclin des dialectes anciens sous l'influence de la variété standard, de la mobilité accrue et de l'accès aux réseaux de communication modernes, on peut se demander s'il est encore utile de se pencher sur les variétés actuelles comme si elles représentaient une continuation du passé. Il faut revenir aux objectifs et se demander si l'étude de la distribution spatiale est encore importante. Il paraît évident, dans le cadre du présent ouvrage, qu'elle l'est, et particulièrement dans une optique de reconstruction diachronique. Pour nous, qui travaillons sur un terrain linguistique où la nature conservatrice des variétés régionales est très prononcée, l'intérêt de cette approche est indéniable. Parallèlement, dans un bilan de l'utilité des études dialectales en Angleterre, on a observé très justement qu'aussi longtemps que des formes et des structures désormais disparues de la langue centrale continuent à être préservées dans les dialectes, il est nettement plus avantageux de les étudier dans le contexte de leur utilisation vivante que comme « fossiles » dégagés de textes écrits anciens (Sanderson et Widdowson, 1985).

Les dialectes traditionnels sont-ils réellement en déclin ? Selon Chaurand (1972, p. 207), on est arrivé « à un tel point dans l'histoire dialectale de la France » que les entités dialectales « s'évaporent dès qu'on essaie de les saisir et de les cerner avec précision ». Pour Trudgill (1988, p. 553), parlant de la région de Norwich en Angleterre, l'évolution contemporaine est caractérisée par l'invasion des formes centrales et standard et par une situation de « mort dialectale ». L'optimisme d'autres sociolinguistes anglais fait contraste : Milroy (1987, p. 8) s'étonne plutôt de cette « capacity of vernacular features to persist in the face of relentless pressure from standard forms of the language ».

Pour ce qui est de l'intérêt de recueillir à tout moment les éléments dialectaux non conservés auparavant, nous devons nous ranger du côté de ceux qui y voient un apport précieux, quel que soit le statut, précaire ou bien assuré, des variétés en question. Par contre, les changements accélérés de la vie moderne permettront-ils longtemps de supposer que les mécanismes présents sont les mêmes que ceux qui ont agi dans le passé ? L'observation contemporaine ne portera-t-elle pas plutôt sur un nouveau type de dialectes « à l'américaine », caractérisés par des continua et des différences graduelles de fréquence ? C'est dans ce contexte que le traitement quantitatif variationniste s'impose comme seul viable. L'amélioration des techniques dialectométriques devra aller dans le sens d'incorporer des différences de fréquence à l'intérieur des unités géographiques de base. Jusqu'ici, la sophistication des techniques de calcul des distances était amoindrie par le fait que les observations linguistiques à la base du calcul étaient encore de type « informateur unique, réponse unique », ce qui ne colle pas avec le modèle de variabilité et de continuum dialectal.

Une direction intéressante de recherche a trait à la perception des différences dialectales chez les « usagers » eux-mêmes. D'un côté, on voit les tentatives de cartographie perceptuelle de Preston (1988). De l'autre, on assiste à une interrogation sur ce qui constitue les indices révélateurs d'une origine régionale. Les éléments segmentaux, terrain traditionnel d'observation et d'étude contrastive, pourraient bien être moins importants de ce point de vue que l'intonation et les habitudes spécifiques de projection de la voix. Comme le signale Petyt (1980), c'est un domaine peu exploré par les linguistes, et encore moins par les auteurs d'atlas linguistiques, alors que les locuteurs eux-mêmes y font référence de façon « naïve ». Dans le cadre de nos propres enquêtes, il est certain que les références fréquentes au fait que tels voisins « parlent gras » s'inscrivent dans cette optique. Les travaux en acoustique de J. Esling en Colombie-Britannique, actuellement en cours, visent à exploiter plus scientifiquement des indices de ce type pour découvrir les différences dialectales.

Compte tenu de cette réorientation, les dialectologues auraient peut-être intérêt à repenser le type de données à recueillir. Il est certain que le discours spontané devra occuper un rôle grandissant. Cependant, les limitations pratiques et les besoins de comparabilité pourront difficilement faire disparaître des outils tels que le questionnaire linguistique, outils destinés à relever de façon économique des informations dont on a pleinement conscience et dont on accepte les défauts en raison de leurs avantages. La comparaison, dans notre propre enquête, des avantages du questionnaire et du corpus spontané nous conduit à constater une complémentarité des deux approches, surtout si l'élaboration du questionnaire constitue une étape secondaire éclairée par les connaissances acquises au préalable par le dépouillement et l'analyse sociolinguistique du discours spontané. De toute façon, le questionnaire est indispensable pour l'étude exhaustive des phénomènes phonétiques et morphologiques de moindre fréquence. Il faut aussi dire que les méthodes et les techniques modernes n'ont pas beaucoup raccourci le travail de transcription du discours spontané, lequel reste coûteux. Par ailleurs, sur le plan de l'étude du lexique, le discours spontané ne livre des données intéressantes que sur la structure du vocabulaire d'usage courant ; pour étendre l'étude à des domaines lexicaux plus spécifiques et atteindre le vocabulaire plus restreint et spécialisé, on voit mal comment ne pas avoir recours à des outils permettant de diriger les témoignages.

*

*   *

L'apport de la sociolinguistique à la dialectologie se situe dans la compréhension accrue de la place qu'occupe l'occurrence individuelle dans l'ensemble, par définition hétérogène, que constitue une variété linguistique, qu'elle soit sociale ou géographique. Les moyens dont la sociolinguistique s'est dotée pour examiner la variation sociale au sein d'une communauté unique ne sont pas pour autant transposables à l'exploration de la répartition spatiale. Il faudra voir se développer des techniques qui tiennent compte de la réalité non uniforme des variétés spatiales, des phénomènes de transition graduelle, etc., tout en respectant l'exigence d'économie qui s'impose dans un projet d'une envergure suffisante pour dégager les contrastes régionaux intéressants. Il n'est plus possible de se baser sur la construction fictive d'un parler uniforme. Par contre, il est possible d'être conscient de ce qu'on sonde à tout moment et d'utiliser les contrôles statistiques pour assurer la relativité des observations.

L'examen des parlers acadiens peut apporter des éléments extrêmement importants pour l'étude des origines et de la formation de la francophonie nord-américaine. Cela tient particulièrement aux conditions sociohistoriques qui ont créé en Acadie des isolats linguistiques qui ont été peu influencés par le français extérieur ou normatif et dont le caractère conservateur ou « archaïque », noté par maints observateurs successifs, devrait en principe permettre une meilleure appréhension de la langue en usage à l'époque de la colonisation. Les études que nous menons en Acadie depuis plusieurs années montrent cependant qu'il s'agit d'un terrain d'étude où les dimensions sociales et géographiques sont toutes les deux particulièrement importantes, du fait de l'influence variable des normes extérieures d'un côté et du maintien stable d'un réseau très fin de variation dialectale de l'autre. Non seulement ces dimensions ne doivent pas être ignorées, c'est-à-dire que toute observation doit être située par rapport à elles, mais elles ne peuvent pas être dissociées dans l'analyse, en raison des effets d'interaction et de l'éclairage réciproque qu'elles présentent. Ainsi, nous avons cherché à appliquer dans nos recherches sur le français acadien une méthodologie d'enquête et d'analyse qui tire profit des approches de la sociolinguistique et de la dialectologie, une méthodologie par laquelle les données synchroniques, qui sont les seules auxquelles nous avons un accès immédiat et illimité, puissent être situées dans leur dynamique diachronique, sociale et spatiale.

Bibliographie

Andersen, Henning (1988), « Center and Periphery : Adoption, Diffusion, and Spread », dans Jacek Fisiak (dir.), *Historical Dialectology : Regional and Social*, Berlin, New York et Amsterdam, Mouton de Gruyter, p. 39-83.

Bailey, Charles-James N. (1972), « The Integration of Linguistic Theory : Internal Reconstruction and the Comparative Method in Descriptive Analysis », dans Robert P. Stockwell et Ronald K.S. Macaulay (dir.), *Linguistic Change and Generative Theory*, Bloomington et Londres, Indiana University Press, p. 22-31.

Bottiglioni, Gino (1954), « Linguistic Geography : Achievements, Methods, and Orientations », dans *Word*, 10, p. 357-387 ; repris dans H.B. Allan et M.D. Linn (dir.) (1986), *Dialect and Language Variation*, San Diego, Academic Press.

Bynon, Theodora (1977), *Historical Linguistics*, Cambridge, Cambridge University Press, x + 301 p.

Chambers, J.K., et Peter Trudgill (1980), *Dialectology*, Cambridge, Cambridge University Press, XIII + 218 p.

Chaurand, Jacques (1972), *Introduction à la dialectologie française*, Paris, Bruxelles et Montréal, Bordas, 288 p.

Dauzat, Albert (1922), *La géographie linguistique*, Paris, Flammarion, 226 p.

Eckert, Penelope (1980), « The Structure of a Long-Term Phonological Process : The Back Vowel Chain Shift in Soulatan Gascon », dans William Labov (dir.), *Locating Language in Time and Space*, New York et Londres, Academic Press, p. 179-219.

Flikeid, Karin (1991), « Techniques of Textual and Quantitative Analysis in a Corpus-Based Sociolinguistic Study of Acadian French », dans S. Hockey et N. Ide (dir.), *Research in Humanities Computing*, I, Oxford, Oxford University Press, p. 15-34.

Flikeid, Karin, et Wladislaw Cichocki (1988), « An Application of Dialectometry to Nova Scotia Acadian French », dans *Papers from the Annual Meeting of the Atlantic Provinces Linguistic Association*, 11, p. 59-74.

Gauchat, Louis (1905), « Unité linguistique dans le patois d'une commune », dans *Aus romanischen Sprachen und Literaturen : Festschrift Heinrich Morf*, Halle, p. 175-232.

Hagen, Anton M. (1988), « Sociolinguistic Aspects in Dialectology », dans Ulrich Ammon *et al.* (dir.), *Sociolinguistics : An International Handbook of the Science of Language and Society*, I, Berlin et New York, Walter de Gruyter, p. 402-413.

Hock, Hans Heinrich (1986), *Principles of Historical Linguistics*, Berlin, Mouton de Gruyter, XIII + 722 p.

Jaberg, Karl (1936), *Aspects géographiques du langage*, Paris, Droz, 116 p.

Johnston, Paul A. Jr. (1985), « Linguistic Atlases and Sociolinguistics », dans John M. Kirk (dir.), *Studies in Linguistic Geography*, Londres, Sydney et Dover (N.H.), Croom Helm, p. 81-93.

Labov, William (1982), « Building on Empirical Foundations », dans Winfred P. Lehmann et Yakov Malkiel (dir.), *Perspectives on Historical Linguistics*, Amsterdam et Philadelphie, John Benjamins, p. 17-92.

Malkiel, Yakov (1984), « From Romance Philology through Dialect Geography to Sociolinguistics », dans *International Journal of the Sociology of Language*, 9, p. 59-84.

Milroy, Lesley (1987), *Language and Social Networks*, 2ᵉ édition, Oxford et New York, Basil Blackwell, XI + 232 p.

Petyt, K.M. (1980), *The Study of Dialect*, Londres, André Deutsch, 236 p.

Preston, Dennis (1988), « Methods in the Study of Dialect Perception », dans A.R. Thomas (dir.), *Methods in Dialectology*, Clevedon, Multilingual Matters, p. 373-395.

Roberge, Yves, et Marie-Thérèse Vinet (1989), *La variation dialectale en grammaire universelle*, Montréal, PUM, 143 p.

Sanderson, Stewart, et J.D.A. Widdowson (1985), « Linguistic Geography in England : Progress and Prospects », dans John M. Kirk (dir.), *Studies in Linguistic Geography*, Londres, Sydney et Dover (N.H.), Croom Helm, p. 34-50.

Sommerfelt, Alf (1930), « Sur la propagation des changements phonétiques », dans *Norsk Tidsskrift for Sprogvitenskap*, 4, p. 76-98.

Trudgill, Peter (1983), *On Dialect : Social and Geographical Perspectives*, Oxford, Basil Blackwell, VIII + 240 p.

Trudgill, Peter (1988), « On the Role of Dialect Contact and Interdialect in Linguistic Change », dans Jacek Fisiak (dir.), *Historical Dialectology : Regional and Social*, Berlin, New York et Amsterdam, Mouton de Gruyter, p. 547-563.

Walters, Keith (1988), « Dialectology », dans Frederick J. Newmeyer (dir.), *Linguistics : The Cambridge Survey*, t. 4, Cambridge et New York, Cambridge University Press, p. 119-139.

Weinreich, Uriel, *et al.* (1968), « Empirical Foundations for a Theory of Language Change », dans Winfred P. Lehmann et Yakov Malkiel (dir.), *Directions for Historical Linguistics : A Symposium*, Austin et Londres, University of Texas Press, p. 95-195.

Le français à l'ouest de l'Ontario

Tendances phonétiques du français parlé en Alberta

Bernard Rochet
Département de langues romanes
Université de l'Alberta

Bien que quelques petits groupes de Canadiens français se soient installés en Alberta dès 1874 (à Lamoureux, et quelques années plus tard à Saint-Albert et à Edmonton), ce n'est qu'à partir de 1890 que le mouvement de migration canadienne-française commença à prendre de l'importance. La plupart des immigrants de langue française vers l'Alberta étaient des Canadiens français dont la plus grande partie (environ 70 %) venait du Québec (voir Dubuc, 1973), le reste venant des Provinces maritimes, du nord de l'Ontario, ou des États-Unis où ils s'étaient dirigés en premier lieu. Très peu d'Européens ont contribué à l'immigration française en Alberta.

De nos jours, selon Statistique Canada, seulement 6,4 % de la population de l'Alberta est capable de s'exprimer en français (Zwarun, 1990, p. 170). Les régions où l'on rencontre la plus forte concentration de gens parlant ou comprenant la langue française sont celle de Saint-Paul et Bonnyville (18,5 % de la population de cette région et 10,5 % de l'ensemble des francophones albertains), celle de Rivière-la-Paix (11,7 % de la population de cette région et 11,8 % de l'ensemble des francophones albertains) et celle d'Edmonton (7 % de la population de cette région et 41 % de l'ensemble des francophones albertains)[1]. Bien

---

1. Pour une étude détaillée de la société franco-albertaine et une histoire de son évolution, voir Silla (1974).

que la plus grande partie de la population de langue française soit concentrée à Edmonton, elle n'y représente que 7 % de la population totale et elle est dispersée au sein de la population anglaise, si bien qu'on entend rarement parler français dans les rues d'Edmonton. Par contre, à Saint-Paul, à Bonnyville et surtout à Falher (dans le district de Rivière-la-Paix), on entend assez souvent parler français dans la rue et dans les magasins. Le taux de reproduction linguistique de la population de langue maternelle française en Alberta, qui était de 1,02 en 1961 et de 0,84 en 1971, est tombé à 0,34 en 1986 (voir Castonguay, dans le présent ouvrage). Il faut tout de même mentionner que la situation des francophones albertains s'est considérablement améliorée depuis 1986, puisqu'on compte maintenant en Alberta sept écoles françaises homogènes, fréquentées par 1 200 enfants (voir Martel, dans le présent ouvrage).

Le but de cet article est de décrire les traits principaux de la prononciation du français parlé en Alberta (FA) et, ce faisant, de répondre à la première recommandation d'Albert Valdman (dans le présent ouvrage), pour qui il est souhaitable d'entreprendre la description des parlers actuels[2]. Les données examinées font partie d'un corpus de 324 enregistrements effectués à Edmonton (108), à Falher (108) et à Bonnyville (108) au cours de l'année 1976. Le but de chaque enregistrement, d'une durée de 30 à 40 minutes, était d'obtenir un échantillon du parler de chaque locuteur, d'une longueur suffisante pour permettre une étude de ses caractéristiques phonétiques. Comme ces enregistrements devaient aussi fournir les données de base à une enquête sociologique, le format des entrevues avait été standardisé afin que les mêmes questions soient posées à chaque locuteur. Ces questions portaient sur l'opinion des sujets concernant certaines notions telles que la francophonie, le sentiment d'appartenance culturelle, l'assimilation culturelle et linguistique, etc. De plus, la personne qui effectuait les entrevues (un francophone originaire de Falher) posait des questions sur des sujets qui semblaient intéresser ses interlocuteurs. On peut affirmer que la

---

2. En même temps, il faut espérer que cette étude contribuera à combler la lacune mentionnée à juste titre par Mougeon et Beniak (1989, p. 1-2), avec qui il faut « se rendre à la pénible évidence que le français parlé à l'ouest de l'Ontario reste presque « inexploré » ».

plus grande partie des enregistrements constituent d'excellents exemples de conversation libre, dans un style le plus souvent familier.

Les données qui suivent ont été obtenues à partir de 20 enregistrements qui ont été analysés dans leur totalité et d'une trentaine d'autres pour lesquels des sections de quelques minutes ont été retenues. On se concentrera sur les variables phonétiques et phonologiques qui sont généralement considérées comme caractéristiques du français parlé au Canada, en s'attachant dans la mesure du possible à signaler les différences et les ressemblances entre la prononciation du français parlé en Alberta et celle d'autres variétés du français canadien[3].

CONSONNES

Un des traits phonétiques du français parlé au Canada qui a reçu le plus d'attention est la prononciation du /r/ (Vinay, 1950; Léon, 1967; Clermont et Cedergren, 1979; Santerre, 1982). On considère en général qu'il y a deux variétés de /r/: une apico-alvéolaire «roulée» ([r]) et une uvulaire (constrictive [ʁ], ou à battements multiples [ʀ]). La plupart des interlocuteurs de notre corpus prononcent un [r] apical[4]. Quelques-uns des plus jeunes locuteurs semblent toutefois lui préférer le [ʁ] uvulaire. On pourrait penser qu'il s'agit là d'une évolution semblable à celle que l'on observe à Montréal où le [r] apical a l'air de vouloir céder le pas à la variante uvulaire (Clermont et Cedergren, 1979). Une telle conclusion serait toutefois prématurée: le nombre de personnes employant la variante uvulaire est encore trop bas pour qu'on puisse y voir autre chose qu'une caractéristique individuelle; de plus, on n'observe pas de variation au sein d'un même idiolecte, comme c'est le cas à Montréal.

---

3. Le terme *français canadien* est utilisé dans cette étude pour désigner les variétés de français parlées dans la majeure partie du Québec, en Ontario et à l'ouest de l'Ontario, mais il n'inclut pas le français acadien.

4. C'est aussi un [r] apical qui a été relevé à Maillardville en Colombie-Britannique (Ellis, 1965, p. 11), à Windsor en Ontario (Hull, 1956, p. 49) et à Willowbunch en Saskatchewan (Jackson et Wilhelm, 1973, p. 305). Par contre, le [ʁ] uvulaire semble être la variante dominante à Québec (Vinay, 1950) et à Bellegarde en Saskatchewan (Jackson et Wilhelm, 1973, p. 305).

Une deuxième caractéristique du FA est son traitement du /h/ aspiré. On sait que, pour le français dit «standard» (FS), le terme de «*h* aspiré» ne désigne pas une consonne, mais plutôt le fait que les phénomènes de liaison et de chute du /ə/ caduc sont bloqués devant les mots qui commencent par un /h/ aspiré, par exemple:

le haut [ləo]   (par contre: l'eau [lo])[5]
les hauts [leo]   (par contre: les eaux [lezo])

Dans le FA, le /h/ aspiré se prononce dans un certain nombre de mots comme *haut, hausses, honte, hâte, hors, dehors*, etc. Ce phénomène a été observé dans d'autres variétés de français canadien, et en particulier à Gravelbourg, en Saskatchewan (Léon, 1967, p. 129; Jackson, 1974, p. 131), à Windsor, en Ontario (Hull, 1956, p. 50), à Papineauville, au Québec (Landry, 1943, p. 37), etc. Dans notre corpus, un /h/ aspiré a par ailleurs été prononcé plusieurs fois au début du mot *un*, phénomène noté aussi par Hull (1956, p. 50)[6].

Par contre, dans d'autres mots où il est présent en français standard, non seulement le /h/ aspiré ne se prononce pas, mais il n'entraîne pas l'absence de liaison ou le maintien de /ə/ caduc dans le mot précédent, par exemple:

l'hibou [libu]   (FS [lə ibu])   les hiboux [lezibu]   (FS [leibu])[7]

Ces deux procédés (prononciation de /h/ aspiré et absence de /h/ aspiré accompagnée d'une liaison ou de la chute de /ə/ caduc) contribuent à simplifier le sytème phonologique en éliminant les exceptions aux règles de liaison et de chute de /ə/ caduc, exceptions qui, dans le français standard, résultent du fait que certains mots commençant par une voyelle n'admettent pas la liaison et l'élision du /ə/ caduc à la fin du

---

5. Devant les mots commençant par une voyelle, on observe aussi la chute de la voyelle dans l'article défini et le pronom personnel complément d'objet direct *la*: *l'alouette, je l'attrape*.

6. Il s'agit en fait d'une prononciation populaire qui se rencontre également en France, comme en témoigne Raymond Queneau (1959, p. 19) dans *Zazie dans le métro*: «C'est hun cacocalo que j'veux.»

7. Ce phénomène a été observé également par Landry (1943, p. 37) qui cite *l'héron, coup d'hasard* et *les héros* [lezero].

mot précédent (par exemple, *le hameau*), alors que d'autres le font (par exemple *l'ami*)[8].

En ce qui concerne la consonne /l/, il faut mentionner deux phénomènes. Tout d'abord, en FA comme dans la plupart des autres variétés de français canadien, la consonne /l/ des articles définis et des pronoms personnels *la* et *les* disparaît souvent en position intervocalique et lorsqu'elle ne fait pas partie d'une finale accentuée:

dans (l)es montagnes	[dãemɔ̃taɲ]
dans (l)es plats	[dãeplɑ]
dans (l)es alentours	[dãezalãtur]
tou(tes) (l)es fins de semaine[9]	[twefɛ̃dsəmɛn]

Lorsque, à la suite de la chute du [l], deux voyelles semblables se trouvent côte à côte, ces deux voyelles peuvent se combiner pour former une voyelle allongée:

| dans (l)a maison | [dã:mɛzɔ̃] |
| à (l)a maison | [a:mɛzɔ̃] |

Toutefois, cet allongement vocalique est souvent imperceptible, et il y a fusion vocalique sans allongement:

| dans (l)a tête | [dãtɛ:t] |
| allait à (l)a messe | [alɛamɛs][10] |

La deuxième particularité de la consonne /l/ est son allongement qui se produit lorsque la forme élidée des pronoms *la* et *le* (c'est-

8. On peut bien sûr distinguer ces deux types de mots en disant que les premiers commencent par une «voyelle couverte» et les derniers, par une «voyelle nue» (comme le fait Gougenheim, 1935, p. 29-30). Il n'en reste pas moins que, pour les sujets parlants, ces deux catégories de mots commencent par le même type de son, une voyelle, et qu'il leur faut considérer les mots qui n'acceptent pas la liaison et la chute du /ə/ caduc comme des exceptions. L'application de la règle générale aux exceptions, qui s'observe couramment en français populaire, constitue une simplification du système.

9. On remarque dans ce cas que l'adjectif indéfini *toutes* se prononce sans [t] final, contrairement à sa prononciation habituelle et bien que le nom qu'il accompagne (*semaine*) soit un féminin. Il s'agit là d'une prononciation courante de *tous* lorsqu'il est suivi de l'article *les*, et en particulier lorsqu'il précède une expression de temps indiquant une répétition (par exemple *toutes les nuits*). Cette prononciation a été notée par Bauche (1928, p. 100) dans son étude sur le français populaire: «Au pluriel, *tout* ne se met jamais au féminin lorsqu'il précède l'article *les*: *tous les semaines*.»

10. Pour un traitement détaillé de ce phénomène, voir Dumas (1974b).

à-dire *l'*, comme dans *je l'entends*) est précédée d'une voyelle prononcée, par exemple :

ça l'affecte	[sal:afɛkt]
ça doit l'affecter	[sadwal:afɛkte]
je l'ai connu	[ʒəl:ekɔny]

On peut aussi observer dans le FA le phénomène de spirantisation des fricatives /ʃ/ et /ʒ/, phénomène étudié par Charbonneau (1957) et par Chidaine (1967). Cette prononciation spirantisée n'est pas générale en FA. On la rencontre surtout chez les personnes âgées et chez les moins instruites. Par exemple, le locuteur nᵒ 63 de Bonnyville l'emploie de façon générale (dans les mots *toujours, enragés, changements, gens, jamais, projet, bagage, charge, avantage, changés, acheter, chialage*). Certains l'emploient de façon sporadique et uniquement dans quelques mots. Ainsi, chez le sujet nᵒ 58 de Bonnyville, la forme spirantisée ne se rencontre que dans les mots *toujours* et *déjà*[11]. Il semble que cette prononciation, qui, comme on le sait, est courante en Saintonge et dans certaines parties du Canada français, ait quelque peu perdu du terrain en Alberta, en particulier chez les jeunes et les gens instruits. Le fait qu'on l'entende encore dans certains mots suggère que sa disparition n'est pas complète et on peut penser que son emploi dans de tels mots est surtout assuré par une fonction expressive, comme c'est d'ailleurs le cas pour le /h/ (voir à ce sujet Léon, 1967, p. 128).

Les formes assibilées [tˢ] et [dᶻ] des occlusives /t/ et /d/, qui sont typiques du français canadien, sont une des caractéristiques les plus marquantes du FA. L'assibilation se produit devant les voyelles hautes antérieures /i/ et /y/, et les semi-voyelles correspondantes /j/ et /ɥ/. Alors que le phénomène d'assibilation est quasi général à l'intérieur de mot (par exemple *étude, parti, midi*), il ne se produit que très rarement lorsque l'occlusive et la voyelle suivante appartiennent à des mots différents, c'est-à-dire dans les cas de liaison et d'enchaînement. Dans les enregistrements étudiés, l'assibilation s'est produite dans les cas suivants :

---

11. Par contre, chez le locuteur nᵒ 65, originaire du Lac-Saint-Jean, les fricatives [ʃ] et [ʒ] n'existent pas, au point que même les emprunts anglais *shack* et *shop* sont prononcés avec la forme spirantisée.

c'est_inévitable (2 ex.)	[sɛtˢinevitab]
t'as toute_une série, là	[tUtˢYnseri]
c'est_une bonne chose	[sɛtˢYnbɔnʃoᵘz]

Par contre, elle ne s'est produite dans aucun des cas suivants:

c'en est_une	nous aut(res)_ici
c'est_une canadienne	qu'on est_ici à Bonnyville
c'est_une nuance	quand_y avait des changements
c'est_inévitable (5 ex.)	toute_une façon de vivre
quand_ils seront[12]	c'est_une raison
sens d'_humour	c'est_une bonne question
c'est_une belle province	quand_ils sont arrivés
éducateurs d'_ici	mille neuf cent vingt_huit
y a peut-êt(re)_eu	trente_huit
ça fait cinq ans qu'on est_ici	au bout d'_une semaine
Saint_Hyacinthe	toute_une bouffée
à l'entour d'_icitte	quand_ils sont
c'est_une bonne chose (2 ex.)	c'est_une des grandes raisons
quand_ils te serrent la main	il a fait_une très belle vieillesse

Ces exemples illustrent bien le caractère facultatif de l'assibilation en contexte de liaison et d'enchaînement (Dumas, 1987, p. 3-4; Walker, 1984, p. 107-108). Ils suggèrent aussi que, pour le FA, les variantes non assibilées sont bien plus courantes que les variantes assibilées. Si ce résultat se voit confirmé par le dépouillement d'un plus grand corpus, il se peut qu'il y ait là une différence entre le français de l'Alberta et celui du Québec en ce qui concerne l'étendue de l'assibilation en contexte de liaison et d'enchaînement. Dans un tel contexte, les variantes assibilées et les variantes non assibilées sont aussi courantes les unes que les autres en français du Québec (Dumas, 1987, p. 3-4).

De plus, dans notre corpus, l'assibilation ne se produit pas dans les emprunts de l'anglais:

trois teepee	[tipi]
melting-pot	[mɛltIŋpɔt]
T.V. (television)	[tivi]
A.T.A. (Alberta Teachers Association)	[etie]

---

12. Dans un grand nombre de cas, de tels syntagmes ne contiennent pas de séquence [t] + [i] puisqu'ils sont prononcés [kãkisrɔ̃], [kãkisɔ̃], etc.

VOYELLES

Comme dans les autres variétés de français parlé au Canada, les voyelles hautes /i/, /y/ et /u/ du FA sont fermées (ou tendues) en syllabe accentuée libre. Elles sont également fermées en syllabe accentuée entravée par une consonne allongeante ([v], [z], [ʒ], [vr]), et ouvertes (ou «relâchées») ailleurs ([I], [Y], [U]). C'est la même distribution que l'on retrouve à Willowbunch (Jackson et Wilhelm, 1973, p. 307; Jackson, 1974, p. 127-128) et Gravelbourg (Jackson, 1968) en Saskatchewan, au Manitoba (Thogmartin, 1974, p. 341), ainsi qu'à Maillardville en Colombie-Britannique (Ellis, 1965, p. 13-14; voir aussi Walker, 1984, p. 56). Gendron (1966, p. 19) a toutefois noté des «exceptions individuelles ou locales [à cette règle générale] [...] surtout devant la consonne *v* et le groupe *vr*» à Montréal et à Québec, où l'on entend parfois la variante ouverte, en particulier pour la voyelle /u/. Hull (1956, p. 47) signale également quelques cas d'ouverture de voyelles hautes devant /v/ (par exemple dans *gencive*). Notre corpus albertain contient aussi quelques cas d'ouverture de la voyelle /u/ devant /r/ et /v/ (par exemple dans le mot *toujours* et le syntagme *je trouve que*), et de la voyelle /i/ devant /v/ (par exemple dans le mot *native*).

Il semble donc, comme le déclare Santerre (1976, p. 23), qu'il y ait une «très grande liberté même devant le /R/» et que «l'allongement n'empêche pas nécessairement l'ouverture». Il faut toutefois souligner que ces cas d'ouverture de voyelles hautes devant des consonnes allongeantes sont assez rares en FA, et il faut peut-être les attribuer à un conditionnement lexical plutôt qu'à un conditionnement phonologique. C'est du moins ce que suggère le fait que la variante ouverte de la voyelle /u/ semble surtout utilisée dans le mot *toujours* et dans le syntagme *je trouve que*. Ces prononciations sont probablement à mettre sur le même plan que les variantes antérieures de la voyelle /u/ que l'on entend dans certains mots ou syntagmes fréquents comme *nous autres* ([nyzot]), *tout de suite* ([tysɥIt]) et *tout seul* ([tysœl])[13]. Dans l'ensemble, on peut affirmer que les voyelles hautes du FA suivent la règle générale

---

13. Cette prononciation antérieure de la voyelle /u/ est aussi mentionnée par Dumas (1987, p. 102) et elle est attestée par les représentations orthographiques *tusuite* et *tuseul* que l'on retrouve dans les pièces de Michel Tremblay.

d'ouverture mentionnée plus haut. Malgré l'existence de quelques exceptions, nous sommes loin de la situation observée par Gendron (1966, p. 19) sur la rive sud du Saint-Laurent depuis Québec jusqu'en Gaspésie, où l'emploi de la variante ouverte est général devant les consonnes allongeantes, ou de celle qui est décrite par Locke (1949, p. 33) pour le français de Brunswick, au Maine, où la voyelle /i/, qui est fermée en finale absolue et devant /v/ et /r/, reste fermée devant /z/ dans des substantifs tels que *chemise, cerise, surprise,* mais est ouverte dans les formes du présent du subjonctif (par exemple *dise*) et devant la consonne /ʒ/.

On observe aussi parfois un certain degré d'ouverture des voyelles hautes en syllabe libre (ou en syllabe fermée par une consonne allongeante) en finale de mot, lorsqu'il s'agit de clitiques:

vo*u*s avez	[vUzave]	s*u*r-le-champ	[sYlʃæ̃]
j*u*squ'*où* va	[ʒYskUva]	pl*u*s rapides	[plYrapId]
po*u*r une chose	[pUrYnʃoᵘz]	beauco*u*p d'esprit	[bokUdɛspri]
c'est pl*u*s le point	[sɛplYlpwẽ]		

La prononciation ouverte des voyelles hautes dans les exemples ci-dessus ne constitue pas une exception à la règle générale, mais va de pair avec la nature inaccentuée (au sein du groupe phonologique) des syllabes contenant les voyelles en question. C'est pour la même raison que la voyelle *a*, qui se prononce [ɑ] en position finale de mot (comme dans *chat* [ʃɑ]), conserve son articulation d'avant ([a]) en position clitique (Santerre, 1976, p. 26; Walker, 1984, p. 79; Dumas, 1987, p. 136).

Le corpus albertain contient aussi de nombreux cas d'harmonisation vocalique[14]. Ainsi, une voyelle relâchée peut influencer la voyelle haute qui la précède dans la pénultième et provoquer son ouverture:

physiques	[fIzIk]
politique	[pɔlIt͡ˢIk]
magnifique	[maɲIfIk]
ça communique	[kɔmYnIk]

---

14. Pour une description du phénomène d'harmonisation vocalique, voir Dumas (1976, p. 61-68) et Dumas et Boulanger (1982).

| facilite | [fasIlIt] |
| minute | [mInYt][15] |

Ce phénomène est toutefois facultatif, comme l'a fait remarquer Dumas (1987, p. 97) et comme le montrent les exemples suivants relevés dans notre corpus :

| équilibre | [ekilIb] |
| honorifique | [ɔnɔrifIk] |

Ainsi, le relâchement de la voyelle haute en position accentuée n'entraîne pas nécessairement l'ouverture des voyelles hautes dans la syllabe précédente. On observe la même variabilité dans les mots de trois syllabes. Dans certains cas, seule la voyelle accentuée est relâchée :

difficile	[dᶻifisIl]
infinitif	[ẽfinitˢIf]
mysticisme	[mistˢisIsm]

Dans d'autres cas, l'harmonisation influence la voyelle pénultième, mais pas l'antépénultième :

| difficile | [dᶻifIsIl] |
| discipline | [dᶻisIplIn] |

Il arrive aussi que les trois voyelles soient relâchées :

| difficile | [dᶻIfIsIl] |

Ce dernier cas est d'ailleurs très commun dans le FA. Par contre, les enregistrements étudiés jusqu'à présent n'ont pas révélé de cas où l'harmonisation influence la voyelle de l'antépénultième mais pas celle de pénultième, comme c'est le cas à Montréal, où des formes comme [dᶻifisil] sont courantes (voir Dumas, 1987, p. 97).

La désonorisation des voyelles hautes est aussi très fréquente dans le FA. Elle suit les règles formulées par Gendron (1959), c'est-à-dire qu'elle se produit essentiellement dans des syllabes en position

---

15. Bien que le phénomène d'harmonisation soit facultatif (voir ci-dessous), il semble avoir produit quelques formes figées dans lesquelles la voyelle de la pénultième est toujours relâchée. Tel semble être le cas du mot *minute*. Ce mot se rencontre d'ailleurs sous la forme *menute* dans les pièces de Michel Tremblay qui écrit aussi *pelule* pour *pilule*.

faible, et au contact d'une ou de deux consonnes sourdes. Bien que les prononciations obtenues par la lecture de mots révèlent que la position la plus favorable à la désonorisation est la position médiane de mot, les voyelles hautes du français parlé de l'Alberta sont souvent désonorisées en position initiale et finale de mots ainsi que dans les clitiques, par exemple :

les patois qu*i* se parlent   anglais qu*i* se parle
c'est pas d*u* français d*u* tout   par-*ci* par-là
les gens qu*i* sont   beauc*ou*p plus
p*ou*r avoir   faut qu'*i*ls disent
je v*ou*s trouve   *tou*t feu *tou*t flamme
travail qu*i* s'est fait

L'affaiblissement des voyelles, qui contribue à leur désonorisation, peut mener à leur disparition. En réalité, il est rare qu'une voyelle disparaisse complètement. Comme l'a fait remarquer Dumas (1987, p. 103-104), la plupart du temps, les voyelles qui semblent avoir disparu se sont simplement raccourcies au profit d'une consonne continue voisine qui, elle, s'est allongée et s'est vue «colorée» par la voyelle. Les cas de voyelles disparues que nous avons observés dans notre corpus répondent bien à cette description du phénomène; il s'agit la plupart du temps de voyelles hautes dans un contexte désonorisant :

diff(i)cile   [dᶻIfsIl]
s(u)pposé   [spoze]
ch(i)caner   [ʃkane]

Il arrive aussi que des voyelles soient absorbées par une continue dans un contexte voisé :

n(ou)s avons   [nzavɔ̃]

Les voyelles nasales du FA, comme les voyelles nasales du français canadien étudiées par Gendron (1966) et Charbonneau (1971), sont très différentes des voyelles nasales du français standard. Il faut tout d'abord mentionner que le FA a quatre voyelles nasales et que la confusion entre /ɛ̃/ et /œ̃/, qui est caractéristique du français parlé dans le nord de la France, ne se produit pas en Alberta. La voyelle /œ̃/ est toutefois plus fermée en FA.

Une caractéristique commune à toutes les voyelles nasales du FA est le fait que ce sont des voyelles diphtonguées (ou diphtongues, ou voyelles complexes)[16] en syllabe entravée accentuée, par exemple:

quinze   [kɛ̃ⁱz]
change   [ʃɑ̃ᵘʒ]
monde   [mɔ̃ᵘd]

Cette prononciation est semblable à celle qu'on a décrite pour le français parlé dans la province de Québec (Gendron, 1966; Charbonneau, 1971; Dumas, 1981), pour le français de Brunswick au Maine (Locke, 1949), pour celui de Windsor (Hull, 1956), pour celui du Manitoba (Thogmartin, 1974) et pour celui de Willowbunch en Saskatchewan (Jackson et Wilhelm, 1973). Par contre, Ellis (1965) ne fait pas mention de variantes diphtonguées pour le français de Maillardville en Colombie-Britannique.

Comme l'a démontré Dumas (1981, p. 2) dans son étude sur le français de Montréal, la diphtongaison est une caractéristique des voyelles longues, que leur longueur soit acquise (par exemple *bête*, *fâche*, *passe*) ou attribuable à un conditionnement externe (par une consonne allongeante) ou interne (trait de tension qui caractérise les voyelles /e/, /ø/, /o/ et les voyelles nasales en syllabe entravée accentuée). Comme on s'y attend, les voyelles nasales en syllabe inaccentuée ou accentuée libre ne sont en général pas diphtonguées. Toutefois, la voyelle d'avant /ɛ̃/ diffère des autres voyelles nasales en ce sens qu'elle est le plus souvent articulée comme une voyelle complexe en syllabe accentuée libre. Cette particularité phonétique du FA correspond à la description donnée par Charbonneau (1971, p. 244) pour le français parlé du Québec: « [ɛ̃] en syllabe libre et [ɛ̃] en syllabe entravée [...] manifestent donc une certaine instabilité et, si fermées qu'elles soient lorsqu'elles atteignent la plénitude sonore, elles se ferment davantage et progressivement jusqu'à la fin de leur émission ». De plus, et en cela aussi le FA se comporte comme le français du Québec, la voyelle nasale /ɛ̃/ a un timbre plus fermé que la voyelle correspondante en français standard

---

16. Contrairement à Charbonneau (1971, p. 247-249), qui établit une distinction entre *diphtongue* et *voyelle complexe*, nous employons indifféremment ces deux termes, ainsi que celui de *voyelle diphtonguée*, pour désigner un segment vocalique consistant en un noyau syllabique suivi d'un élément vocalique non syllabique plus fermé.

([ɛ̃]), plus fermé que la voyelle orale /ɛ/, et se rapprochant plutôt de celui de la voyelle orale /e/ (pour le français du Québec, voir Charbonneau, 1971, p. 259).

Ailleurs qu'en syllabe accentuée et entravée, la voyelle nasale /ɑ̃/ a une variante plus ou moins antérieure ([ã]) en syllabe accentuée libre et une variante postérieure ([ɑ̃]) dans les autres contextes. La variante antérieure ([ã]) est souvent d'un timbre suffisamment avancé pour être perçue par des personnes parlant le français standard comme leur voyelle nasale d'avant /ɛ̃/. C'est aussi ce qu'a remarqué Charbonneau (1971, p. 298) dans son étude sur le français du Québec: «La voyelle [ɑ̃], beaucoup plus antérieure que la voyelle parisienne, a le timbre d'un [ãɛ̃] nasalisé avec une légère tendance vers [ɛ̃] lorsqu'elle est en syllabe libre. Le mot «banc» est parfois entendu approximativement comme [bɛ̃], «la ville de Caen», comme [kɛ̃].» La même confusion est aussi signalée par Léon et Nemni (1967, p. 110).

En dehors de ses variantes diphtonguées, /ɔ̃/ est la voyelle nasale du FA qui se rapproche le plus de la voyelle correspondante en français standard, bien qu'elle soit un peu plus ouverte que cette dernière, ce qui explique l'observation de Léon et Nemni (1967, p. 110) que, à l'oreille d'un Français, la voyelle /ɔ̃/ canadienne «tend à être neutralisée au profit de /ɑ̃/».

La diphtongaison que l'on observe pour les voyelles nasales en syllabe accentuée entravée, c'est-à-dire quand elles sont longues, s'observe aussi pour les voyelles orales longues. Des diphtongues ont été relevées dans les mots suivants:

a) où il s'agit d'une longueur acquise:

ancêtres	[ãsɛⁱt]	classe	[klɑᵘs]
graisse	[grɛⁱs]	même	[mɛⁱm]
passe	[pɑᵘs]		

b) où la longueur est attribuable à un conditionnement externe (consonnes allongeantes):

canard	[kanɑᵘr]	française	[frãsɛⁱz]
gueulard	[gœlɑᵘr]	à l'aise	[alɛⁱz]
fer	[fɛⁱr]	fort	[fɑᵘr]
âge	[ɑᵘʒ]	corps	[kɑᵘr]

c) où la longueur est attribuable à un conditionnement interne:

autre	[ɔᵘt]	chose	[ʃoᵘz]

La diphtongaison s'observe la plupart du temps en syllabe accentuée, ce qui se comprend facilement puisque seules les voyelles longues sont diphtonguées et que c'est sous l'accent que se retrouvent les voyelles les plus longues. En fait, on trouve fréquemment des voyelles longues en syllabe inaccentuée dans le FA, et en particulier dans le cas de voyelles longues par nature ou suivies d'une consonne allongeante, par exemple:

niaiseux	[njɛːzø]
gêné	[ʒɛːne]
lâché	[lɑːʃe]

Bien que de telles voyelles soient rarement diphtonguées, le maintien de leur longueur en syllabe inaccentuée est une caractéristique que le FA a en commun avec le français canadien général et qui le distingue du français standard[17].

L'opposition entre /a/ antérieur et /ɑ/ postérieur est aussi vivante en français de l'Alberta qu'elle l'est en français québécois (Santerre, 1976, p. 25). Cette opposition est renforcée en syllabe accentuée entravée où le /ɑ/ postérieur est en général diphtongué (voir ci-dessus, par exemple *canard*, *gueulard*). Par contre, l'opposition se voit neutralisée en finale absolue où l'on ne trouve qu'une voyelle postérieure [ɑ] ou [ɔ], comme c'est le cas en français québécois (Santerre, 1974; Dumas, 1981, 1987):

Canada	[kanadɑ/ɔ]	Alberta	[albɛrtɑ/ɔ]
çà	[sɑ/ɔ]	là	[lɑ/ɔ]

Comme le font remarquer Santerre (1976) et Dumas (1981, 1987), cette variante postérieure ne se trouve qu'en finale absolue de groupe phonologique, et non pas dans les clitiques (article et pronom *la*, adjectifs possessifs *ma*, *ta*, *sa*, dont la voyelle est le [a] antérieur).

Finalement, tout comme en français québécois (Santerre, 1976; Dumas, 1981; Walker, 1984), la voyelle mi-ouverte /ɛ/ se prononce en général [æ] ou même [a] en finale absolue:

---

17. Pour une discussion sur la longueur vocalique en syllabe inaccentuée en français canadien, voir Walker (1984, p. 47-48) qui fait également remarquer que le maintien de la longueur vocalique en position prétonique est aussi commun en français populaire d'Europe (p. 124).

français	[frãsæ]
anglais	[ãglæ]
elle était	[ɛletæ]

VARIATION PHONÉTIQUE

Bien que les caractéristiques phonétiques décrites ci-dessus se retrouvent fréquemment dans le FA et que l'on puisse par conséquent les considérer comme typiques de ce parler, elles ne s'emploient pas toutes avec la même régularité et elles ne sont pas toutes utilisées de la même façon par tout le monde. Il serait quelque peu présomptueux de penser pouvoir donner un tableau complet de la variation phonétique dans le FA, et en particulier de son conditionnement socioculturel, à partir du corpus restreint qui a servi de base à cette vue d'ensemble de la phonétique franco-albertaine. Il est tout de même possible de distinguer les traits phonétiques que tout le monde partage, quelle que soit la situation dans laquelle se déroule l'interaction linguistique, de ceux dont l'apparition est soumise aux conditions du contexte (sociodémographique, stylistique, de situation, etc.). Il est aussi possible de dégager les grandes lignes selon lesquelles une variante A est en général associée à – ou coexiste avec – une variante B (ou C, etc.), mais jamais à une variante D.

Parmi les phénomènes étudiés ci-dessus, on peut opposer l'allongement de la consonne /l/ (par exemple, je *l*'ai vu) à son effacement (par exemple dans (*l*)a maison). Alors que l'allongement se produit toujours pour la forme élidée (*l'*) des pronoms *la* et *le*, précédée d'une voyelle prononcée (c'est-à-dire que l'allongement est obligatoire dans ce contexte linguistique, que personne n'y échappe), l'effacement ne se produit pas toujours et semble caractéristique d'un style moins élevé[18].

Il semble bien que trois des phénomènes décrits plus haut, le relâchement et la désonorisation des voyelles hautes et surtout l'assibilation des occlusives /t/ et /d/, se retrouvent chez tous les francophones

---

18. Pour Bougaïeff et Cardinal (1980, p. 93), les formes résultant de l'effacement du /l/ « sont caractéristiques du français québécois populaire [...] et le démarquent nettement du français québécois cultivé ».

albertains[19]. Ce qui ne veut pas dire que, dans certaines conditions, la fréquence de ces phénomènes ne soit pas quelque peu influencée par les conditions de l'échange verbal. Dans son étude sur l'influence du contexte situationnel sur les variables phonologiques du français de l'Alberta, Carter (1975) a montré que l'assibilation de /t/ et /d/ ainsi que le relâchement et la désonorisation des voyelles hautes se produisent plus fréquemment en contexte de conversation que dans le contexte plus formel de la lecture. Il faut noter toutefois que les trois sujets utilisés par Carter étaient tous professeurs dans une école bilingue; on peut penser que certains traits de leur prononciation à la lecture d'un texte reflètent plutôt leur désir d'atteindre une norme artificielle que des tendances générales et caractéristiques de la communauté franco-albertaine. Les données de notre corpus spontané suggèrent au contraire que les Franco-Albertains varient très peu dans leur pratique de l'assibilation[20] et du relâchement et dévoisement des voyelles hautes.

En ce qui concerne la consonne /r/, la plupart des sujets de notre corpus, peu importe leur appartenance sociale, utilisent la variante apicale. Les quelques cas où la variante vélaire a été relevée (chez des locuteurs de la jeune génération) ne sont pas assez fréquents pour qu'on puisse y voir un changement en cours, comme cela semble le cas à Montréal. De plus, il ne semble pas y avoir non plus fluctuation entre les deux types de variantes chez le même locuteur en fonction du contexte situationnel.

La prononciation du /h/ aspiré semble aussi assez générale, bien que limitée à un certain nombre de mots. Comme l'a fait remarquer Léon (1967, p. 128), le maintien de cette consonne est probablement d'origine expressive, ce qui explique son étendue limitée sur le plan lexical. C'est sans doute aussi pour des raisons d'expressivité que la

---

19. Dumas (1987) considère que « la prononciation en ts et en dz [...] ne sert pas à faire des discriminations d'origine sociale entre les locuteurs » (p. 9) et que le relâchement des voyelles hautes « est assez neutre au point de vue social » (p. 95).

20. Cela est bien en accord avec les observations de Dumas (1987, p. 8), d'après qui « tout le monde [...] réalise toujours le phénomène [l'assibilation] de la même manière en parlant dans la vie de tous les jours. Tellement que si quelqu'un ne le fait pas, il n'y a que deux explications possibles: ou sa langue maternelle n'est pas le français québécois, ou il parle volontairement « pointu » ».

spirantisation des fricatives palatales est souvent réduite à un petit nombre de mots, du moins chez certains locuteurs. Chez d'autres, le phénomène a l'air plus général et concerne ces deux fricatives quel que soit le mot dans lequel elles se trouvent. De toute façon, il s'agit d'un phénomène qui, s'il est assez répandu pour être signalé, est loin d'être caractéristique de l'ensemble de la population. On l'associe surtout aux personnes plus âgées.

Contrairement à l'assibilation de /t/ et /d/, au relâchement et au dévoisement des voyelles hautes, la diphtongaison (qu'il s'agisse des voyelles orales ou nasales) est un phénomène assez variable. En général, on peut affirmer que la grande quantité des diphtongues et la grande différence de timbre entre l'élément initial et l'élément final de la voyelle diphtonguée (par exemple, [taⁱt], au lieu de [tɛⁱt] ou [tɛːt]) sont plutôt caractéristiques de locuteurs moins instruits ou d'un contexte familier; ces caractéristiques semblent moins influencées par l'âge des locuteurs. Toutefois, l'influence de ces facteurs extra-linguistiques ne pourra être établie qu'à partir du dépouillement d'un corpus plus vaste que celui qui a servi de base à cette étude. Quel que soit le rôle des conditions sociodémographiques ou stylistiques, on se doit de noter que la diphtongaison accompagne souvent d'autres phénomènes phonétiques. Par exemple, on s'attend à ce qu'une personne qui, dans une situation particulière, diphtongue régulièrement les voyelles orales diphtongue aussi les voyelles nasales; on s'attend aussi à ce que cette personne prononce la variante d'avant [ã] ou [ɛ̃] pour la nasale ouverte /ɑ̃/, la variante postérieure [ɑ] ou [ɔ] pour la voyelle /ɑ/, et la variante abaissée [æ] ou [a] pour la mi-ouverte /ɛ/ en position finale absolue. Toutes ces variantes semblent se situer au même niveau sur l'échelle sociale et l'échelle stylistique.

Il faut mentionner aussi que le comportement parallèle de certaines variables, s'il est souvent influencé par des facteurs socioculturels et stylistiques, peut être aussi étroitement lié aux caractéristiques de la structure linguistique. C'est ainsi que, comme le fait remarquer Dumas (1981, p. 34), «/ɛ/ final peut d'autant plus facilement s'ouvrir en [a], même s'il le fait de façon variable et socialement conditionnée, que /a/ lui-même se postériorise catégoriquement en [ɒ] et, d'autre part, cette postériorisation elle-même est rendue possible par le fait que la

mi-ouverte /ɔ/ est représentée en finale par [o], produit de la neutralisation de /ɔ/ et de /o/ dans ce contexte».

*

*   *

Le français parlé par les francophones de l'Alberta semble bien
partager les caractéristiques phonétiques générales du français canadien.
C'est d'ailleurs ce que pressentaient Mougeon et Beniak (1989, p. 2),
sans se restreindre au domaine phonétique, dans leur ouvrage sur le
français canadien parlé hors Québec (voir aussi les remarques de Papen,
1984, p. 115-116, et de Léon, 1968, p. VI). Cette constatation n'a rien
de surprenant puisque la plupart des immigrants de langue française
vers l'Alberta sont venus du Québec. C'est aussi la conclusion de
Jackson (1974, p. 132) à la suite de son étude sur les tendances
phonétiques du français parlé en Saskatchewan[21].

Ainsi, tout comme le français canadien du Québec et de l'Ontario,
du Manitoba et de la Saskatchewan, le français parlé en Alberta se caractérise par sa double série de voyelles hautes (tendues et relâchées),
par la désonorisation de ces mêmes voyelles hautes, par l'assibilation
de ses occlusives /t/ et /d/, par la diphtongaison de ses voyelles longues
en syllabe finale entravée, par le timbre postérieur de sa voyelle ouverte
et l'abaissement de sa mi-ouverte antérieure écartée (/ɛ/) en finale libre,
par l'effacement et l'allongement de la consonne /l/ dans certains contextes, ainsi que par le maintien de la longueur vocalique en syllabe
prétonique.

---

21. On comprend bien, avec Bovet (1990, p. 173), « que la différence des conditions
    sociologiques (isolement des communautés, absence de statut du français) [pourrait
    entraîner] des résultats différents si des recherches [...] étaient entreprises » dans les
    provinces de l'Ouest. Il est certain que le contact d'une langue minoritaire avec une
    langue dominante ne peut que mener à un certain nombre de transferts linguistiques.
    Il est toutefois peu probable que le système phonétique soit modifié de façon marquée,
    même à la suite d'un grand nombre d'emprunts lexicaux ; ces derniers peuvent en effet
    être adoptés avec leur prononciation originale (par exemple *teepee* prononcé sans
    assibilation), ou bien être transformés jusqu'à ce qu'ils se conforment au système de
    la langue d'adoption, mais il est très rare que cette dernière modifie son système
    phonétique pour qu'il s'accommode aux emprunts étrangers.

Cela ne veut pas dire que les caractéristiques du français parlé en Alberta sont en tous points identiques à celles du français du Québec, de l'Ontario, ou même des autres provinces de l'Ouest. On a d'ailleurs noté que, contrairement à la description de Dumas (1987, p. 3) qui considère que les variantes assibilées et non assibilées de /t/ et /d/ (dans le cas où la consonne et la voyelle qui suit appartiennent à des mots différents) sont aussi courantes les unes que les autres, les francophones de l'Alberta semblent nettement préférer les variantes non assibilées. On peut penser que d'autres différences seront découvertes lorsqu'on aura étudié en profondeur, dans le plus grand nombre de parlers possible, les nombreuses questions qui restent encore à éclaircir, par exemple l'extension du phénomène de la diphtongaison et, en particulier, le rôle des consonnes dites allongeantes et leur influence sur différentes voyelles (Dumas, 1987, p. 123-128), la fréquence de la diphtongaison en syllabe inaccentuée (Walker, 1984, p. 70), l'influence du degré de solidarité grammaticale sur l'assibilation à cheval sur deux mots différents[22], etc. Il est fort probable, cependant, que les différences phonétiques qui risquent d'émerger à la suite de telles études ne seront pas plus importantes que celles que l'on a déjà observées au sein du francais du Québec[23] et qu'elles ne suffiront pas à entamer l'unité du sytème phonétique que, jusqu'à ce jour, le français de l'Alberta semble partager avec les parlers français canadiens du Québec et de l'Ontario.

---

22. Dumas (1987, p. 4) considère que « le passage de *t* à ts et de *d* à dz semble pouvoir se faire partout entre deux mots, peu importe que le lien grammatical qui les associe dans la phrase soit plus ou moins fort ». Le dépouillement d'un (ou de plusieurs) grand corpus de discours spontané devrait permettre de confirmer ou d'infirmer cette hypothèse.

23. Comme le suggèrent les travaux de Pierre Léon, il est toutefois possible que des différences non négligeables existent dans la prosodie.

Bibliographie

Bauche, Henri (1928), *Le langage populaire*, 2ᵉ édition, Paris, Payot, 256 p.

Baudot, Alain, Jean-Claude Jaubert et R. Sabourin (dir.) (1980), *Identité culturelle et francophonie dans les Amériques (III)*, colloque tenu au Collège Glendon de l'Université York à Toronto, Ontario, Canada, du 2 au 5 juin 1976, Québec, Centre international de recherche sur le bilinguisme, [XV] + 275 p.

Boileau, G. (1961), « Les Canadiens français de la région de Rivière-la-Paix : étude de géographie humaine », thèse de doctorat, Université de Bordeaux, France.

Boudreault, Marcel, et Frankwalt Möhren (dir.) (1976), *Actes du XIIIᵉ Congrès international de linguistique et philologie romanes*, Québec, PUL, 2 vol.

Bougaïeff, André, et Pierre Cardinal (1980), « La chute du /l/ dans le français populaire du Québec », dans *La Linguistique*, 16, 2, p. 91-102.

Bovet, Ludmila (1990), compte rendu de Mougeon et Beniak (1989), dans *Revue québécoise de linguistique*, 19, 1, p. 173-175.

Brent, Edmund (1971), « Canadian French : A Synthesis », thèse de doctorat, Cornell University, VIII + 163 p.

Carter, Gregg Thomas (1975), « The Influence of Speech Context on Phonological Variation in Canadian French », thèse de maîtrise, Université de l'Alberta.

Charbonneau, René (1955), *La palatalisation de T/D en canadien-français : étude de phonétique expérimentale*, Montréal, Université de Montréal, Publication de la Section de linguistique, philologie et phonétique expérimentale, II, 3, 145 p.

Charbonneau, René (1957), « La spirantisation du [ʒ] », dans *Revue de l'Association canadienne de linguistique*, 3, 1, p. 14-19 ; 3, 2, p. 71-77.

Charbonneau, René (1971), *Étude sur les voyelles nasales du français canadien*, Québec, PUL (coll. Langue et littérature françaises au Canada, 7), X + 408 p.

Charbonneau, René, et Benoît Jacques (1972), « [tˢ] et [dʳ] en français canadien », dans Valdman (dir.), p. 77-90.

Chidaine, Jean G. (1967), « CH et J en saintongeais et en français canadien », dans Gendron et Straka (dir.), p. 143-151.

Clermont, J., et Henrietta Cedergren (1979), « Les « R » de ma mère sont perdus dans l'air », dans Thibault (dir.), p. 13-28.

Colpron, Gilles (1970), *Les anglicismes au Québec. Répertoire classifié*, Montréal, Beauchemin, 247 p.

Corbett, Noël (1990), *Langue et identité. Le français et les francophones d'Amérique du Nord*, Québec, PUL, XXXIII + 398 p.

Debrie-Maury, Nicole G. (1968), « Les archiphonèmes I Y U en français canadien et dans le parler normand », dans Léon (dir.), p. 210-232.

Dubuc, D. (1973), *Jean Côté. Histoire générale et généalogie d'une paroisse française du Nord albertain*, Falher, Alberta, Chez l'auteur.

Dumas, Denis (1974a), «Durée vocalique et diphtongaison en français québécois», dans *Cahier de linguistique*, 4, p. 13-55.

Dumas, Denis (1974b), «La fusion vocalique en français québécois», dans *Recherches linguistiques à Montréal*, 2, p. 23-50.

Dumas, Denis (1976), «Quebec French High Vowel Harmony: The Progression of a Phonological Rule», dans Mufwene *et al.* (dir.), p. 161-168.

Dumas, Denis (1981), «Structure de la diphtongaison québécoise», dans *La Revue canadienne de linguistique*, 26, 1, p. 1-61.

Dumas, Denis (1987), *Nos façons de parler. Les prononciations en français québécois*, Québec, PUQ, XV + 155 p.

Dumas, Denis, et Aline Boulanger (1982), «Les matériaux d'origine des voyelles fermées du français québécois», dans *Revue québécoise de linguistique*, 11, 2, p. 49-72.

Ellis, P.M. (1965), «Les phonèmes du français maillardvillois», dans *La Revue canadienne de linguistique*, 11, 1, p. 7-30.

Gendron, Jean-Denis (1959), «Désonorisation des voyelles en franco-canadien», dans *Revue de l'Association canadienne de linguistique*, 5, 2, p. 99-108.

Gendron, Jean-Denis (1966), *Tendances phonétiques du français parlé au Canada*, Paris et Québec, Klincksieck et PUL (coll. Langue et littérature françaises au Canada, 2), XX + 254 p.

Gendron, Jean-Denis, et Georges Straka (dir.) (1967), *Études de linguistique franco-canadienne*, Paris et Québec, Klincksieck et PUL (coll. Langue et littérature françaises au Canada, 3), 175 p.

Ginsberg, Raymon (1968), «La détente consonantique en français canadien et en français standard», dans Léon (dir.), p. 131-144.

Gougenheim, Georges (1935), *Éléments de phonologie française*, Strasbourg, Publications de la Faculté des lettres de l'Université de Strasbourg.

Haden, Ernest F. (1941), «The Assibilated Dentals in Franco-Canadian», dans *American Speech*, 16, p. 285-288.

Holder, Maurice (1972), «Le parler populaire franco-canadien (la prononciation de quelques Canadiens français de la région de Sudbury-North Bay)», dans *Phonetica*, 26, p. 33-49.

Hull, Alexander (1956), «The Franco-Canadian Dialect of Windsor, Ontario: A Preliminary Study», dans *Orbis*, 5, 1, p. 35-60.

Hull, Alexander (1968), «The Origins of New World French Phonology», dans *Word*, 24, p. 255-270.

Hull, Alexander (1974), «Evidence for the Original Unity of North American French Dialects», dans *Revue de Louisiane*, 3, 1, p. 59-70.

Jackson, Michael (1968), «Étude du système vocalique du parler de Gravelbourg (Saskatchewan)», dans Léon (dir.), p. 61-78.

Jackson, Michael (1974), «Aperçu des tendances phonétiques du parler français en Saskatchewan», dans *La Revue canadienne de linguistique*, 19, 2, p. 121-133.

Jackson, Michael, et Bernard Wilhelm (1973), «Willow Bunch et Bellegarde en Saskatchewan», dans *Vie française*, 27, p. 281-322.

Juneau, Marcel (1972), *Contribution à l'histoire de la prononciation française au Québec. Étude des graphies des documents d'archives*, Québec, PUL (coll. Langue et littérature françaises au Canada, 8), XVIII + 311 p.

Landry, Joseph A. (1943), « The Franco-Canadian Dialect of Papineauville, Quebec : Phonetic System, Morphology, Syntax, and Vocabulary », thèse de doctorat, University of Chicago, VII + 274 p.

Lappin, Kerry (1982), « Évaluation de la prononciation du français montréalais : étude sociolinguistique », dans *Revue québécoise de linguistique*, 11, 2, p. 93-112.

Léon, Pierre R. (1967), « H et R en patois normand et en français canadien », dans Gendron et Straka (dir.), p. 125-142.

Léon, Pierre R. (dir.) (1968), *Recherches sur la structure phonique du français canadien*, Montréal, Paris et Bruxelles, Didier (coll. Studia Phonetica, 1), XII + 233 p.

Léon, Pierre R., et Monique Nemni (1967), « Franco-canadien et français standard : problèmes de perception des oppositions vocaliques », dans *La Revue canadienne de linguistique*, 12, 2, p. 97-112.

Léon, Pierre R., et Michael Jackson (1971), « La durée vocalique en français canadien du sud de la Saskatchewan », dans *La Revue canadienne de linguistique*, 16, 2, p. 92-109.

Lepage, Dumont (1957), « Le français en Saskatchewan », dans *Vie française*, 2, p. 238-243.

Locke, William N. (1949), *Pronunciation of the French Spoken at Brunswick, Maine*, Greensboro (North Carolina), American Dialect Society, 201 p.

Lorent, Maurice (1977), *Le parler populaire de la Beauce*, Montréal, Leméac, 225 p.

McArthur, James F. (1968), « A Phonological Study of the Franco-Canadian Dialect of Saint Jérôme-de-Terrebonne, Quebec, Canada », thèse de doctorat, Washington, Georgetown University, V + 145 p.

Morgan, Raleigh (1975), *The Regional French of County Beauce, Quebec*, La Haye et Paris, Mouton, 128 p.

Mougeon, Raymond, et Édouard Beniak (dir.) (1989), *Le français canadien parlé hors Québec : aperçu sociolinguistique*, Québec, PUL, IX + 262 p.

Mufwene, Saliko S., Carol A. Walker et Sanford B. Steever (dir.) (1976), *Papers from the Twelfth Regional Meeting of the Chicago Linguistic Society*, Chicago, Chicago Linguistic Society.

Papen, Robert A. (1984), « Quelques remarques sur un parler français méconnu de l'Ouest canadien : le métis », dans *Revue québécoise de linguistique*, 14, 1, p. 113-139.

Poulin, Norman A. (1973), *Oral and Nasal Vowel Diphthongization of a New England French Dialect*, Bruxelles et Paris, AIMAV et Didier, 87 p. + 46 fig.

Pupier, Paul, et Luc Légaré (1973), « L'effacement du /l/ dans les articles définis et les clitiques en français de Montréal », dans *Glossa*, 7, 1, p. 63-80.

Queneau, Raymond (1959), *Zazie dans le métro*, Paris, Gallimard, 253 p.

Ricciuti, Anthony J. (1968), « Les occlusives sourdes /p/, /t/, /k/, à l'initiale en français canadien et en français standard », dans Léon (dir.), p. 119-130.

Rousseau, Jacques (1954), « La prononciation canadienne du *T* et du *D* », dans *Le Canada français*, 23, 4, p. 369-372.

Sanders, J.B. (1954), « St. Claude, French Citadel in Western Canada ? », dans *Revue de l'Association canadienne de linguistique*, 1, 1, p. 9-12.

Sankoff, Gillian, et Henrietta Cedergren (1976), « Les contraintes linguistiques et sociales de l'élision du L chez les Montréalais », dans Boudreault et Möhren (dir.), p. 1101-1117.

Santerre, Laurent (1974), « Deux E et deux A phonologiques en français québécois », dans *Cahier de linguistique*, 4, p. 117-145.

Santerre, Laurent (1976), « Voyelles et consonnes du français québécois populaire », dans Snyder et Valdman (dir.), p. 21-36.

Santerre, Laurent (1982), « Des [r] montréalais imprévisibles et inouïs », dans *Revue québécoise de linguistique*, 12, 1, p. 77-96.

Séguinot, André (1968), « Étude sur le degré de nasalité des voyelles nasales en français canadien et en français standard », dans Léon (dir.), p. 88-99.

Silla, Ousmane (1974), *École bilingue ou unilingue pour les Franco-Albertains (premier rapport descriptif). Recherche interdisciplinaire menée par un groupe de professeurs et d'étudiants du Collège universitaire Saint-Jean de l'Université de l'Alberta*, 2 t., Edmonton, Alberta, Université de l'Alberta.

Snyder, Émile, et Albert Valdman (dir.) (1976), *Identité culturelle et francophonie dans les Amériques (I)*, colloque tenu à l'Université d'Indiana, Bloomington, du 28 au 30 mars 1974, Québec, PUL (coll. Travaux du Centre international de recherche sur le bilinguisme, A-11), 290 p.

Société du parler français au Canada (1955), *Études sur le parler français au Canada*, Québec, PUL, 221 p.

Talbot, Lucien (1946), « Situation de la langue française au Canada », dans *Le Canada français*, 33, 7, p. 461-472 et 544-550.

Thibault, Pierrette (dir.) (1979), *Le français parlé : études sociolinguistiques*, Carbondale et Edmonton, Linguistic Research, XIII + 169 p.

Thogmartin, Clyde (1974), « The Phonology of Three Varieties of French in Manitoba », dans *Orbis*, 23, 2, p. 335-349.

Tougas, Gérard (1954), « La langue française au Canada : illusions et réalités », dans *French Review*, 27, p. 160-165.

Tougas, Gérard (1956), « Quelques aspects peu étudiés du français canadien », dans *Revue de l'Association canadienne de linguistique*, 2, 2, p. 60-65.

Valdman, Albert (dir.) (1972), *Papers in Linguistics and Phonetics to the Memory of Pierre Delattre*, La Haye et Paris, Mouton, 513 p.

Vinay, Jean-Paul (1950), « Bout de la langue ou fond de la gorge ? », dans *French Review*, 23, p. 489-498.

Vinay, Jean-Paul (1955), « Aperçu des études de phonétique canadienne », dans Société du parler français au Canada, *Études sur le parler français au Canada*, Québec, PUL, p. 61-82.

Walker, Douglas C. (1984), *The Pronunciation of Canadian French*, Ottawa, University of Ottawa Press, XXII + 185 p.

Zwarun, Suzanne (1990), « Le français coast to coast », dans Corbett, p. 169-181.

Considérations sur la constitution et l'utilisation d'une base de données textuelles du français québécois

Terence Russon Wooldridge
Département de français
Université de Toronto

La base de données textuelles dont il sera question ici comprendra plusieurs dizaines de romans québécois ; elle est destinée en premier lieu à servir de source d'exemples au *Dictionnaire du français québécois* de l'équipe du Trésor de la langue française au Québec (TLFQ). Si c'est moi, Canadien anglais torontois, qui vous en parle, c'est parce que, d'une part, une partie de la saisie des textes se fait à l'Université de Toronto à l'aide du lecteur optique du Centre for Computing in the Humanities (CCH), dont je suis actuellement le directeur intérimaire, et que, d'autre part, le logiciel choisi pour gérer la base sur micro-ordinateur provient du CCH de Toronto.

Le système de saisie optique comprend actuellement un lecteur Hewlett-Packard Scanjet, le logiciel Omnipage et un micro-ordinateur Macintosh. L'expérience de la saisie de romans québécois – 13 ont été saisis jusqu'à présent – révèle quelques phénomènes intéressants ou préoccupants, par exemple : a) la qualité des éditions – papier et procédés d'impression – est dans l'ensemble assez médiocre ; b) la typologie des fautes de la saisie optique varie d'un ouvrage à l'autre en fonction de la complexité typographique et du choix du type de caractères (ligatures, etc.). Il faut souligner que les moyens financiers du CCH, comme ceux du TLFQ, ne permettent pas de méthodes plus sophistiquées (par exemple deux saisies, l'une optique et l'autre manuelle, d'une même édition, qui seraient par la suite comparées automatiquement pour déceler les divergences).

Une fois les textes électroniques corrigés (au TLFQ), ils sont convertis en bases de données au moyen du logiciel de recherche de données textuelles TACT (Text Analysis Computing Tools). Celui-ci, qui fonctionne sur IBM compatible, comprend essentiellement deux programmes : Make Base, qui indexe le texte source (qui est en format DOS), et Use Base, qui permet l'interrogation interactive de la base créée par Make Base. Je vais maintenant commenter, pour une partie du corpus de romans, un certain nombre d'usages lexicaux observés à l'aide de quelques-unes des méthodes de recherche de TACT.

Soit le sous-corpus [*C7*] suivant :

Aquin, Hubert, *Prochain épisode* (AQUIN Proch), Montréal, Cercle du livre de France, 1965, 174 p. (env. 240 kilo-octets) ;

Beaulieu, Victor-Lévy, *L'héritage* (BEAUL Hér), Montréal, Stanké, 1987, 477 p. (860 ko) ;

Bessette, Gérard, *Le libraire* (BESS Lib), Montréal, P. Tisseyre, 1981, 153 p. (159 ko) ;

Langevin, André, *Poussière sur la ville* (LANG Pou), Montréal, Cercle du livre de France, 1953, 213 p. (286 ko) ;

Lemelin, Roger, *Au pied de la pente douce* (LEM Pied), Montréal, Stanké, 1988, 357 p. (606 ko) ;

Major, André, *L'épouvantail* (MAJ Épou), Montréal, Stanké, 1980, 243 p. (347 ko) ;

Roy, Gabrielle, *Bonheur d'occasion* (ROY Bon), Montréal, Stanké, 1977, 396 p. (778 ko).

-> Base de données *C7* en TACT (textes + index) : 9 454 ko.

Soit les unités lexicales suivantes :

a) répertoriées dans le *Volume de présentation* [*VP*] du *Dictionnaire du français québécois* (PUL, 1985) :

aréna et *arène*; *blond, blonde*; *boy*; *catin*; *gosser*; *mais que*;

b) observées lors de l'examen de la base de données et contrôlées dans le *Dictionnaire du français plus* [*DFP*] (Centre éducatif et culturel, 1988):

job; *monde*; *ouvrage*; *sucre, sucres*; *vierge.*

Dans les limites de ce lexique servant d'échantillon, les textes de *C7* s'avèrent d'un intérêt variable pour les usages typiquement québécois: Beaulieu, Lemelin et Roy sont très riches; Major l'est moins; Aquin et Bessette le sont peu; Langevin ne l'est pas.

Pour les formes *blond, blonde, blondes* et *blonds*, la distribution est celle qui est donnée dans la figure 1 (fonction Distribution de TACT). Les contextes de *blond* (fonction KWIC de TACT; «VII: 1: 417» signifie «partie 7, chapitre 1, page 417») montrent l'utilisation deux fois chez Major du syntagme *beau blond* (voir figure 2). Pour les occurrences de *blonde / blondes* substantif, un classement par ordre alphabétique du contexte gauche (voir figure 3) permet d'en dégager la syntagmatique typiquement québécoise: *la blonde à* (1); *la blonde de* (2); *les blondes* (1); *ma blonde* (5); *sa blonde* (2); *ses blondes* (1); *ta blonde* (2); *avoir une blonde* (1).

VP donne le mot *aréna* et cite le contexte suivant de Lemelin (fonction Variable Context de TACT; l'italique est de moi, ici et par la suite, à moins d'indication contraire):

aréna (1)

surtout le jeune, qui faisait son signe de croix. Ce geste
de l'athlète fit une heureuse impression parmi les gens de
robe. Les habitués de la lutte, ceux qui fréquentaient l'*aréna*,
discutaient sur les champions du monde, donnaient
leur opinion avec hauteur sur les figurants de ce soir.
(LEM Pied II: 4: 223)

Cependant, il ne répertorie pas *arène* «ring» (pour sa part, *DFP* n'enregistre que l'usage européen), employé huit fois dans la même œuvre de Lemelin (voir figure 4).

Comme, dans la base *C7*, j'ai défini le trait d'union comme séparateur, *boy* (17) comprend des occurrences de *cow-boy* (13) dont quatre sont partagées entre deux lignes: «cow- / boy». Un traitement automatique des traits d'union de fin de ligne pour ressouder les mots coupés (type « cou- / pés » -> « coupés ») donnerait, s'il ne contenait pas le mot *cow-boy* dans son dictionnaire d'exceptions, neuf *cow-boy* et quatre *cowboy*. (Il est à noter qu'en définissant le trait d'union comme caractère de continuation, on peut charger TACT de la reconstitution des mots partagés entre deux lignes.) Cela laisse :

> *Boy*, de quoi s'acheter une vieille Buick ! (en italique dans le texte) (ROY Bon 4 : 60)

> Oké, les *boys*, arrêtez ça. (MAJ Épou I : 1 : 11)

> Faites donc un peu d'exercice, les *boys*, pour vous mettre en forme. (MAJ Épou I : 1 : 12)

> Vite, les *boys*, disparaissez. (MAJ Épou II : 3 : 134)

Les cinq occurrences de *catin / catins* se partagent entre le sens de « femme », connoté péjorativement :

> Pritontin pensa à la *catin* de femme de Colin, cette Barloute qui, jadis, s'était moquée de ses désirs de jeunesse. (LEM Pied I : 3 : 61)

> Je ne m'attiferai pas de petites robes bleues, par exemple, comme cette petite *catin*, devant. (LEM Pied I : 6 : 140)

> Cette Germaine n'était qu'une *catin* qui avait empoisonné l'âme de son Gaston, dans un restaurant volé. (LEM Pied II : 2 : 196)

et celui de « mannequin (= femme) » (ou, plus exactement, *catin de cire* et, par ellipse, *catin*) que ne donne pas *VP* (voir figure 5).

Pour *gosser*, *VP* donne des sens propres et figurés ; dans *C7*, il s'agit de sens propres : « tailler (un bout de bois) » et « façonner » :

> Par la porte entrouverte, Nathalie regarde travailler Miville qui, assis devant le petit établi qu'il a installé au fond de sa chambre, est en train de *gosser* un morceau de bois qui a déjà la forme d'un tracteur. (BEAUL Hér I : 2 : 61)

> Vous devez avoir faim, c'est comme rien : parce qu'après avoir *gossé* comme vous l'avez fait tout l'après-midi... (BEAUL Hér I : 2 : 66)

> /./ la collection de veaux et de vaches qu'il a *gossés* depuis l'enfance. (BEAUL Hér III : 2 : 216)

Mais le mot est aussi employé par allusion à des sens par extension ou figurés virtuels :

– Peut-être, mais c'est de même pareil, ajoute Miville.
Si Nathalie vient, je suis dans ma chambre.
– C'est vrai que c'est une bonne journée pour *gosser*
des petits morceaux de bois ou bien pour *gosser* autre
chose! plaisante Junior.
(BEAUL Hér I: 2: 42)

La locution conjonctive *mais que* (*VP* «quand, lorsque») comprend deux unités de très haute fréquence. Dans *C7*, les fréquences sont les suivantes: *mais* (2 343); *qu* (6 428), *que* (7 966) – j'ai défini l'apostrophe (*qu'*) dans la base comme séparateur. On demande donc la cooccurrence de *mais* suivi de *qu / que*:

Règle: mais | (que, qu)

L'examen des 47 occurrences qui résultent de cette demande permet de constater rapidement que l'emploi décrit par *VP* est absent de *C7*.

Un classement par ordre alphabétique du contexte gauche des occurrences de *job* (31) et *jobs* (2) permet d'établir rapidement la distribution des genres:

n.f. (27): *belle / bonne / ma / sa / seule / ta / une / vraie / petites* ~

n.m. (3): *le / mon / un* ~

sans marque, ni à gauche ni à droite (3): *autre / votre / ses* ~

La distribution par auteur est la suivante:

	n.f.	n.m.	ø marque
Beaulieu	1	2	
Bessette		1	1
Lemelin	6		
Roy	20		2

DFP donne *job* comme féminin, mais ajoute, pour le sens d'«emploi»: «Sous l'infl. du français de France, parfois masc. et alors perçu comme moins familier.» Les contextes chez les auteurs de *C7* qui emploient le masculin sont donnés dans la figure 6. Le cas de Bessette est facile à régler puisque les deux extraits ne sont pas de style familier. Celui de Beaulieu est plus intéressant. D'abord *job* masc., dans la première occurrence, a le sens de «besogne, tâche» que *DFP* ne donne que comme féminin. Ensuite, alors qu'Edgar Rousseau (occ. 2) ne parle que sur un ton assez soigné, Xavier (occ. 3) a un langage plus familier.

Mot sémantiquement voisin, *ouvrage* (*ouvrage* 37, *ouvrages* 12) a une fréquence plus élevée en français canadien qu'en français de France. En dehors des occurrences non marquées (comme « un ouvrage sur César »), on trouve plusieurs emplois particuliers, observables surtout chez Roy et peu représentés dans *DFP* (voir figure 7).

Le mot *monde* (434) aurait aussi une fréquence plus élevée en français canadien qu'en français de France. En plus des emplois non marqués recouvrant le champ sémantique et syntaxique du français de France, on trouve un assez grand nombre d'emplois particuliers, observables surtout chez Roy encore, dans lesquels le mot a le sens de « gens ». En dehors donc des occurrences du type : *tout le monde, il y a du / beaucoup de monde, se moquer du monde, recevoir du monde, son monde*, on peut noter chez Roy les emplois donnés dans la figure 8 (ils manquent tous à *DFP*).

Autre mot à extension plus large en français québécois, *sucre* se caractérise formellement par sa fréquence d'emploi au pluriel. Dans *C7*, il est employé 19 fois au singulier et 11 fois au pluriel. Les emplois typiquement québécois sont tous enregistrés par *DFP* :

> *casser du sucre sur le dos de* qqn (Beaulieu × 1)
> *sucre à la crème* (Lemelin × 3 ; Major × 1 ; Roy × 1)
> *sucre = sucre à la crème* (Lemelin × 1 ; Major × 4)
> *sucre = sucre d'érable* (Roy × 3)
> *tarte au sucre* (Major × 1)
> *cabane à sucre* (Roy × 2)
> *les sucres* (Roy × 4)
> (*aller*) *aux sucres* (Roy × 7)

Les emplois du mot *vierge*, subst. sing. (13), montrent les limites de la lexicographie normative représentée par *DFP*. Celle-ci se contente généralement de donner des dénominations objectives en passant sous silence les emplois affectifs et appellatifs aux effets rhétoriques. Alors que *DFP* énumère les dénominatifs *la Vierge, la Sainte Vierge, la Vierge Marie*, il n'indique pas l'usage de *vierge* dans les supplications et les sacres (à noter que cet emploi du mot *sacre* est absent de *DFP*).

Dans le discours direct familier, on parle, dans *C7*, de *la bonne Sainte Vierge* :

> – Il y aura tout ce que t'aimes au ciel, lança-t-elle de sa petite voix charmante. C'est ça, le ciel : tout ce qu'on aime. Il y aura *la bonne Sainte Vierge*. Elle te bercera dans ses bras. Et tu seras comme un Enfant Jésus dans ses bras. (ROY Bon 30 : 358)

Florentine «cherchait à mettre *la Vierge* de son côté» (ROY Bon 11 : 143) et «ferait encore d'autres choses plus pénibles, s'il le fallait, pour gagner l'intercession de *la Vierge*» (ROY Bon 11 : 144); mais en s'adressant à la Vierge, elle dit :

> «Il faut que je le revoie. Faites que je le revoie, *bonne sainte Vierge*, je veux tant le revoir.» (ROY Bon 11 : 143)

> «Aujourd'hui même, si je le vois, *bonne sainte Vierge*, je commencerai une neuvaine.» (ROY Bon 11 : 144)

Jusqu'ici, je n'ai parlé que de faits lexicaux. Le corpus se prête évidemment à d'autres types d'exploitations. En examinant les différentes unités lexicales, j'ai été frappé par certains usages caractéristiques de tel ou tel auteur, ou de tel ou tel texte. Par exemple, sur les 16 occurrences de *mais que* chez Bessette, 15 se trouvent dans la construction suivante : verbe d'énonciation + *que* dans la proposition 1, *mais que* dans la proposition 2. En voici le détail :

> Je (lui) déclarai que... mais que... (5)
> J'exprimai l'opinion que... mais que... (1)
> Je l'informai que... mais que... (2)
> Je lui répondis / ai répondu que... mais que... (3)
> Je lui ai dit que... mais que... (1)
> Je lui soulignai que... mais que... (1)
> Je lui avouai que... mais que... (1)
> Je lui représentai que... mais que... (1)

> Par ex. : «/./ je lui déclarai que les livres brûlaient moins longtemps que le charbon, mais que, faute d'autre combustible, il m'arrivait de m'en servir» (BESS Lib 23).

Dans *L'héritage* de Beaulieu, Xavier est obsédé par Miriam, ou plutôt par sa belle chevelure blonde, constamment présente sur un portrait photographique. La figure 9 montre un regroupement des contextes de *blonde* chez Beaulieu.

La base de données facilite donc l'exploration des thèmes, quels qu'ils soient. Celui du *bonheur*, explicite dans le titre du roman de Roy, est important aussi dans les romans de Langevin et de Lemelin :

bonheur (116)

Aquin (8)
Beaulieu (2)
Bessette (0)
Langevin (29)
Lemelin (58)
Major (0)
Roy (19)

Un examen des contextes immédiats du mot *bonheur* dans l'œuvre de Roy confirme l'idée du bonheur fugitif et impossible suggérée par le titre :

enjeu pour le ~
courait vers son ~
souhait de ~
idée de ~
idée d'un ~ éperdu
apparences de ~
frénésie de ~
ne croyait pas au ~
un instant de ~
instants de ~
une seule soirée de ~
n'avait prévu qu'une semaine ou deux de ~
cherchait ailleurs le ~

Certains contextes opposent explicitement le rêve et la réalité :

Elle s'efforça de sourire à sa mère qui, là-bas, avait l'air de lui demander conseil du regard : « Achèterai-je la flûte brillante, la flûte mince et jolie, ou les bas, le pain, les vêtements ? Qu'est-ce qui est le plus important ? Une flûte comme un éclat de soleil entre les mains d'un petit enfant malade, une flûte joyeuse, qui exhalera des sons de bonheur, ou bien, sur la table, la nourriture de tous les jours ? Toi, Florentine, dis-moi donc ce qui est le plus important. » (ROY Bon 9 : 125)

Devant elle, se levaient des petits visages illuminés ; des yeux tout pleins de bonheur s'attachaient à elle avec une espèce de réticence émue et les enfants parfois tous ensemble se taisaient. Mais comme, après les avoir fait rêver, Rose-Anna savait tout de suite les défendre contre l'illusion ! (ROY Bon 24 : 277)

Accoudée à l'oreiller, Rose-Anna se demandait : « C'est-y une maison où il y a eu du monde heureux ? » Il lui paraissait que certaines maisons prédisposent au bonheur et que d'autres, par un enchaînement fatidique, sont destinées à n'abriter que des êtres éprouvés. (ROY Bon 24 : 282)

Je terminerai sur une expérience qui ne date que de peu. Le projet ARTFL de l'Université de Chicago (version américaine de Frantext, de Nancy) vient de tenter l'expérience de donner accès, par courrier électronique, à son énorme base de données textuelles : œuvres littéraires et textes techniques français des XVIIe, XVIIIe, XIXe et XXe siècles. On imagine facilement le grand bénéfice que pourra tirer un rédacteur du *DFQ* travaillant sur micro-ordinateur de la possibilité de consulter d'abord la base de romans québécois et de faire ensuite des vérifications de contrôle dans la base d'ARTFL. Par exemple, pour la distribution du singulier et du pluriel de *sucre* subst. (voir ci-dessus), les résultats sont les suivants (j'élimine des données d'ARTFL – occurrences du XXe siècle – le nom propre *Sucre* et les usages québécois extraits de Roy et de Guèvremont) :

	sucre	*sucres*	Rapport *sucre / sucres*
C7	19	11	1,73
ARTFL	579	42	13,79

Figure 1

Sélection : *blond* 10, *blonde* 56, *blondes* 6, *blonds* 16

Aquin	24 :	************************
Beaulieu	30 :	******************************
Bessette	0 :	
Langevin	1 :	*
Lemelin	11 :	***********
Major	12 :	************
Roy	10 :	**********
Total :	88	

Figure 2

(BEAUL Hér VII : 1 : 417)	armoire de pin blond, il prend cette valise,
(LANG Pou II : 1 : 101)	cheminée, le cigare blond, une pelisse de
(MAJ Épou I : 2 : 27)	« Marline, beau blond. » Momo reniflait sans
(MAJ Épou I : 2 : 35)	donc tranquille, beau blond. Viens-t'en. T'as même
(MAJ Épou I : 7 : 76)	clouent le bec. Le blond avait reculé, souriant
(MAJ Épou I : 7 : 76)	d'dans », mais le blond s'éloignait, aussi
(ROY Bon 4 : 57)	les cheveux longs et d'un blond fade lui retombant sur
(ROY Bon 10 : 130)	avec un doux visage blond de poupée, des yeux
(ROY Bon 32 : 369)	te souviens, rose et blond... blond... – Daniel !
(ROY Bon 32 : 369)	rose et blond... blond... – Daniel ! fit-il.

FIGURE 3

(LEM Pied I: 1: 41)	une fichue de belle blonde! Une demoiselle,
(AQUIN Proch 157)	n'enfante que des blondes. Je n'en ai jamais
(MAJ Épou I: 2: 26)	membres. Une grande blonde s'était approchée de
(BEAUL Hér VI: 2: 356)	une salade avec la blonde à Jean-Sol Partre et
(LEM Pied I: 3: 80)	savez pas? C'est la blonde de Jean. Elle raconta
(AQUIN Proch 155)	une femme – la blonde, peut-être? à qui il a
(AQUIN Proch 156)	je veux voir la blonde inconnue à qui il a
(LEM Pied I: 4: 113)	qui veut ôter la blonde de Jean à c'te heure. Y
(LEM Pied I: 3: 65)	Germaine, et revit les blondes avec leurs cavaliers
(LEM Pied I: 5: 120)	te l'avaler? – Ma blonde? Pas pour vrai!
(AQUIN Proch 32)	le souffle chaud de ma blonde inconnue, où je ne
(ROY Bon 6: 85)	doutes peut-être pas, ma blonde, dit-il, mais moi,
(BEAUL Hér VII: 2: 452)	ça. Parce que ma blonde et moi, on a
(BEAUL Hér VII: 2: 452)	petite trotte? Ma blonde et moi, on connaît des
(MAJ Épou I: 8: 88)	dans le dos de sa blonde, ça paraîtrait louche,
(MAJ Épou I: 6: 70)	un gars qui tue sa blonde par jalousie, on voit
(LEM Pied I: 9: 174)	qu'elles étaient ses blondes, ces poules. Gaston,
(LEM Pied I: 5: 120)	place est à côté de ta blonde. Tu laisses Boucher
(LEM Pied I: 5: 121)	Denis. – C'est pas ta blonde. Installe-toé, mon
(LEM Pied I: 7: 156)	dirait qu'il avait une blonde. Une maîtresse était
(MAJ Épou II: 8: 194)	draps où gisait une blonde extasiée dans les

FIGURE 4

arène (8)

renversés. Le brave commandant tenait à ce que les experts
de Montréal qui viendraient installer l'*arène* pussent
travailler dans la propreté et que la salle ne laissât pas de
(LEM Pied II : 1 : 191)

M. le curé ouvrit de grands yeux et imagina de formidables
corps souples qui flottaient dans l'*arène* comme des muses
se blotissaient sous les bras ouatés de l'adversaire, donnaient
(LEM Pied II : 1 : 191)

Il régnait sur la foule une angoisse curieuse. Les yeux
étaient rivés sur l'*arène* provisoire, et l'arbitre se lançait
dans les câbles pour en éprouver la résistance. Cette arène
(LEM Pied II : 4 : 221)

étaient rivés sur l'arène provisoire, et l'arbitre se lançait
dans les câbles pour en éprouver la résistance. Cette *arène*
était placée au centre d'une salle jonchée de jetons de bingo
(LEM Pied II : 4 : 221)

la grande-messe, l'abbé Bongrain et les Soyeux qui étaient
à la veille de devenir marguilliers. Autour de l'*arène*, se
groupaient les Mulots les plus susceptibles de passer dans
(LEM Pied II : 4 : 221)

– C'est pas juste, étouffez-le, monsieur !
Madame Chaton s'avança près de l'*arène*, cogna sur le
tapis.
(LEM Pied II : 4 : 224)

peignit sur la figure du traître. D'un bond, il sautait les câbles,
s'enfuyait hors de l'*arène*, poursuivi par son antogoniste [sic]
qui bouillait d'une rage léonine. Ce fut la débandade
(LEM Pied II : 4 : 225)

saurait tout. Animé d'une indignation sacrée, il monta dans
l'*arène* :
– À onze heures, la salle ferme ses portes. Ce sera l'heure
(LEM Pied II : 4 : 226)

Figure 5

– Avez-vous déjà marché, vous autres, su la rue
Sainte-Catherine, pas une cenne dans vot' poche, et regardé
tout ce qu'y a dans les vitrines ? Oui, hein ! Ben
moi aussi, ça m'est arrivé. Et j'ai vu du beau, mes amis,
comme pas beaucoup de monde a vu du beau. Moi, j'ai
eu le temps de voir du beau : pis en masse. Tout ce que
j'ai vu de beau dans ma vie, à traîner la patte su la rue
Sainte-Catherine, ça pourrait quasiment pas se dire ! Je
sais pas, moi, des Packard, des Buick, j'en ai vu des
autos faites pour le speed pis pour le fun. Pis après ça,
j'ai vu leurs *catins de cire*, avec des belles robes de bal
sur le dos, pis d'autres, qui sont pas habillées une miette.
Qu'cst-cc quc vous voycz-t-y pas su la rue Sainte-Catherine ?
Des meubles, des chambres à coucher, d'aut' *catins*
en fanfreluches de soie. Pis des magasins de sport, des
cannes de golf, des raquettes de tennis, des skis, des
lignes de pêche. S'y a quelqu'un au monde qu'aurait le
temps de s'amuser avec toutes ces affaires-là, c'est ben
nous autres, hein ? (ROY Bon 4 : 59 / 60)

Figure 6

C'est à Junior que revient *le job* de décharger les remorques de patates
que Miville emmène devant la grange. (BEAUL Hér III : 1 : 169)

– Tu sais bien que c'est ça qui m'a coûté *mon job* de député et de
ministre ! dit Edgar Rousseau. (BEAUL Hér IV : 1 : 273)

– Quand tu m'as demandé ton appui parce que ça allait mal à la caisse et
qu'à cause du syndicat, tu risquais de perdre *ta job*, je t'ai pas posé
de questions avant de me mettre de ton bord. (BEAUL Hér V : 1 : 290)

Je ne le blâme pas d'avoir nourri des doutes sur mes aptitudes à obtenir
un job. Mes vêtements ni mes manières ne sont de nature à inspirer
confiance à un employeur. (BESS Lib 23)

– Vous ne savez donc pas qu'il y a ici, à Saint-Joachin, une clique qui
s'est donné comme mot d'ordre de vous faire perdre *votre job*, de vous
chasser de la ville ? (BESS Lib 118)

Figure 7

a) *l'ouvrage* « le travail » :

> *à l'ouvrage : se (re)mettre à l'~ ; dur à l'~*
> *l'ouvrage de* qqn
> *après l'ouvrage*
> *se reposer de l'ouvrage*
> *c'est pas l'ouvrage qui manque*

b) *de l'ouvrage* « du travail » :

> *(y) avoir de l'~ ; avoir trop d'~ ; demander de l'~ ; donner de l'~ à ; faire de l'~ ;*
> *trouver de l'~*
> *une journée d'ouvrage*
> *être sans ouvrage*
> *bien de l'ouvrage*

c) *de la belle ouvrage*

d) *un ouvrage* « un métier » :

> *être dans un ouvrage +* adj. : *être dans un ~ propre*
> *être dans des ouvrages qui...*
> *faire un ouvrage ; faire bien des sortes d'ouvrages*
> *un ouvrage de +* nom de métier : *mon ~ de maçon*

FIGURE 8

a) *du monde, beaucoup de monde* sujet :

/./ du monde tranquille comme nous autres /./ se laisse monter la tête
avec la même histoire /./ (ROY Bon 3 : 48)

Et j'ai vu du beau, mes amis, comme pas beaucoup de monde a vu du beau. (4 : 59)

b) *le monde* :

/./ il continue à placoter au restaurant d'en face plutôt que de se
tenir prêt à servir le monde /./ (5 : 71) + (10 : 127), (10 : 128), (12 : 152),
(12 : 156), (20 : 243), (27 : 310)

c) *ce monde* :

Et les autres ? Pitou ? – Sais pas. Ça trotte trop vite pour moi, ce
monde-là. (27 : 307)

d) *gros de monde* :

/./ les trottoirs sont pas larges dans Saint-Henri et il y passe gros de
monde /./ (8 : 106) + (12 : 149)

e) *du monde* + adj. / part. :

/./ v'là longtemps, Ti-phonse, que t'as pas vu du monde si ben habillé,
si ben nourri /./ (27 : 312)

As-tu déjà vu ça, toi, Lacasse, fit-il, du bon monde comme ma Nita. Ça
devient haïssable à force d'être bon. (12 : 149) + (20 : 244)

Du pauvre monde en peine... (24 : 278)

C'est-y une maison où il y a eu du monde heureux ? (24 : 282)

f) *monde* sujet + verbe au pluriel :

S'ils sont tranquilles, ce monde-là, c'est à cause de nous autres. (20 : 246)

Mon vieux, y a du monde qui sont parés à payer des mille piasses pour
avoir leur villa et leur petite visite du dimanche su le fleuve. (27 : 309)

Figure 9

la longue chevelure blonde flottant dans le vent (BEAUL Hér VI: 1: 348)
sa longue chevelure blonde que fait flotter le vent (V: 1: 297)
la prodigieuse chevelure blonde de Miriam (I: 1: 21)
la prodigieuse chevelure blonde (I: 1: 22)
la masse blonde des cheveux de Miriam flottant au vent (III: 2: 202)
la masse blonde de ses cheveux flottant au vent (II: 1: 84)
la masse blonde de ses cheveux flottant au vent (II: 3: 142)
la masse blonde de ses cheveux flottant au vent (III: 2: 217)
la masse blonde de ses cheveux flottant dans le vent (VII: 2: 471)
la masse blonde de ses cheveux (VI: 3: 384)
la masse blonde de ses cheveux (VII: 1: 441)
la masse blonde de ses cheveux lui flottant dans le cou (VI: 3: 386)
la masse blonde de sa chevelure flottant dans le vent (VI: 3: 385)
la masse blonde de la chevelure de Miriam (VII: 1: 433)
la blonde chevelure de Miriam flottant dans le vent (V: 2: 325)
la blonde chevelure de Miriam flotte dans le vent (VI: 1: 352)
la blonde chevelure de Miriam flottant au vent (VII: 1: 437)
sa blonde chevelure flottant dans le vent (V: 2: 317)
sa blonde chevelure (VI: 3: 382)

Bibliographie

DFP = *Dictionnaire du français plus à l'usage des francophones d'Amérique* (1988), Montréal, Centre éducatif et culturel inc., XXIV + 1 856 p.

VP = Poirier, Claude (dir.) (1985), *Dictionnaire du français québécois. Volume de présentation*, Québec, PUL, XLI + 169 p.

Ouvrages de référence sur la culture francophone en Amérique du Nord

La bibliographie qui suit, préparée par l'équipe du Trésor de la langue française au Québec (TLFQ) avec la collaboration de chercheurs représentant diverses disciplines, vise à regrouper en quelques pages les principaux ouvrages de référence disponibles sur la culture francophone en Amérique du Nord afin de guider les premières recherches dans ce domaine et d'attirer l'attention sur les dictionnaires et recueils dont on peut tirer parti dans l'enseignement; on n'y trouvera donc pas les monographies et les études spécialisées. Elle porte essentiellement sur les aspects linguistiques, littéraires, artistiques, géographiques et historiques[1].

Langue

Dictionnaires et glossaires

Beauchemin, Normand (1982), *Dictionnaire d'expressions figurées en français parlé du Québec. Les 700 « québécoiseries » les plus usuelles*, Université de Sherbrooke, 153 p. (Recherches sociolinguistiques dans la région de Sherbrooke, document de travail, 18).

Boudreau, Éphrem (1988), *Glossaire du vieux parler acadien. Mots et expressions recueillis à Rivière-Bourgeois (Cap-Breton)*, Montréal, Éditions du Fleuve (coll. Acadie), 248 p.

---

1. L'éditeur tient à remercier de façon particulière Édith Lessard, documentaliste au TLFQ, qui a joué un rôle clé dans l'établissement de cette bibliographie.

Brasseur, Patrice, et Jean-Paul Chauveau (1990), *Dictionnaire des régionalismes de Saint-Pierre et Miquelon*, Tübingen, Max Niemeyer Verlag (coll. Canadiana Romanica, 5), V + 745 p. + app.

Breton, Rita (1990), *Le petit Breton. Dictionnaire scolaire*, Montréal, HRW, XII + 1 763 p. + 66 p. de pl.

Clas, André, et Émile Seutin (1989), *J'parle en tarmes. Dictionnaire de locutions et d'expressions figurées au Québec*, Montréal, Sodilis, VI + 245 p.

Corbeil, Jean-Claude, et Ariane Archambault (1992), *Le visuel : dictionnaire thématique, français-anglais*, Montréal, Québec / Amérique, XXX + 896 p.

Daigle, Jules O. (1984), *A Dictionary of the Cajun Language*, Ann Arbor (Michigan), Edwards Brothers Inc., XXXVII + 429 p. + 165 p.

Darbelnet, Jean (1986), *Dictionnaire des particularités de l'usage*, Sillery (Québec), PUQ, 215 p.

DesRuisseaux, Pierre (1990) [1979], *Dictionnaire des expressions québécoises*, nouv. éd. révisée et augmentée, [Montréal], Bibliothèque québécoise, 446 p.

DesRuisseaux, Pierre (1991) [1974], *Dictionnaire des proverbes québécois*, nouv. éd. revue, corrigée et augmentée, Montréal, L'Hexagone (coll. Typo, 57. Dictionnaire), 287 p.

Dictionnaire CEC intermédiaire (1992), Anjou (Québec), Centre éducatif et culturel inc., XII + 2 049 p.

Dictionnaire CEC jeunesse (1992) [1982], 3e éd. revue et mise à jour, par Raymonde Abenaim, Jean-Claude Boulanger *et al.*, Anjou (Québec), Centre éducatif et culturel inc., 1 287 p. [Adaptation nord-américaine du *Dictionnaire Hachette juniors*, Librairie Hachette, 1980 ; comprend un index historique et géographique].

Dictionnaire du français plus à l'usage des francophones d'Amérique (1988), éd. établie sous la responsabilité de A.E. Shiaty, avec la collaboration de Pierre Auger et de Normand Beauchemin. Rédacteur principal : Claude Poirier, avec le concours de Louis Mercier et de Claude Verreault, Montréal, Centre éducatif et culturel inc., XXIV + 1 856 p. + 5 pl. hors texte.

Dictionnaire du français québécois. Description et histoire des régionalismes en usage au Québec depuis l'époque de la Nouvelle-France jusqu'à nos jours incluant un aperçu de leur extension dans les provinces canadiennes limitrophes. Volume de présentation (1985), Claude Poirier (dir.), Sainte-Foy (Québec), PUL, XLI + 169 p.

Dictionnaire québécois d'aujourd'hui : langue française, histoire, géographie, culture générale (1992), réd. dirigée par Jean-Claude Boulanger [et] supervisée par Alain Rey, Saint-Laurent (Québec), DicoRobert inc., XXV + 1 269 p. + app.

Dugas, André, et Bernard Soucy, avec la collaboration de Robert Gervais (1991), *Le dictionnaire pratique des expressions québécoises. Le français vert et bleu*, Montréal, Logiques, XIX + 299 p.

Dugas, Jean-Yves (1987), *Répertoire des gentilés du Québec*, Gouvernement du Québec, Commission de toponymie (coll. Études et recherches toponymiques, 12), XIII + 258 p.

Dulong, Gaston (1989), *Dictionnaire des canadianismes*, [Boucherville (Québec)], Larousse, XVI + 461 p.

Gaborieau, Antoine (1985), *À l'écoute des Franco-Manitobains*, Saint-Boniface (Manitoba), Les Éditions des Plaines, [XIV] + 146 p.

Griolet, Patrick (1986), *Mots de Louisiane. Étude lexicale d'une francophonie*, Paris, L'Harmattan Diffusion, 198 p.

Larousse. Dictionnaire maxi-débutants (1989), sous la coordination éditoriale de Denis Vaugeois, éd. canadienne, [Paris], Librairie Larousse, 933 p.

Martin, Jennifer, et Ed Martin (1988), *Speaking Louisiana. (A Cajun Dictionary)*, Baton Rouge (Louisiana), Louisiana Gifts and Gallery, [VI] + 33 p.

Pic-mots. Dictionnaire orthographique de la communication pour les débutants (1987), par Robert R. Préfontaine et Marie-Antoinette Delolme, Boucherville (Québec), Graficor, [VIII] + 311 p. [Ouvrage conçu pour les jeunes francophones d'Amérique du Nord].

Poirier, Pascal, *Glossaire acadien*, t. 1, Nouveau-Brunswick, Université Saint-Joseph, 1953 ; t. 2-5, Université de Moncton, Centre d'études acadiennes, 1977, 466 p. [Une édition critique établie par Pierre M. Gérin vient d'être publiée par le Centre d'études acadiennes, sous le titre *Le glossaire acadien*, Moncton, Les Éditions d'Acadie, 1994, LXIII + 443 p.].

Proteau, Lorenzo (1991), *Le français populaire au Québec et au Canada : 350 ans d'histoire*, Boucherville (Québec), Les Publications Proteau, XXII + 1 116 p. + app.

Robinson, Sinclair, et Donald Smith (1991), *NTC's Dictionary of Canadian French*, Lincolnwood (Illinois), National Textbook Company, XII + 292 p.

Villers, Marie-Éva de (1992) [1988], *Multidictionnaire des difficultés de la langue française*, nouv. éd. mise à jour et enrichie, Montréal, Québec / Amérique (coll. Langue et culture), XXI + 1 325 p.

Autres ouvrages de référence

Dulong, Gaston, et Gaston Bergeron (1980), *Le parler populaire du Québec et de ses régions voisines. Atlas linguistique de l'est du Canada*, Gouvernement du Québec, Ministère des Communications en coproduction avec l'Office de la langue française, 10 vol.

Langue et identité. Le français et les francophones d'Amérique du Nord (1990), textes et points de vue présentés par Noël Corbett, Québec, PUL, XXXIII + 398 p.

Lavoie, Thomas, Gaston Bergeron et Michelle Côté (1985), *Les parlers français de Charlevoix, du Saguenay, du Lac-Saint-Jean et de la Côte-Nord*, Gouvernement du Québec, Office de la langue française, 5 vol.

Massignon, Geneviève ([1962]), *Les parlers français d'Acadie. Enquête linguistique*, Paris, Librairie Klincksieck, 2 vol., 980 p.

Maury, Nicole, et Jules Tessier (1991), *À l'écoute des francophones d'Amérique*, Montréal, Centre éducatif et culturel inc., 403 p.

Répertoire des avis linguistiques et terminologiques (1990) [1982], 3ᵉ éd. revue et augmentée, Gouvernement du Québec, Office de la langue française, 251 p. [Ce répertoire contient les avis parus à la *Gazette officielle du Québec* depuis le 26 mai 1979 jusqu'au 16 septembre 1989].

Littérature, arts et folklore

Dictionnaires d'œuvres et d'auteurs

CEAD (1989), *Théâtre québécois : ses auteurs, ses pièces. Répertoire du Centre d'essai des auteurs dramatiques, édition 1990*, Outremont (Québec), VLB éditeur, XI + 307 p.

D'Amours, Isabelle, et Robert Thérien (1992), *Le dictionnaire de la musique populaire au Québec, 1955-1992*, Québec, Institut québécois de recherche sur la culture, 580 p.

Dictionnaire des œuvres littéraires du Québec, Maurice Lemire (dir.), t. 1, *Des origines à 1900*, avec la collaboration de Jacques Blais, Nive Voisine et Jean Du Berger, 2ᵉ éd., Montréal, Fides, 1980 [1978], LXVI + 918 p. ; t. 2, *1900-1939*, avec la collaboration de Gilles Dorion, André Gaulin et Alonzo Le Blanc, 1980, XCVI + 1 363 p. ; t. 3, *1940-1959*, avec la collaboration de Gilles Dorion, André Gaulin, Alonzo Le Blanc et de Aurélien Boivin, Roger Chamberland, Kenneth Landry et Lucie Robert, 1982, XCIII + 1 252 p. ; t. 4, *1960-1969*, avec la collaboration de Gilles Dorion, André Gaulin et Alonzo Le Blanc et de Aurélien Boivin, Roger Chamberland, Kenneth Landry et Lucie Robert, 1984, LXIII + 1 123 p. ; t. 5, *1970-1975*, avec la collaboration de Aurélien Boivin, Gilles Dorion, André Gaulin, Alonzo Le Blanc et de Roger Chamberland, Marie-Josée Des Rivières, Kenneth Landry, Michel Lord et Lucie Robert, 1987, LXXXVII + 1 133 p. ; t. 6, *1976-1980*, Gilles Dorion (dir.), avec la collaboration de Aurélien Boivin, Roger Chamberland et Gilles Girard, 1994, LIII + 1 087 p.

Fortin, Marcel, Yvan Lamonde et François Ricard (1988), *Guide de la littérature québécoise*, [Montréal], Boréal, 158 p.

Hamel, Réginald, John Hare et Paul Wyczynski (1989), *Dictionnaire des auteurs de langue française en Amérique du Nord*, [Montréal], Fides, XXVI + 1 364 p.

Kallmann, Helmut, Gilles Potvin et Kenneth Winters (1983), *Encyclopédie de la musique au Canada*, Montréal, Fides, XXXI + 1 142 p. [Adaptation française de *Encyclopedia of Music in Canada*].

Karel, David (1992), *Dictionnaire des artistes de langue française en Amérique du Nord : peintres, sculpteurs, dessinateurs, graveurs, photographes et orfèvres*, Québec, Musée du Québec et PUL, LXXX + 962 p.

Le dictionnaire du cinéma québécois (1988), Michel Coulombe et Marcel Jean (dir.), assistés de Louise Carrière *et al.*, Montréal, Boréal, XXV + 530 p.

Legris, Renée, avec la collaboration de Pierre Pagé, Suzanne Allaire-Poirier et Louise Blouin (1981), *Dictionnaire des auteurs du radio-feuilleton québécois*, Montréal, Fides, 200 p.

Anthologies, bibliographies et histoire littéraire

Anthologie de la littérature franco-américaine de la Nouvelle-Angleterre (1980-1981), par Richard Santerre, Bedford (N.H.), National Materials Development Center for French, 9 t. [Comprend une notice biographique sur les auteurs et, au besoin, quelques explications sur les textes].

Anthologie de la poésie franco-américaine de la Nouvelle-Angleterre (1976), par Paul P. Chassé, The Rhode Island Bicentennial Commission, VIII + 291 p.

Anthologie de la poésie franco-manitobaine (1990), par J.R. Léveillé, Saint-Boniface (Manitoba), Les Éditions du Blé, 591 p., ill.

Anthologie de la poésie franco-ontarienne des origines à nos jours (1991), [par] René Dionne, Sudbury (Ontario), Prise de parole, 223 p.

Bessette, Émile, Réginald Hamel et Laurent Mailhot (1982), *Répertoire pratique de littérature et de culture québécoises*, Montréal, Éditions Fédération internationale des professeurs de français, 64 p.

Boismenu, Gérard, Laurent Mailhot et Jacques Rouillard (1986) [1980], *Le Québec en textes. Anthologie 1940-1986*, 2ᵉ éd., Montréal, Boréal, 622 p.

Dionne, René, et Pierre Cantin, *Bibliographie de la critique de la littérature québécoise et canadienne-française dans les revues canadiennes*, vol. 1, *1974-1978*, Ottawa, Les Presses de l'Université d'Ottawa, 1988, [IX] + 480 p. ; vol. 2, *1979-1982*, 1991, [VII] + 493 p. ; vol. 3, *1760-1899*, 1992, [VII] + 308 p.

Écriture franco-ontarienne d'aujourd'hui (1989), Hédi Bouraoui et Jacques Flamand (dir.), Ottawa, Les Éditions du Vermillon (coll. Les Cahiers du Vermillon, 2), 440 p. [Comprend une notice biographique sur chaque auteur].

Francophonie nord-américaine. Bibliographie sélective (1991), compilée par la Banque internationale d'information sur les États francophones, Québec, Secrétariat permanent des peuples francophones, 192 p.

Gauvin, Lise, et Gaston Miron (1989), *Écrivains contemporains du Québec depuis 1950*, Paris, Seghers, 579 p.

Laforte, Conrad, *Le catalogue de la chanson folklorique française*, vol. 1, *Chansons en laisse*, nouv. éd. augmentée et entièrement refondue, Québec, PUL, (1977) [1958], CXI + 561 p. ; vol. II, *Chansons strophiques*, 1981,

XIV + 841 p.; vol. III, *Chansons en forme de dialogue*, 1982, XV + 144 p.; vol. IV, *Chansons énumératives*, 1979, XIV + 295 p. + 33 p.; vol. V, *Chansons brèves (Les enfantines)*, 1987, XXX + 1 017 p.; vol. VI, *Chansons sur des timbres*, 1983, XVII + 649 p. + cartes géographiques. (Coll. Les Archives de folklore, 18 à 23).

La poésie acadienne: 1948-1988 (1988), par Gérald Leblanc et Claude Beausoleil, [Trois-Rivières et Pantin (France)], Écrits des Forges et Le Castor astral, 126 p.

La poésie québécoise contemporaine (1987), anthologie présentée par Jean Royer, Montréal et Paris, L'Hexagone et La Découverte (coll. Anthologies), 255 p.

Le Québec en poésie (1987), présenté par Jean Royer, [Paris et Saint-Laurent (Québec)], Gallimard et Lacombe (coll. Folio junior en poésie), 142 p., ill. [Comprend une notice biographique sur chaque auteur, p. 130-137].

Les autres littératures d'expression française en Amérique du Nord (1987), Jules Tessier et Pierre-Louis Vaillancourt (dir.), [Ottawa], Éditions de l'Université d'Ottawa (coll. Cahiers du Centre de recherche en civilisation canadienne-française, 24), 164 p.

Les Francos de la Nouvelle-Angleterre. Anthologie franco-américaine, XIXᵉ et XXᵉ siècle (1981), introductions, choix des textes et commentaires de François Roche, Le Creusot (France), LARC et Centre d'action culturelle, 220 p., ill. [Comprend quelques notes biographiques sur les auteurs ou des explications sur les textes qui sont regroupés par thèmes].

Les textes poétiques du Canada français, 1606-1867, par Jeanne d'Arc Lortie, Yolande Grisé *et al.*, vol. I, *1606-1806*, Montréal, Fides, 1987, LXVII + 613 p.; vol. II, *1806-1826*, 1989, LXXIII + 739 p.; vol. III, *1827-1837*, 1990, LIX + 743 p.; vol. IV, *1838-1849*, 1991, LXXVI + 1 047 p.; vol. V, *1850-1855*, 1992, LIII + 781 p.; vol. VI, *1856-1858*, 1993, LXII + 791 p. [L'ouvrage complet comprendra 12 vol. Les vol. 1 et 2 contiennent en appendice une liste qui regroupe des mots expliqués dans les notes: allusions à des personnages, à des événements et à des lieux, archaïsmes d'orthographe, de vocabulaire ou de syntaxe].

Mailhot, Laurent, et Pierre Nepveu (1986) [1981], *La poésie québécoise des origines à nos jours*, nouv. éd., Montréal, L'Hexagone (coll. Typo 7. Poésie), VIII + 642 p.

Mailhot, Laurent, avec la collaboration de Benoît Melançon (1984), *Essais québécois 1837-1983. Anthologie littéraire*, Ville LaSalle (Québec), Hurtubise HMH (Cahiers du Québec, 79 ; coll. Textes et documents littéraires), [XIV] + 658 p.

Maillet, Marguerite (1983), *Histoire de la littérature acadienne. De rêve en rêve*, Moncton (Nouveau-Brunswick), Les Éditions d'Acadie, 262 p. [Comprend un tableau chronologique de faits marquants et une bibliographie élaborée].

Maillet, Marguerite, Gérard Leblanc et Bernard Émont (1979), *Anthologie de textes littéraires acadiens*, Moncton (Nouveau-Brunswick), Les Éditions d'Acadie, 643 p., ill. [Comprend des explications sur les textes et des notes en bas de page sur le sens de certains mots].

Poésie acadienne contemporaine = Acadian Poetry Now (1985), conception [et] coordination : Rose Després [et] Henri-Dominique Paratte, Moncton (Nouveau-Brunswick), Perce-Neige, 235 p.

Poètes du Québec (1982), [par] Jacques Cotnam, Montréal, Fides (coll. Bibliothèque québécoise), 251 p.

Rêves inachevés. Anthologie de poésie acadienne contemporaine (1990), Fred Cogswell et Jo-Ann Elder (dir.), avec une introd. de Raoul Boudreau, Moncton (Nouveau-Brunswick), Les Éditions d'Acadie, 214 p. [Comprend une notice biographique sur chaque auteur].

Royer, Jean (1989), *Introduction à la poésie québécoise. Les poètes et les œuvres des origines à nos jours*, [Montréal], Bibliothèque québécoise inc., 295 p.

Histoire et géographie

Dictionnaires et atlas

Arseneault, Samuel P., *et al.* (1976), *Atlas de l'Acadie. Petit atlas des francophones des Maritimes*, [Moncton (Nouveau-Brunswick)], Les Éditions d'Acadie, 31 pl. + annexes.

Atlas de la francophonie. Le monde francophone (1989), réalisé par le Groupe de recherche en géolinguistique (le Centre international de recherche sur le bilinguisme et le Département de géographie de l'Université Laval),

Sainte-Foy (Québec) et Paris, Les Publications du Québec, La Liberté et Éditions Frison-Roche, IX + 14 p. + 1 pl. murale et un jeu de volets dépliants.

Atlas des francophones de l'Ouest (1979), Winnipeg, Hignell Printing, 124 p.

Atlas historique du Canada, vol. 1, *Des origines à 1800*, R. Cole Harris (dir.), Montréal, PUM, 1987, [XII] + VI + 198 p.; vol. 2, *La transformation du territoire, 1800-1891*, R. Louis Gentilcore (dir.), 1993, [XXII] + 186 p.; vol. 3, *Jusqu'au cœur du XXᵉ siècle, 1891-1961*, Donald Keer et Deryck W. Holdsworth (dir.), 1990, [XXII] + 199 p.

Cournoyer, Jean (1993), *Le petit Jean. Dictionnaire des noms propres du Québec*, [Montréal], Stanké, 952 p.

Dictionnaire biographique du Canada, vol. 1, *de l'an 1000 à 1700*, Québec, PUL, 1966, XXV + 774 p.; vol. 2, *de 1701 à 1740*, 1969, XLI + 791 p.; vol. 3, *de 1741 à 1770*, 1974, XLV + 842 p.; vol. 4, *de 1771 à 1800*, 1980, LXIII + 980 p.; vol. 5, *de 1801 à 1820*, 1983, XXX + 1 136 p.; vol. 6, *de 1821 à 1835*, 1987, XXX + 1 047 p.; vol. 7, *de 1836 à 1850*, 1988, XXXIII + 1 166 p.; vol. 8, *de 1851 à 1860*, 1985, XLV + 1 243 p.; vol. 9, *de 1861 à 1870*, 1977, XIII + 1 057 p.; vol. 10, *de 1871 à 1880*, 1972, XXXII + 894 p.; vol. 11, *de 1881 à 1890*, 1982, XX + 1 192 p.; vol. 12, *de 1891 à 1900*, 1990, XXX + 1 403 p.; vol. 13, *de 1901 à 1910*, 1994, XXI + 1 396 p. *Index onomastique: volumes I à XII de l'an 1000 à 1900*, 1991, VII + 568 p.

Dufresne, Charles, *et al.* (1988), *Dictionnaire de l'Amérique française. Francophonie nord-américaine hors Québec*, Ottawa, Les Presses de l'Université d'Ottawa, [IV] + 386 p.

Jetté, René, avec la collaboration du Programme de recherche en démographie historique de l'Université de Montréal (1983), *Dictionnaire généalogique des familles du Québec des origines à 1730*, Montréal, PUM, XXVIII + 1 177 p.

L'encyclopédie du Canada (1987), Montréal, Stanké, 3 vol., XXXI + 2 153 p. [Adaptation française de *The Canadian Encyclopedia* publié chez Hurtig Publishers Ltd. en 1985].

Vallières, Gaétan, et Marcien Villemure (1981), *Atlas de l'Ontario français*, Montréal, Études vivantes (coll. L'Ontario français), IV + 67 p.

Veyron, Michel (1989), *Dictionnaire canadien des noms propres*, [Boucherville (Québec)], Larousse Canada, v + 757 p. + 64 p. de pl.

Autres ouvrages de référence

A Franco-American Bibliography. New England (1979), compilé par Pierre Anctil, Bedford (N.H.), National Materials Development Center, IX + 137 p., ill. + 1 carte géographique. [L'ouvrage «contient les écrits les plus marquants, les textes originaux de l'histoire franco-américaine d'une part; et les principaux commentaires, études et analyses qu'ils ont suscités»].

Aubin, Paul, *et al.*, *Bibliographie de l'histoire du Québec et du Canada, 1966-1975*, Québec, Institut québécois de recherche sur la culture, 1981, 2 vol., XXIII + 1 430 p.; *Bibliographie de l'histoire du Québec et du Canada = Bibliography of the History of Quebec and Canada, 1976-1980*, 1985, 2 vol., LXI + 1 316 p.; *1946-1965*, 1987, 2 vol., LXXVII + 1 396 p.; *1981-1985*, 1990, 2 vol., C + 2 073 p.

Beaulieu, André, et Jean Hamelin, *La presse québécoise des origines à nos jours*, t. 1, *1764-1859*, Québec, PUL, 1973, XI + 268 p.; t. 2, *1860-1879*, 1975, XV + 350 p.; t. 3, *1880-1895*, avec la collaboration de J. Saint-Pierre et J. Boucher, 1977, XV + 421 p.; t. 4, *1896-1910*, 1979, XV + 417 p.; t. 5, *1911-1919*, 1982, XV + 348 p.; t. 6, *1920-1934*, avec la collaboration de D. Caron, J. Boucher, J. Saint-Pierre et G. Laurence, 1984, XV + 379 p.; t. 7, *1935-1944*, 1985, XVII + 374 p.; t. 8, *1945-1954*, avec la collaboration de J. Boucher, J. Saint-Pierre et G. Laurence, 1987, XVIII + 368 p.; t. 9, *1955-1963*, avec la collaboration de J. Boucher, J. Dufresne, V. Jamet, G. Laurence et J. Saint-Pierre, 1989, XX + 427 p.; t. 10, *1964-1975*, avec la collaboration de J. Boucher, J. Dufresne, V. Jamet, G. Laurence et J. Le Vallée Laflamme, 1990, XX + 509 p.; *Index cumulatifs (tomes I à VII) (1764-1944)*, 1987, XXIII + 504 p.

Centre d'études acadiennes (1975-1977), *Inventaire général des sources documentaires sur les Acadiens*, Moncton (Nouveau-Brunswick), Les Éditions d'Acadie, 3 vol. [Contient un index des auteurs et des sujets. Comprend une liste des volumes, brochures, thèses et articles de périodiques concernant l'Acadie et les Acadiens des débuts à 1976].

Guide du chercheur en histoire canadienne (1986), conception et coordination de Jean Hamelin, Québec, PUL, XXXII + 808 p.

Les Acadiens des Maritimes : études thématiques (1980), Jean Daigle (dir.), Moncton (Nouveau-Brunswick), Centre d'études acadiennes, 691 p.

Répertoire toponymique du Québec 1987 (1987), Gouvernement du Québec, Commission de toponymie, xxvii + 1 900 p. + 1 carte hors texte.

Répertoire toponymique du Québec 1987. Supplément refondu 1989 (1990), Gouvernement du Québec, Commission de toponymie, xxiii + 134 p. + 1 carte hors texte.

Textes de l'exode. Recueil de textes sur l'émigration des Québécois aux États-Unis (XIXᵉ et XXᵉ siècles) (1987), textes réunis et présentés par Maurice Poteet, Montréal, Guérin (coll. Francophonie), 505 p.

Guides culturels

Guide culturel du Québec (1982), Lise Gauvin et Laurent Mailhot (dir.), avec la collaboration de Jean-François Chassay *et al.*, Montréal, Boréal Express, 533 p.

Tétu de Labsade, Françoise (1990), *Le Québec : un pays, une culture*, [Montréal], Boréal, 458 p.

Table des matières

● Cap-Saint-Ignace
● Sainte-Marie (Beauce)
Québec, Canada
1996

«L'IMPRIMEUR»